Icoon

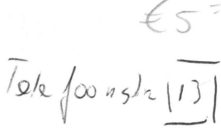

€5

Telefoonsdz ⎡13⎤

06 - 15731117

050 - 4029214
40g

Frederick Forsyth

Icoon

A.W. Bruna Uitgevers B.V., Utrecht

Oorspronkelijke titel
Icon
© Transworld Publishers Ltd, London 1996
This edition is published by arrangement with Transworld
Publishers Ltd, 61-63 Uxbridge Road, London W5 5SA
Vertaling
Jan Smit
© 1996 A.W. Bruna Uitgevers B.V., Utrecht
Illustratie omslag
Marianne Vonkeman; detail Christus-icoon

ISBN 90 229 8306 4
NUGI 331

Voor Sandy

Lijst van personen

In het hele boek

Jason Monk — Voormalig agent van de Central Intelligence Agency

Sir Nigel Irvine — Voormalig hoofd van de Britse Secret Intelligence Service

Igor V. Komarov — Leider van de ultra-rechtse Russische Unie van Patriottische Krachten, de UPK

Kol. Anatoli V. Grishin — Ex-KGB, Hoofd veiligheidsdienst van de UPK

Ivan Markov — Waarnemend president na juli 1999

Umar Gunayev — KGB-officier in Oman, later mafialeider in Moskou

In deel 1:

De Russen

Gennady Zjoeganov — Leider van de neo-communistische partij in Rusland

Josef Cherkassov — President van Rusland tot juli 1999

Boris Kuznetsov — Hoofd propaganda van de UPK

Leonid Zaitsev — Schoonmaker op het partijbureau van de UPK

Nikita Akopov — Privé-secretaris van Igor Komarov

Nikolai I. Turkin — KGB-officier, gerekruteerd door Jason Monk

Kol. Stanislav Androsov — Rezident KGB op de Sovjet-ambassade in Washington

Oleg Gordievsky — KGB-kolonel, in 1985 gerekruteerd door de Britse SIS

Vadim Chernov — Hoofdinspecteur afdeling Inbraak, Moskou

Mikhail Gorbatsjov — President van de Sovjetunie 1985-1991

Gen. Viktor Chebrikov — Voorzitter van de KGB in 1985

Gen. Vladimir Kryuchkov — Hoofd van het Eerste Hoofddirectoraat van de KGB in 1985

Gen. Vitali Boyarov — Hoofd van het Tweede Hoofddirectoraat van de KGB in 1985

Pyotr Solomin — GRU-officier, gerekruteerd door Jason Monk

Prof. Georgi Kuzmin	Patholoog te Moskou
Pavel Volsky	Inspecteur bij de recherche van de Moskouse militia
Yevgeni Novikov	Inspecteur bij de recherche van de Moskouse militia
Kol. V. Mechulayev	KGB-officier, contactman van Aldrich Ames in Rome en daarna
Valeri Kruglov	Sovjet-diplomaat, gerekruteerd door Jason Monk
Vasili Lopatin	Inspecteur bij de recherche van de Moskouse militia
Prof. Ivan Blinov	Kernfysicus, gerekruteerd door Jason Monk

De Engelsen

Celia Stone	Assistent-voorlichter op de Britse ambassade in Moskou
Hugo Gray	SIS-officier op de Britse ambassade in Moskou
Jock Macdonald	Bureauchef van de SIS op de Britse ambassade in Moskou
Bruce 'Gracie' Fields	SIS-officier op de Britse ambassade in Moskou
Jeffrey Marchbanks	Hoofd van de Russische divisie van de SIS in Londen
Sir Henry Coombs	Hoofd van de SIS in Londen
Lady Margaret Thatcher	Brits premier in 1985
Brian Worthing	Hoofdredacteur van *The Daily Telegraph* in Londen
Mark Jefferson	Politiek redacteur van *The Daily Telegraph* in Londen
Lady Penelope Irvine	Echtgenote van Sir Nigel Irvine
Ciaran	Ex-soldaat van de Special Forces
Mitch	Ex-soldaat van de Special Forces
Sir William Palmer	Permanent onderminister van Buitenlandse Zaken

De Amerikanen

Carey Jordan	Voormalig adjunct-directeur Operaties van de CIA
Aldrich Ames	Voormalig CIA-officier en verrader
Ken Mulgrew	Voormalig CIA-administrateur en vriend van Ames
Harry Gaunt	Voormalig hoofd van de SE-divisie, CIA
Saul Nathanson	Financier uit Washington en Wyoming

In deel 2:

Alexei II	Patriarch van Moskou en alle Russen
Pater Maxim Klimovsky	Persoonlijke bediende van de patriarch
Dmitri Borodin	Rechercheur afdeling Moordzaken bij de Moskouse militia
Brian Vincent (Marks)	Ex-soldaat van de Special Forces
Gen. Nikolai Nikolayev	Gepensioneerd generaal van de Russische pantsertroepen
Dr. Lancelot Probyn	Genealoog van het College of Arms in Londen
Pater Gregor Rusakov	Rondtrekkend evangelistisch predikant
Aslan, Magomed, Sharif	Tsjetsjeense gangsters en lijfwachten
Gen. Yuri Drozdov	Voormalig spionagechef van de KGB
Leonid Bernstein	Voorzitter van de Moskovsky Federale Bank
Anton Gurov	Chef commerciële televisie Moskou
Gen. Valentin Petrovsky	Hoofd afdeling Georganiseerde Misdaad van de Moskouse militia
Gen.-maj. M. Andreyev	Commandant van de Tamanskaya Divisie
Gen. Vyacheslav Butov	Onderminister van Defensie, Moskou
Gen. Sergei Korin	Commandant van de Presidentiële Garde van het Kremlin

Deel 1

1

Het was de zomer dat de prijs van een klein brood boven één miljoen roebel uitkwam.

Het was de zomer dat de oogsten voor het derde achtereenvolgende jaar mislukten en de inflatie voor het tweede achtereenvolgende jaar de pan uitrees.

Het was de zomer dat in de achterbuurten van afgelegen provinciestadjes de eerste Russen aan ondervoeding begonnen te sterven.

Het was de zomer dat de president in zijn limousine in elkaar zakte, verstoken van medische hulp, en een oude schoonmaker op kantoor een document achterover drukte.

Daarna zou het nooit meer hetzelfde worden.

Het was de zomer van 1999.

Het was een warme middag, heet en benauwd. Pas na een paar korte stoten op de claxon kwam de wachtpost uit zijn hokje naar buiten om de zware houten deuren van het kabinetsgebouw te openen.

De presidentiële lijfwacht draaide zijn raampje omlaag en riep naar de man dat hij moest opschieten terwijl de lange, zwarte Mercedes 600 onder de boog door naar het Staraya Ploshchad reed. De arme wachtpost salueerde onbeholpen toen de tweede auto, een Russische Chaika met nog vier lijfwachten, de limousine volgde. Even later waren ze verdwenen.

Achter in de Mercedes zat president Cherkassov in zijn eentje, verzonken in gepeins. Voorin zaten zijn militaire chauffeur en de persoonlijke lijfwacht die hij van de Alpha Groep had gekregen.

Terwijl de laatste, troosteloze buitenwijken van Moskou plaatsmaakten voor de velden en bossen van het omringende platteland, staarde de Russische president somber voor zich uit. Voor die somberheid had hij alle reden. Hij was nu drie jaar president, nadat hij de ziekelijke Boris Jeltsin was opgevolgd, en het waren de drie ellendigste jaren van zijn leven geweest, waarin hij zijn land steeds dieper in het moeras had zien zakken.

In de winter van 1995, toen hij nog premier was, benoemd door Jeltsin zelf als technocraat om de economie weer op orde te brengen, was het Russische volk naar de stembus gegaan om een nieuwe *doema*, een nieuw parlement, te kiezen.

Die verkiezingen waren belangrijk, maar niet doorslaggevend. De vooraf-

13

gaande jaren was er steeds meer macht van het parlement naar de president overgeheveld, vooral door toedoen van Jeltsin zelf. Vier jaar eerder was de forsgebouwde Siberiër nog op een tank geklommen om de coup van augustus 1991 te verijdelen, waarmee hij zich bij de Russen en bij het Westen populair had gemaakt als voorvechter van de democratie. Daaraan had hij het presidentschap te danken gehad. Maar in de winter van 1995 was Jeltsin nog maar een schaduw van zichzelf – een geknakt man.

Herstellende van een tweede hartaanval binnen drie maanden en pafferig van de medicijnen, had hij de verkiezingen gevolgd vanuit een kliniek in de Mussenheuvels, de voormalige Leninheuvels, ten noordoosten van Moskou. Machteloos had hij moeten toezien hoe zijn politieke protégés door de kiezers naar de derde plaats werden verwezen. Dat was niet zo'n ramp als het in een Westerse democratie had kunnen zijn, omdat Jeltsin er inmiddels voor had gezorgd dat de werkelijke macht grotendeels bij de president berustte. Net als de Verenigde Staten had Rusland een uitvoerend president, maar anders dan in Amerika bestond er geen Congres dat die president nauwgezet kon controleren. In feite kon Jeltsin bij decreet regeren, en dat deed hij ook.

Maar de parlementsverkiezingen toonden wel aan uit welke hoek de wind waaide en vormden een goede graadmeter voor de veel belangrijker presidentsverkiezingen die in juni 1996 zouden volgen.

De nieuwe macht op het politieke terrein in de winter van 1995 was, ironisch genoeg, de communistische partij. Na zeventig jaar communistische onderdrukking, vijf jaar Gorbatsjov met zijn hervormingen, en vijf jaar Jeltsin, had het Russische volk heimwee gekregen naar de oude tijd.

De communisten, onder hun leider Gennady Zjoeganov, schilderden een rooskleurig beeld van hoe het ooit was geweest: gegarandeerde werkgelegenheid, vaste lonen, betaalbare prijzen, orde en gezag. Natuurlijk zeiden ze niets over de KGB, de Goelag-archipel, de strafkampen en de onderdrukking van alle vrijheid van beweging en meningsuiting.

Maar de Russen waren diep teleurgesteld in de twee dingen waarvan ze alle heil hadden verwacht: het kapitalisme en de democratie. Dat laatste woord was bijna een scheldwoord geworden. In de ogen van veel Russen, die de corruptie en de misdaad overal zagen toenemen, was de democratie één grote leugen. Toen de stemmen van de parlementsverkiezingen waren geteld, bleken de crypto-communisten de grootste partij te zijn geworden in de doema, met het recht om de voorzitter te kiezen.

Aan het andere eind van de schaal bevonden zich hun ogenschijnlijke tegenstanders, de neo-fascisten van Vladimir Zjirinovsky, de leider van de zogeheten Liberaal-Democratische Partij. Bij de verkiezingen van 1991 had deze primitieve demagoog met zijn voorkeur voor bizar gedrag en platvloerse grollen, het verrassend goed gedaan, maar nu begon zijn roem te tanen.

14

Toch vormde zijn partij nog de op één na grootste fractie binnen de doema. De middenpartijen die vasthielden aan de economische en sociale hervormingen die ze zelf hadden geïntroduceerd, kwamen pas op de derde plaats.

Maar het werkelijke belang van deze verkiezingen was dat ze de weg vrijmaakten voor de race om het presidentschap in 1996. Aan de verkiezingen voor de doema hadden drieënveertig partijen meegedaan, en de meeste leiders van die partijen beseften dat ze het meest gebaat zouden zijn bij samenwerking.

Nog voor de zomer sloten de crypto-communisten een pact met hun natuurlijke bondgenoten, de Boerenpartij. Samen vormden ze de Socialistische Unie, een goed gekozen naam die twee van de initialen van de oude USSR bevatte. Hun leider bleef Zjoeganov.

Bij extreem rechts bestonden ook plannen voor samenwerking, maar daar voelde Zjirinovsky niets voor. 'Vlad the Mad' dacht dat hij de presidentsverkiezingen wel op eigen houtje zou kunnen winnen.

De Russische presidentsverkiezingen werden gehouden in twee ronden, net als in Frankrijk. Aan de eerste ronde namen alle partijen deel. De kandidaten die op de eerste en tweede plaats eindigden, mochten het in de tweede ronde tegen elkaar opnemen. Een derde plaats in de eerste ronde betekende dus verlies. Zjirinovsky eindigde als derde, tot grote woede van de betere strategen van extreem rechts.

De twaalf partijen van het midden waren min of meer samengegaan in de Democratische Alliantie. In het voorjaar van 1996 was het de grote vraag of Boris Jeltsin fit genoeg zou zijn om namens de Alliantie aan de verkiezingen deel te nemen en te winnen.

Zijn nederlaag zou later door historici in één woord worden samengevat: Tsjetsjenië.

Twaalf maanden eerder had Jeltsin uit pure frustratie de geweldige stootkracht van het Russische leger en de Russische luchtmacht ingezet tegen een kleine, oorlogszuchtige bergstaat, waarvan de leider zich volledig van Moskou wilde afscheiden. De Tsjetsjenen waren altijd al lastig geweest. Hun verzet dateerde nog uit de tijd van de tsaren en nog eerder. Maar op de een of andere manier hadden ze alle pogroms overleefd die opeenvolgende tsaren – en de wreedste tiran van allemaal, Josef Stalin – tegen hen hadden ingesteld. De voortdurende aanslagen op hun kleine bergstaatje, de deportaties en de moordpartijen hadden hun verzet niet kunnen breken.

Het was een impulsieve beslissing geweest om het Russische leger tegen de Tsjetsjenen in te zetten, een beslissing die niet tot een snelle, glorieuze overwinning had geleid, maar tot de volledige verwoesting – voor het oog van de wereld, en in technicolor – van de Tsjetsjeense hoofdstad Grozny en tot een slachting onder de Russische militairen.

Toen hun hoofdstad aan puin was geschoten, trokken de Tsjetsjenen zich, met wapens die ze grotendeels van corrupte Russische generaals hadden gekocht, in de bergen terug. Dat terrein kenden ze als hun broekzak en ze lieten zich niet verdrijven. Hetzelfde Russische leger dat in Afghanistan een even groot debâcle had meegemaakt als de Amerikanen in Vietnam, stond nu voor een tweede fiasco in de ruige heuvels van de Kaukasus.

Als Boris Jeltsin zijn Tsjetsjeense veldtocht had gelanceerd om te bewijzen dat hij een sterke leider was in de aloude Russische traditie, had hij zich schromelijk vergist. Heel 1995 hoopte hij op een overwinning, maar die bleef uit. En de gewone Russen, die hun zonen in lijkzakken uit de Kaukasus zagen terugkomen, richtten zich niet alleen tegen de Tsjetsjenen, maar ook tegen de man die niet in staat was de overwinning af te dwingen.

Na een slopende campagne, die het uiterste van hem vergde, wist Jeltsin met een kleine marge de overwinning te behalen. Maar een jaar later was hij verdwenen. De toorts werd overgenomen door de techocraat Josef Cherkassov, leider van de gematigde Russische Moederlandpartij, die inmiddels deel uitmaakte van de brede Democratische Alliantie.

Cherkassov had geen slechte start als president. Hij kreeg de sympathie van het Westen en – nog belangrijker – beschikte over voldoende kredieten om de Russische economie drijvende te houden. Op advies van het Westen begon hij uiteindelijk aan een vredesoverleg. De Russen waren blij dat de soldaten naar huis kwamen, hoewel ze moeilijk konden verkroppen dat de Tsjetsjenen niet voor hun opstand hoefden te boeten.

Maar binnen achttien maanden ging het fout. Daar waren twee oorzaken voor. In de eerste plaats begon de Russische mafia de economie steeds verder te ondermijnen, en in de tweede plaats stortte Moskou zich in een nieuw, onzinnig militair avontuur. Eind 1997 dreigde Siberië, dat negentig procent van de Russische bodemschatten bezat, zich af te scheiden.

Siberië was het onherbergzaamste deel van Rusland. Maar onder de permafrost bevonden zich reusachtige, nog nauwelijks ontgonnen, olie- en gasvoorraden waarbij zelfs de rijkdommen van Saoedi-Arabië verbleekten. Bovendien waren er diamanten, goud, bauxiet, mangaan, tungsteen, nikkel en platina te vinden. Toch was Siberië aan het einde van de jaren negentig nog altijd een buitengewest.

In Moskou kwamen rapporten binnen dat afgezanten van de Japanse en vooral de Zuidkoreaanse *yakuza* door Siberië reisden om de bevolking tot rebellie aan te zetten. President Cherkassov, slecht geadviseerd door de jaknikkers in zijn omgeving, had blijkbaar geen lering getrokken uit de fouten van zijn voorganger in Tsjetsjenië en stuurde een leger naar het oosten. Toen er na twaalf maanden nog geen militaire oplossing was bereikt, moest hij een akkoord sluiten waarbij hij de Siberiërs meer autonomie en meer controle over hun rijkdommen gaf dan ze ooit hadden gehad.

En dat niet alleen. Door dit militaire avontuur nam de inflatie schrikbarende vormen aan.

De regering wist niets anders te doen dan de bankbiljettenpers te laten draaien. In de zomer van 1999 waren de tijden van vijfduizend roebel voor één dollar – de koers van 1995 – nog slechts een mooie herinnering. De graanoogsten uit de 'zwarte aarde' van de Koeban waren al twee keer mislukt, in 1997 en 1998, en de oogst uit Siberië lag in de voorraadschuren te rotten omdat de partizanen de spoorlijnen hadden opgeblazen. In de grote steden bereikten de broodprijzen een recordhoogte. Cherkassov was in naam nog president, maar veel macht had hij niet meer.

Op het platteland, dat toch minstens in staat moest zijn om in zijn eigen behoeften te voorzien, was de situatie zo mogelijk nog ernstiger. Er was geen geld, geen infrastructuur en niet voldoende mankracht, zodat de boerderijen er verlaten bij lagen en de vruchtbare akkers door onkruid werden overwoekerd. Treinen die bij kleine stations stopten, werden bestormd door boeren, meestal ouderen, die meubels, kleren en prullaria aan de passagiers probeerden te verkopen voor geld of – nog liever – voedsel. Ze hadden weinig succes.

In hun wanhoop trokken de mensen naar de steden. In Moskou, de hoofdstad en de etalage van het land, sliepen de daklozen in steegjes en op de kaden van de Moskva. De politie, die de strijd tegen de misdaad in feite had opgegeven, riep de hulp van het leger in en probeerde al die mensen weer op de trein naar huis te zetten. Maar er kwamen steeds meer vluchtelingen, op zoek naar werk en eten. De meesten zouden als bedelaars omkomen in de straten van Moskou.

In het vroege voorjaar van 1999 was het Westen niet langer bereid om nog meer geld in die bodemloze put te storten en trokken de buitenlandse investeerders – zelfs geldschieters die met de mafia samenwerkten – zich uit Rusland terug. De Russische economie zakte ineen en stierf van wanhoop, als een oorlogsslachtoffer dat te vaak was geslagen en verkracht.

Dat was de sombere situatie waarmee president Cherkassov te maken had toen hij op deze hete zomerdag naar zijn buitenhuis reed.

De chauffeur kende de weg naar de datsja voorbij Usovo, aan de oevers van de Moskva, waar het wat koeler was onder de bomen. De buitenhuizen in de bossen langs de bocht van de rivier waren jaren geleden gebouwd door de corrupte machthebbers van het communistische politburo. Er was veel veranderd in Rusland, maar dat nog niet.

Er was niet veel verkeer, omdat benzine bijna onbetaalbaar was geworden. De schaarse vrachtwagens die ze passeerden braakten grote zwarte rookwolken uit. Na Archangelskoje staken ze de brug over en namen de bochtige weg langs de rivier.

Vijf minuten later kreeg president Cherkassov het opeens benauwd. Hoewel de airco op volle kracht werkte, drukte hij op de knop om het raampje te openen voor wat frisse buitenlucht. Maar de lucht was heet en maakte zijn ademhaling nog moeizamer. De chauffeur en de lijfwacht, die door een ruit van de president waren gescheiden, merkten niets. Rechts naderde de afslag naar Peredelkino. Op het moment dat ze de zijstraat passeerden, zakte de Russische president op de achterbank in elkaar.

Het eerste wat de chauffeur opviel was dat hij het hoofd van de president niet langer in zijn spiegeltje zag. Hij mompelde wat tegen de lijfwacht, die zich omdraaide. Het volgende moment zwenkte de Mercedes naar de berm van de weg.

De Chaika die achter hen reed, stopte ook. Het hoofd van de veiligheidsdienst, een voormalige kolonel van de Spetsnaz, sprong uit de wagen en rende naar de Mercedes toe. Zijn agenten sprintten achter hem aan, met getrokken pistolen, en vormden een beschermend kordon. Ze wisten nog niet wat er was gebeurd.

De lijfwacht had het achterportier van de Mercedes al opengerukt en boog zich naar binnen. De kolonel sleurde hem naar achteren om zelf te kijken. De president lag half op zijn rug, half op zijn zij, met gesloten ogen en twee handen tegen zijn borst gedrukt. Zijn ademhaling ging hortend.

Het dichtstbijzijnde ziekenhuis met een goede intensive care was het Staatshospitaal Nummer Een, kilometers ver weg in de Mussenheuvels. De kolonel stapte achter in de Mercedes, naast de kreunende president, en gaf de chauffeur opdracht om terug te rijden naar de Ringweg. De man gehoorzaamde, doodsbleek. Via zijn mobiele telefoon belde de kolonel het ziekenhuis en vroeg een ambulance hun kant op te sturen.

Een half uur later troffen de twee auto's elkaar midden op de snelweg. De ziekenbroeders brachten de bewusteloze president van de limousine naar de ambulance over en begonnen meteen met de behandeling, terwijl de ziekenwagen naar de kliniek terugreed.

Daar aangekomen werd de president toevertrouwd aan de dienstdoende cardioloog, die hem onmiddellijk naar de intensive care liet brengen. De artsen stelden alles in het werk, met de beste en modernste apparatuur die ze bezaten, maar het was al te laat. Er kwam geen verandering meer in de hoge pieptoon en de rechte lijn op de monitor. Om tien over vier richtte de cardioloog zich op en schudde zijn hoofd. De man met de defribillator stapte bij het bed vandaan.

De kolonel toetste een nummer in op zijn telefoon. Het toestel ging drie keer over voordat er werd opgenomen.

'Geef me het kantoor van de minister-president,' zei de kolonel.

Zes uur later, op het blauwe water van de Caribische Zee, wendde de *Foxy Lady* de steven op weg naar huis. Op het achterdek haalde Julius, de boots- man van het gecharterde jacht, de lijnen in en borg de hengels op. Het was een geslaagde dag geweest.

Terwijl Julius de lijnen en de kleurige plastic visvliegen netjes in de kisten opborg, trok het Amerikaanse echtpaar een paar blikjes bier open en instal- leerde zich tevreden onder de dektent om hun dorst te lessen.

In de visbun lagen twee enorme wahoo's van bijna veertig pond elk, en een stuk of zes grote doraden die zich een paar uur geleden nog verscholen had- den gehouden in een zeewierveld, vijftien kilometer verderop.

De schipper op de brug zette zijn koers uit naar de eilanden en drukte de hendels naar voren om tempo te maken. In minder dan een uur hoopte hij de baai van Turtle Cove binnen te varen.

De *Foxy Lady* scheen te weten dat het werk erop zat en dat de ligplaats in de beschutte haven van de Tiki Hut op haar wachtte. Ze drukte haar staart omlaag, tilde haar neus uit de golven en trok een diepe, witte V door het blauwe water. Julius liet een emmer in de zee zakken en spoelde het achter- dek nog eens schoon.

Toen Zjirinovksy nog leider van de Liberaal-Democraten was, bevond het partijbureau zich in een armoedig gebouw in de Vissteeg, niet ver van de Sretenkastraat in Moskou. Bezoekers die de vreemde gewoonten van 'Vlad the Mad' niet kenden, verbaasden zich over het haveloze onderkomen. Het pleisterwerk viel van de muren, voor de ramen hingen twee vuile posters van de partijleider en de vloeren waren al in tien jaar niet gedweild. Achter de afgetrapte zwarte deur lag een sombere hal met een hokje waar T-shirts met het portret van de demagoog werden verkocht. Aan een paar rekken hingen de verplichte leren jasjes die zijn aanhangers altijd droegen.

Boven aan de kale, vaalbruin geschilderde trap was een overloop met een getralied raampje, waar een norse bewaker de bezoekers vroeg waar ze voor kwamen. Bij een bevredigend antwoord werden ze toegelaten tot de trooste- loze kamer op de eerste verdieping waar Zjirinovsky audiëntie hield als hij in de stad was. Hard rock denderde door het hele gebouw. De excentrieke fascist had bewust voor dit decor gekozen, omdat hij zich als een man van het volk wilde presenteren, en niet als een bevoorrechte bureaucraat. Maar Zjirinovsky had allang het veld geruimd en de Liberaal-Democratische Par- tij was met de andere ultra-rechtse partijen gefuseerd tot de Unie van Patri- ottische Krachten.

De onbetwiste nieuwe leider was Igor Komarov, een heel andere figuur. Maar ook hij vond het verstandig om de arme, ontheemde kiezers op wie zijn partij zich richtte, duidelijk te maken dat de Unie van Patriottische

Krachten zich niet aan overbodige luxe bezondigde. Daarom had hij het partijbureau in de Vissteeg aangehouden, hoewel hij elders nog een privé-kantoor had.

Komarov, van huis uit ingenieur, had wel ònder het communisme gewerkt, maar nooit ervóór. Pas halverwege de periode-Jeltsin had hij besloten in de politiek te gaan. Hij had gekozen voor de Liberaal-Democraten, en hoewel hij een diepe minachting koesterde voor Zjirinovsky met zijn dronkemans-verhalen en seksuele toespelingen, was hij rustig en onopvallend doorge-drongen tot het politburo van de partij. Vanuit die positie, na een reeks geheime ontmoetingen met de leiders van andere fascistische partijen, was het hem gelukt om extreem-rechts te verenigen in de UPK. Toen hij eenmaal voor een voldongen feit werd gesteld, had Zjirinovsky zich schoorvoetend bij de situatie neergelegd en de fout gemaakt om de eerste algemene verga-dering voor te zitten.

Die vergadering nam onmiddellijk een motie aan waarin Zjirinovsky's aftreden werd geëist. Komarov weigerde de leiding op zich te nemen, maar schoof een man naar voren met totaal geen charisma en weinig organisato-risch talent. Een jaar later maakte hij gebruik van de onvrede binnen het politburo om de compromisfiguur te wippen en de macht naar zich toe te trekken. Vladimir Zjirinovsky had inmiddels zijn greep op het grote publiek verloren. Zijn tijd was voorbij.

Binnen twee jaar na de verkiezingen van 1996 begon de neergang van de crypto-communisten. Ze hadden hun aanhang vooral onder Russen van middelbare leeftijd of nog ouder, en het werd steeds moeilijker om fondsen bijeen te brengen. Zonder de steun van grote banken waren de contributie-gelden niet voldoende. En met het geld verdween ook het charisma van de Socialistische Unie.

Tegen 1998 was Komarov de onbetwiste leider van extreem rechts en bevond hij zich in een ideale positie om gebruik te maken van de groeiende wanhoop onder het Russische volk.

Maar naast al die armoede en ellende bestond er in Rusland ook oogverblin-dende rijkdom. Die paar mensen met geld – voornamelijk buitenlandse valuta – waren dan ook stinkend rijk. Ze reden rond in Amerikaanse of Duitse stretch-limo's, want de Zil-fabriek was failliet. Vaak lieten ze zich escorteren door motorrijders die de weg vrij moesten maken, en meestal werden ze gevolgd door een auto met lijfwachten om over hun veiligheid te waken.

Elke avond waren ze te vinden in de lobby van het Bolshoi Theater, of in de bars van het Metropol Hotel en het National Hotel, vergezeld door hoertjes in marter- en nertsjassen, behangen met juwelen en geurend naar Franse parfum. Dit waren de nieuwe machthebbers, rijker dan ooit tevoren.

De parlementsleden in de doema deden niet veel anders dan schreeuwen, met papieren zwaaien en resoluties aannemen. 'Het doet me denken,' zei een Engelse correspondent, 'aan die verhalen over de laatste dagen van de Weimar Republiek.'

De enige die een straaltje hoop leek te bieden was Igor Komarov.

In de twee jaar sinds hij de leiding van de partij had overgenomen had Komarov de meeste waarnemers, zowel binnen als buiten Rusland, op het verkeerde been gezet. In het begin leek hij een sublieme politieke organisator, een onopvallende apparatsjik. Maar hij veranderde al gauw. Dat dachten de waarnemers tenminste. In werkelijkheid had hij zijn talenten bewust verborgen gehouden.

Komarov viel op als een begeesterd spreker. Zodra hij op het podium stond, verbaasde hij iedereen die zich hem herinnerde als een rustige, zacht sprekende, keurig verzorgde ambtenaar. Dan leek hij een gedaanteverandering te ondergaan. Zijn stem werd krachtiger en dieper – een welluidende bariton, die met veel effect gebruik maakte van alle expressie en nuances van de Russische taal. Hij kon zijn stem laten fluisteren, zodat het publiek hem ondanks de microfoons nauwelijks kon verstaan, om dan plotseling over te gaan in een bulderende rede die de menigte tot een staande ovatie bracht.

Al snel beheerste hij het terrein waarop hij een meester was: de levende menigte. Hij meed tv-praatjes bij de haard of zelfs gewone interviews. Die werkten wel in het Westen, maar niet in Rusland, zoals hij goed begreep. Russen hadden niet de neiging om mensen bij zich thuis uit te nodigen – laat staan een hele natie.

Ook had Komarov geen zin om vijandige vragen te beantwoorden. Alle toespraken die hij hield waren van begin tot eind geregisseerd, maar ze hadden het gewenste effect. Hij sprak uitsluitend voor bijeenkomsten van partijleden en de opnamen werden gemaakt door zijn eigen tv-ploeg, onder leiding van de briljante jonge regisseur Litvinov. Daarna werd het beeldmateriaal geredigeerd en gemonteerd voor een nationale uitzending op Komarovs eigen voorwaarden, compleet en onverkort. Hij hield de volledige controle door zelf zendtijd te kopen en zich niet uit te leveren aan de journalistiek.

Zijn thema was altijd hetzelfde en altijd populair: Rusland, Rusland en nog eens Rusland. Hij ging tekeer tegen de buitenlanders die Rusland met hun internationale samenzweringen op de knieën hadden gedwongen. Hij riep op tot de verdrijving van alle 'zwarten', de populaire Russische benaming voor Armeniërs, Georgiërs, Azeri's en andere zuiderlingen, van wie een groot aantal tot de rijkste mafiosi behoorden. Hij eiste gerechtigheid voor het arme, vertrapte Russische volk dat ooit samen met hem zou herrijzen om het roemrijke verleden te laten herleven en het tuig weg te vagen dat nu de straten van het moederland bevuilde.

Hij beloofde alles aan iedereen. De werklozen zouden weer werk krijgen, met een eerlijk loon, eten op tafel en het herstel van hun waardigheid. Wie zijn spaargeld kwijt was, kon weer rekenen op een stabiele munt, die zekerheid gaf voor de oude dag. Wie nog het uniform van het oude moederland droeg, zou trots kunnen meehelpen om de vernederingen uit te wissen die hem waren aangedaan door dat corrupte zootje dat met behulp van buitenlands kapitaal de hoogste baantjes had ingepikt.

En ze hoorden hem. Via radio en televisie, tot in de uithoeken van de steppen. De soldaten van het ooit zo machtige Russische leger hoorden hem, weggedoken in hun tentjes, verdreven uit Afghanistan, Oost-Duitsland, Tsjechoslowakije, Hongarije, Polen, Estland, Letland en Litouwen – al die gebieden die het Russische rijk had moeten opgeven.

De boeren hoorden hem, in hun huisjes en *izbas*, verspreid over dat eindeloze land. De berooide middenklasse hoorde hem, tussen de schaarse meubels die ze nog niet voor eten en wat steenkool hadden verpand. Zelfs de fabrieksdirecteuren hoorden hem en droomden van de tijd dat hun ovens weer zouden loeien. En ze hielden van hem toen hij hun beloofde dat de engel des doods zou rondwaren onder de dieven en moordenaars die hun geliefde moedertje Rusland hadden verkracht.

Op aanraden van zijn pr-adviseur, een bijzonder slimme jongeman die aan een goede Amerikaanse universiteit had gestudeerd, gaf Komarov in het voorjaar van 1999 een paar interviews in besloten kring. De jonge Boris Kuznetsov had de kandidaten goed geselecteerd – voornamelijk Amerikaanse en Westeuropese politici en journalisten uit de conservatieve hoek. Het doel van de bijeenkomst was hun angst weg te nemen.

In die opzet slaagde Komarov uitstekend. De meeste genodigden kwamen met een vooringenomen idee over de man. Ze verwachtten een fanatieke, ultra-rechtse demagoog, die in de media afwisselend werd afgeschilderd als racist, neo-fascist of allebei.

Maar ze ontmoetten een bedachtzame, goed gemanierde man in een onopvallend pak. Omdat Komarov geen Engels sprak, zat zijn pr-man naast hem om het interview te sturen en de vragen en antwoorden te vertalen. Als zijn aanbeden leider iets zei waarvan hij wist dat het in het Westen verkeerd zou vallen, zei Kuznetsov gewoon wat anders, dat beter uitkwam. Dat viel niemand op, want hij had ervoor gezorgd dat er geen mensen bij waren die Russisch spraken.

Als politici van de praktijk, verklaarde Komarov, hebben we allemaal te maken met onze kiezers en kunnen we hen niet voortdurend voor het hoofd stoten als we gekozen willen worden. Daarom zeggen we zo nu en dan weleens iets wat ze graag willen horen, ook al weten we dat het veel moeilijker te verwezenlijken zal zijn dan we beweren.

De senatoren knikten begrijpend.

Komarov legde uit dat de bevolking van de oudere Westerse democratieën beter begreep dat sociale discipline bij het individu begon. Daardoor was er minder discipline van overheidswege nodig. Maar waar elke vorm van zelf-discipline was verdwenen, moest de staat krachtiger optreden dan in het Westen acceptabel zou zijn.

De politici hadden daar alle begrip voor.

Tegenover de conservatieve journalisten merkte hij op dat het herstel van een gezonde munt gewoon niet mogelijk was zonder harde maatregelen tegen de criminaliteit en de corruptie op korte termijn. De journalisten noteerden dat Igor Komarov een man was die naar rede wilde luisteren in economische en politieke kwesties, zoals samenwerking met het Westen. Hij was misschien te rechts naar de opvattingen van een Europese of Amerikaanse democratie, te beangstigend voor Westerse kiezers, maar misschien was hij wel de man die Rusland uit het moeras zou kunnen trekken. Hoe dan ook, het stond bijna vast dat hij de presidentsverkiezingen van juni 2000 zou gaan winnen. Dat bleek uit de opiniepeilingen. Daarom zou het misschien verstandig zijn om hem te steunen.

Op kanselarijen, ambassades, ministeries en in directiekamers kringelde de rook omhoog en werd instemmend geknikt.

In het noorden van het centrum van Moskou, net binnen de Ringweg en halverwege de Kiselny Boulevard, was een zijstraat. Aan de westkant, ongeveer in het midden, lag een parkje van zo'n veertig bij vijftig meter, aan drie kanten omgeven door gebouwen met blinde muren en aan de voorkant afgesloten door een groene stalen schutting van drie meter hoog. Daarboven waren nog juist de toppen van een rij coniferen te zien. In de stalen schutting zat een dubbele deur, ook van staal.

Het kleine park was in feite de tuin van een prachtig herenhuis uit de tijd van vóór de Russische Revolutie. Halverwege de jaren tachtig was het fraai gerestaureerd. Hoewel het interieur functioneel was gehouden, was de klassieke gevel in de oorspronkelijke pastelkleuren geschilderd, met wit pleisterwerk boven de deuren en de ramen. Dit was het werkelijke hoofdkwartier van Igor Komarov.

Iedere bezoeker die zich bij de dubbele deur meldde, werd geregistreerd door de camera boven op de muur en moest zich bekendmaken via een intercom. Hij werd te woord gestaan door een bewaker in een wachthuisje achter de deur, die contact opnam met de veiligheidsdienst in het huis zelf.

Als de deuren opengingen, kon de auto van de bezoeker ongeveer tien meter doorrijden voordat hij werd tegengehouden door een rij stalen punten in het wegdek. De stalen deuren, die op wieltjes liepen, sloten zich achter hem.

Pas op dat moment kwam de bewaker uit zijn hokje om de papieren van de bezoeker te controleren. Als die in orde waren, verdween de bewaker weer naar binnen en drukte op een knop, waardoor de stalen punten in het wegdek zakten en de auto kon doorrijden over het grind van de binnenplaats, waar de volgende bewakers wachtten.

Vanaf beide kanten van het huis liep een hek naar de randen van het terrein, dat met zware bouten aan de muren was bevestigd. Achter dat hek liepen de honden. Er waren twee teams, die allebei maar naar één trainer luisterden. De trainers wisselden elkaar elke nacht af. Na het donker gingen de hekken open en konden de honden over het hele terrein patrouilleren, voor en achter het huis. Zodra ze waren losgelaten, bleef de bewaker in zijn hokje. Als er nog een late bezoeker arriveerde, moest hij eerst de trainer waarschuwen om de honden terug te roepen.

Om te voorkomen dat de honden te veel slachtoffers maakten onder het personeel, was er een ondergrondse gang aangelegd aan de achterkant van het gebouw, die naar een smal steegje liep dat uitkwam op de Kiselny Boulevard. De gang had drie deuren, bediend door elektrische panelen, één in het huis, één aan de straatkant en één halverwege. Dat was de ingang voor het personeel en de leveranciers.

's Nachts, als de politieke adviseurs waren vertrokken en de honden over het terrein zwierven, bleven er twee veiligheidsmensen in het huis achter. Ze hadden een eigen kamer, met een televisie en een keukentje, maar geen bedden, want ze mochten niet slapen. Om beurten patrouilleerden ze over de drie verdiepingen van het huis, totdat ze werden afgelost door de dagploeg die omstreeks het ontbijt arriveerde. Komarov kwam pas later.

Maar stof en vuil hadden geen ontzag voor hoge functies, en dus werd er elke avond, behalve op zondag, een schoonmaker binnengelaten, die zich bij de achteringang meldde.

In Moskou waren de meeste schoonmakers vrouwen, maar Komarov had liever mannen om zich heen, zelfs voor het schoonhouden van zijn kantoor. De schoonmaker was een onschuldige ex-soldaat, Leonid Zaitsev. Zijn achternaam betekende 'haas' of 'konijn' in het Russisch, en vanwege zijn hulpeloze houding, zijn versleten oude legerjas die hij 's zomers en 's winters droeg, en de drie roestvrij stalen voortanden die glinsterden in zijn mond – de tandheelkundige zorg binnen het Rode Leger was nogal simpel – noemden de bewakers van het huis hem het Konijn. De avond waarop de president stierf, lieten ze het Konijn binnen om tien uur, zijn vaste tijd.

Het was één uur in de nacht toen hij met een emmer en een bezem in zijn hand, en de stofzuiger achter zich aan, het kantoor binnenstapte van N.I. Akopov, de privé-secretaris van Igor Komarov. Het Konijn had de man maar één keer ontmoet, een jaar geleden, toen het personeel op een avond nog lang overwerkte. Akopov was heel onbeschoft tegen hem geweest en had hem scheldend zijn kantoor uit gestuurd. Sinds die tijd had het Konijn wraak genomen door zo nu en dan in Akopovs comfortabele leren draaistoel te gaan zitten.

Omdat hij wist dat de bewakers beneden waren, liet het Konijn zich ook nu weer in de stoel zakken en verlustigde zich in de luxe van het leer. Hij had nooit zo'n stoel gehad en zou er nooit een bezitten. Op het vloeiblad lag een dossier, ongeveer veertig vellen getypt papier met een spiraalrug en een zwart omslag.

Het Konijn vroeg zich af waarom het dossier niet was opgeborgen. Normaal verdween alles in de muurkluis van het kantoor. Dat moest wel, want het Konijn had nog nooit eerder zo'n stuk gezien en alle bureauladen zaten altijd op slot. Hij sloeg het zwarte omslag open en keek naar de titel. Toen las hij een willekeurige bladzij van het dossier.

Hij was geen goede lezer, maar hij redde zich wel. Zijn pleegmoeder had het hem geleerd, lang geleden, en daarna had hij les gehad op de staatsschool en van een vriendelijke officier in het leger.

Wat hij las, beviel hem niet. Eén bepaalde passage las hij een paar keer door. Sommige woorden waren hem te lang en te moeilijk, maar de strekking begreep hij wel. Zijn reumatische handen trilden toen hij de bladzijden omsloeg. Waarom zou Komarov zulke dingen zeggen? Over mensen als zijn pleegmoeder, van wie hij had gehouden? Hij begreep het niet helemaal, maar het maakte hem ongerust. Misschien moest hij het vragen aan de bewakers beneden. Maar nee, die zouden hem een klap voor zijn kop verkopen en zeggen dat hij moest opschieten met zijn werk.

Een uur verstreek. De bewakers hadden hun ronde al moeten doen, maar ze zaten aan de televisie gekluisterd. Een extra uitzending bracht de natie op de hoogte van het besluit dat de premier, in overeenstemming met artikel 59 van de Russische grondwet, voorlopig de taken van de president op zich had genomen voor de vastgestelde periode van drie maanden.

Het Konijn las dezelfde passages nog een paar keer, totdat hij de betekenis begreep. Maar hij kende niet de betekenis àchter de woorden. Komarov was een groot man. Hij zou de volgende president van Rusland worden, of niet? Waarom zei hij dan zulke dingen over de pleegmoeder van het Konijn en mensen zoals zij – want zij was al lang dood?

Om twee uur in de nacht stak het Konijn het dossier onder zijn overhemd, maakte zijn werk af en vroeg of hij naar buiten mocht. De bewakers maakten zich met tegenzin van de tv los om de deur te openen, en het Konijn verdween in de nacht. Hij was wat vroeger dan anders, maar de bewakers zeiden er niets van.

Leonid Zaitsev dacht erover om naar huis te gaan, maar besloot om nog even te wachten. Het was nog te vroeg. De bussen, de trams en de metro reden om deze tijd niet meer. Hij moest altijd lopend naar huis, soms in de regen. Maar hij had dit baantje nodig. De wandeling kostte hem een uur. Als hij nu naar huis ging, zou hij zijn dochter en haar kind wakker maken, en dat zou ze niet leuk vinden. Daarom slenterde hij door de straten en vroeg zich af wat hij nu moest doen.

Tegen half vier liep hij over de Kremlevskayakade, onder de zuidmuren van het Kremlin. Er lagen zwervers en zuiplappen op straat, maar hij vond een plek op een bankje, ging zitten en staarde over de rivier.

De zee was een stuk rustiger geworden toen ze het eiland naderden, zoals altijd in de middag, alsof ze de vissers en de zeelui duidelijk wilde maken dat de strijd voor vandaag gestreden was en de oceaan bereid was tot een wapenstilstand tot aan de volgende morgen. Links en rechts zag de schipper andere boten op weg naar de Wheeland Cut, de noordwestelijke doorgang in het rif, vanaf de open zee naar de beschutte lagune.

Aan stuurboord stoof Arthur Dean voorbij in zijn open *Silver Deep*, zeker acht knopen sneller dan de *Foxy Lady*. De eilander stak zijn hand op naar de Amerikaanse schipper, die terugzwaaide. Hij zag twee duikers achter in de *Silver Deep*. Waarschijnlijk hadden ze gedoken bij het koraal van Northwest Point. Vanavond stond er bij de Deans kreeft op het menu, dat was duidelijk.

De schipper van de *Foxy Lady* minderde vaart toen hij door de opening voer. Het messcherpe koraal lag aan twee kanten maar een paar centimeter onder het wateroppervlak. Toen ze het rif veilig waren gepasseerd, was het nog maar tien minuten varen naar Turtle Cove, verderop langs de kust.

De schipper hield van zijn boot – zijn broodwinning en zijn maîtresse. Het was een tien jaar oude, ruim dertig voet lange Bertram Moppie, genoemd naar de vrouw van de ontwerper, Dick Bertram. Het was niet de grootste of de meest luxeuze visboot van Turtle Cove, maar de schipper ging geen zee te hoog en hij viste op alle soorten vis. Vijf jaar geleden, toen hij naar de eilanden was verhuisd, had hij haar tweedehands gekocht van een werf in Zuid-Florida via een kleine advertentie in de *Boat Trader*. De boot had veel achterstallig onderhoud, maar hij had er maanden en maanden aan gewerkt, tot het de mooiste dame van de eilanden was. En hij had er geen moment spijt van, ook al was ze nog steeds niet afgelost.

In de haven aangekomen meerde hij de *Foxy Lady* af, twee ligplaatsen verder dan die andere Amerikaan, Bob Collins van de *Sakitumi*. Hij schakelde de motor uit en daalde de ladder af om zijn cliënten te vragen of ze hadden genoten. Het was een prachtige dag geweest, verzekerden ze hem, en ze betaalden hem de charterprijs plus een flinke fooi voor hemzelf en Julius.

Toen ze waren vertrokken, knipoogde hij naar Julius, gunde hem de vis en de fooi, zette zijn pet af en streek met zijn vingers door zijn warrige blonde haar.

Hij liet het aan de grijnzende eilander over om de hengels af te spoelen en de *Foxy Lady* gereed te maken voor de nacht. Voordat hij naar huis ging, zou hij nog even langskomen om de zaak af te sluiten. Maar eerst was het tijd voor een daiquiri puur, dus slenterde hij de steiger af naar de Banana Boat en stak zijn hand op naar de kennissen die hij tegenkwam.

2

Leonid Zaitsev bleef twee uur op het bankje bij de rivier zitten, zonder dat hij een oplossing wist te bedenken voor zijn probleem. Achteraf had hij spijt dat hij het dossier had meegenomen. Hij wist niet eens waarom hij het had gedaan. Als ze het ontdekten, zouden ze hem straffen. Maar het leven had hem altijd al gestraft, zonder dat hij wist waarom.

Het Konijn was in 1936 geboren in een klein, armoedig dorp, ergens ten westen van Smolensk, zo'n dorp waarvan er tienduizenden bestonden, met maar één straat, stoffig in de zomer, modderig in de herfst en stijfbevroren in de winter. Niet geplaveid, natuurlijk. Een stuk of dertig huizen en een paar schuren. De voormalige boeren werkten toen op een stalinistische collectieve boerderij. Zijn vader was een boerenarbeider en ze woonden in een hutje niet ver van de hoofdstraat.

Een eindje verderop woonde de bakker, in een kleine woning boven zijn winkel. Leonids vader had hem gezegd dat hij zich niet met de bakker mocht inlaten, omdat hij een *yevrey* was. Leonid had geen idee wat dat betekende, maar het was blijkbaar niet veel goeds. Toch haalde zijn moeder er hun brood, en dat was uitstekend.

Het was een mysterie voor Leonid waarom hij niet met de bakker mocht praten. Het was een vrolijke man, die vanuit de deuropening van zijn winkel weleens naar Leonid knipoogde en hem een *bulochka* – een warm, kleverig broodje, vers uit de oven – toewierp. Vanwege de waarschuwing van zijn vader verdween Leonid met het broodje achter de koeienschuur om het op te eten.

De bakker had een vrouw en twee dochters, die soms vanuit de winkel naar buiten gluurden maar nooit op straat kwamen om te spelen.

Op een dag, eind juli 1941, kwam de dood naar het dorp. Maar dat wist de kleine Leonid nog niet. Hij hoorde alleen een laag gerommel en rende de schuur uit naar buiten. Grote ijzeren monsters denderden door de hoofdstraat het dorp binnen. De eerste stopte midden tussen de huizen. Leonid liep ernaartoe om te kijken.

Het was een enorm gevaarte, bijna zo groot als een huis. Het reed op rupsbanden en het had een lang kanon. Boven dat kanon stak een man met zijn bovenlichaam uit een luik. Hij zette zijn zware, gevoerde helm af en legde die naast zich neer. Het was een hete dag. Toen draaide hij zich om en keek naar Leonid.

Het kind zag dat de man bijna witblond haar had, en lichtblauwe ogen, zo bleek dat het leek of de zomerzon dwars door zijn schedel naar buiten scheen. Er was geen enkele emotie te lezen in die ogen, geen liefde en geen haat, alleen een soort verveling. Langzaam liet de man zijn hand zakken en trok een pistool uit zijn holster.

Opeens voelde Leonid dat er iets niet klopte. Het volgende moment hoorde hij de explosies van de granaten die door de ramen naar binnen werden geworpen. Mensen begonnen te gillen. Leonid werd bang en sloeg op de vlucht. Er klonk een scherpe knal en er schroeide iets door zijn haar. Hij dook weg achter de koeienschuur en rende huilend verder. Hij hoorde een ratelend geluid achter zich en rook het vuur toen de huizen in brand vlogen. In paniek rende hij het bos in.

Toen hij de bosrand had bereikt, wist hij niet wat hij moest doen. Huilend riep hij om zijn mama en papa, maar die kwamen niet. Nooit meer.

Maar hij zag wel een vrouw die om haar man en haar dochters riep. Het was de vrouw van de bakker, mevrouw Davidova. Ze sloeg haar armen om hem heen en drukte hem tegen haar borst. Hij begreep niet waarom ze dat deed. Wat zou zijn vader daar wel van zeggen? Ze was een *yevreyka*!

Het dorp bestond niet meer. De pantsereenheid van de ss reed verder en liet een rokende puinhoop achter. Er waren nog een paar andere mensen gevlucht en later ontmoetten ze een groep partizanen, stoere mannen met baarden die in de bossen leefden. Met een partizaanse gids trokken ze naar het oosten, steeds verder.

Als Leonid moe werd, droeg mevrouw Davidova hem tot ze eindelijk, na een tocht van vele weken, in Moskou aankwamen. Mevrouw Davidova kende daar een paar mensen, die hun te eten gaven, en een dak boven hun hoofd. Ze waren heel aardig voor Leonid en ze leken op meneer Davidov, met grote hoeden en pijpekrullen langs hun hoofd. Hoewel hij niet *yevrey* was, wilde mevrouw Davidova hem toch adopteren. Jarenlang zorgde ze voor hem.

Na de oorlog ontdekten de autoriteiten dat hij niet haar echte zoon was. Ze haalden hem bij haar weg en stuurden hem naar een weeshuis. Hij moest vreselijk huilen bij het afscheid, en mevrouw Davidova ook. Hij zag haar nooit meer terug. In het weeshuis leerden ze hem dat *yevrey* 'joods' betekende.

Het Konijn zat op zijn bankje en dacht na over het dossier dat hij onder zijn hemd verborgen had. Hij begreep niet goed wat zinnen als 'totale vernietiging' of 'volledige uitroeiing' betekenden, die woorden waren te moeilijk voor hem, maar ze hadden een onheilspellende klank. Hij begreep niet waarom meneer Komarov zo'n hekel had aan mensen als mevrouw Davidova.

De hemel in het oosten kleurde roze. In een groot herenhuis aan de overkant van de rivier, op de Sofiskayakade, beklom een Engelse marinier met een vlag de trap naar het dak.

De schipper pakte zijn daiquiri, stond op van zijn tafeltje en slenterde naar de houten reling. Hij tuurde in het water en liet zijn blik over de schemerige haven dwalen.

Negenenveertig, dacht hij. Negenenveertig en nog altijd schulden. Jason Monk, je wordt oud. Je beste jaren zijn voorbij.

Hij nam een slok en voelde de rum en het limoensap door zijn slokdarm branden.

Nou ja, hij had een mooi leven gehad. Opwindend genoeg, in elk geval.

Maar zo was het niet begonnen. Monk was geboren in een eenvoudig houten huis in het kleine stadje Crozet, in het zuiden van Virginia, op de oostelijke oever van de Shenandoah, acht kilometer van de snelweg tussen Waynesboro en Charlottesville.

Albemarle County was een landbouwgebied. Het wemelde er van de monumenten voor de Burgeroorlog, want tachtig procent van dat conflict was uitgevochten in Virginia, en iedere inwoner van die staat groeide op met dat historische besef. De meeste vaders van zijn vriendjes op de plattelandsschool teelden tabak en sojabonen, fokten varkens of hadden een gemengd bedrijf.

Jasons eigen vader was boswachter in het Shenandoah National Park. Daar werd je niet rijk van, maar het was een mooi leven voor een jochie, ook al hadden ze niet veel geld. Luieren was er niet bij als Jason vakantie had. Dat was de tijd dat hij wat kon verdienen om het gezinsinkomen bij te spijkeren.

Hij herinnerde zich dat zijn vader hem vaak meenam naar het Park, dat het hele gebied van de Blue Ridge Mountains besloeg, om hem het verschil te leren tussen berken, dennen, sparren, eiken en coniferen. Soms kwamen ze de jachtopzieners tegen en luisterde hij met grote ogen naar hun verhalen over de beren en herten, en de jacht op kalkoenen, korhoenders en wilde fazanten.

Later leerde hij met een geweer omgaan en werd een goede schutter. Zijn vader gaf hem les in kamperen en liet hem zien hoe hij de volgende morgen alle sporen kon uitwissen. En toen hij oud en sterk genoeg was, werkte hij 's zomers in de houthakkerskampen.

Na de lagere school ging hij naar de high school in Charlottesville. Dat betekende dat hij elke morgen voor dag en dauw moest opstaan om de bus van Crozet naar de grote stad te halen. Maar op die school zou er iets gebeuren dat zijn leven totaal veranderde.

Jaren eerder, in 1944, was een sergeant van het Amerikaanse leger met dui-

30

zenden anderen vanaf het strand van Omaha Beach tot diep in Normandië doorgedrongen. Ergens buiten Saint-Lô werd hij gescheiden van zijn eenheid en kreeg een Duitse sluipschutter hem in het vizier. De Amerikaan had geluk. De kogel schampte slechts zijn bovenarm. De drieëntwintigjarige soldaat vluchtte naar een nabijgelegen boerderij, waar een Franse familie zijn wond verzorgde en hem onderdak bood. Toen de zestienjarige dochter de koude kompressen op zijn wond legde en de soldaat haar in de ogen keek, werd hij dieper getroffen dan een Duitse kogel ooit had kunnen doen.

Een jaar later reisde hij vanuit Berlijn terug naar Normandië, deed het meisje een aanzoek en trouwde in de boomgaard van de boerderij, onder het toeziend oog van een Amerikaanse legerpredikant. Omdat de Fransen een boomgaard niet zo geschikt vonden, werd de bruiloft nog eens overgedaan door de katholieke priester in de plaatselijke kerk. Daarna reisde de Amerikaan met zijn bruid terug naar Virginia.

Twintig jaar later was hij adjunct-directeur van de high school van Charlottesville. De kinderen waren inmiddels de deur uit en zijn vrouw werd docente aan de faculteit Frans. De Franse taal op zich was niets nieuws, maar mevrouw Josephine Brady was niet alleen een echte Française, ze was ook nog knap en gedistingeerd. Haar colleges werden dan ook snel druk bezocht.

In de herfst van 1965 zat er een nieuweling in haar klas, een verlegen jongen met warrig blond haar en een aanstekelijke grijns. Zijn naam was Jason Monk. Binnen een jaar verklaarde mevrouw Brady dat ze nog nooit een buitenlander zo goed Frans had horen spreken. De jongen was een natuurtalent. Hij kon het van niemand hebben geërfd, maar binnen de kortste keren maakte hij zich de grammatica en de syntaxis eigen. En zijn uitspraak was die van een geboren Fransman.

In zijn laatste jaar op school kwam hij vaak bij haar thuis en lazen ze Malraux, Proust, Gide en Sartre (die voor die tijd ongelooflijk openhartig was op erotisch gebied). Maar toch hielden ze allebei nog meer van de oudere, romantische dichters als Rimbaud, Mallarmé, Verlaine en Vigny. Het was geen opzet, maar toch gebeurde het. Misschien kwam het door de dichters, maar ondanks het leeftijdsverschil – waar ze geen van beiden een probleem in zagen – hadden ze een korte affaire.

Tegen de tijd dat hij achttien was, had Jason Monk in twee opzichten een ongebruikelijke voorsprong op de meesten van zijn leeftijdgenoten in Virginia: hij sprak Frans en hij was een uitstekende minnaar. In datzelfde jaar ging hij in dienst.

In 1968 was de oorlog in Vietnam zo'n beetje op zijn hoogtepunt. Veel jonge Amerikanen probeerden de dienstplicht te ontwijken. De schaarse vrijwilligers die voor drie jaar tekenden werden met open armen ontvangen.

Monk doorliep de basistraining en op een gegeven moment moest hij zijn curriculum invullen. Bij de nogal optimistische vraag: 'Buitenlandse talen?' vulde hij in: Frans. Kort daarna werd hij op het kantoor van de adjudant ontboden.

'Spreek je echt Frans?' vroeg de officier. Monk legde het uit. De adjudant belde de high school in Charlottesville en sprak met de decaan. Die nam contact op met mevrouw Brady, en zij belde terug. Dat duurde een dag. Monk moest zich later weer melden. Toen was er ook een majoor van G2, de militaire inlichtingendienst, bij het gesprek aanwezig.

Behalve Vietnamees spraken de meeste mensen van een zekere leeftijd in de voormalige Franse kolonie ook Frans. Monk werd naar Saigon gestuurd, waar hij twee termijnen volmaakte, met een kort verlof in de Verenigde Staten.

De dag dat hij zou afzwaaien, vroeg de commandant of hij even langs wilde komen. Er zaten twee burgers in zijn kantoortje. De commandant vertrok.

'Ga zitten, sergeant,' zei de oudste en de vriendelijkste van de twee mannen. Hij speelde met een bruyèrepijp. De andere man begon opeens in rap Frans tegen Monk te praten. Monk antwoordde vlot. Dat duurde tien minuten. Toen grijnsde de Frans sprekende man en keek zijn collega aan.

'Hij is goed, Carey, hij is verdomd goed.' Toen stond hij ook op en vertrok.

'Wat vond je van Vietnam?' vroeg de man die achterbleef. Hij was ongeveer veertig en had een gegroefd, geamuseerd gezicht. Het was 1971.

'Het is een kaartenhuis, meneer,' zei Monk. 'Het staat op instorten. Binnen twee jaar moeten we daar weg.'

Carey scheen het met hem eens te zijn. Hij knikte een paar keer.

'Je hebt gelijk, maar zeg dat niet tegen het leger. Wat ben je nu van plan?'

'Daar heb ik nog niet echt over nagedacht, meneer.'

'Het is natuurlijk je eigen beslissing, maar je hebt een bijzonder talent. Ik niet. Mijn vriend hier is net zo Amerikaans als jij en ik, maar hij is opgegroeid in Frankrijk en heeft daar twintig jaar gewoond. Als hij zegt dat je vloeiend Frans spreekt, dan geloof ik hem op zijn woord. Dus waarom ga je er niet mee door?'

'Studeren, bedoelt u?'

'Ja. Je kunt een beurs van het leger krijgen. Uncle Sam vindt dat je die hebt verdiend. Maak er gebruik van.'

Toen hij in dienst zat, had Monk het grootste deel van zijn geld naar huis gestuurd om zijn moeder te helpen bij de opvoeding van de andere kinderen. 'Zelfs als ik die beurs krijg, moet ik nog duizend dollar contant meebrengen,' zei hij.

Carey haalde zijn schouders op. 'Dat is wel te regelen. Als je Russisch als hoofdvak neemt.'

'En als ik ben afgestudeerd?'

'Bel me dan. De dienst waar ik bij werk heeft misschien een baantje voor je.'

'Die studie duurt zeker vier jaar.'

'O, wij zijn heel geduldig.'

'Hoe had u van mij gehoord, meneer?'

'Via onze mensen van het Phoenix Project in Vietnam. Je had ze een paar goede tips gegeven over de Vietcong. Vandaar.'

'U komt zeker van Langley? De CIA?'

'Ach, ik ben maar een klein radertje.'

Carey Jordan was allesbehalve een klein radertje. Later werd hij adjunct-directeur Operaties van de CIA, hoofd van de hele spionagedienst.

Monk volgde zijn advies op en schreef zich in bij de universiteit van Virginia in zijn eigen Charlottesville. Hij kwam weer op de thee bij mevrouw Brady, maar gewoon als vriend. Hij ging Slavische talen studeren, met Russisch als hoofdvak. Volgens zijn docent, zelf een Rus, had hij na vier jaar een niveau bereikt waarop hij in feite tweetalig was. In 1975, vijfentwintig jaar oud, was hij klaar met zijn studie en een paar dagen na zijn volgende verjaardag werd hij ingelijfd door de CIA. Na de gebruikelijke basistraining in Fort Leary, beter bekend als de 'Farm', werkte hij eerst in Langley, daarna in New York en toen weer in Langley.

Pas vijf jaar en heel veel cursussen later kreeg hij zijn eerste post in het buitenland – Nairobi, Kenya.

Korporaal Meadows van het Britse korps mariniers had dienst op die zonnige ochtend van de 16e juli. Hij haakte de musketons van de versterkte rand van de vlag aan het koord en hees de vlag langs de paal omhoog. Daar wapperde hij open in de ochtendbries om de hele wereld te vertellen wie het gebouw bewoonde.

De Britse regering had het mooie oude herenhuis aan de Sofiskayakade vlak voor de revolutie gekocht van de vorige eigenaar, een suikermagnaat, en er een ambassade van gemaakt. Ze waren er altijd gebleven en hadden alle stormen doorstaan.

Als Josef Stalin, de laatste dictator die nog in de appartementen van het Kremlin woonde, 's ochtends zijn gordijnen opendeed, zag hij de Britse vlag aan de overkant van de rivier wapperen. Dat maakte hem woedend. Daarom werd er druk op de Britten uitgeoefend om te verhuizen, maar dat hadden ze steevast geweigerd.

In de loop van de jaren was het huis te klein geworden voor alle afdelingen van de Britse missie in Moskou en dus waren er nog meer gebouwen gehuurd, verspreid door de stad. Maar ondanks herhaalde aanbiedingen om alle diensten op één terrein samen te brengen, had Londen beleefd volgehouden dat het liever in het herenhuis aan de Sofiskayakade bleef. Het was soeverein Brits grondgebied en dus konden de Sovjets er weinig tegen doen. Leonid Zaitsev zat aan de overkant van de rivier en zag hoe de vlag zich ontvouwde toen de eerste stralen van de zon boven de heuvels in het oosten uitkwamen. Die aanblik bracht een oude herinnering bij hem boven.

Op zijn achttiende jaar was het Konijn opgeroepen om dienst te nemen in het Rode Leger. Na de gebruikelijke minimale basisopleiding was hij bij een tankdivisie in Oost-Duitsland geplaatst. Hij was gewoon soldaat en werd door zijn superieuren niet eens geschikt geacht als korporaal.

Op een dag in 1955, bij een marsoefening in de buurt van Potsdam, was Leonid in een dicht bos gescheiden geraakt van zijn compagnie. Al gauw verdwaalde hij. In paniek zwierf hij het bos door tot hij bij een zandpad kwam. Daar bleef hij staan, aan de grond genageld, verlamd door angst. Tien meter bij hem vandaan stond een open jeep met vier soldaten. Zo te zien was het een patrouille en hadden ze even haltgehouden om te pauzeren. Twee van de mannen zaten nog in de jeep, de andere twee stonden erachter en rookten een sigaret. Ze hadden bierflessen in hun hand. Leonid zag meteen dat het geen Russen waren. Het waren militairen van de geallieerde missie in Potsdam, die daar was gestationeerd volgens het Vier-Mogendhedenverdrag van 1945, maar dat wist Leonid niet. Hem was altijd verteld dat Westerlingen zijn vijanden waren, die het socialisme wilden uitroeien en iedere Russische soldaat zouden neerschieten die ze tegenkwamen.

De militairen zwegen toen ze hem zagen en staarden hem verbaasd aan. Ten slotte zei een van hen: 'Kijk eens aan, wat hebben we hier? Een Russky, verdomme. Hallo, Ivan!'

Leonid verstond er geen woord van. Hij had een machinepistool over zijn schouder, maar ze leken niet bang voor hem. Het was eerder andersom. Twee van de buitenlanders droegen zwarte baretten met glimmende koperen insignia en een embleem van witte en rode veren. Leonid wist het niet, maar het waren de onderscheidingstekens van een regiment van de Royal Fusiliers.

Een van de soldaten zette zich af tegen de jeep en slenterde naar hem toe. Leonid was bang dat hij het in zijn broek zou doen. De man was nog jong, met rood haar en sproeten. Hij grijnsde tegen Zaitsev en stak hem een fles toe. 'Vooruit, kerel, drink een biertje mee.'

Leonid voelde het koude glas van de fles in zijn hand. De buitenlandse soldaat knikte bemoedigend. Natuurlijk was het bier vergiftigd. Hij zette de fles aan zijn mond en voelde het koele vocht in zijn keel. Het was sterk bier, beter dan het Russische, en hij moest ervan hoesten. Peentjeshaar begon te lachen. 'Vooruit, drink maar op,' zei hij. Leonid verstond hem niet, maar tot zijn stomme verbazing draaide de buitenlander zich gewoon om en slenterde weer terug naar de jeep. De man was totaal niet bang voor hem. Zaitsev was een soldaat van het Rode Leger, hij droeg een wapen, maar die buitenlanders grijnsden en maakten grappen.

Hij bleef bij de bosrand staan, dronk van het koude bier en vroeg zich af wat kolonel Nikolayev hiervan zou vinden. Nikolayev was zijn commandant. Hij was pas een jaar of dertig, maar toch al een oorlogsheld met veel onderscheidingen. Ooit had hij een praatje met Leonid gemaakt en hem naar zijn achtergrond gevraagd. De soldaat had het hem verteld. Hij kwam uit een weeshuis. De kolonel had hem op zijn schouder geklopt en gezegd dat hij nu eindelijk een thuis had. Leonid adoreerde kolonel Nikolayev.

Hij was te bang om de fles naar hen terug te gooien. Bovendien smaakte het bier heel goed – ook al was het vergiftigd. Dus dronk hij de fles maar leeg. Na tien minuten klommen de twee soldaten die naast de wagen stonden weer achter in de jeep en zetten hun baretten op. De chauffeur startte en ze reden weg. Zonder haast, zonder angst. De man met het rode haar draaide zich om en zwaaide. Het waren vijanden, loerend op een kans om Rusland binnen te vallen, maar toch zwaaiden ze naar hem.

Toen ze waren verdwenen, gooide Leonid de lege fles zo ver mogelijk het bos in en rende terug, totdat hij een Russische vrachtwagen zag die hem terugbracht naar het kamp. De sergeant gaf hem een week corvee omdat hij was verdwaald, maar Leonid vertelde niemand over de buitenlanders of het bier.

Voordat de jeep was weggereden, had Leonid de insignes van het regiment op het rechter voorspatbord gezien, en op de zweepantenne achterop. Aan de antenne hing een vlaggetje van ongeveer dertig centimeter in het vierkant. Er stonden kruisen op: één rechtop en twee diagonaal, in rood en wit, tegen een blauwe achtergrond. Een vreemd vlaggetje – rood, wit, blauw.

Nu, vierenveertig jaar later, zag hij dezelfde vlag boven het gebouw aan de overkant van de rivier. Opeens wist het Konijn het antwoord op zijn vraag. Hij had het dossier niet mogen stelen van meneer Akopov, maar hij kon het nu niet meer terugbrengen. Misschien zou niemand het missen. Leonid besloot het naar die mensen met die vreemde vlag te brengen, die mensen die je bier aanboden. Zij zouden wel weten wat ze ermee moesten doen.

Hij stond op van het bankje en liep langs de oever naar de Steenbrug over de Moskva en stak over naar de Sofiskayakade.

Nairobi, 1983

Toen de kleine jongen hoofdpijn en lichte koorts kreeg, dacht zijn moeder eerst dat het een zomergriepje was. Maar aan het eind van de avond lag het vijfjarige jongetje te schreeuwen van de pijn. Hij hield zijn ouders de hele nacht uit hun slaap. De buren op het Sovjetrussische diplomatieke complex – die ook niet best hadden geslapen, omdat de wanden nogal dun waren en alle ramen openstonden vanwege de hitte – vroegen de volgende morgen wat er aan de hand was.

De moeder ging met haar zoontje naar de dokter. Geen van de Sovjet-ambassades had een eigen arts. Ze deelden de medische voorzieningen met andere Oostbloklanden. Dokter Svoboda was verbonden aan de Tsjechische ambassade, maar hij werkte voor de hele communistische kolonie. Hij was een goede, gewetensvolle arts en het kostte hem maar een paar minuten om de Russische moeder te kunnen vertellen dat haar zoontje malaria had. Hij diende de jongen de voorgeschreven dosis toe van een niviquine/paludrine-variant die op dat moment door de Russische medische wetenschap werd gebruikt en gaf de moeder een buisje tabletten mee, die haar zoon dagelijks moest slikken.

Maar het middel had geen effect. Binnen twee dagen ging de toestand van het kind snel achteruit. Zijn temperatuur liep op, hij begon steeds heftiger te rillen en hij brulde van de hoofdpijn. De ambassadeur gaf de ouders toestemming om naar het ziekenhuis van Nairobi te gaan. Omdat de moeder geen Engels sprak, ging haar man, tweede handelsattaché Nikolai Ilyich Turkin, met haar mee.

Dokter Winston Moi was ook een goede arts en wist waarschijnlijk meer van tropische ziekten dan de Tsjech. Hij deed een grondig onderzoek en richtte zich toen glimlachend op.

'Plasmodium falciparum,' verklaarde hij. De vader fronste en keek hem vragend aan. Hij sprak goed Engels, maar niet zó goed. 'Het is een variant van malaria, maar resistent tegen alle chloroquine-gebaseerde medicijnen zoals mijn waarde collega dokter Svoboda uw zoontje heeft voorgeschreven.'

Dokter Moi gaf de jongen een injectie met een sterk breedspectrum-antibioticum. En dat scheen te werken. In het begin, tenminste. Na een week, toen de kuur ten einde was, keerden de symptomen weer terug. De moeder was half hysterisch. Ze wilde geen buitenlandse artsen meer en stond erop dat zij en haar zoontje naar Moskou werden teruggevlogen. De ambassadeur ging akkoord.

Eenmaal in Moskou werd het kind opgenomen in een van de exclusieve KGB-klinieken – omdat tweede handelsattaché Nikolai Turkin in werkelijkheid majoor Turkin van het Eerste Hoofddirectoraat van de KGB was.

Het was een goede kliniek met een uitstekende afdeling Tropische Ziekten, omdat KGB-agenten overal ter wereld werden ingezet. Vanwege de mysterieuze aard van de aandoening werd de kleine jongen meteen maar het hoofd van de afdeling, professor Glazunov, gebracht. Hij las de twee dossiers uit

Nairobi en gaf opdracht een serie CT- en ultrasound-scans te maken, in die tijd de modernste technologie, die buiten de Sovjetunie nog maar nauwelijks voorhanden was.

De scans maakten hem ongerust. Ze onthulden een reeks groeiende inwendige abcessen op verschillende organen van de jongen. Toen hij mevrouw Turkin vroeg naar zijn kantoor te komen, stond zijn gezicht ernstig.

'Ik weet wat het is... ik geloof het wel, tenminste... maar er is niets tegen te doen. Met een zware dosis antibiotica zouden we uw zoontje nog een maand in leven kunnen houden. Waarschijnlijk niet langer. Het spijt me verschrikkelijk.'

De huilende moeder werd naar buiten gebracht, waar een meelevende assistent haar uitlegde wat er was ontdekt. Het was een zeldzame ziekte die melioidosis heette. In Afrika kwam de aandoening nauwelijks voor, maar in Zuidoost-Azië werd hij vaker aangetroffen. De Amerikanen hadden de ziekte tijdens de Vietnamoorlog ontdekt.

Amerikaanse helikopterpiloten waren de eersten die de symptomen van de nieuwe en meestal dodelijke ziekte vertoonden. Als hun heli's boven een rijstveld hingen, zogen ze een dunne nevel uit de velden omhoog, die door sommige piloten werd ingeademd. De bacil, resistent tegen alle bekende antibiotica, bevond zich in het water van de rijstvelden. De Russen wisten dat ook. In die tijd deelden ze de resultaten van hun eigen onderzoek nog niet met andere landen, maar als een spons zogen ze alle Westerse kennis op. Professor Glazunov ontving automatisch alle Westerse wetenschappelijke publicaties op zijn terrein.

In een lang telefoongesprek, onderbroken door huilbuien, vertelde mevrouw Turkin haar man dat hun zoontje aan melioidosis leed en ten dode opgeschreven was. Majoor Turkin schreef de naam van de ziekte op en liep toen naar zijn chef, het hoofd van het plaatselijke KGB-bureau, kolonel Kuliev.

De kolonel was meelevend, maar gaf geen duimbreed toe.

'Hulp vragen aan de Amerikanen? Bent u gek geworden?'

'Kameraad kolonel, als de Yanks die ziekte al zeven jaar kennen, hebben ze misschien een remedie gevonden.'

'Maar dat kunnen we ze niet vragen,' hield de kolonel vol. 'Een kwestie van nationale trots.'

'Het gaat om het leven van mijn kind!' schreeuwde de majoor.

'Zo is het wel genoeg. U kunt gaan.'

Zonder zich om zijn carrière te bekommeren stapte Turkin naar de ambassadeur. De diplomaat was geen hardvochtig mens, maar toch liet ook hij zich niet vermurwen.

'Contacten tussen ons ministerie van Buitenlandse Zaken en Washington zijn heel zeldzaam en beperken zich tot politieke zaken,' zei hij tegen de jonge officier. 'Trouwens, weet kolonel Kuliev dat u hier bent?'

'Nee, kameraad ambassadeur.'

'Dan zal ik er niets over zeggen, met het oog op uw toekomst. Ik raad u aan hetzelfde te doen. Maar het antwoord blijft nee.'

'Als ik lid was van het politburo...' begon Turkin.

'Maar dat bent u niet. U bent een jonge majoor van tweeëndertig, die zijn land mag dienen in hartje Kenya. Het spijt me vreselijk van uw zoontje, maar er valt niets aan te doen.'

Toen hij de trap afliep, bedacht Nikolai Turkin bitter dat secretaris-generaal Yuri Andropov in leven werd gehouden met medicijnen die dagelijks uit Londen werden overgevlogen. Hij stapte het gebouw uit om zich te bezatten.

Het was niet zo gemakkelijk om tot de Britse ambassade door te dringen. Vanaf de stoep aan de overkant van de kade kon Leonid Zaitsev het grote, okerkleurige gebouw zien, en zelfs de bovenkant van de zuilenportiek met de reusachtige, bewerkte houten deuren. Maar het was onmogelijk om er zomaar binnen te stappen.

De luiken zaten nog voor de ramen, zo vroeg in de ochtend. Langs de voorkant van het gebouw liep een stalen omheining met twee brede poorten voor auto's, één voor binnenkomst en één voor vertrek. De deuren voor de poorten waren ook van staal en werden elektronisch bediend. Op dit moment zaten ze dicht.

Rechts was een ingang voor voetgangers, maar die werd afgesloten door twee hekken. Op de stoep stonden twee leden van de Russische militia om te kijken wie er in- en uitgingen. Het Konijn was niet van plan zich aan hen te laten zien. Achter het eerste hek liep een gangetje naar het volgende. Daartussenin stond een wachthokje met twee Russische bewakers die door de Britten waren ingehuurd. Zij moesten bezoekers vragen wat ze kwamen doen. Daarna wachtten ze op instructies uit het gebouw. Heel wat mensen die een visum wilden, hadden geprobeerd om via dat hek de ambassade binnen te komen.

Zaitsev slenterde doelloos naar de achterkant. In een smalle straat lag daar de ingang waar kandidaten voor een visum zich moesten melden. Het was zeven uur 's ochtends en het zou nog drie uur duren voordat de deur openging, maar toch stond er al een rij van honderd meter. De meeste mensen wachtten daar al de hele nacht. Als hij nu achter aansloot, zou hij bijna twee dagen moeten wachten. Hij liep weer naar de voorkant. Deze keer keken de agenten van de militia hem onderzoekend aan. Angstig liep Zaitsev de kade af om te wachten tot de ambassade openging en de diplomaten arriveerden.

Een paar minuten voor tien zag hij de eerste Britten komen. Ze kwamen met auto's, die even bij het hek stopten en snel werden doorgelaten als de inzittenden waren herkend. Zaitsev, die van een afstand toekeek, overwoog om naar een van de auto's toe te lopen, maar de raampjes zaten dicht en de agenten stonden op drie meter van het hek. De mensen in de auto's zouden denken dat hij hen wilde lastigvallen en zouden hun raampjes gesloten houden. En als hij werd gearresteerd, zou de politie ontdekken wat hij had gedaan en Akopov waarschuwen.

Leonid Zaitsev was niet gewend om ingewikkelde problemen op te lossen. Hij wist niet wat hij moest doen, maar hij wilde het er niet bij laten zitten. Hij was vastbesloten om het dossier te bezorgen bij de mensen met die rare vlag. En dus wachtte hij af en keek toe, die hele, lange, hete ochtend.

Nairobi, 1983

Zoals alle Sovjet-diplomaten had Nikolai Turkin maar een beperkte voorraad buitenlandse valuta, waaronder wat Kenyaas geld. De Ibis Grill, Alan Bobbe's Bistro en de Carnivore waren te duur voor hem. Daarom liep hij naar het Thorn Tree Café, het terras van het New Stanley Hotel in Kimathi Street, en zocht een tafeltje in de tuin, niet ver van de grote oude acacia. Hij bestelde een wodka en een kleintje pils en zakte wanhopig onderuit.

Dertig minuten later hees een man van ongeveer zijn eigen leeftijd, die met een half biertje aan de bar had gezeten, zich van zijn kruk en slenterde naar hem toe.

'Hé, niet zo somber, kerel,' hoorde Turkin iemand in het Engels zeggen. 'Misschien valt het allemaal wel mee.'

De Rus keek op. Hij herkende de Amerikaan vaag. Iemand van hun ambassade. Turkin werkte bij Directoraat K van het Eerste Hoofddirectoraat, de contraspionagedienst. Hij moest niet alleen alle Russische diplomaten in de gaten houden en het plaatselijke KGB-bureau voor infiltratie behoeden, maar ook uitkijken naar kwetsbare Westerlingen die hij misschien kon rekruteren. Daarom had hij de vrijheid met andere diplomaten te praten, ook Westerlingen – een privilege dat het gewone ambassadepersoneel niet was gegund.

Juist vanwege die vrijheid vermoedde de CIA wat Turkins werkelijke functie was en had een dun dossier over hem aangelegd. Maar ze hadden nooit iets bijzonders over hem ontdekt. De man was een trouw aanhanger van het sovjetregime.

Turkin zelf vermoedde natuurlijk ook dat de Amerikaan voor de CIA werkte, maar volgens de Russen waren alle Amerikaanse diplomaten in dienst van de CIA. Daar vergisten ze zich in, maar ze namen geen risico.

De Amerikaan ging zitten en stak zijn hand uit.

'Jason Monk. Jij bent Nik Turkin, als ik me niet vergis? Vorige week zag ik je nog op dat Britse tuinfeestje. Je kijkt alsof ze je zojuist naar Groenland hebben overgeplaatst.'

Turkin nam de Amerikaan scherp op. Hij had warrig blond haar dat over zijn voorhoofd viel, en zijn grijns werkte aanstekelijk. Hij keek onschuldig uit zijn ogen. Misschien was hij toch geen CIA-agent. Hij leek een man met wie goed te praten viel. Bij een andere gelegenheid zou Nikolai Turkin zijn teruggevallen op zijn jarenlange training en beleefd maar neutraal hebben gereageerd. Maar dit was niet zomaar een dag. Hij had behoefte aan een luisterend oor. Hij begon te praten en stortte zijn hart uit. De Amerikaan was bezorgd en meelevend. Hij noteerde de naam melioidosis op een bierviltje. Pas laat in de avond namen ze afscheid. De Rus liep terug naar het bewaakte ambassadeterrein en Monk verdween naar zijn appartement in een zijstraat van Harry Thuku Road.

Celia Stone was zesentwintig, slank, donker en knap. Ze was assistent-persvoorlichter op de Britse ambassade in Moskou – haar eerste buitenlandse post sinds ze twee jaar geleden bij de diplomatieke dienst was gekomen na haar studie Russisch aan het Girton College in Cambridge. Celia genoot van het leven.

Die 16e juli stapte ze de grote voordeur van de ambassade uit en keek naar het parkeerterrein waar haar kleine maar functionele Rover geparkeerd stond. Vanaf het ambassadeterrein zelf kon ze zien wat voor Zaitsev verborgen werd gehouden door de stalen omheining. Ze bleef boven aan de vijf treden staan die afdaalden naar het zwarte asfalt van het parkeerterrein. De asfaltvlakte werd onderbroken door keurig onderhouden grasveldjes, lage bomen, struiken en schitterende bloembedden. Toen ze over de omheining keek, zag ze de pastelkleuren van het Kremlin aan de overkant van de rivier – oker, crèmekleurig en wit, met de glinsterende uikoepels van de kathedralen boven de gekanteelde roodstenen muur die de vesting omringde. Het was een prachtig uitzicht.

Links en rechts van haar lagen de op- en afrit van de verhoogde ingang, die alleen de ambassadeur zelf mocht gebruiken. Mindere goden parkeerden beneden en liepen naar de deur. Ooit had een jonge diplomaat zijn carrière naar de knoppen geholpen door in de stromende regen met zijn VW Kever naar de voordeur te rijden en onder de portiek te parkeren. Een paar minuten later arriveerde de ambassadeur, die zijn Rolls Royce achter de Volkswagen moest parkeren en naar de deur moest lopen. Hij was doorweekt en kon er niet om lachen.

Celia Stone daalde de trap af, knikte naar de bewaker, stapte in haar helderrode Rover en startte. Tegen de tijd dat ze wegreed, schoof de stalen poortdeur al opzij. Ze draaide de Sofiskayakade op en sloeg linksaf naar de

Steenbrug, zonder acht te slaan op de armoedig geklede oude man die achter haar aan rende. Ze wist ook niet dat haar auto de eerste was die die ochtend vanaf de ambassade was vertrokken.

De Kamenny Most of Steenbrug is de oudste vaste brug van Moskou. Vroeger werden er pontonbruggen gebruikt, die in het voorjaar werden neergelegd en 's winters weer werden weggehaald als het ijs dik genoeg was om zo de rivier over te steken.

De brug is zo lang dat hij niet alleen de rivier maar ook de Sofiskayakade overspant. Om over de weg bij de brug te komen, moet een auto na honderd meter weer linksaf slaan naar het punt waar de brug tot straatniveau afdaalt. Daarna volgt een U-bocht en de oprit naar de brug. Maar een voetganger kan rechtstreeks vanaf de kade een trap op rennen naar de brug. En dat is wat Leonid Zaitsev deed.

Hij stond al op de Steenbrug toen de rode Rover passeerde. Hij zwaaide met zijn armen, maar de vrouw achter het stuur keek hem geschrokken aan en reed door. Zaitsev rende tevergeefs achter de auto aan. Maar hij had het Russische nummerbord genoteerd en gezien dat de auto aan de noordkant van de brug linksaf sloeg naar het drukke verkeer van het Borovitskyplein.

Celia Stone was op weg naar de Rosy O'Grady Pub in de Znamenkastraat. Die vreemde kroeg in Moskou is daadwerkelijk Iers. De Ierse ambassadeur is er meestal te vinden op oudejaarsavond, als hij kan ontsnappen aan de officiële feestjes van het diplomatenwereldje. Je kunt er ook lunchen. Celia Stone had er een afspraak met een Russische journalist.

Ze vond zonder moeite een parkeerplaats om de hoek. Steeds minder Russen konden zich een auto – en benzine – veroorloven. Ze liep terug. Zoals altijd wanneer een buitenlander naar een restaurant toe kwam, kwamen de zwervers en schooiers uit de portieken te voorschijn om te bedelen.

Als jonge, onervaren diplomaat was ze in Londen al op die situatie voorbereid, maar de realiteit schokte haar nog steeds. Ze had bedelaars gezien in de Londense ondergrondse en de stegen van New York, zwervers die hun hele bezit in een draagtas meezeulden, mensen die op de een of andere manier in de goot waren beland en nu op de laagste sport van de maatschappelijke ladder balanceerden. Maar een groot deel van hen had zelf voor dit leven gekozen, en er waren altijd wel liefdadigheidsinstellingen in de buurt om de helpende hand te bieden.

In Moskou, de hoofdstad van een land dat werkelijke honger kende, waren de bedelaars mensen die nog niet zo lang geleden hun brood hadden verdiend als boer, soldaat, kantoorbediende of winkelier. Celia Stone moest steeds weer denken aan de tv-documentaires over de derde wereld.

Vadim, de reusachtige portier van de Rose O'Grady, zag haar aankomen en liep haar haastig tegemoet, terwijl hij een paar landgenoten ruw opzij smeet om de weg vrij te maken voor een belangrijke klant met harde Westerse valuta.

Celia protesteerde zwakjes, gekwetst door de aanblik van de bedelaars die door een andere Rus werden vernederd, maar Vadim sloeg met zijn lange, gespierde arm de uitgestoken handen weg, gooide de deur van het restaurant open en loodste haar naar binnen.

Het was een vreemde overgang, van de stoffige straat en de hongerige bedelaars naar het gemoedelijke gekeuvel van zo'n vijftig gasten die zich vlees en vis konden veroorloven voor de lunch. Celia had haar hart op de goede plaats en had altijd moeite om zo duur te gaan eten terwijl die mensen daarbuiten honger hadden. De joviale Russische journalist die vanaf een hoektafeltje naar haar zwaaide, had die problemen niet. Hij bestudeerde een lijst met zakuski-voorgerechten en koos voor garnalen uit Archangelsk.

Zaitsev, nog steeds op zoek naar een contact, tuurde het Borovitskyplein af, maar de rode Rover was verdwenen. Hij keek in alle zijstraten, links en rechts, maar tevergeefs. Ten slotte liep hij de grote boulevard af, aan de overkant van het plein. Tot zijn verbazing ontdekte hij de auto tweehonderd meter verderop, om de hoek van de Ierse pub.

Onopvallend tussen de zwervers die daar rondhingen met het apathische geduld van mensen die niets meer te verliezen hebben, liep Zaitsev naar de Rover toe en bleef staan wachten.

Nairobi, 1983

Het was tien jaar geleden sinds Jason Monk aan de universiteit van Virginia had gestudeerd en met de meesten van zijn studievrienden had hij het contact verloren. Maar Norman Stein herinnerde hij zich nog. Ze waren lang bevriend geweest, de kleine maar gespierde footballer van het platteland en de weinig atletische zoon van een joodse dokter uit Fredericksburg. Het was vooral hun bizarre gevoel voor humor dat hen in elkaar had aangetrokken. Zoals Monk een talenknobbel had, zo was Stein een genie aan de biologiefaculteit.

Eén jaar eerder dan Monk was Norman Stein summa cum laude afgestudeerd en meteen verdergegaan met een studie medicijnen. Ze hadden contact gehouden op de gebruikelijke manier – elk jaar een kerstkaart. Toen hij twee jaar geleden in Washington door de lobby van een restaurant liep, vlak voordat hij naar Kenya werd gestuurd, zag Monk zijn oude vriend in zijn eentje zitten eten. Ze hadden een halfuurtje kunnen bijpraten voordat Steins lunchpartner kwam opdagen. Helaas had Monk moeten liegen en gezegd dat hij bij Buitenlandse Zaken werkte.

Stein was arts geworden, had zich gespecialiseerd in tropische ziekten en had tot zijn grote blijdschap een baan gekregen bij de onderzoeksafdeling van het Walter Reed, een militair ziekenhuis.

Nu, in zijn appartement in Nairobi, pakte Jason Monk zijn adresboekje en belde een nummer. Toen het toestel voor de tiende keer overging, werd er opgenomen.

'Ja?' vroeg een slaperige stem.

'Hallo, Norm. Met Jason Monk.' Stilte.

'Geweldig. Waar zit je?'

'In Nairobi.'

'Fantastisch. Nairobi. Natuurlijk. En hoe laat is het bij jullie?'

Monk keek op zijn horloge en vertelde het hem. Twaalf uur 's middags.

'Nou, hier is het vijf uur in de morgen, verdomme, en mijn wekker staat op zeven uur. Ik ben de halve nacht op geweest vanwege de baby. Zijn tandjes komen door. Je wordt bedankt.'

'Rustig nou, Norm. Hoor eens, weet jij iets van een ziekte die melioidosis heet?'

Het bleef even stil.

'Waarom vraag je dat?' vroeg Stein toen. Hij klonk opeens niet slaperig meer. Monk verzon een verhaaltje. Hij zei niets over een Russische diplomaat. Het ging om een jochie van vijf, het zoontje van een kennis van hem, vertelde hij. Blijkbaar was het kind dodelijk ziek. Maar hij had ergens gehoord dat er in Amerika ervaring was opgedaan met die ziekte.

'Geef me je nummer maar,' zei Stein. 'Ik moet een paar mensen bellen. Je hoort nog van me.'

Het was vijf uur in de namiddag toen Stein terugbelde.

'Misschien, heel misschien, heb ik iets voor je,' zei de epidemioloog. 'Luister. Er bestaat een revolutionair middel, maar het is nog in het ontwikkelingsstadium. We hebben een paar proeven gedaan, en die waren veelbelovend. Tot nu toe. Maar het staat nog niet eens op de FDA-lijst, laat staan dat het al goedgekeurd zou zijn. Er moet nog heel wat onderzoek worden gedaan.'

De Amerikaanse FDA, de Food and Drug Administration, moet alle medicijnen testen voordat ze worden vrijgegeven. Wat Stein beschreef was een heel vroeg cefalosporine antibioticum dat in 1983 nog geen naam had. Tegen het einde van de jaren tachtig zou het op de markt worden gebracht als Ceftazidime. In het eerste stadium heette het nog C7-1. Tegenwoordig is het het standaardmedicijn tegen melioidosis.

'Het kan bijwerkingen vertonen,' zei Stein. 'Dat weten we niet.'

'Hoe lang duurt het voordat die bijwerkingen zich openbaren?' vroeg Monk.

43

'Geen idee.'

'Het kind heeft nog maar drie weken te leven. Wat hebben we te verliezen?'

Stein zuchtte diep. 'Ik weet het niet. Het is tegen de voorschriften.'

'Ik zweer je dat niemand er ooit achter komt. Toe nou, Norm. Als dank voor alle meiden die ik voor je heb versierd.'

Een bulderend gelach bereikte hem helemaal uit Chevy Chase, Maryland.

'Als je dat ooit tegen Becky zegt, vermoord ik je,' zei dokter Stein, en hij hing op.

Achtenveertig uur later arriveerde er op de ambassade een pakje voor Jason Monk. Het werd bezorgd via een internationale koerier en het bevatte een vacuümfles met droog ijs. Op een anoniem briefje stond dat er in het ijs twee ampullen zaten verpakt. Monk belde met de Russische ambassade en liet een bericht achter voor tweede handelsattaché Turkin: 'Vergeet onze afspraak niet. Om zes uur drinken we een biertje.' Het bericht werd meteen doorgegeven aan kolonel Kuliev.

'Wie is die Monk?' vroeg hij aan Turkin.

'Een Amerikaanse diplomaat. Hij schijnt problemen te hebben met de Amerikaanse buitenlandse politiek in Afrika. Ik probeer hem te ontwikkelen als informant.'

Kuliev knikte nadrukkelijk. Dat was mooi werk. Zulke contacten rapporteerde hij graag aan Yazenevo.

Op het terras van het Thorn Tree Café gaf Monk het pakje aan de Rus. Turkin keek bezorgd, bang dat iemand van zijn eigen ambassade hem in de gaten hield. Misschien zat er wel geld in het pakje.

'Wat is het?' vroeg hij.

Monk vertelde het hem.

'Het is niet zeker dat het werkt, maar het kan geen kwaad. Het is alles wat we hebben.'

De Rus verstarde en zijn blik werd kil.

'En wat wilt u in ruil voor dit... cadeautje?' Het was duidelijk dat er iets tegenover moest staan.

'Hebt u me de waarheid verteld over uw kind? Of was dat een spelletje?'

'Nee. Deze keer niet. We spelen altijd spelletjes, mensen als u en ik, maar deze keer niet.'

Monk had al navraag gedaan bij het ziekenhuis van Nairobi en dokter Winston Moi had de feiten bevestigd. Hard, maar het is nu eenmaal een harde wereld, dacht Monk. Hij stond op van het tafeltje. Volgens de regels moest hij deze man nu dwingen om informatie prijs te geven, belangrijke geheimen. Maar hij wist dat het verhaal over zijn zoontje niet verzonnen was. Deze keer niet. En als hij daar nu misbruik van wilde maken, kon hij net zo goed straatveger worden in de Bronx.

44

'Pak het nou maar aan, kerel. Ik hoop dat het werkt. Er zit geen prijskaartje aan.'

Hij stond op en liep weg. Maar halverwege hoorde hij een stem.

'Meneer Monk, verstaat u Russisch?'

Monk knikte. 'Een beetje.'

'Dat dacht ik al. Dan kent u ook het woord *spassibo*.'

Een paar minuten over twee kwam ze uit de Rosy O'Grady en liep naar haar auto. De Rover had een centrale portiervergrendeling. Op het moment dat ze het linkerportier opende, ging het andere portier ook open. Ze zat al in de gordel en had de motor gestart toen het rechterportier openging. Geschrokken keek ze op. Daar stond hij, gebukt in de portieropening. Een stoppelbaard en een versleten oude legerjas met vier vuile medailles op de revers. Toen hij zijn mond opendeed, zag ze drie stalen voortanden glinsteren. Hij gooide een dossier in haar schoot. Ze verstond genoeg Russisch om later te kunnen herhalen wat hij zei.

'Geef het maar aan meneer de ambassadeur. Voor het bier.'

Ze schrok zich een ongeluk van hem. De man was duidelijk geschift, misschien wel schizofreen. Zulke mensen konden gevaarlijk zijn. Doodsbleek reed Celia Stone bij de stoep vandaan. Het rechterportier klapperde heen en weer totdat het vanzelf dichtsloeg door de snelheid van de auto. Ze gooide de belachelijke petitie, of wat het dan ook was, op de vloer voor de rechterstoel en reed naar de ambassade terug.

3

Een paar minuten voor twaalf op diezelfde dag, 16 juli, zat Igor Komarov in zijn kantoor op de begane grond van het herenhuis aan de Kiselny Boulevard en boog zich naar de intercom om zijn secretaris te bellen.

'Dat stuk dat ik je gisteren heb geleend, heb je dat al doorgelezen?' vroeg hij.

'Jazeker, meneer de president. Heel briljant, als ik het mag zeggen,' antwoordde Akopov. Alle leden van Komarovs staf noemden hem 'president', doelend op zijn positie als voorzitter van het uitvoerend comité van de Unie van Patriottische Krachten. En ze waren ervan overtuigd dat hij binnen twaalf maanden president van heel wat meer zou zijn.

'Dank je,' zei Komarov. 'Mag ik het dan weer terug?'

De verbinding werd verbroken. Akopov stond op en liep naar zijn muurkluis. Hij kende de combinatie uit zijn hoofd en liet de knop zes keer draaien. Toen de deur openzwaaide, zocht hij het in zwart karton ingebonden dossier. Maar hij zag het niet.

Verbaasd haalde hij de kluis helemaal leeg. Een kille angst, half paniek en half ongeloof, maakte zich van hem meester. Maar hij beheerste zich en controleerde de stapels papieren rondom zijn voeten, bladzij voor bladzij, vel voor vel. Maar geen zwart dossier. Zweetdruppeltjes parelden op zijn voorhoofd. Hij had de hele ochtend tevreden zitten werken, ervan overtuigd dat hij de vorige avond alle vertrouwelijke stukken veilig had opgeborgen. Dat deed hij altijd. Hij was een gewoontedier.

Na de kluis doorzocht hij de laden van zijn bureau. Niets. Hij keek op de vloer onder zijn bureau en in alle kasten. Een paar minuten voor één uur klopte hij op de deur van Komarovs kamer, stapte naar binnen en zei dat hij het dossier niet kon vinden.

De presidentskandidaat staarde hem een paar seconden aan.

De man van wie de hele wereld veronderstelde dat hij de volgende president van Rusland zou worden, was een bijzonder complexe persoonlijkheid die achter zijn publieke imago weinig prijsgaf van zijn werkelijke karakter. Er was geen groter contrast denkbaar met zijn voorganger, de verdreven Zjirinovsky, die hij nu openlijk een potsenmaker noemde.

Komarov was een man van gemiddeld postuur, gladgeschoren en met keurig geknipt metaalgrijs haar. Een van zijn duidelijkste tics was een obsessie voor persoonlijke hygiëne en een diepe afkeer van fysiek contact. Anders dan de meeste Russische politici, die mensen joviaal op de schouder sloegen of omhelsden en graag een glas wodka met vrienden en kennissen dronken, eiste Komarov van zijn medewerkers dat ze onberispelijk gekleed gingen en netjes spraken. Hij droeg zelden het uniform van de Zwarte Garde en gaf de voorkeur aan een grijs pak met dubbele revers en een stemmige stropdas.

Na al die jaren in de politiek waren er maar heel weinig mensen die hem persoonlijk kenden, en niemand durfde zich daarop te laten voorstaan. Nikita Ivanovich Akopov was al tien jaar zijn privé-secretaris, maar hun relatie was nog altijd die van de meester en zijn slaafs toegewijde bediende.

In tegenstelling tot Jeltsin, die met zijn medewerkers tenniste en een borrel dronk, liet Komarov zich, voor zover bekend, slechts door één man bij zijn voornaam aanspreken, en dat was zijn veiligheidschef, kolonel Anatoli Grishin.

Maar net als alle geslaagde politici kon Komarov uitstekend toneelspelen. De zeldzame keren dat hij de pers uitnodigde, acteerde hij de serieuze staatsman, maar op bijeenkomsten van zijn eigen aanhangers was hij een totaal ander mens – tot grote bewondering van Akopov. Op het podium veranderde de precieuze voormalige ingenieur in een hartstochtelijke redenaar, een begenadigd spreker, een man van het volk, met een feilloos gevoel voor de hoop, de angsten, de verlangens, de woede en de schijnheiligheid van de gewone man. Tegenover de kiezers, en tegenover hen alleen, speelde hij de eenvoudige, joviale leider.

Maar achter die twee façades school een derde persoonlijkheid, die Akopov grote angst inboezemde. Alleen al een glimp van dat andere karakter onder het dunne laagje vernis was voor Komarovs medewerkers, zijn collega's en zijn veiligheidsmensen voldoende om zijn orders blindelings uit te voeren.

In die tien jaar had Akopov maar twee keer meegemaakt dat de sluimerende woede van de man tot uitbarsting was gekomen. Bij een tiental andere gelegenheden had Komarov zich met de grootste moeite ingehouden. De twee keer dat Komarov zich niet had kunnen beheersen, had Akopov gezien hoe de man die hem domineerde en fascineerde, de man die hij volgde en adoreerde, in een gillende, krijsende duivel was veranderd.

Komarov had met telefoons, vazen en inktpotten gesmeten naar de trillende medewerker die zijn woede had opgewekt. Hij had een hoge officier van de Zwarte Garde tot een huilend wrak gedegradeerd. Hij had smerige vloeken en verwensingen gebruikt die Akopov niet eens kende, hij had meubels stukgeslagen, en de omstanders hadden hem moeten tegenhouden toen hij zijn slachtoffer met een zware houten liniaal te lijf wilde gaan om hem te vermoorden.

Akopov kende de signalen van zo'n dreigende woede-uitbarsting bij de president van de UPK. Komarov trok wit weg, hij werd nog formeler en beleefder dan anders, maar er verschenen twee felrode blosjes op zijn wangen.

'Bedoel je dat je het kwijt bent, Nikita Ivanovich?'

'Niet kwijt, meneer de president. Ik kan het even niet vinden.'

'Het is een vertrouwelijk dossier. Het is het geheimste stuk dat je ooit in handen hebt gehad. Je hebt het zelf gelezen, dus je begrijpt waarom.'

'Jawel, meneer de president.'

'Er bestaan maar drie exemplaren van, Nikita. Twee daarvan liggen in mijn eigen kluis. Slechts een heel klein groepje naaste medewerkers zal het ooit te zien krijgen. Ik heb het persoonlijk uitgetypt. Ik, Igor Komarov, heb het hele stuk zelf getypt omdat ik het niet aan een secretaresse wilde toevertrouwen. Zo vertrouwelijk is het.'

'Heel verstandig, meneer de president.'

'En omdat ik jou tot dat kleine groepje vertrouwelingen reken... rekende... heb ik het jou laten lezen. Maar nu vertel je me dat je het kwijt bent.'

'Ik kan het even niet vinden, maar het duikt wel weer op, dat verzeker ik u, meneer de president.'

Komarov staarde hem aan met die hypnotiserende blik waarmee hij sceptici kon charmeren en klaplopers de stuipen op het lijf kon jagen. De blosjes op zijn wangen werden steeds feller.

'Wanneer heb je het voor het laatst gezien?'

'Gisteravond, meneer de president. Ik was laat op kantoor gebleven om het in alle rust te kunnen lezen. Ik ben pas om acht uur naar huis gegaan.'

Komarov knikte. Dat zou wel blijken uit het logboek van de nachtwakers.

'Dus je hebt het meegenomen. Tegen mijn uitdrukkelijke orders in heb je het dossier meegenomen uit dit gebouw.'

'Nee, meneer de president, ik zweer het. Ik heb het in de kluis opgeborgen. Ik zou een vertrouwelijk stuk nooit laten rondslingeren of mee naar huis nemen.'

'Maar het ligt niet meer in de kluis?'

Akopov slikte, maar hij had geen speeksel meer.

'Hoe vaak heb je de kluis geopend voordat ik belde?'

'Niet één keer, meneer de president. Pas toen u belde heb ik de kluis opengemaakt.'

'En hij zat op slot?'

'Ja, zoals altijd.'

'Was hij geforceerd?'

'Zo te zien niet, meneer de president.'

'Heb je je kamer doorzocht?'

'Tot in alle hoeken. Ik begrijp er niets van.'

Komarov dacht een paar minuten na. Achter zijn uitdrukkingsloze gezicht kwam een lichte paniek op. Ten slotte belde hij de veiligheidsdienst op de parterre.

'Verzegel het gebouw. Niemand mag er meer in of uit. Stuur kolonel Grishin naar mijn kantoor. Nu meteen. Waar hij ook is of wat hij ook doet, ik verwacht hem binnen het uur.'

Hij nam zijn wijsvinger van de knop en staarde naar zijn doodsbleke, trillende assistent.

'Ga maar terug naar je kantoor. Praat met niemand. Wacht daar tot je iets van me hoort.'

Als een intelligente, ongetrouwde en moderne, jonge vrouw had Celia Stone allang besloten dat ze van het leven mocht genieten wanneer en met wie ze dat wilde. Op dit moment wilde ze het jonge, gespierde lichaam van Hugo Gray, die nog geen twee maanden geleden uit Londen was gearriveerd, een half jaar na haar eigen komst. Hij was assistent van de cultureel attaché, zat in dezelfde functieklasse als Celia, was twee jaar ouder en ook vrijgezel.

Ze hadden allebei een klein maar functioneel appartement in een woonwijk voor het Britse ambassadepersoneel bij Kutuzovsky Prospekt, een vierkant gebouw rond een binnenplaats met parkeerruimte. De toegang werd bewaakt door agenten van de Russische militia. Zelfs in het huidige Rusland werd iedereen nog in de gaten gehouden, maar in elk geval stonden de auto's daar veilig.

Na de lunch reed ze terug naar het bewaakte ambassadeterrein aan de Sofiskayakade en schreef een rapport over haar gesprek met de journalist. Ze hadden voornamelijk gesproken over het overlijden van president Cherkassov, de vorige dag, en de mogelijke gevolgen daarvan. Celia had de journalist verzekerd van de voortdurende interesse van het Britse volk in de gebeurtenissen in Rusland. Hopelijk zou hij haar geloven. Dat zou wel blijken als ze zijn artikel las.

Om vijf uur reed ze naar haar appartement voor een douche en een tukje. Om acht uur had ze een afspraak om met Hugo Gray te gaan eten. Daarna was ze van plan om hem mee te nemen naar haar flat. Veel slaap zou ze die nacht niet krijgen.

Om vier uur 's middags had kolonel Anatoli Grishin zich ervan overtuigd dat het ontbrekende dossier niet meer in het gebouw kon zijn. Hij stapte het kantoor van Igor Komarov binnen om hem in te lichten.

De afgelopen vier jaar waren de twee mannen steeds meer van elkaar afhankelijk geworden. In 1994 was Grishin bij het Tweede Hoofddirectoraat van de KGB vertrokken met de rang van kolonel. Hij was een teleurgesteld man. Sinds het formele einde van het communistische bewind in 1991 was de

49

KGB naar zijn oordeel een lamme mus geworden. Al veel eerder, in september 1991, had Mikhail Gorbatsjov de grootste veiligheidsdienst ter wereld de nek omgedraaid en de verschillende afdelingen elders ondergebracht.

De buitenlandse inlichtingendienst, het Eerste Hoofddirectoraat, bleef gevestigd in haar oude hoofdkwartier in Yazenevo, voorbij de ringweg, maar werd omgedoopt tot Buitenlandse Inlichtingendienst of SVR. Dat was al erg genoeg.

Nog erger was dat Grishins eigen afdeling, het Tweede Hoofddirectoraat, dat altijd verantwoordelijk was geweest voor de binnenlandse veiligheid, het ontmaskeren van spionnen en de jacht op dissidenten, werd uitgekleed en gecastreerd. De dienst heette nu de FSB en werd een parodie op wat ze ooit was geweest.

Grishin zag het met walging gebeuren. Het Russische volk had discipline nodig, een stevige en soms harde hand. Daar had het Tweede Hoofddirectoraat altijd voor gezorgd. Grishin wist de hervormingen drie jaar te verdragen, in de hoop dat hij tot generaal-majoor zou worden bevorderd voordat hij zijn ontslag nam. Maar zo ver kwam het niet. Een jaar later kwam hij als veiligheidschef in dienst bij Igor Komarov, toen nog maar één van de leden van het politburo van de voormalige Liberaal-Democratische Partij.

De twee mannen hadden gezamenlijk een greep naar de macht gedaan, en die macht zou nog veel groter worden. In de loop van de jaren had Grishin een volledig loyale veiligheidsdienst opgebouwd, de Zwarte Garde, die nu zesduizend leden telde – een elitekorps van jonge kerels, onder Grishins persoonlijke bevel.

De Zwarte Garde werd ondersteund door de Liga van Jonge Strijders, twintigduizend fanatieke jongeren, allemaal geïndoctrineerd met de ideologie van de UPK. Ook over dit legertje had Grishin het commando.

De eenvoudigste schooier mocht Komarov joviaal aanspreken, maar dat was een onderdeel van het volkse imago dat van een Russische leider werd verwacht. Privé verwachtte Komarov strikte beleefdheid van al zijn ondergeschikten, op een paar vertrouwelingen na.

'Weet je zeker dat het dossier niet meer in het gebouw is?' vroeg Komarov.

'Ja, er is geen andere verklaring, Igor Viktorovich. We hebben twee uur gezocht, tot in alle hoeken. Elke kast, elke bureaula, elke kluis. Alle kozijnen, elke meter grond. Er is niet ingebroken, dat weet ik zeker.

De expert van de fabrikant heeft zojuist bevestigd dat de safe niet is geforceerd. Hij is dus geopend door iemand die de combinatie kende, of het dossier was niet in de kluis opgeborgen. Het vuilnis van gisteravond is doorzocht. Niets.

De honden hebben van drie uur 's nachts tot vanochtend zeven uur over het terrein gezworven. Niemand heeft het gebouw verlaten sinds de nachtwakers om zes uur de dagploeg hadden afgelost, die tien minuten later is vertrokken. Akopov heeft tot acht uur op kantoor gezeten. We hebben de hondentrainer van vannacht ook ondervraagd. Hij zweert dat hij de honden gisteravond maar drie keer heeft teruggeroepen, om drie mensen door te laten die hadden overgewerkt. Akopov was de laatste. Dat wordt ook bevestigd door het logboek.'

'En dus?' vroeg Komarov.

'Een menselijke fout, of boze opzet. De twee nachtwakers zijn in de kazerne van hun bed gelicht. Ik verwacht ze elk moment. Zij konden vrij door het gebouw lopen vanaf het tijdstip dat Akopov was vertrokken tot het moment waarop de dagploeg zich weer meldde, om zes uur vanochtend. Daarna had de dagploeg vrij spel totdat het eerste kantoorpersoneel arriveerde, om een uur of acht. Maar de dagploeg zweert dat alle kantoordeuren op deze verdieping op slot zaten toen ze aan hun dienst begonnen. Dat wordt bevestigd door iedereen die op deze etage werkt, inclusief Akopov.'

'Wat is je theorie, Anatoli?'

'Akopov heeft het dossier mee naar huis genomen, per ongeluk of met opzet. Of hij is vergeten om het in de kluis op te bergen en een van de nachtwakers heeft het gestolen. Zij hebben lopers van alle deuren.'

'Dus het moet Akopov zijn?'

'Hij is de belangrijkste verdachte, dat staat vast. We hebben zijn flat doorzocht, waar hij bij was. Niets. Ik dacht dat hij het dossier misschien had meegenomen en zijn koffertje was kwijtgeraakt. Dat is eens gebeurd op het ministerie van Defensie. Ik had toen de leiding van het onderzoek. Het bleek geen spionage te zijn, maar verwijtbare nalatigheid. De schuldige is naar een strafkamp gestuurd. Maar Akopov heeft nog steeds zijn oude koffertje. Het is door drie mensen herkend.'

'Dus hij heeft het met opzet gedaan?'

'Zou kunnen. Maar toch is dat vreemd. Waarom is hij vanochtend dan naar kantoor gekomen en heeft hij gewacht tot we hem in zijn kraag grepen? Terwijl hij twaalf uur de tijd heeft gehad om te vluchten? Ik zou hem graag nog eens wat eh... grondiger aan de tand willen voelen. Om zekerheid te hebben.'

'Ga je gang.'

'En daarna?'

Igor Komarov draaide zich in zijn stoel naar het raam en keek een tijdje peinzend voor zich uit.

'Akopov is altijd een uitstekende assistent geweest,' zei hij eindelijk. 'Maar hierna zal ik hem moeten vervangen. Het probleem is dat hij dat dossier gezien heeft. Een heel vertrouwelijk stuk. Als we Akopov degraderen of wegsturen, zal hij in zijn verontwaardiging misschien vertellen wat hij weet. En dat zou jammer zijn. Heel jammer.'

'Ik begrijp het helemaal,' zei kolonel Grishin.

Op dat moment werden de twee geschrokken nachtwakers binnengebracht en verdween Grishin naar beneden om hen te ondervragen.

Tegen negen uur 's avonds waren de kamers van de kazerne van de Zwarte Garde buiten de stad doorzocht, maar er werd niets anders gevonden dan de gebruikelijke toiletspullen en pornoblaadjes.

Op het hoofdkwartier werden de twee mannen afzonderlijk verhoord, in aparte kamers. Grishin ondervroeg hen persoonlijk. Ze waren doodsbang voor hem, en terecht. Zijn reputatie was bekend.

Zo nu en dan brulde hij verwensingen in hun oor, maar nog erger was het als hij vlak voor hen ging zitten en op fluistertoon beschreef wat er gebeurde met mensen die tegen hem logen. Tegen acht uur had hij een volledig beeld van wat er de afgelopen nacht tijdens hun dienst was gebeurd. Hij wist dat ze onregelmatig hadden gepatrouilleerd en dat ze aan de televisie gekluisterd hadden gezeten om naar het nieuws over de dood van de president te kijken. En voor het eerst hoorde hij van het bestaan van de schoonmaker.

De man was om tien uur binnengelaten. Via de ondergrondse gang, zoals gewoonlijk. Niemand had hem geëscorteerd. De bewakers waren allebei nodig geweest om de deur open te doen, omdat een van hen de combinatie kende van de buitendeur en zijn collega die van de binnendeur. Samen kenden ze de code van de middelste deur.

De twee bewakers hadden gezien dat de oude man op de bovenste verdieping was begonnen, zoals hij altijd deed. Daarna waren ze bij de televisie weggeroepen om de kamers op de middelste etage – waar de belangrijkste kantoren lagen – voor hem te openen. Een van hen was in de deuropening van Komarovs suite blijven staan terwijl de schoonmaker bezig was en had de deur daarna weer afgesloten. Maar de bewakers waren allebei beneden geweest toen de schoonmaker de rest van de tussenverdieping afwerkte. Zo ging het altijd. En dus... was de schoonmaker zonder toezicht in het kantoor van Akopov geweest. Bovendien was hij eerder vertrokken dan anders.

Om negen uur werd een lijkbleke Akopov naar buiten gebracht. Hij stapte in zijn eigen auto, maar een lid van de Zwarte Garde zat achter het stuur en een andere gardist schoof naast de verguisde secretaris op de achterbank. De auto reed niet naar Akopovs appartement, maar de stad uit naar een van de grote kampementen van de Jonge Strijders.

Om negen uur had kolonel Grishin het personeelsdossier gelezen van Zaitsev, Leonid, 63 jaar oud, van beroep schoonmaker. Zijn adres stond erin, maar de man zou wel vertrokken zijn. Hij moest om tien uur met zijn werk beginnen.

Maar wie er ook verscheen, geen Zaitsev. Om middernacht reed kolonel Grishin met drie Zwarte Gardisten naar het huis van de oude man.

Omstreeks dezelfde tijd liet Celia Stone zich met een gelukzalige glimlach van haar jonge minnaar af glijden en pakte een sigaret. Ze rookte weinig, maar dit was een van die momenten. Hugo Gray lag nog hijgend op zijn rug. Hij was een fitte jonge kerel, die in conditie bleef door te zwemmen en te squashen. Maar de afgelopen twee uur hadden bijna al zijn krachten gevergd. Niet voor het eerst vroeg hij zich af waarom God het zo had geregeld dat de behoeften van een verliefde vrouw het uithoudingsvermogen van een man altijd te boven gingen. Het was niet eerlijk.

In het donker nam Celia een lange haal van haar sigaret, voelde het effect van de nicotine en kroelde met haar vingers door de donkere krullen van haar geliefde.

'Hoe ben je in vredesnaam cultureel attaché geworden?' vroeg ze plagend.

'Je weet nog niet eens het verschil tussen Toergenjev en Lermontov.'

'Dat hoeft ook niet,' bromde Gray. 'Ik moet die Russkies voor onze eigen cultuur interesseren – Shakespeare, Brontë, dat soort werk.'

'Praat je daarom zoveel met het hoofd van de inlichtingendienst?'

Gray schoot overeind, greep Celia bij haar arm en siste in haar oor: 'Kop dicht, Celia! Misschien wordt deze flat afgeluisterd.'

Nijdig verdween Celia om koffie te zetten. Ze begreep niet waarom Hugo zo reageerde op een pesterijtje. Bovendien wist iedereen op de ambassade toch wat Hugo werkelijk deed.

Ze had natuurlijk gelijk. Hugo Gray was de derde en jongste medewerker van het plaatselijke bureau van de Britse Secret Intelligence Service. In de goeie ouwe tijd, op het hoogtepunt van de koude oorlog, was het bureau veel groter geweest, maar de tijden veranderden. Het ineengestorte Rusland leek nauwelijks een bedreiging meer, het budget was krap, en daarom had Londen fors gesnoeid in de financiering van het bureau.

Bovendien was negentig procent van de zaken die ooit geheim waren geweest, nu voor iedereen toegankelijk of van weinig belang meer. Zelfs de voormalige KGB had een persofficier en het CIA-contingent op de Amerikaanse ambassade was niet groter meer dan een voetbalteam.

Maar Hugo Gray was jong en ijverig, en ervan overtuigd dat de flats van de meeste diplomaten nog werden afgeluisterd. Het communisme was dan wel verdwenen, maar de Russische paranoia niet. Daar had hij gelijk in, maar de FSB-agenten wisten allang wie en wat hij was en vonden het best.

Ondanks zijn vreemde naam was de Boulevard van de Geestdrift waarschijnlijk de meest verloederde, de armoedigste en gevaarlijkste buurt van Moskou. Deze triomf van communistische planning lag onder de rook van een groot chemisch complex met filters als tennisnetten. De enige geestdrift die de bewoners ooit konden opbrengen was als ze de kans kregen om te verhuizen.

Volgens zijn dossier woonde Leonid Zaitsev met zijn dochter, haar man – een vrachtwagenchauffeur – en hun kind in een appartement vlak bij de hoofdstraat. Het was half een in de nacht en nog steeds warm toen de gestroomlijnde zwarte Chaika de hoek om kwam. De bestuurder stak zijn hoofd uit het raampje om het vuile straatnaambordje te kunnen lezen en stopte voor het aangegeven adres.

De schoonzoon heette natuurlijk anders, daarom belden ze eerst de benedenbuurvrouw uit haar bed om te informeren of ze de juiste familie te pakken hadden. Er was geen lift naar de derde verdieping. De vier mannen denderden de trappen op en bonsden op de afbladderende deur.

De vrouw die slaperig opendeed was halverwege de dertig maar zag er tien jaar ouder uit. Grishin was beleefd maar onverbiddelijk. Zijn mannen drongen zich langs haar heen en verspreidden zich door de flat. Ze hoefden niet ver te zoeken. Het appartement was piepklein, niet meer dan twee kamers, met een smerig toilet en een open keukentje achter een gordijn.

De vrouw en haar dochtertje van zes hadden liggen slapen in het grote familiebed in een van de kamers. Het kind was wakker geworden en begon te huilen. Ze gilde toen het bed werd opgetild om te zien of er iemand onder lag. De twee gammele kasten van triplex werden geopend en doorzocht.

In de andere kamer wees Zaitsevs dochter machteloos naar het bed tegen de muur waar haar vader gewoonlijk sliep en zei dat haar man een rit maakte naar Minsk en al twee dagen van huis was. Ze begon te huilen, net als het kind, en zwoer dat haar vader die ochtend niet van zijn werk was thuisgekomen. Ze maakte zich wel ongerust, maar had hem nog niet als vermist opgegeven. Waarschijnlijk was hij op een parkbankje in slaap gevallen.

Binnen tien minuten hadden de Zwarte Gardisten vastgesteld dat er zich niemand in de flat verscholen hield. Grishin was ervan overtuigd dat de vrouw te angstig en te onnozel was om tegen hem te liegen. Een half uur later waren ze vertrokken.

Grishin reed niet terug naar het centrum, maar gaf de chauffeur opdracht naar het kamp van de Jonge Strijders te rijden, zestig kilometer buiten Moskou. Daar was Akopov naartoe gebracht. De rest van de nacht voelde hij de ongelukkige secretaris aan de tand. Nog voor het ochtendgloren gaf de man snikkend toe dat hij het belangrijke dossier op zijn bureau had laten liggen. Dat was hem nooit eerder overkomen en hij begreep niet waarom hij het niet in de kluis had opgeborgen. Hij smeekte om vergiffenis. Grishin knikte en klopte hem op zijn schouder.

Toen stapte hij naar buiten en wenkte een van zijn vertrouwelingen.

'Het wordt een bloedhete dag. Onze vriend daarbinnen is van streek. Neem hem maar mee om een eindje te zwemmen.'

Daarna reed hij terug naar de stad. Als het belangrijke dossier op Akopovs bureau was blijven liggen, redeneerde hij, was het weggegooid of meegenomen door de schoonmaker. Die eerste mogelijkheid viel af. Al het vuilnis van het partijbureau werd een paar dagen bewaard voordat het onder toezicht werd verbrand. Het afval van de afgelopen nacht was grondig doorzocht. Tevergeefs. Dus moest de schoonmaker het dossier hebben gestolen. Maar wat moest zo'n half-geletterde oude man met dat stuk, en wat had hij ermee gedaan? Grishin had geen idee. Alleen de man zelf kon het antwoord geven, en dat zou hij zeker doen.

Nog vóór het ontbijt had hij tweeduizend van zijn eigen mensen in burger de straat op gestuurd om Moskou te doorzoeken naar een oude man in een versleten legerjas. Hij had geen foto, maar het signalement was uitvoerig genoeg, tot en met de drie stalen voortanden van het Konijn.

Toch was het geen gemakkelijke opgave, zelfs voor tweeduizend man. De stegen en parken van Moskou telden tien keer zoveel zwervers, van alle leeftijden, van ieder postuur, en allemaal even armoedig gekleed. Als Zaitsev nu ergens op straat leefde, zoals Grishin vermoedde, zouden ze bijna iedereen moeten aanhouden, tot ze de man met de drie stalen tanden en het zwarte dossier gevonden hadden. En Grishin had haast. Zijn verbaasde maar gehoorzame Zwarte Gardisten, voor de gelegenheid gekleed in een luchtige broek en overhemd vanwege de hitte, zwermden uit over de stad.

Langley, 1983

Jason Monk kwam overeind achter zijn bureau, rekte zich uit en besloot om naar de kantine te gaan. Hij was een maand geleden uit Nairobi teruggekomen en had gehoord dat hij een goede tot uitstekende beoordeling had gekregen. Er zat een promotie in het vat. De chef van de divisie Afrika was blij voor hem, maar vond het jammer dat hij hem moest laten gaan.

Toen hij in Amerika terugkwam, zag Monk dat hij was ingeschreven voor een cursus Spaans, waaraan hij na de kerstvakantie moest beginnen. Spaans zou zijn derde buitenlandse taal worden en de weg vrijmaken naar de divisie Latijns-Amerika.

Latijns-Amerika was een groot en belangrijk gebied. Het werd beschouwd als de achtertuin van de Verenigde Staten, zoals omschreven in de Monroe-doctrine, en vormde dus een voornaam doelwit voor het Oostblok, dat in veel Zuidamerikaanse landen onlusten, subversieve acties en communistische revoluties probeerde uit te lokken. De KGB was bezig met een grote operatie ten zuiden van de Rio Grande en de CIA moest tegenmaatregelen nemen. Monk was drieëndertig, en overplaatsing naar Zuid-Amerika was dus een gunstige stap in zijn carrière.

'Zo, jij hebt een bruine kop gekregen,' zei een stem. Monk keek op. Hij herkende de man die tegen hem grijnsde en hij wilde al opstaan, maar de man gebaarde dat hij moest blijven zitten – een minzaam gebaar van een landheer tegenover een eenvoudige boer.

Monk was verbaasd. Hij wist dat de man een van de belangrijkste figuren binnen het Operationele Directoraat was. Iemand had hem eens aangewezen in de gang, toen hij pas benoemd was tot hoofd van de contraspionagesectie van de SE-divisie.

Wat Monk vooral verbaasde was dat de man zo onopvallend was. Ze waren ongeveer even lang, bijna een meter tachtig, maar de man tegenover hem, negen jaar ouder dan Monk, was duidelijk in slechte conditie. Zijn vettige haar was strak achterovergekamd en zijn dikke snor bedekte de bovenlip van een slappe, ijdele mond. Zijn ogen stonden een beetje bijziend.

'Drie jaar in Kenya,' zei Monk als verklaring voor zijn bruine kop.

'En nu weer terug in het koude Washington?' zei de man. Hij kwam niet prettig over. Monk las een lichte spot in zijn ogen, alsof de man wilde zeggen: ik ben veel slimmer dan jij. Heel erg slim.

'Ja, meneer,' antwoordde Monk. De man stak een hand uit die onder de nicotinevlekken zat. Het was Monk al opgevallen dat hij een netwerk van haarvaatjes onder zijn neus had, vaak het teken van een zware drinker. Monk stond op en grijnsde even – de grijns die de meisjes van de typekamer de 'speciale behandeling' noemden.

'En u bent...?' vroeg de man.

'Monk, Jason Monk.'

'Prettig kennis te maken, Jason. Ik ben Aldrich Ames.'

Als de auto van Hugo Gray die ochtend had willen starten, zouden er veel minder doden zijn gevallen en had de geschiedenis van de wereld een heel andere wending genomen. Maar magneetspoelen van startmotoren hebben hun eigen wetten. Na een paar mislukte pogingen rende Gray achter de rode Rover aan die juist naar de slagboom van de woonwijk reed, en tikte op het raampje. Celia Stone gaf hem een lift.

Meestal werkte het ambassadepersoneel niet op zaterdag, zeker niet op zo'n warme zomerdag als vandaag, maar de dood van de president had voor een enorme berg extra werk gezorgd dus moest er dit weekend gewerkt worden.

Hij liet zich naast haar vallen toen ze Kutuzovsky Prospekt op reed en langs het Ukraine Hotel op weg ging naar de Arbat en het Kremlin. Gray voelde iets onder zijn voeten, bukte zich en raapte het op.

'Wou je de *Izvestia* overnemen?' vroeg hij. Celia keek opzij en herkende het dossier dat hij in zijn hand hield.

'O god, dat wilde ik gisteren in de vuilnisbak gooien. Een ouwe gek heeft het in mijn auto gesmeten. Ik schrok me wild.'

'Weer zo'n verzoek, zeker,' zei Gray. 'Ze geven het ook nooit op. Meestal willen ze een visum.' Hij sloeg het zwarte omslag open en las de titelpagina.

'Nee, het is politiek.'

'Geweldig. Een geniaal plan van meneer Mataklap om de wereld te redden. Geef het maar aan de ambassadeur.'

'Vroeg hij je dat? Om het aan de ambassadeur te geven?'

'Ja. En hem te bedanken voor het bier.'

'Welk bier?'

'Hoe moet ik dat weten? Die vent was geschift.'

Gray las de titelpagina nog eens en bladerde toen verder. Opeens werd hij stil.

'Ja, het is politiek,' zei hij nog eens. 'Een soort manifest.'

'Je mag het hebben,' zei Celia. Ze passeerden de Alexandrovsky Tuinen en sloegen af naar de Steenbrug.

Op de ambassade aangekomen wilde Hugo Gray het ongevraagde dossier nog even doorlezen voordat hij het in de prullenmand gooide. Maar toen hij tien bladzijden verder was, stond hij op en belde de SIS-bureauchef, een sluwe Schot met een scherpe tong.

Zijn kantoor werd dagelijks op microfoontjes gecontroleerd, maar echt geheime gesprekken werden altijd gehouden in de 'Bubble' of luchtbel, een vergaderzaal die aan versterkte balken was opgehangen zodat hij aan alle kanten door lucht werd omgeven als de deur dicht ging. De Bubble werd regelmatig gecontroleerd en kon onmogelijk worden afgeluisterd door vijandelijke inlichtingendiensten. Maar Gray was nog niet zo zeker van zijn zaak dat hij een gesprek in de Bubble aanvroeg.

'Zeg het maar, jochie,' zei de chef, toen Gray binnenkwam.

'Hoor eens, Jock, waarschijnlijk is het tijdverspilling. Sorry. Maar er is gisteren iets vreemds gebeurd. Een oude vent heeft dit dossier in de auto van Celia Stone gegooid. Je weet wel, dat meisje van de voorlichting. Misschien is het niets, maar...'

Hij zweeg. De chef keek hem over zijn halve brilletje onderzoekend aan.

'In haar auto gegooid?' vroeg hij vriendelijk.

'Dat zegt ze, ja. Hij rukte het portier open, smeet dat dossier naar binnen en zei dat ze het aan de ambassadeur moest geven. Toen verdween hij weer.'

De chef stak zijn hand uit naar het zwarte dossier met Grays voetafdrukken erop.

'Wat voor een man?' vroeg hij.

'Oud, sjofel, met een stoppelbaard. Een zwerver of zo. Celia Stone schrok zich ongelukkig.'

'Een verzoek, misschien?'

57

'Dat dacht zij ook. Ze wilde het weggooien. Maar vanochtend gaf ze me een lift. Onderweg heb ik een stukje gelezen. Het lijkt me een politiek geschrift. En op de binnenpagina staat een stempel met het logo van de UPK. Het lijkt geschreven door Igor Komarov.'

'Onze toekomstige president. Vreemd. Goed, jochie, laat het maar hier achter.'

'Bedankt, Jock,' zei Gray, en hij stond op. De gewoonte dat hogere en lagere medewerkers elkaar bij de voornaam noemen, wordt door de Britse Secret Intelligence Service bewust aangemoedigd om een sfeer van kameraadschap te scheppen – een teamgeest die alle organisaties in dit vreemde wereldje proberen aan te kweken. Alleen de hoogste baas wordt chef of meneer genoemd.

Gray had zijn hand al op de deurknop toen Macdonald hem terugriep.

'Nog één ding, jochie. Die appartementjes uit de sovjettijd zijn slecht gebouwd en hebben heel dunne muren. Onze derde handelsattaché kwam vanochtend nogal slaperig op kantoor. Hij had geen oog dichtgedaan. Gelukkig is zijn vrouw met vakantie in Engeland. Zouden jij en de charmante juffrouw Stone het de volgende keer wat rustiger kunnen houden?'

Hugo Gray werd net zo rood als de muren van het Kremlin. Haastig vertrok hij. De bureauchef legde het zwarte dossier opzij. Hij had een lange dag voor de boeg en de ambassadeur wilde hem om elf uur spreken. Zijne excellentie was een drukbezet man en had geen tijd voor dossiers die door zwervers in auto's van het ambassadepersoneel werden gesmeten.

Pas 's avonds laat, toen hij nog op kantoor zat te werken, had de bureauchef eindelijk een paar minuten over om zich te verdiepen in wat later bekend zou worden als het Zwarte Manifest.

Madrid, augustus 1984

Tot aan de verhuizing naar een nieuw adres in november 1986 was de Indiase ambassade in Madrid gevestigd in een rijk versierd gebouw van rond de eeuwwisseling, aan de Calle Velasquez 93. Op onafhankelijkheidsdag 1984 hield de Indiase ambassadeur zoals gewoonlijk een grote receptie voor hoge functionarissen van de Spaanse regering en het corps diplomatique.

Het was 15 augustus, en dus snikheet in Madrid. Bovendien was augustus de maand waarin het parlement en de meeste diplomaten vakantie hadden. Veel hoge figuren waren de stad uit en lieten zich vertegenwoordigen door ondergeschikten.

Dat was jammer voor de ambassadeur, maar de Indiërs konden moeilijk de geschiedenis herschrijven en hun onafhankelijkheidsdag op een andere datum vieren.

De Amerikanen stuurden hun zaakgelastigde en de tweede handelsattaché, een zekere Jason Monk. De chef van het CIA-bureau op de ambassade was met vakantie en Monk, inmiddels de tweede man van het bureau, viel voor hem in.

Het was een goed jaar geweest voor Monk. Na zes maanden was hij met vlag en wimpel voor zijn examen Spaans geslaagd en van GS-12 tot GS-13 bevorderd.

De aanduiding GS zegt mensen in het bedrijfsleven niet veel, maar het is de salarisschaal van de Amerikaanse federale overheid. Binnen de CIA heeft het niet alleen betrekking op het salaris maar ook op rang, prestige en het verloop van een carrière.

Na een paar wijzigingen in de top had CIA-directeur William Casey een nieuwe adjunct-directeur Operaties benoemd als opvolger van John Stein. De DDO staat aan het hoofd van de hele inlichtingensectie van de CIA en is dus de baas van alle agenten in het veld. De nieuwe man was Monks oorspronkelijke mentor, Carey Jordan.

Na zijn cursus Spaans was Monk niet overgeplaatst naar de divisie Latijns-Amerika, maar na de divisie West-Europa, waar maar één Spaanstalig land onder viel: Spanje zelf.

Niet dat Spanje vijandelijk gebied was, integendeel. Maar voor een vrijgezelle CIA-officier van vierendertig was de mondaine Spaanse hoofdstad heel wat aantrekkelijker dan Tegucigalpa.

Vanwege de goede betrekkingen tussen de Verenigde Staten en hun Spaanse bondgenoot was het niet de eerste taak van de CIA om de Spanjaarden te bespioneren, maar samen te werken met de Spaanse contraspionagedienst en een oogje te houden op de grote Russische en Oosteuropese gemeenschap die wemelde van de geheime agenten. Al binnen twee maanden had Monk een goede verstandhouding opgebouwd met de Spaanse veiligheidsdienst, waarvan de meeste hoge officieren nog uit de tijd van Franco kwamen en weinig op hadden met het communisme. Omdat de naam Jason voor Spanjaarden vrij lastig was – ze spraken het uit als 'Gasson' – hadden ze de jonge Amerikaan 'El Rubio', de Blonde, gedoopt. Ze mochten hem graag. Monk had dat effect op mensen.

Het was warm op de Indiase ambassade en de receptie leek op alle andere recepties. Groepjes mensen die traag circuleerden, champagne dronken die binnen tien seconden warm werd, en beleefde dingen tegen elkaar zeiden die ze niet meenden. Toen Monk vond dat hij zich genoeg had uitgesloofd voor Uncle Sam en wilde opstappen, zag hij een bekend gezicht.

Hij zigzagde door de menigte en bleef staan tot de man in het donkergrijze pak was uitgesproken met een dame in een sari en even in zijn eentje stond. Van achter zijn rug zei Monk in het Russisch: 'Zo, mijn vriend, hoe is het met je zoontje afgelopen?'

De man verstijfde en draaide zich om. Toen glimlachte hij. 'Dank je,' zei Nikolai Turkin. 'Hij is goed hersteld en weer helemaal gezond.'

'Ik ben blij het te horen,' zei Monk, 'en zo te zien heeft je carrière het ook overleefd.'

Turkin knikte. Gunsten van de vijand aannemen was een ernstig vergrijp. Als iemand hem had aangegeven, zou Turkin nooit meer toestemming hebben gekregen om de Sovjetunie te verlaten. Maar hij had zich uitgeleverd aan de genade van professor Glazunov. De oude arts had zelf een zoon en vond heimelijk dat zijn land met het Westen zou moeten samenwerken op het gebied van medisch onderzoek. Daarom had hij besloten de jonge officier niet aan te geven en had hij bescheiden de complimenten van zijn collega's in ontvangst genomen voor de opmerkelijke genezing van de kleine jongen.

'Gelukkig wel, maar het scheelde niet veel,' antwoordde hij.

'Laten we een hapje gaan eten,' zei Monk. De Rus keek geschrokken, maar Monk hief bezwerend zijn handen op. 'Zonder bijbedoelingen.'

Turkin glimlachte. De twee mannen wisten heel goed van elkaar wat de ander deed. Het feit dat Monk zo goed Russisch sprak, paste niet bij zijn functie als handelsattaché op de Amerikaanse ambassade. En Monk wist dat Turkin voor de KGB moest werken, waarschijnlijk bij Directoraat K, de contraspionagedienst. Anders had hij niet zonder belemmering met Amerikanen mogen praten.

Dat Monk meteen over 'bijbedoelingen' begon, maakte het allemaal nog duidelijker. Hij zei het bewust op ironische toon, om te laten blijken dat hij een wapenstilstand wilde in de koude oorlog. Hij was niet van plan om Turkin als spion te rekruteren.

Drie dagen later kwamen de twee mannen ieder apart naar een cafeetje in een steeg in de oude wijk van Madrid, de Calle de los Cuchilleros, de 'straat van de messenslijpers'. Halverwege was een oude houten deur met daarachter een trap naar een kelder met stenen bogen – een voormalige wijnkelder uit de middeleeuwen. Al jarenlang was hier een eethuisje, de Sobrinos de Botín, waar traditionele Spaanse gerechten werden geserveerd. De oude bogen verdeelden de ruimte in nissen, waar precies een tafeltje in paste. Monk en zijn gast hadden het rijk alleen.

Het eten was uitstekend. Monk bestelde een rode Marquès de Riscal. Uit beleefdheid spraken ze niet over het werk, maar over vrouw en kinderen – die Monk niet had, moest hij toegeven. Turkin vertelde dat de kleine Yuri inmiddels naar school ging, maar in de zomervakantie bij zijn grootouders was. De wijn smaakte voortreffelijk en er kwam een tweede fles.

Het duurde even voordat Monk besefte dat er achter Turkins ontspannen uiterlijk een grote woede schuilging, niet tegen de Amerikanen, maar tegen het systeem dat bijna de dood van zijn zoontje had veroorzaakt. De tweede fles Marquès was bijna leeg toen hij plotseling vroeg: 'Bevalt het je eigenlijk bij de CIA?'

Had Turkin toch bijbedoelingen? vroeg Monk zich af. Was dit een onnozele poging om hem te rekruteren?

'Ja hoor,' antwoordde hij luchtig. Hij schonk wijn in en keek naar de fles, niet naar de Rus.

'Als je problemen hebt, steunen ze je dan, je eigen mensen?'

Monk keek nog steeds naar de wijn en hield zijn hand stil.

'Ja. Ze doen altijd hun best voor je. Dat is een erecode.'

'Het lijkt me heel prettig om te werken voor mensen die zoveel vrijheid hebben,' zei Turkin. Monk zette eindelijk de fles neer en keek hem aan. Hij had gezegd dat hij geen bijbedoelingen had, maar de Rus begon er nu zelf over. Dus waarom niet?

'Luister eens, kerel, het systeem waar jij voor werkt zal heus wel veranderen. Dat kan niet lang meer duren. Wij kunnen ervoor zorgen dat het nog sneller gaat. Dan kan Yuri in vrijheid opgroeien.'

Andropov was overleden, ondanks de medicijnen uit Londen, en hij was opgevolgd door Tsjernenko, weer zo'n oude man die door zijn collega's overeind moest worden gehouden. Maar het gerucht ging dat er een frisse wind door het Kremlin waaide. Er was een nieuwe ster aan het firmament, een jongere man, Gorbatsjov.

Toen de koffie kwam, was Turkin gerekruteerd. Hij zou in het hart van de KGB blijven werken, maar vanaf dat moment was hij in dienst van de CIA.

Monk had het geluk dat zijn chef met vakantie was. Anders had hij Turkin aan iemand anders moeten overdragen. Nu kon hij zelf het codetelegram aan Langley versturen om te melden dat hij Turkin had ingepalmd.

Natuurlijk was er enig wantrouwen. Een majoor van Directoraat K, een vitale afdeling van de KGB, was een grote vangst. En in een reeks geheime ontmoetingen kwam Monk die zomer in Madrid steeds meer over zijn Russische collega te weten.

Turkin was in 1951 geboren in Omsk, in het westen van Siberië, als zoon van een ingenieur die voor de militaire industrie werkte. Toen hij achttien was, kreeg Turkin niet de kans om te gaan studeren, zoals hij graag had gewild, maar moest hij in dienst. Hij werd ingedeeld bij de Grenswacht, die officieel onder de KGB ressorteerde. Daar viel hij op, en na een tijdje werd hij ingeschreven bij de Hogeschool Dzjerzjinsky, de opleiding voor de contraspionagedienst, waar hij Engels leerde. Hij bleek een uitstekende student. Hij werd met een klein groepje overgeplaatst naar het Opleidingscentrum Buitenland van de KGB, het vermaarde Andropov Instituut. Net als Monk, aan de andere kant van de wereld, werd hij als een groot talent gezien. Voor mensen zonder KGB-ervaring die geen vreemde talen spraken, bestond er een twee- en een driejarige cursus aan het Instituut. Turkin deed ze allebei, plus nog een cursus van een jaar. Toen hij met vlag en wimpel zijn examens had gehaald, trad hij in dienst van het Directoraat K van het Eerste Hoofddirectoraat – de contraspionagedienst. Hoofd van Directoraat K in die tijd was de jongste generaal van de KGB, Oleg Kalugin.

Turkin was pas zevenentwintig. In 1978 trouwde hij en kreeg nog hetzelfde jaar een zoon, Yuri. In 1982 kreeg hij zijn eerste buitenlandse post, in Nairobi. Zijn voornaamste taak was het infiltreren van het CIA-bureau in Kenya en het rekruteren van Amerikaanse of Kenyase agenten. Zijn verblijf werd voortijdig afgebroken door de ziekte van zijn zoon.

In oktober leverde Turkin zijn eerste pakje af voor de CIA. Er waren inmiddels geheime verbindingen georganiseerd en Monk bracht het pakje persoonlijk naar Langley. Het was dynamiet. Turkin beschreef bijna de hele KGB-operatie in Spanje. Om hun bron te beschermen gaven de Amerikanen de informatie stukje bij beetje aan de Spanjaarden door en zorgden ervoor dat elke arrestatie van Spaanse spionnen voor Moskou het resultaat leek van goed speurwerk door de Spaanse geheime dienst. In alle gevallen ontdekte de KGB (via Turkin) dat de betreffende agent een domme fout had gemaakt waardoor hij in de val was gelopen. De Russen vermoedden niets, maar raakten langzamerhand wel hun hele Iberische netwerk kwijt.

In zijn drie jaar in Madrid klom Turkin op tot plaatsvervangend *rezident*, waardoor hij toegang had tot bijna alle belangrijke informatie. In 1987 werd hij teruggehaald naar Moskou en een jaar later was hij hoofd van het hele Directoraat K in Oost-Duitsland, tot het moment waarop de Berlijnse Muur viel, het communisme ineenstortte en de beide Duitslanden in 1990 werden herenigd. Al die tijd gaf hij via geheime procedures honderden berichten en pakketjes door, maar hij stond erop dat alles werd afgehandeld door zijn vriend aan de andere kant van de muur, Jason Monk. Dat was een ongebruikelijke afspraak. De meeste spionnen die zes jaar actief zijn, hebben verschillende contactpersonen, maar Turkin wilde uitsluitend met Monk samenwerken, en Langley had dus geen keus.

Toen Monk in de herfst van 1986 in Langley terugkwam, werd hij ontboden op het kantoor van Carey Jordan.

'Ik heb het materiaal gezien,' zei de nieuwe DDO. 'Het is heel goed. We dachten dat hij misschien een dubbelspion zou zijn, maar de Spaanse agenten die hij ons heeft uitgeleverd zijn van de eerste categorie. We kunnen hem dus vertrouwen. Goed werk, Jason.'

Monk knikte, blij met het compliment.

'Nog één ding,' zei Jordan. 'Ik loop al langer mee dan vandaag. Jouw rapport over zijn rekrutering is zakelijk, maar summier. Er ontbreekt iets aan. Wat is de werkelijke reden dat hij naar ons toe is gekomen?'

Monk vertelde de DDO wat hij niet in het rapport had gezet – de ziekte van Turkins zoontje in Nairobi en de medicijnen die hij van het laboratorium had gekregen.

'Ik zou je op staande voet moeten ontslaan,' zei Jordan ten slotte. Hij stond op en liep naar het raam. Het bos van berken en beuken langs de Potomac was een kleurenfeest van rood en goud, vlak voor het moment waarop de blaadjes gingen vallen.

'Jezus,' zei hij na een tijdje, 'waarom heb je in godsnaam niets teruggevraagd voor die medicijnen? Iedereen in jouw plaats zou dat hebben gedaan. Misschien had je hem nooit meer teruggezien. Madrid was zuiver toeval. Weet je wat Napoleon zei over generaals?'

'Nee, meneer.'

'Het kan me niet schelen of ze goed zijn, als ze maar geluk hebben. Dat zei hij. Jij bent een vreemde snuiter, maar je hebt wel geluk. Je weet dat we jouw man aan de SE-divisie moeten overdragen?'

Aan het hoofd van de CIA stond de directeur. Onder hem kwamen de twee belangrijkste directoraten, Inlichtingen en Operaties. Het Directoraat Inlichtingen, geleid door de DDI, de 'Deputy Director Intelligence', moest alle binnenkomende informatie schiften en analyseren om de nuttige feiten eruit te halen en door te geven aan het Witte Huis, de Nationale Veiligheidsraad, Buitenlandse Zaken, het Pentagon en andere diensten.

Die informatie werd verzameld door het Directoraat Operaties, onder leiding van de DDO, de 'Deputy Director Operations'. Dit directoraat was onderverdeeld volgens de wereldkaart: Latijns-Amerika, het Midden-Oosten, Zuidoost-Azië, enzovoort. Veertig jaar lang, van 1950 tot 1990, toen het communisme ten val kwam, draaide bijna alles om de 'Soviet/East European Division', de SE-divisie.

Agenten van andere divisies hadden vaak de smoor in als zij met veel moeite een waardevolle Russische officier in Bogotá of Djakarta hadden gerekruteerd, en de man vervolgens door de SE-divisie werd overgenomen. De logica daarachter was dat de rekruut ooit weer uit Bogotá of Djakarta zou vertrekken, vermoedelijk terug naar de Sovjetunie.

Omdat de Sovjets de belangrijkste vijand waren, had de SE-divisie de machtigste positie binnen het Operationele Directoraat. Agenten stonden in de rij voor een plaatsje bij deze divisie. Hoewel Monk Russisch had gestudeerd en jarenlang op een achterkamertje Russische dossiers had doorgeworsteld, was hij eerst bij de Afrikaanse divisie geplaatst en daarna naar West-Europa gestuurd.

'Ja, meneer,' zei hij.

'Wil je met hem mee?'

Monks hart maakte een sprongetje.

'Ja, meneer, dat zou geweldig zijn.'

'Goed. Jij hebt hem gerekruteerd, jij mag het contact onderhouden.'

Binnen een week was Monk overgeplaatst naar de SE-divisie, als contact-man van majoor Nikolai Ilyich Turkin van de KGB. Hij keerde niet meer officieel naar Madrid terug, maar hij kwam er wel regelmatig voor geheime ontmoetingen met Turkin, op plaatsen hoog in de Sierra de Guadarrama. Daar voerden ze lange gesprekken toen Gorbatsjov aan de macht kwam en *perestroika* en *glaznost* ervoor zorgden dat de sfeer in de Sovjetunie totaal veranderde. Monk was blij, want behalve als informant was hij Turkin ook als een vriend gaan zien.

Omstreeks 1984 kreeg de CIA steeds meer trekjes van een oeverloze, kra-kende bureaucratie, waar ambtenarij belangrijker was dan het verzamelen van informatie. Monk had de pest aan ambtenarij en paperassen. Alles wat je opschreef, kon immers ook worden gestolen of gekopieerd. Het streng geheime hart van de SE-divisie waren de 301-dossiers, waarin de gegevens waren te vinden over alle Russische spionnen die voor Amerika werkten. Die herfst 'vergat' Monk om de gegevens van majoor Turkin, codenaam Lysander, in de 301-dossiers op te nemen.

Jock Macdonald, de bureauchef van de Britse SIS in Moskou, had op de avond van de 17e juli een etentje waar hij niet onderuit kon. Daarna ging hij nog even naar kantoor om wat aantekeningen op te bergen die hij onder het eten had gemaakt – hij was altijd bang dat er in zijn appartement zou wor-den ingebroken. Toevallig viel zijn oog op het dossier met het zwarte omslag. Hij sloeg het open en begon te lezen. Het was uiteraard in het Rus-sisch, maar Macdonald was tweetalig.

Hij ging die avond niet meer naar huis. Kort na middernacht belde hij zijn vrouw om het uit te leggen en daarna boog hij zich weer over het dossier. Het telde ongeveer veertig pagina's, onderverdeeld in twintig paragrafen.

Hij las de secties over het herstel van de éénpartijstaat en de heropening van de strafkampen voor dissidenten en andere ongewenste elementen.

Hij verdiepte zich in de alinea's over de definitieve oplossing voor het 'jodenprobleem' en de maatregelen tegen de Tsjetsjenen en alle andere raciale minderheden.

Hij bestudeerde de pagina's over een niet-aanvalsverdrag met Polen als buffer tegen het Westen en de herovering van Wit-Rusland, de Baltische staten en de zuidelijke republieken van de voormalige USSR: Oekraïne, Georgië, Armenië en Moldavië.

Hij las de alinea's over de wederopbouw van het nucleaire arsenaal en de intimidatie van de omringende vijanden.

Hij boog zich over de bladzijden die het lot van de Russisch-Orthodoxe Kerk en alle andere geloven behandelden.

Volgens het manifest zouden de vernederde Russische strijdkrachten, die nu in verspreide tentenkampen hun wonden likten, worden herbewapend, niet als verdedigingsmacht, maar als een aanvalsleger. De volkeren van de overwonnen gebieden zouden als slaven worden ingezet om voedsel te produceren voor hun Russische meesters. Ze zouden worden geregeerd door de etnische Russen die nog in de buitengewesten woonden, onder het gezag van een gouverneur uit Moskou. De binnenlandse orde zou worden gehandhaafd door de Zwarte Garde, uitgebreid tot een troepenmacht van tweehonderdduizend man. Zij waren ook verantwoordelijk voor de bijzondere behandeling van de antisociale elementen – liberalen, journalisten, priesters, homo's en joden.

Het manifest gaf ook antwoord op een vraag die Macdonald en anderen al een tijdje bezighield: de herkomst van de fondsen waarmee de Unie van Patriottische Krachten haar grootschalige verkiezingscampagne financierde. Na de val van het communisme was de Russische onderwereld een lappendeken geworden van allerlei bendes die elkaar te vuur en te zwaard bestreden en tientallen doden achterlieten in de straten. Maar na 1995 werd er steeds beter samengewerkt. Omstreeks 1999 behoorde heel Rusland, vanaf de westgrens tot aan de Oeral, toe aan vier grote criminele organisaties, waarvan de Dolgoruki in Moskou de belangrijkste was. Als het dossier klopte, waren het deze Dolgoruki die de UPK financierden, in ruil waarvoor ze na de machtsovername de kans zouden krijgen om alle andere Russische bendes uit te roeien.

Het was vijf uur in de morgen toen Jock Macdonald het Zwarte Manifest dichtsloeg, nadat hij het vijf keer had gelezen. Hij leunde naar achteren en staarde naar het plafond. Hij was al lang geleden met roken gestopt, maar nu snakte hij toch naar een sigaret.

Ten slotte stond hij op, borg het dossier in zijn kluis en verliet de ambassade. Op de stoep, in het schemerlicht, tuurde hij over de rivier naar de muren van het Kremlin, waaronder achtenveertig uur geleden nog een oude man in een versleten legerjas naar de Britse ambassade had zitten staren.

Spionnen staan in het algemeen niet als vrome gelovigen bekend, maar zo'n vooroordeel kan misleidend zijn. De adel in de Schotse hooglanden is al eeuwenlang trouw aan het rooms-katholieke geloof. Het waren ook die graven en baronnen die zich met hun *clansmen* in 1745 achter de banier van de katholieke Bonnie Prince Charlie schaarden en een jaar later bij Culloden vernietigend werden verslagen door de protestantse Hannoveriaanse hertog van Cumberland, de derde zoon van George II.

De bureauchef van de SIS in Moskou stamde uit die traditie. Zijn vader was een Macdonald van Fassifern en zijn moeder een steunpilaar van het huis Fraser uit Lovat. Zij had hem opgevoed in het geloof.

Macdonald liep de kade af naar de volgende brug, de Bolshoi Most. Daar stak hij de rivier over naar de Basiliuskathedraal. Hij liep de uikoepel voorbij en zigzagde door het ontwakende stadscentrum naar het Nieuwe Plein en sloeg toen weer linksaf.

In een zijstraat van het plein zag hij de eerste ochtendrij al voor de gaarkeukens staan, waarvan er een was gehuisvest in het gebouw waar ooit het Centrale Comité van de Communistische Partij van de voormalige Sovjetunie had vergaderd.

Een aantal buitenlandse liefdadige instellingen probeerde de Russen te helpen, evenals de Verenigde Naties op politiek terrein. Het Westen had Rusland veel geld gegeven, net als een paar jaar eerder voor de Roemeense weeshuizen en de Bosnische vluchtelingen. Maar het was een hopeloze opgave zolang er steeds meer mensen van het platteland naar de hoofdstad trokken. Ze werden wel door de militia aangehouden en teruggestuurd, maar de volgende dag kwamen ze gewoon weer.

En daar stonden ze nu, in de ochtendschemering – oude mensen, haveloze vrouwen met baby's aan de borst, de Russische boerenklasse, die sinds de *Potemkin* niet wezenlijk was veranderd met haar passieve, afwachtende kuddegeest. Het was eind juli, en warm genoeg om op straat te kunnen overleven. Maar als de winter kwam, die bittere, snijdende kou van de Russische winter... De afgelopen januarimaand was al erg geweest, maar de volgende... Jock Macdonald schudde zijn hoofd en liep weer door.

Zijn route bracht hem naar het Lubyanskayaplein, het vroegere Dzjerzjinskyplein. Tientallen jaren had hier het standbeeld gestaan van IJzeren Feliks, de grondlegger van Lenins terreurmachine, de Cheka. Aan het eind van het plein verhief zich de grote, geelgrijze steenklomp die eenvoudig bekendstond als Moskou Centrum, het hoofdkwartier van de KGB.

Achter het oude KGB-gebouw lag de beruchte Lubyanka-gevangenis, waar ontelbare bekentenissen waren afgedwongen en executies uitgevoerd. Achter de gevangenis lagen twee straten, de Grote Lubyanka en de Kleine Lubyanka. Macdonald koos voor de tweede. Halverwege Lubyanka Malaya stond de kerk van de H. Ludovicus, waar een groot deel van de diplomatieke kolonie en ook sommige Russische katholieken ter kerke gingen.

Tweehonderd meter achter hem, aan zijn blik onttrokken door het grote

KGB-gebouw, lag een stel zwervers te slapen in de brede portiek van de grote speelgoedwinkel Detskiy Mir of 'Kinderwereld'.

Twee forsgebouwde mannen in jeans en zwarte leren jasjes liepen naar de ingang van de winkel en begonnen de slapende zwervers overeind te sleuren. Een van hen droeg een legerjas met een paar vuile medailles op de rever. De mannen verstijfden. Toen bogen ze zich over de zwerver heen en schudden hem wakker.

'Ben jij Zaitsev?' snauwde een van hen. De oude man knikte. Zijn collega haalde een draagbare telefoon uit de zak van zijn overhemd, toetste een paar nummers in en gaf een bericht door. Nog geen vijf minuten later stopte er een Moskvich bij de stoeprand. De twee mannen namen de zwerver tussen zich in, smeten hem achter in de wagen en gingen boven op hem zitten. De oude man probeerde wat te zeggen voordat ze hem smoorden. Toen hij zijn mond opende, was de glinstering van roestvrij staal te zien.

De auto racete het plein over, reed achter het gebouw langs waar ooit de Verzekeringsmaatschappij Heel-Rusland gevestigd was geweest voordat het een centrum van terreur werd, en stoof door de Lubyanka Malaya, langs een Britse diplomaat de stoep op.

Macdonald werd binnengelaten door de slaperige koster van de kerk. Hij liep naar het einde van het middenpad en knielde voor het altaar. Hij tilde zijn hoofd op. De figuur van de gekruisigde Christus keek op hem neer. Macdonald begon te bidden.

Wat iemand bidt, is heel persoonlijk, maar Macdonalds gebed luidde:

'Lieve God, ik smeek u, laat het een vervalsing zijn. Want als dat niet zo is, zal er een groot en duister onheil over ons neerdalen.'

4

Nog voordat de anderen op hun werk verschenen, zat Jock Macdonald alweer achter zijn bureau. Hij had niet geslapen, maar dat was hem niet aan te zien. Hij verzorgde zich altijd goed, daarom had hij zich gedoucht en geschoren in de personeelsbadkamer op de begane grond en een schoon overhemd aangetrokken dat hij voor dit soort gelegenheden op kantoor had liggen.

Hij had zijn assistent, Bruce 'Gracie' Fields, gebeld en gevraagd of hij om negen uur present kon zijn. Hugo Gray, weer in zijn eigen bed, kreeg ook zo'n telefoontje. Om acht uur vroeg Macdonald de veiligheidsdienst – twee ex-onderofficieren van het leger – of ze de 'Bubble' wilden controleren voor een vergadering om kwart over negen.

'Gisteren,' begon Macdonald tegen zijn twee collega's toen ze rond de tafel zaten, 'heb ik een dossier in handen gekregen. Ik hoef jullie de inhoud niet exact te vertellen. Als het een vervalsing is, verspillen we onze tijd. Is het authentiek... maar dat weten we nog niet... dan zou het heel belangrijk kunnen zijn. Hugo, wil je Gracie even inlichten over de achtergrond?'

Gray vertelde Fields wat hij van Celia Stone had gehoord.

'In een ideale wereld,' vervolgde Macdonald. Dat was een van zijn vaste uitdrukkingen, en zijn twee jongere collega's grijnsden achter hun hand. 'In een ideale wereld zouden we willen weten wie die oude man is, hoe hij aan dat geheime dossier is gekomen en waarom hij het op die plek in Stones auto heeft gegooid. Kende hij haar soms? Wist hij dat het een auto van de ambassade was? En waarom heeft hij dat dossier juist aan òns gegeven? Tussen haakjes, hebben we hier iemand die kan tekenen?'

'Tekenen?' vroeg Fields.

'Ja. Een portret.'

'Een van de echtgenotes heeft een tekenklasje, geloof ik,' zei Fields. 'Ze heeft kinderboeken geïllustreerd in Londen, voordat ze met iemand van de kanselarij is getrouwd.'

'Zoek dat even uit. En vraag of ze met Celia Stone gaat praten. Dat zal ik ook doen, trouwens. Dan nog twee andere dingen. Die oude man zou opnieuw kunnen proberen om contact met ons te leggen. Misschien hangt hij nog ergens in de buurt rond. Ik zal korporaal Meadows en sergeant Reynolds vragen om een oogje op de poort te houden. Als ze hem ontdekken, melden ze dat bij een van jullie. Vraag hem maar binnen voor een kop thee. Het is ook

mogelijk dat hij deze truc nog ergens anders uithaalt en door de politie in zijn kraag wordt gegrepen. Gracie, jij hebt contacten bij de politie?'
Fields knikte. Van de drie mannen zat hij het langst in Moskou. Bij aankomst had hij een reeks tipgevers van zijn voorganger geërfd en hij had er ook zelf een paar gevonden.
'Inspecteur Novikov van de afdeling Moordzaken op het hoofdbureau in Petrovka. Een nuttige man.'
'Praat eens met hem,' zei Macdonald. 'Niet over dossiers die in auto's worden gegooid, natuurlijk. Zeg maar dat onze medewerkers op straat worden lastiggevallen door een oude vent die de ambassadeur wil spreken. We maken ons niet ongerust, maar het moet wel afgelopen zijn. Laat hem die tekening zien, maar hij mag hem niet houden. Wanneer spreken jullie elkaar?'
'We hebben geen vaste afspraak,' zei Fields. 'Ik bel hem meestal uit een cel.'
'Oké, kijk of hij kan helpen. Ondertussen ga ik een paar dagen naar Londen. Gracie, jij houdt het fort.'

Celia Stone werd in de hal opgevangen toen ze binnenkwam. Een beetje geschrokken werd ze naar Macdonald gebracht, niet in zijn kantoor maar in vergaderzaal A – de Bubble, maar dat wist ze niet.
Macdonald was heel vriendelijk en praatte bijna een uur met haar. Hij lette op alle details en Celia geloofde zijn verhaal dat die oude man ook andere medewerkers had lastiggevallen omdat hij de ambassadeur wilde spreken. Wilde ze hem helpen een portret te laten tekenen van de zwerver? Natuurlijk wilde ze dat.
Samen met Hugo Gray bracht ze haar lunchpauze door met de vrouw van het plaatsvervangend hoofd van de kanselarij, die op haar aanwijzing met houtskool en krijt een portret tekende van de oude man. Zilverkleurig tippex werd voor de drie stalen tanden gebruikt. Toen de tekening klaar was, knikte Celia en zei: 'Dat is hem.'
Na de lunch vroeg Jock Macdonald of korporaal Meadows zich wilde bewapenen om hem naar het vliegveld Sheremetyevo te rijden. Hij verwachtte geen problemen, maar hij wist niet of de rechtmatige eigenaren van het Zwarte Manifest zouden proberen het dossier terug te krijgen. Als extra voorzorgsmaatregel legde hij zijn koffertje met een ketting aan zijn pols en verborg die onder een lichte regenjas.
Toen de Jaguar van de ambassade de poort uit reed, zag hij niemand die op hem lette. Er stond wel een zwarte Chaika op de Sofiskayakade geparkeerd, maar die maakte geen aanstalten om de Jaguar te volgen, dus dacht hij er niet meer over na. In werkelijkheid wachtte de Chaika op een rode Rover.
Op het vliegveld escorteerde korporaal Meadows hem naar het hek, waar hij

met zijn diplomatieke paspoort alle verdere controles kon ontlopen. Hij hoefde maar even in de vertrekhal te wachten voordat hij in het BA-toestel naar Heathrow kon stappen. Pas toen ze waren opgestegen, slaakte hij een zucht van verlichting en bestelde een gin-tonic.

Washington, april 1985

Als de aartsengel Gabriël in Washington was neergedaald om de KGB-rezident op de Russische ambassade te vragen welke CIA-officier hij het liefst als spion voor de Sovjetunie had willen inlijven, zou kolonel Stanislav Androsov niet lang hebben geaarzeld.

'Het hoofd van de contraspionagedienst van de SE-divisie binnen het Operationele Directoraat,' zou hij hebben geantwoord.

Alle inlichtingendiensten hebben een contraspionage-afdeling binnen hun eigen organisatie. De agenten van die afdeling moeten al hun collega's in de gaten houden. Daar maken ze zich meestal niet populair mee.

Het is een taak die in drie onderdelen uiteenvalt. De contraspionage speelt de belangrijkste rol bij het *debriefen* van overlopers van de andere kant, om vast te stellen of de overloper oprecht is of dubbel spel speelt. Een dubbelspion kan authentieke informatie bij zich hebben, maar zijn voornaamste opdracht is het verspreiden van desinformatie, bijvoorbeeld om zijn gastheren ervan te overtuigen dat ze geen verraders in hun midden hebben, terwijl dat wel zo is, of om hen op andere manieren om de tuin te leiden en in verwarring te brengen. Jaren van verspilde tijd en moeite kunnen het gevolg zijn als zo'n dubbelspion in zijn opzet slaagt.

De contraspionage houdt ook een oogje op mensen van de tegenpartij die niet daadwerkelijk zijn overgelopen, maar zich wel als spion hebben laten rekruteren. Er bestaat altijd het gevaar dat ze dubbelspionnen zijn en dus in feite voor de andere partij werken. Vaak leveren ze wat authentieke gegevens om hun geloofwaardigheid te bewijzen en komen dan later met valse informatie om verwarring te zaaien.

Ten slotte moet de contraspionage ervoor zorgen dat de eigen gelederen niet worden geïnfiltreerd en dat er geen verraders in het eigen kamp schuilen.

Om haar werk goed te kunnen doen, moet de contraspionage overal toegang hebben. Ze moet alle dossiers kunnen opvragen over alle overlopers en hun *debriefing*, hoe lang geleden ook. Ze moet alles weten over de rekrutering en de loopbaan van de spionnen in vijandelijk gebied, die voortdurend aan gevaar blootstaan en tot dubbel spel kunnen worden gedwongen. En de contraspionage kan natuurlijk de dossiers opvragen over alle agenten van het eigen kamp, om hun betrouwbaarheid te testen.

Vanwege de strenge scheiding tussen de verschillende afdelingen en het principe dat niemand ooit meer hoeft te weten dan strikt noodzakelijk is, kan een agent wel één of twee operaties verraden waar hij zelf bij betrokken is, maar weet hij niets over het werk van zijn collega's. Alleen de contraspionage kent alle bijzonderheden van alle operaties. Daarom zou kolonel Androsov, als hij door de aartsengel Gabriël was gevraagd wie hij graag als spion zou rekruteren, ongetwijfeld het hoofd van de contraspionagedienst van de SE-divisie hebben genoemd. De mensen van de contraspionage moeten loyaler zijn dan wie ook.

In juli 1983 werd Aldrich Hazen Ames benoemd tot hoofd van de contraspionagedienst van de SE-divisie. In die functie wist hij alles over de subsecties van die divisie: de Russische sectie, die de controle had over alle Russische spionnen in de Sovjetunie die voor de Verenigde Staten werkten, en de Externe Sectie, die de Russische rekruten begeleidde die buiten de Sovjetunie voor Amerika spioneerden.

Aldrich Ames had geldgebrek. Op 16 april 1985 wandelde hij de Russische ambassade in 16th Street in Washington binnen, vroeg kolonel Androsov te spreken en bood aan om voor de Sovjetunie te spioneren. Voor vijftigduizend dollar.

Hij had wat nuttige informatie bij zich om zijn bruikbaarheid te bewijzen. Hij gaf Androsov de namen van drie Russen die de CIA hadden benaderd om hun diensten aan te bieden. Later zou hij beweren dat hij dacht dat zij dubbelspionnen waren, en dus niet betrouwbaar. In elk geval werd er van deze drie heren nooit meer iets vernomen. Hij had ook een interne CIA-personeelslijst meegenomen, met zijn eigen naam onderstreept, om te bewijzen wie hij was. Toen vertrok hij weer en liep voor de tweede keer langs de FBI-camera's die de ingang filmden. De banden werden nooit teruggespoeld.

Twee dagen later kreeg hij zijn vijftigduizend dollar. Het was maar het begin. De gevaarlijkste verrader uit de Amerikaanse geschiedenis sinds Benedict Arnold, had nog een lange carrière voor de boeg.

De experts bleven later met twee grote vragen zitten. De eerste was hoe zo'n ongeschikte, waardeloze zuiplap ooit tot zulke grote hoogte had kunnen stijgen. De tweede was hoe Ames acht jaar actief had kunnen blijven en de CIA zoveel schade had kunnen berokkenen terwijl de hoogste bazen al in december 1985 wisten dat ze een verrader in hun midden hadden.

Op die tweede vraag zijn veel antwoorden mogelijk: incompetentie, apathie en zelfgenoegzaamheid binnen de CIA, stom geluk voor de verrader, een handige desinformatie-campagne van de KGB om hun 'mol' te beschermen, nog meer apathie, angst en laksheid in Langley, dwaalsporen, nog meer stom geluk voor de verrader, en ten slotte de herinnering aan James Angleton.

Angleton was ooit hoofd geweest van de contraspionagedienst van de CIA. Hij was een levende legende, maar ten slotte begon hij aan achtervolgingswaan te lijden. Die vreemde man, zonder een privé-leven of enig gevoel voor humor, raakte ervan overtuigd dat er in Langley een KGB-spion moest rondlopen met de codenaam Sasha. In zijn fanatieke speurtocht naar de niet bestaande verrader maakte hij de carrière van de ene na de andere loyale officier kapot, totdat hij het hele Operationele Directoraat naar de knoppen had geholpen. De mensen die deze slachting hadden overleefd, waren omstreeks 1985 tot de hoogste functies doorgedrongen en schrokken terug voor de gedachte dezelfde fout te maken als Angleton. Alleen school er nu wèl een verrader binnen de top van de CIA.

Het antwoord op de eerste vraag kan worden samengevat in één enkele naam: Ken Mulgrew.

In de twintig jaar dat hij bij de CIA werkte, voordat hij zich aan de Russen verkocht, had Ames drie functies buiten Langley gehad. In Turkije werd hij door zijn bureauchef als een complete nul afgeschreven. De oude rot Dewey Clarridge had vanaf het eerste begin een hekel aan de man.

Maar op het kantoor in New York had Ames een gelukje waardoor hij in zichzelf ging geloven. Hoewel Arkay Shevchenko, plaatsvervangend secretaris-generaal van de Verenigde Naties, al voor de CIA werkte voordat Ames naar New York kwam en zijn besluit om in april 1978 definitief over te lopen aan een andere CIA-agent te danken was, trad Ames in de tussentijd als contactman van de Oekraïener op. Tegen die tijd had hij al een ernstig drankprobleem.

Zijn derde post, in Mexico, was een fiasco. Hij was constant dronken, beledigde collega's en buitenlanders, zakte op straat in elkaar en werd door de Mexicaanse politie thuisgebracht. Hij overtrad alle CIA-voorschriften en wist geen enkele spion te rekruteren. Soms zakte hij dagenlang door met een Rus, Igor Shurygin, het hoofd van de contraspionagedienst van de KGB op de Russische ambassade. Het is mogelijk Shurygin geweest die de waardeloze Amerikaan het eerst als een mogelijke overloper tipte.

Aan beide buitenlandse posten hield Ames dus een vernietigende beoordeling over. Bij een grootschalige vergelijkende test eindigde hij als 198e van de 200 officieren.

Normaal zou zo iemand nooit ver gekomen zijn. In het begin van de jaren tachtig werd hij door alle belangrijke mensen – Carey Jordan, Dewey Clarridge, Milton Bearden, Gus Hathaway en Paul Redmond – voor een hopeloos geval gehouden. Behalve door Ken Mulgrew, die zijn vriend en beschermer werd.

Het was Mulgrew die de negatieve rapporten bijschaafde en de weg vrijmaakte voor Ames' promotie. Als Ames' chef verwierp hij alle protesten en als hoofd personeelszaken lukte het hem om Ames naar de contraspionage-dienst over te plaatsen.

In feite waren ze drinkebroeders, die het er vol zelfbeklag over eens waren dat de CIA hen oneerlijk behandelde. Dat was een vergissing die veel mensen het leven zou gaan kosten.

Leonid Zaitsev was stervende, maar hij wist het niet. Hij had vreselijk veel pijn, dat wist hij wel.

Kolonel Grishin geloofde in pijn. Hij geloofde in pijn als middel tot overreding, pijn als voorbeeld voor getuigen en pijn als straf. Zaitsev had gezondigd en de kolonel had opdracht gegeven om de man volledig te doordringen van de betekenis van pijn voordat hij stierf.

De ondervraging had de hele dag geduurd. Het was niet nodig geweest om geweld te gebruiken, want het Konijn had hun alles verteld wat ze hem vroegen. Het grootste deel van de tijd was de kolonel met hem alleen geweest, omdat hij niet wilde dat de bewakers zouden horen wat er was gestolen.

De kolonel had hem vriendelijk gevraagd om bij het begin te beginnen, en dat had Zaitsev gedaan. Steeds opnieuw had hij hetzelfde verhaal verteld, totdat de kolonel zeker wist dat hij niets had weggelaten. Veel was het trouwens niet.

Pas toen hij de reden vertelde waarom hij het had gedaan, staarde de kolonel hem ongelovig aan.

'Een fles bier? Hebben die Engelsen je een fles bier aangeboden?'

Tegen de middag was de kolonel ervan overtuigd dat hij alles wist. De kans was groot, dacht hij, dat de jonge Britse vrouw na haar confrontatie met deze vogelverschrikker het dossier meteen zou hebben weggegooid, maar hij wilde zekerheid. Daarom stuurde hij een auto met vier vertrouwelingen naar Moskou om de ambassade in het oog te houden en de kleine rode auto naar het appartement van de Britse vrouw te volgen.

Kort na drieën gaf hij zijn laatste orders aan de Zwarte Gardisten en vertrok. Toen hij wegreed, beschreef een A-300 Airbus met het logo van British Airways op de staartvin boven het noorden van Moskou een bocht en zette koers naar het westen. Grishin lette er niet op. Hij gaf zijn chauffeur opdracht om hem terug te brengen naar het herenhuis aan de Kiselny Boulevard.

Ze waren met hun vieren. Het Konijn zou door zijn knieën zijn gezakt als twee van hen hem niet overeind hadden gehouden, met hun vingers pijnlijk om zijn bovenarmen geklemd. De andere twee stonden voor en achter hem. Rustig en systematisch begonnen ze hem in elkaar te slaan.

Hun grote vuisten waren voorzien van zware koperen boksbeugels. De slagen vernielden zijn nieren, scheurden zijn lever en braken zijn milt. Eén schop was voldoende om zijn oude testikels te verbrijzelen. De man voor hem ramde hem in zijn onderbuik en ging toen verder met zijn borstkas. Zaitsev verloor twee keer het bewustzijn, maar een emmer koud water bracht hem weer bij en de pijn keerde terug. Hij kon allang niet meer op zijn benen staan, maar ze hielden hem nog steeds overeind, op zijn tenen.

Ten slotte braken de ribben in zijn magere borstkas. Twee ervan drongen diep in zijn longen. Iets warms, zoets en kleverigs verstikte zijn keel, zodat hij geen adem meer kreeg.

Zijn blikveld versmalde zich tot een tunnel. Niet langer zag hij de grijze betonblokken van de kamer achter het wapenarsenaal van het kamp, maar een heldere zonnige dag met een zandweg en dennebomen. De spreker zag hij niet, maar hij hoorde wel een stem die zei:

'Vooruit, kerel, drink een biertje mee.'

Het gele licht werd grijs, maar steeds opnieuw hoorde hij die woorden die hij niet kon verstaan: 'Drink een biertje mee, drink een biertje mee...' Toen doofde het licht voorgoed.

Washington, juni 1985

Bijna exact twee maanden nadat hij zijn eerste contante betaling van vijftigduizend dollar had ontvangen, vernietigde Aldrich Ames in één enkele middag bijna de hele SE-divisie van het Operationele Directoraat van de CIA.

Vlak voor de lunch dook hij in de kluis met de gevoelige 301-dossiers en gooide zeven pond aan geheime documenten en telegrammen in twee plastic draagtassen. Daarmee liep hij door het labyrint van gangen naar de lift, daalde af naar de begane grond en verliet het gebouw met behulp van zijn plastic pasje. Geen enkele bewaker vroeg hem wat er in de tassen zat. Hij haalde zijn auto van het grote parkeerterrein en reed in twintig minuten naar Georgetown, de dure voorstad van Washington, bekend om haar Europese restaurants.

Even later arriveerde hij bij Chadwick's, een bar en restaurant onder de K Street Freeway aan de kade, waar hij werd opgewacht door een contactman die hem was toegewezen door kolonel Androsov, die als KGB-rezident natuurlijk wist dat hijzelf permanent door de FBI werd gevolgd. De contactman was een gewone Russische diplomaat die Chuvakhin heette.

Ames gaf de Rus alles wat hij had. Hij noemde niet eens een prijs, maar hij werd er vorstelijk voor betaald. Uiteindelijk zou hij miljonair worden dankzij zijn verraad. Normaal gesproken waren de Russen nogal zuinig, maar ze probeerden niet eens te beknibbelen. Ze wisten dat ze de hoofdprijs te pakken hadden.

Vanaf Chadwick's gingen de tassen naar de ambassade en van daar naar het hoofdkwartier van het Eerste Hoofddirectoraat in Yazenevo. De Russische analisten konden hun ogen niet geloven.

De coup maakte Androsov tot een komeet en Ames tot de ster om wie alles draaide. De generaal van het Eerste Directoraat, Vladimir Kryuchkov – oorspronkelijk een handlanger van de achterdochtige Andropov, die het Eerste Directoraat in de gaten moest houden, maar later tot meer in staat bleek – liet onmiddellijk een streng geheime werkgroep formeren die zich alleen nog maar mocht bezighouden met het materiaal dat Ames had aangeleverd. Ames kreeg de codenaam Kolokol of 'Klok', en de werkgroep werd dus de Kolokol-groep.

Een hoge CIA-officier berekende later dat vijfenveertig operaties tegen de KGB – bijna het hele programma van de CIA – na de zomer van 1985 in elkaar stortten. Geen enkele hoge CIA-spion die in de 301-dossiers voorkwam bleef na het voorjaar van 1986 nog functioneren.

In die plastic draagtassen zaten signalementen van veertien spionnen, bijna het hele bestand van de SE-divisie binnen de Sovjetunie. Hun namen werden niet genoemd, maar dat was ook niet nodig.

Een agent van de contraspionagedienst die hoort dat er een verrader in zijn eigen gelederen schuilt, dat de man in Bogotá is gerekruteerd en daarna in Moskou en Lagos heeft gewerkt, kan gemakkelijk nagaan wie dat moet zijn. Er is er immers maar één die zo'n route heeft gevolgd. Een snelle blik in de personeelsdossiers is meestal voldoende.

Een van de veertien werkte ook al jarenlang voor de Britten. De Amerikanen kenden zijn werkelijke naam niet, maar omdat ze zijn materiaal uit Londen kregen toegespeeld, wist de CIA wel iets van hem en konden ze wat meer afleiden. Hij was een kolonel van de KGB die in het begin van de jaren zeventig in Denemarken was gerekruteerd en al twaalf jaar voor de Britten spioneerde. Hij stond al onder verdenking, maar was toch als rezident op de Russische ambassade in Londen voor een laatste bezoek naar Moskou teruggekeerd. Ames' aanwijzingen bevestigden de Russische verdenkingen tegen kolonel Oleg Gordievsky.

Een andere spion van de veertien had geluk of was heel slim. Sergei Bokhan was officier bij de Russische militaire inlichtingendienst en gestationeerd in Athene. Hij werd onmiddellijk naar Moskou teruggeroepen met het verhaal dat zijn zoon problemen had met zijn examen voor de militaire academie. Toevallig wist hij dat de jongen het uitstekend deed. Opzettelijk miste hij het vliegtuig naar huis, nam contact op met het CIA-bureau in Athene en werd door de Amerikanen bliksemsnel in veiligheid gebracht.

De andere twaalf werden opgepakt, sommigen in de Sovjetunie zelf, anderen in het buitenland. De mensen in het buitenland werden allemaal met smoesjes naar huis teruggeroepen en bij aankomst gearresteerd.

Ze werden langdurig verhoord. Alle twaalf legden ze een bekentenis af, om een nog hardere ondervraging te voorkomen. Twee kwamen ervanaf met een aantal jaren in een strafkamp. Ze wonen nu in Amerika. De anderen werden gemarteld en doodgeschoten.

Toen hij 's avonds op Heathrow was geland, reed Jock Macdonald eerst naar het hoofdkwartier van de Secret Intelligence Service op Vauxhall Cross. Hij was moe, hoewel hij zich een tukje in het vliegtuig had veroorloofd, en het was verleidelijk om eerst naar zijn club te gaan voor een bad en een paar uur slaap. De flat die hij en zijn vrouw (die nog in Moskou was) in Chelsea hadden aangehouden, was aan anderen onderverhuurd.

Maar hij wilde het koffertje met het dossier zo snel mogelijk veilig laten opbergen voordat hij de tijd nam om uit te rusten. De dienstauto die hem op Heathrow had opgewacht, zette hem af voor het groenglazen en zandstenen monster op de zuidoever van de Theems, waar de SIS nu was ondergebracht na de verhuizing uit het armoedige, oude Century House, zeven jaar geleden.

Hij passeerde de bewaking bij de ingang, geassisteerd door de gretige jonge stagiaire die hem van het vliegveld had gehaald. Even later lag het dossier in de kluis van de chef van de Russische divisie. Zijn collega begroette hem hartelijk, maar ook nieuwsgierig.

'Een borrel?' vroeg Jeffrey Marchbanks, met een knikje naar een houten archiefkast waarin een cocktail-bar verborgen zat.

'Goed idee. Het is een lange, zware dag geweest. Een whisky graag.'

Marchbanks opende de kast en bekeek de selectie. Macdonald was een Schot en dronk de drank van zijn voorouders puur. Zijn chef schonk een dubbele Macallan in, zonder ijs, en gaf hem het glas.

'Ik wist natuurlijk dat je kwam, maar niet waarom. Laat eens horen.'

Macdonald vertelde het hele verhaal, vanaf het begin.

'Het moet natuurlijk een vervalsing zijn,' besloot hij.

'Op het eerste gezicht wel,' beaamde Marchbanks, 'maar dan is het wel de minst subtiele vervalsing die ik ooit heb gezien. En wie zit erachter?'

'Komarovs politieke vijanden, neem ik aan.'

'Ja, die heeft hij genoeg,' zei Macdonald. 'Maar wat een vreemde aanpak. De kans was levensgroot dat we het dossier ongelezen in de prullenmand hadden gegooid. Het was zuiver toeval dat je jonge vriend Gray het vond.'

'Goed. Dan komen we op de inhoud. Jij hebt het gelezen?'

'Ja. Vannacht. Als politiek manifest is het... onaangenaam.'

'Het is in het Russisch, neem ik aan?'
'Ja.'
'Hm. Mijn Russisch is niet goed genoeg, vrees ik. We hebben een vertaling nodig.'
'Die maak ik het liefst zelf,' zei Macdonald. 'Voor het geval het géén vervalsing is. Dat zul je wel begrijpen als je het leest.'
'Goed, Jock. Je zegt het maar. Wat doen we?'
'Ik wil eerst naar mijn club om te douchen, me te scheren en te slapen. Dan kom ik om middernacht hier terug en werk ik tot morgenvroeg aan die vertaling. Dan spreken we elkaar weer.'
Marchbanks knikte.
'Oké. Je kunt mijn kantoor gebruiken. Ik zal de veiligheidsdienst inlichten.'

Toen Jeffrey Marchbanks de volgende morgen tegen tienen weer op kantoor kwam, vond hij Jock Macdonald languit op zijn sofa, met zijn schoenen en zijn jasje uit, en zijn stropdas los. Het zwarte dossier lag op het bureau met een stapel witte vellen ernaast.
'Dat is het,' zei Macdonald. 'In de taal van Shakespeare. De diskette zit nog in de computer, maar die moet veilig worden opgeborgen.'
Marchbanks knikte, belde om koffie, zette zijn bril op en begon te lezen. Een knappe blondine met mooie benen en ouders die duidelijk op vossen jaagden, kwam binnen met de koffie, glimlachte en vertrok weer.
Marchbanks keek even op.
'De man is geschift.'
'Ja. Als Komarov het inderdaad heeft geschreven. Of gewetenloos. Of allebei. In elk geval heel gevaarlijk. Lees maar door.'
Dat deed Marchbanks. Toen hij klaar was, blies hij zijn wangen op en ademde diep uit.
'Het moet een vervalsing zijn. Iemand die dit van plan is, zou dat nooit op papier zetten.'
'Tenzij het alleen bedoeld was voor zijn harde kern van fanatici,' opperde Macdonald.
'Dus dan is het gestolen?'
'Zou kunnen. Of het is een vervalsing, zoals gezegd. Maar wie was die zwerver en hoe heeft hij het te pakken gekregen? Dat weten we niet.'
Marchbanks dacht na. Als het Zwarte Manifest een vervalsing was, zou de SIS de mist in gaan als ze het serieus namen. Maar als het authentiek was, zou de ellende nog groter worden als ze het negeerden.
'Ik wil het eerst eens bespreken met het Hoofd,' zei hij ten slotte. 'Misschien zelfs met de Chef.'

77

Het hoofd van de divisie Oostelijk Halfrond, David Brownlow, ontving hen om twaalf uur en de Chef had het drietal om kwart over één uitgenodigd voor de lunch in zijn met hout betimmerde eetkamer op de bovenste verdieping, met een prachtig uitzicht op de Theems en Vauxhall Bridge.

Sir Henry Coombs liep tegen de zestig en was bezig aan zijn laatste jaar als directeur van de SIS. Net als zijn voorgangers, tot aan Maurice Oldfield, was hij opgeklommen binnen de dienst en had hij zijn sporen verdiend in de koude oorlog, die tien jaar geleden was geëindigd. Anders dan de CIA, waar de hoogste post vaak een politieke benoeming was – en niet altijd geslaagd – had de SIS zich al dertig jaar de politiek van het lijf weten te houden. Tot nu toe was er steeds een directeur aangesteld die het klappen van de zweep kende.

En dat werkte. Na 1985 gaven drie opeenvolgende CIA-directeuren toe dat ze nauwelijks iets hadden geweten over de werkelijke omvang van Ames' verraad, totdat ze het in de krant hadden gelezen. Henry Coombs had het vertrouwen van zijn ondergeschikten en wist alles wat hij weten moest. En dat wisten de anderen ook.

Hij las het dossier door terwijl hij van zijn vichysoisse dronk. Hij kon snel lezen en had de strekking al gauw begrepen.

'Het zal wel vervelend voor je zijn, Jock, maar wil je het hele verhaal nog eens vertellen?'

Hij luisterde aandachtig, stelde twee korte vragen en knikte toen.

'Wat denk je ervan, Jeffrey?'

Nadat de chef van de Russische sectie zijn mening had gegeven, was het de beurt aan Brownlow, het hoofd van de divisie Oostelijk Halfrond. Wat de twee mannen zeiden, kwam op hetzelfde neer: is het authentiek? Dat was het eerste wat ze wilden weten.

'Wat mij intrigeert,' zei Brownlow, 'is waarom Komarov dit heeft opgeschreven als het werkelijk zijn geheime bedoeling is. Iedereen weet dat zelfs de geheimste documenten gestolen kunnen worden.'

Sir Henry Coombs richtte zijn bedrieglijk vriendelijke ogen op zijn bureauchef uit Moskou.

'Enig idee, Jock?'

Macdonald haalde zijn schouders op. 'Waarom schrijven mensen hun persoonlijke gedachten en plannen op? Waarom leggen mensen pijnlijke bekentenissen af in een dagboek? Waarom noteren ze hun intiemste gevoelens? Waarom slaan grote bedrijven of instellingen zoals de onze zeer gevoelig materiaal op? Misschien was het bedoeld als een vertrouwelijke instructie aan een kleine kring – of als een soort persoonlijke therapie. Of misschien is het een vervalsing, bedoeld om hem in een kwaad daglicht te stellen. Ik weet het werkelijk niet.'

'Dat is het punt,' zei sir Henry. 'We weten het niet. Maar toch moeten we erachter komen, dat zal iedereen met me eens zijn. Er blijven zoveel vragen over. Door wie is dit geschreven? Door Igor Komarov? Is deze waanzin werkelijk wat hij van plan is als en wanneer hij aan de macht komt? En als dat zo is, hoe is dit dossier dan gestolen, door wie, en waarom is het ons in handen gespeeld? Of is het allemaal één grote leugen?'

Hij roerde in zijn koffie en staarde vol afschuw naar de stukken – het originele document en Macdonalds vertaling.

'Sorry, Jock, maar we moeten eerst het antwoord vinden op al die vragen, voordat ik de zaak met hogerhand kan opnemen. En zelfs dan misschien niet eens. Dus ik stuur je weer terug naar Moskou, Jock. Ik weet niet hoe je het wilt aanpakken, dat is je eigen zaak. Maar we hebben antwoorden nodig.'

Net als zijn voorgangers had de Chef van de sis twee taken: het leiden van een geheime dienst, zo goed als hij kon, en het bedrijven van politiek. Hij was verantwoordelijk voor de contacten met de Commissie voor de Inlichtingendiensten, en met zijn belangrijkste cliënt, het ministerie van Buitenlandse Zaken, geen gemakkelijke klant. Daarnaast moest hij vechten voor zijn begroting en zijn relaties cultiveren met de ministers van het kabinet. Dat was een veelzijdige en veeleisende taak, niet geschikt voor onzekere of onnozele figuren.

Het laatste waaraan hij behoefte had was een indianenverhaal over een zwerver die een dossier in de auto van een jeugdige diplomate had gegooid. Een dossier waar inmiddels voetafdrukken op stonden. Een dossier dat een programma van waanzinnige wreedheden beschreef. Een dossier dat misschien authentiek was, maar misschien ook niet... Nee, als hij daarmee aankwam, zouden de politici hem alle hoeken van de kamer laten zien.

'Ik vlieg vanmiddag weer terug, Chef.'

'Onzin, Jock. Je hebt al twee nachten niet geslapen. Ga vanavond naar het theater en zorg dat je acht uur slaap krijgt. Dan stap je morgen op het eerste vliegtuig naar het land van de Kozakken.' Hij keek op zijn horloge. 'En als jullie me nu willen excuseren...'

De drie mannen vertrokken. Maar van het theater of die acht uur slaap kwam weinig terecht. Er lag een bericht op Marchbanks' kantoor, vers van de codeerafdeling. Er was ingebroken in het appartement van Celia Stone. Haar flat was ondersteboven gekeerd. Toen ze thuiskwam van een etentje, had ze twee gemaskerde mannen verrast, die haar met een stoelpoot hadden toegetakeld. Ze lag in het ziekenhuis, maar verkeerde niet in levensgevaar.

Zwijgend gaf Marchbanks het bericht aan Macdonald, die het haastig doorlas.

'O, shit,' zei hij.

Washington, juli 1985

Het was een anonieme, derdehands tip, en vermoedelijk volslagen onbruikbaar, zoals zo vaak in het wereldje van de spionage.

Een Amerikaanse vrijwilliger die voor UNICEF werkte in de onplezierige marxistisch-leninistische republiek Zuid-Yemen, was met verlof in New York en had gegeten met een voormalige studiegenoot die nu bij de FBI zat.

De UNICEF-werker beschreef de grootschalige militaire hulp die Zuid-Yemen van Moskou kreeg. En hij vertelde hoe hij op een avond in de bar van het Rock Hotel in Aden in gesprek was geraakt met een majoor van het Russische leger.

Zoals de meeste Russen daar sprak de man bijna geen Arabisch. Zijn contacten met de Yemenieten, die tot 1976 een Britse kolonie hadden gevormd, verliepen daarom in het Engels. De Amerikaan, die wist hoe gehaat de Verenigde Staten in Zuid-Yemen waren, beweerde meestal dat hij uit Zwitserland kwam. Dat zei hij dus ook tegen de Rus.

De Rus werd langzamerhand dronken. Omdat er geen andere Russen in de buurt waren, hield hij een heftige tirade tegen de leiding van zijn eigen land. Hij beschuldigde de machthebbers van grootschalige corruptie, criminele verspilling en een veel te hoge ontwikkelingshulp, die ten koste ging van de eigen bevolking.

Deze anekdote zou weinig gevolgen hebben gehad als de FBI-man het verhaal niet had doorverteld aan een vriend op het CIA-kantoor in New York.

De CIA-man overlegde met zijn bureauchef en nodigde op zijn beurt de UNICEF-werker voor een etentje uit. De wijn vloeide rijkelijk. Om zijn tafelgenoot uit zijn tent te lokken, klaagde de CIA-man dat de Russen steeds betere contacten kregen met de derde-wereldlanden, vooral in het Midden-Oosten.

De UNICEF-werker, die graag met zijn kennis wilde pronken, ontkende dat heftig. Hij wist uit eigen ervaring dat de Russen de pest hadden aan de Arabieren, omdat ze zelfs de simpelste technologie nog niet begrepen en alle apparatuur vernielden die ze van de Sovjets kregen.

'Ik bedoel, waar ik zojuist vandaan kom...' zei hij.

Tegen het eind van de maaltijd had de CIA-man een goed beeld van een groep Russische adviseurs die totaal gefrustreerd waren geraakt en werkelijk niet begrepen wat ze in de Volksrepubliek Yemen te zoeken hadden. Bovendien had hij het signalement van een zeer ontevreden majoor, een lange, gespierde vent met een oosters gezicht. Hij kende zelfs zijn naam: Solomin.

Zijn rapport ging naar Langley, waar het terechtkwam op het bureau van het hoofd van de SE-divisie, die het met Carey Jordan besprak.

'Misschien levert het niets op, en het zou knap gevaarlijk kunnen zijn,' zei

de DDO drie dagen later tegen Jason Monk, 'maar denk je dat jij in Zuid-Yemen zou kunnen infiltreren om eens met die majoor Solomin te praten?'
Monk overlegde uitvoerig met de deskundigen en begreep al gauw dat Zuid-Yemen een lastig landje was. De Amerikanen werden gehaat door het communistische bewind, dat in alle opzichten door Moskou werd gesteund. Toch was er, behalve de Russen, nog een verrassend grote buitenlandse kolonie.
Hoewel de Britten zich in 1976 bijna een weg uit Aden hadden moeten vechten, waren ze nu weer terug. Crown Agents hielp met de eerste levensbehoeften, De La Rue drukte bankbiljetten en Tootal bouwde een textielfabriek. Massey Ferguson had een tractor-filiaal geopend en Costains had een koekjesfabriek in de buitenwijk Sheikh Othman, waar de para's nog huis aan huis hadden gevochten.
Britse ingenieurs waren betrokken bij de bouw van een waterleidingbedrijf en een waterkering, terwijl Save the Children medische hulp bood in het achterland, samen met het Franse Médecins Sans Frontières.
En dan waren er nog de Verenigde Naties met drie projecten. De FAO hielp bij de landbouw, UNICEF ving de straatkinderen op en de WHO bekommerde zich om de volksgezondheid.
Hoe goed je een taal ook spreekt, het is niet zo eenvoudig om je tegenover een inwoner van dat land als een landgenoot voor te doen. Monk besloot zich niet voor een Engelsman uit te geven, want daar zouden de Britten nooit in trappen. Hetzelfde gold voor de Fransen.
Maar de Verenigde Staten waren de belangrijkste geldschieters van de Verenigde Naties en hadden dus – direct of indirect – veel invloed bij een aantal VN-organisaties. Na wat onderzoek bleek dat er bij de FAO in Aden ook een Spanjaard werkte. De CIA gaf Monk een nieuwe identiteit en een visum voor één maand, waarop hij in oktober naar Aden zou reizen als inspecteur van het FAO-hoofdkwartier in Rome, om de voortgang van de landbouw- en voedselprojecten te controleren. Volgens zijn papieren was hij nu Esteban Martinez Llorca. De Spaanse regering in Madrid was de CIA nog altijd dankbaar en zorgde voor authentieke papieren.

Jock Macdonald was te laat in Moskou terug om Celia Stone nog in het ziekenhuis te kunnen bezoeken, maar de volgende ochtend, 28 juli, stond hij aan haar bed. De assistent-persvoorlichter zat nog in het verband en was een beetje suffig, maar praten kon ze wel. Ze was op de normale tijd naar huis gegaan, vertelde ze, zonder dat iemand haar had gevolgd – voor zover ze had opgemerkt, want daar was ze niet in getraind.
Drie uur later was ze van huis vertrokken om te gaan eten met een vriendin van de Canadese ambassade. Om ongeveer half twaalf was ze thuisgekomen. De dieven hadden blijkbaar de sleutel in het slot gehoord, want alles

was rustig toen ze binnenkwam. Ze deed het licht in de gang aan en zag dat de deur naar de woonkamer openstond en dat er geen licht brandde. Dat was vreemd, want ze had een lamp aan gelaten. De woonkamer keek uit over de binnenplaats, en het licht zou de suggestie wekken dat er iemand thuis was. Nou ja, had ze gedacht, waarschijnlijk was de lamp gesprongen.

Op het moment dat ze de woonkamer wilde binnengaan, werd ze in het donker door twee figuren besprongen. Een van hen zwaaide iets naar haar toe en raakte haar tegen de zijkant van haar hoofd. Toen ze tegen de grond sloeg, hoorde en voelde ze twee mannen over haar heen springen en naar de deur rennen. Ze verloor het bewustzijn. Toen ze bijkwam – ze wist niet precies hoe laat – was ze naar de telefoon gekropen en had een buurman gebeld. Daarna was ze weer flauwgevallen. Ze kwam pas bij toen ze in het ziekenhuis lag. Verder wist ze niets.

Macdonald ging naar haar flat. De ambassadeur had geprotesteerd bij het ministerie van Buitenlandse Zaken, dat woedend verhaal had gehaald bij Binnenlandse Zaken. Die hadden Justitie bevel gegeven om de beste rechercheur op de zaak te zetten. Een uitvoerig rapport zou zo spoedig mogelijk volgen. Dat betekende in Moskou dat je er beter niet op kon wachten.

Het bericht naar Londen klopte op één punt niet. Celia was niet neergeslagen met een stoelpoot, maar met een porseleinen beeldje. Het lag verbrijzeld op de grond. Als het metaal was geweest, had ze het misschien niet overleefd.

Er waren nog Russische rechercheurs in de flat aan het werk, die met genoegen de vragen van de Britse diplomaat beantwoordden. De agenten van de militia bij de slagboom hadden geen Russische auto's doorgelaten, dus de mannen waren te voet gekomen. De bewakers hadden niemand gezien. Maar dat zouden ze ook beweren als het niet zo was, dacht Macdonald.

De deur was niet geforceerd, dus moest het slot zijn gemanipuleerd, tenzij de inbrekers een sleutel hadden, wat niet waarschijnlijk was. In deze moeilijke tijden waren ze vermoedelijk op zoek geweest naar harde valuta. Het was heel vervelend, maar niets aan te doen. Macdonald knikte.

Heimelijk hield hij rekening met de mogelijkheid dat de inbrekers Zwarte Gardisten waren geweest, maar het lag meer voor de hand dat ze waren gerekruteerd uit de plaatselijke onderwereld. Of misschien waren het voormalige KGB-agenten – daar waren er genoeg van. Het inbrekersgilde van Moskou bleef meestal uit de buurt van diplomaten. Te riskant. Auto's op de openbare weg waren vogelvrij, maar bewaakte appartementen waren een ander verhaal. De flat was grondig en professioneel doorzocht, maar er was niets meegenomen, zelfs niet de sieraden uit de slaapkamer. Een professionele inbraak om één enkel ding te zoeken. En dat was niet gevonden. Macdonald vreesde het ergste.

Terug op de ambassade kreeg hij een idee. Hij belde het bureau van de officier van justitie en vroeg of de rechercheur die met het onderzoek was belast even langs wilde komen. Inspecteur Chernov meldde zich om drie uur 's middags.

'Misschien kan ik u helpen,' zei Macdonald.

De politieman trok een wenkbrauw op. 'Dat zou heel prettig zijn,' zei hij.

'Onze jongedame, juffrouw Stone, voelde zich vanochtend weer wat beter. Een heel stuk beter.'

'Blij dat te horen,' zei de inspecteur.

'Ze kon me zelfs een signalement geven van een van haar overvallers. Ze zag hem bij het licht uit de gang, vlak voordat ze werd neergeslagen.'

'In haar eerste verklaring zei ze dat ze de mannen geen van beiden had gezien,' zei Chernov.

'Het geheugen komt in zulke gevallen soms later terug. U hebt haar zeker gistermiddag gesproken, inspecteur?'

'Ja, om vier uur. Toen was ze wakker.'

'Maar nog steeds versuft, neem ik aan. Vanochtend was ze veel helderder. De vrouw van een van onze medewerkers kan goed tekenen. Met de hulp van juffrouw Stone heeft ze een portret gemaakt.'

Hij leunde over zijn bureau en gaf de politieman de tekening in houtskool en krijt. Het gezicht van de inspecteur klaarde op.

'Dat is heel nuttig,' zei hij. 'Ik zal hem verspreiden onder mijn mensen. Een man van die leeftijd moet een strafblad hebben.' Hij stond op om te vertrekken. Macdonald kwam ook overeind.

'Blij dat ik u van dienst kon zijn,' zei hij. Ze gaven elkaar een hand en de inspecteur vertrok.

In de lunchpauze waren Celia Stone en de tekenares van het nieuwe verhaal op de hoogte gebracht. Ze begrepen niet waarom, maar ze beloofden dat ze het zouden bevestigen als rechercheur Chernov ernaar vroeg. Dat deed hij niet.

En geen van zijn mensen, verspreid over Moskou, herkende het gezicht. Maar ze hingen de tekening wel aan de muren van de politiebureaus.

Moskou, juli 1985

In het kielzog van de schat aan informatie die men van Aldrich Ames had gekregen, deed de KGB iets heel merkwaardigs.

Het is een vaste regel in het Grote Spel dat een belangrijke spion in het hart van het vijandelijke kamp tot elke prijs beschermd moet worden. Als die spion dus een groot aantal agenten verklikt, moeten die heel langzaam en voorzichtig worden opgepakt, steeds met ogenschijnlijk een andere reden voor de arrestatie.

Alleen als de spion buiten gevaar is en veilig naar het eigen kamp is overgebracht, kunnen alle agenten tegelijk worden aangehouden. Als je niet voorzichtig te werk gaat, kun je net zo goed een advertentie zetten in *The New York Times*: 'Hallo daar! We hebben zojuist een spion binnen jullie organisatie gerekruteerd, en moet je zien welke namen hij ons gegeven heeft!'

Omdat Ames nog steeds in het hartje van de CIA opereerde en vermoedelijk nog jaren voor de boeg had, lag het voor de hand dat de KGB de veertien verraden agenten langzaam en voorzichtig zou oppakken. Maar die strategie werd – ondanks de smeekbeden van de KGB-leiding – volledig doorkruist door Mikhail Gorbatsjov.

Toen ze de oogst uit Washington doorwerkte, besefte de Kolokol-groep dat sommige signalementen meteen duidelijk waren, terwijl andere meer onderzoek vroegen. Van de eerste groep verbleven sommige mensen in het buitenland. Die moesten dus met een goede smoes worden teruggeroepen, zodat ze geen argwaan kregen. Dat zou maanden kunnen duren.

Ook werd besloten om hun rivalen van het Tweede Hoofddirectoraat niet bij de zaak te betrekken. Maar omdat de agenten van het Eerste Hoofddirectoraat gewend waren om in het buitenland te opereren, hadden ze niet in de gaten dat ze in de straten van Moskou minder goed functioneerden.

Ze wilden beginnen met de man die voor de Britten spioneerde, kolonel Oleg Gordievsky. Hij werd toch al verdacht, na jaren van geduldig speurwerk. Ames' signalement van een KGB-kolonel die juist naar Moskou was teruggekeerd paste precies bij Gordievsky. Zonder iemand in te lichten liet het Eerste Directoraat de man dus schaduwen, iets wat normaal gesproken aan het Tweede Directoraat werd overgelaten. Het werd een fiasco.

Gordievsky was niet gek en hij wist dat hij niet veel tijd meer had. Hij had nooit terug naar Moskou moeten komen. Hij had het dringende aanbod van zijn vrienden in Londen moeten accepteren en officieel moeten overlopen, zoals hij twaalf jaar eerder al officieus had gedaan.

De Britten hadden hem een procedure beschreven om hen – zelfs als hij werd geschaduwd – te laten weten dat hij in moeilijkheden was en hulp nodig had. Dat deed hij nu, en het bericht werd ontvangen. De SIS beraamde een plan om hem te redden, maar daar was de hulp van de ambassade bij nodig. Helaas voelde de Britse ambassadeur daar niets voor, en hij had de steun van Buitenlandse Zaken.

Het toenmalige hoofd van de SIS maakte gebruik van zijn privilege om een vertrouwelijk gesprek met de minister-president aan te vragen. Hij legde haar het probleem uit.

Vreemd genoeg herinnerde mevrouw Thatcher zich Gordievsky nog. Het voorafgaande jaar had Mikhail Gorbatsjov, nog voordat hij president werd, een bezoek gebracht aan Londen en grote indruk op haar gemaakt. Naast hem, als zijn tolk, zat een diplomaat van de Russische ambassade, ene kolonel Gordievsky. Ze had geen idee dat hij voor de Britten werkte, maar het viel haar wel op dat ze zo exact werd geïnformeerd over Gorbatsjovs persoonlijke opvattingen – die Gordievsky in de loop van de avond had doorgeseind.

Daarom vloog ze nu overeind met een fonkelende blik in haar babyblauwe ogen.

'Natuurlijk moeten we die kolonel daar vandaan halen!' verklaarde ze. 'Hij is een dapper man en hij is een van ons.'

Binnen een uur moesten de ambassadeur en de minister van Buitenlandse Zaken bakzeil halen. Op de ochtend van de 19e juli schoof de poort van de ambassade open en reed er een stoet auto's naar buiten. De KGB-agenten raakten in paniek. Eén voor één vertrokken hun auto's achter de Britse wagens aan, die allemaal een andere kant uit reden. Ten slotte hadden de Russen geen auto meer over. Daarna kwamen er twee identieke Ford Transit-busjes naar buiten. Een ervan remde naast Gordievsky die aan het joggen was, en een stem riep: 'Oleg! Instappen!' De kolonel sprong door de open zijdeur in het busje.

De twee agenten van het Eerste Directoraat die achter Gordievsky aan holden, riepen bliksemsnel hun eigen auto op, die even later aan kwam scheuren. De Britten hadden Gordievsky bewust vlak voor een hoek opgepikt. Zodra de kolonel aan boord was, verdween het busje de hoek om en schoot een steeg in, terwijl het andere busje bij de stoep wegreed. Toen de Russen de hoek om kwamen, zagen ze een wit busje en volgden dat. Het reed kilometers en kilometers door. Ten slotte werd het omsingeld en tot stoppen gedwongen, maar er zat alleen groente in voor de ambassade. Het busje met Gordievsky was al veilig binnen de muren van het ambassadeterrein.

Daar stond ook een Landrover met een verlengde wielbasis. Een team van legermonteurs had onder de transmissie-as een klein hokje gelast, waarin de Rus zich kon verbergen. Twee dagen later vertrok de Landrover naar Finland. Aan de Russische kant van de grens werd de wagen doorzocht – tegen de regels van het diplomatieke protocol in – maar er werd niets gevonden. Een uur later, diep in de Finse wouden, werd een bijzonder stijve Oleg Gordievsky uit zijn gevangenis verlost en naar Helsinki gereden.

Een paar dagen later was het nieuws bekend. Het Russische ministerie van Buitenlandse Zaken protesteerde bij de Britse ambassadeur, die geen krimp gaf en beweerde dat hij niet wist waar ze het over hadden.

Binnen enkele maanden zat Gordievsky in Washington om met de CIA te praten. Een van de officieren bij zijn debriefing was een glimlachende maar inwendig doodsbange Aldrich Ames. Stel dat de Russische kolonel iets wist over de Amerikaanse verrader? Gelukkig voor hem was dat niet zo. Niemand wist nog ergens van.

Jeffrey Marchbanks bedacht dat er misschien nog een manier was waarop hij zijn collega in Moskou kon helpen om uit te maken of het Zwarte Manifest authentiek was.

Een van Macdonalds problemen was dat hij geen toegang had tot Igor Komarov zelf. Marchbanks vermoedde dat een persoonlijk diepte-interview met de leider van de Unie van Patriottische Krachten zou kunnen uitwijzen of de rechtse, nationalistische Komarov onder zijn vernisje van redelijkheid de ambities van een dolzinnige nazi koesterde.

En hij kende iemand die misschien zo'n interview zou kunnen regelen. De vorige winter was hij op fazanten gaan jagen. Een van de andere gasten was de pas benoemde hoofdredacteur van de belangrijkste Britse conservatieve krant. Op 21 juli belde Marchbanks de hoofdredacteur, herinnerde hem aan de fazantenjacht en maakte een lunchafspraak voor de volgende dag in zijn club in St. James.

Moskou, juli 1985

De ontsnapping van Gordievsky leidde tot een geweldige ruzie in Moskou, op de laatste dag van de maand in het privé-kantoor op de tweede verdieping van het KGB-hoofdkwartier op het Dzjerzjinskyplein – het kantoor van de voorzitter van de KGB zelf.

Het was een sombere kamer die ooit het hol was geweest van enkelen van de bloeddorstigste monsters die ooit op aarde hadden rondgelopen. Yagoda had er gezeten, en Yeznov, die Stalins orders hadden uitgevoerd om de Russische bodem te doordrenken met het bloed van miljoenen. Beria, de psychopatische pedofiel, had er gehuisd, en Serov, Semichastny en de pas overleden Yuri Andropov, die de post langer had bekleed dan wie ook – vijftien jaar, van 1963 tot 1978.

Aan het T-vormige bureau waren orders getekend die mannen tot de gruwelijkste martelingen hadden veroordeeld, tot de dood door bevriezing in de Siberische woestenij, of door een kogel in het hoofd, geknield op een sombere binnenplaats met een pistool in de nek.

Generaal Viktor Chebrikov had die macht niet meer. Rusland veranderde snel en executie-orders moesten nu worden goedgekeurd door de president zelf. Maar verraders kregen nog steeds de doodstraf en de bespreking van die dag moest ervoor zorgen dat er nog meer van zulke executies konden worden uitgevoerd.

Tegenover het bureau van de voorzitter zat Vladimir Kryuchkov, de chef van het Eerste Hoofddirectoraat. Kryuchkov lag zwaar onder vuur. Het waren zijn mensen die zo ernstig hadden geblunderd. Een van de mannen die hem de les lazen, was de chef van het Tweede Hoofddirectoraat, de kleine, bonkige, breedgeschouderde generaal Vitali Boyarov.

'De hele zaak was een complete... *razebaistvo!*' tierde hij. Zelfs onder generaals stond het gebruik van schuttingwoorden hoog aangeschreven – een teken van militaire ervaring en een proletarische komaf. Het woord betekende 'klotezooi'.

'Het zal niet meer gebeuren,' mompelde Kryuchkov deemoedig.

'Laten we het dan eens worden,' zei de voorzitter, 'over een vast patroon, waar we niet meer van afwijken. Op het grondgebied van de Sovjetunie worden verraders uitsluitend gearresteerd en ondervraagd door het Tweede Hoofddirectoraat. Als er ooit nog andere spionnen worden ontdekt, houdt iedereen zich aan die instructie. Duidelijk?'

'Andere spionnen? Nou, die zijn er zeker,' mompelde Kryuchkov. 'Nog dertien andere.'

Het bleef een paar seconden stil.

'Probeer je ons iets te vertellen, Vladimir Aleksandrovich?' vroeg de voorzitter zacht.

Dat was het moment waarop Kryuchkov onthulde wat er zes weken eerder in Chadwick's in Washington was gebeurd. Boyarov floot.

'En wat doen jullie ermee?' vroeg Chebrikov.

'Ik heb een speciale commissie ingesteld om het materiaal te verwerken. Eén voor één komen we nu achter de namen van de veertien... inmiddels dertien... mannen die voor de CIA spioneren. Allemaal Russen. Sommigen zijn gemakkelijker te identificeren dan anderen.'

Generaal Chebrikov nam binnen één dag een besluit. De Kolokol-groep in Yazenevo zou het materiaal analyseren. Dat was het werk van de buitenlandse inlichtingendienst. Maar zodra een spion bekend was, moest zijn naam worden doorgegeven aan de gezamenlijke Krysolov-commissie of 'Rattenvangersgroep', die zijn arrestatie en ondervraging zou organiseren. Het Tweede Hoofddirectoraat was verantwoordelijk voor de aanhouding en gevangenneming van de verrader. Officieren van het Eerste Hoofddirectoraat moesten bij het verhoor aanwezig zijn om de juiste vragen te souffleren en de antwoorden te beoordelen.

Het verhoor en de huisvesting van de gevangenen was een zaak van het Tweede Hoofddirectoraat, dat ook de gebruikelijke maatregelen zou nemen als de gevangenen weigerden bepaalde vragen te beantwoorden of een bekentenis af te leggen.

Binnen een week vertelde generaal Chebrikov, enthousiast over de triomf van de KGB, het hele verhaal aan Mikhail Gorbatsjov. De reactie van de nieuwe president, die pas sinds maart in functie was, ontstelde hem. In plaats van blij te zijn met deze grootste spionagecoup uit de moderne geschiedenis, was Gorbatsjov woedend over de mate waarin de CIA in de Russische samenleving – en met name de KGB en de militaire inlichtingendienst, de GRU – was gepenetreerd.

De KGB drong aan op voorzichtigheid, maar Gorbatsjov sloeg die waarschuwingen in de wind en gaf opdracht alle spionnen meteen, of zo snel mogelijk, op te pakken.

In Yazenevo was de sluwe oude generaal Yuri Drozdov, voorzitter van de Kolokol-groep en voormalig hoofd van het Directoraat Illegalen, ervan overtuigd dat dit de val van Aldrich Ames zou betekenen. Na zo'n golf van arrestaties zouden de Amerikanen meteen begrijpen dat er een mol in het hartje van de CIA moest schuilen en hem zonder veel moeite kunnen opsporen. Maar tot zijn stomme verbazing gebeurde dat niet.

Ondertussen was generaal Boyarov bezig met de formatie van zijn Rattenvangersgroep, het team dat de spionnen moest ondervragen zodra ze waren geïdentificeerd en aangehouden. Als hoofd van het team wilde hij een bijzondere man. Het personeelsdossier van de kandidaat lag al op zijn bureau. Het ging om een kolonel die pas veertig jaar oud was, maar over een grote ervaring beschikte als ondervrager. Hij boekte altijd resultaten.

Boyarov bladerde het dossier door.

De kolonel was in 1945 geboren in Molotov, het voormalige Perm, dat nu weer Perm heette sinds Stalins beulsknecht Molotov in 1957 in ongenade was gevallen. Hij was de zoon van een militair die zich op het slagveld had onderscheiden.

In die grauwe noordelijke stad groeide de kleine Tolya op als een overtuigde communist. Zijn fanatieke vader haatte Chroestsjov, die kritiek had op zijn held Stalin, en Tolya nam de opvattingen van zijn vader over.

In 1963, achttien jaar oud, ging hij in dienst en werd ingedeeld bij de Binnenlandse Garde van het ministerie van Binnenlandse Zaken, de MVD. Deze eenheid moest gevangenissen en strafkampen bewaken en kon worden ingezet om rellen te bestrijden. De jonge soldaat was er in zijn element.

Binnen deze troepen heerste nog een sfeer van onderdrukking en harde maatregelen. De jongen deed het zo goed, dat hij een zeldzame beloning kreeg: overplaatsing naar het Militaire Instituut voor Vreemde Talen in Leningrad. Dit was een dekmantel voor de KGB-academie, die bij de dienst zelf bekend stond als de 'ruif', omdat er een constante stroom kanonnenvoer werd geproduceerd. Leerlingen van de *Korsmushka* waren vermaard om hun fanatieke trouw en toewijding. Tolya onderscheidde zich opnieuw en werd weer beloond.

Deze keer werd hij overgeplaatst naar het bureau Moskou Oblast (stad en district) van het Tweede Hoofddirectoraat, waar hij vier jaar ervaring opdeed, eerst als bureau-officier, toen als rechercheur en ten slotte als ondervrager. Op dat laatste terrein werd hij zo'n expert dat hij er een uitstekende scriptie over schreef, die hem een promotie opleverde naar het nationale hoofdkwartier van het Tweede Hoofddirectoraat.

Sindsdien was hij niet meer uit Moskou weg geweest. Vanuit het hoofdkwartier had hij vooral de strijd aangebonden met de gehate Amerikanen. Hij hield hun ambassade in het oog en liet hun diplomaten schaduwen. In de tussentijd deed hij nog een jaar ervaring op bij de Afdeling Recherche. Zijn superieuren en instructeurs vermeldden in zijn dossier dat hij een gruwelijke hekel had aan Britten, Amerikanen, joden, spionnen en verraders, en dat hij bij zijn verhoren een onverklaarbare maar acceptabele mate van sadisme aan de dag legde.

Met een glimlach sloeg generaal Boyarov het dossier weer dicht. Hij had de juiste man gevonden. Als ze snelle resultaten wilden, zonder omwegen, was kolonel Anatoli Grishin de aangewezen leider van de Rattenvangersgroep.

5

Halverwege St. James Street – in noordelijke richting, net als het verkeer in die eenrichtingsstraat – staat een anoniem grijs gebouw met een blauwe deur en een paar potplanten ervoor. Er staat geen naam op de gevel. De mensen die weten wat het is en waar het ligt, kunnen het wel vinden. De rest is niet uitgenodigd. Brook's Club maakt geen reclame.

De club is populair bij de ambtenaren van Whitehall, niet ver weg. Hier had Jeffrey Marchbanks die 22e juli een lunchafspraak met de hoofdredacteur van *The Daily Telegraph*.

Brian Worthing was achtenveertig en zat al twintig jaar in de journalistiek toen de Canadese eigenaar Conrad Black hem twee jaar geleden bij *The Times* had weggekocht als nieuwe hoofdredacteur. Worthing had ervaring als buitenlands correspondent en oorlogsverslaggever. Als jong journalist had hij verslag gedaan van de Falklands-oorlog, zijn eerste echte slagveld, en later van de Golfoorlog, in 1990-1991.

Het tafeltje dat Marchbanks had besproken stond in een hoek, ver genoeg van de andere gasten vandaan. Niet dat iemand zou durven meeluisteren. Dat was *not done* in Brook's Club, maar oude gewoonten zijn hardnekkig.

'Ik geloof dat ik je in Spurnal al had verteld dat ik bij Buitenlandse Zaken werk,' zei Marchbanks toen de garnalen waren geserveerd.

'Ja, dat herinner ik me nog,' zei Worthing. Hij had geaarzeld of hij de uitnodiging voor de lunch zou accepteren. Hij maakte toch al lange dagen en een lunch van twee uur – drie, als je de rit van Canary Wharf naar het West End en terug meerekende – betekende veel tijdverlies. Hopelijk zou het iets opleveren.

'Eigenlijk werk ik in een ander gebouw, verderop langs de rivier vanaf King Charles Street. Aan de overkant,' zei Marchbanks.

'Aha,' zei de hoofdredacteur. Hij wist alles van Vauxhall Cross, hoewel hij nooit binnen was geweest. Misschien was de lunch toch geen tijdverspilling.

'En ik hou me vooral bezig met Rusland.'

'Dan benijd ik je niet,' zei Worthing, terwijl hij de laatste garnaal naar binnen werkte met een dun sneetje bruin brood. Hij was een forse man met een stevige eetlust. 'Daar gaat het van kwaad tot erger, zou ik denken.'

'Ja, zeg dat wel. Na de dood van Cherkassov is het wachten op de volgende presidentsverkiezingen.'

De twee mannen zwegen toen een jonge dienster het lamsvlees en de groente bracht, met een karaf rode huiswijn. Marchbanks schonk in.

'De uitkomst staat wel vast,' zei Worthing.

'Daar gaan wij ook van uit. Het communistisch reveil heeft zijn glans verloren en de hervormers weten niet meer hoe het verder moet. Igor Komarov lijkt dus rechtstreeks op de overwinning af te stevenen.'

'Is dat zo erg?' vroeg de hoofdredacteur. 'In het laatste artikel dat ik over hem heb gelezen kwam hij niet zo onredelijk over. De munt versterken, de chaos bestrijden, de mafia het leven zuur maken, dat soort dingen.'

Worthing ging er prat op dat hij zei waar het op stond. Hij sprak in een soort telegramstijl.

'Precies. Dat klinkt allemaal heel aardig. Maar de man is nog steeds een raadsel. Wat is hij werkelijk van plan? En hoe wil hij dat verwezenlijken? Hij zegt dat hij geen buitenlandse kredieten wil, maar hoe komt hij dan aan geld? Wil hij de Russische schuld soms afbetalen in waardeloze roebels?'

'Dat durft hij niet,' zei Worthing. Hij wist dat de *Telegraph* een correspondent in Moskou had, maar die had al een hele tijd niets meer over Komarov geschreven.

'O nee?' vroeg Marchbanks. 'Dat weten we niet. Sommige van zijn toespraken zijn behoorlijk extreem, maar in gesprekken onder vier ogen overtuigt hij zijn bezoekers ervan dat hij toch niet zo'n monster is als hij lijkt. Wat is de waarheid?'

'Onze man in Moskou zou een interview kunnen aanvragen.'

'Ik geef hem weinig kans,' zei het hoofd van de SIS. 'Alle correspondenten willen hem wel spreken. Maar Komarov staat zelden een interview toe. Hij beweert dat hij een hekel heeft aan de buitenlandse pers.'

'Hé, strooptaart!' zei Worthing. 'Ik lust wel een stukje.'

Britten van middelbare leeftijd zijn zelden zo gelukkig als wanneer ze iets te eten krijgen uit hun kindertijd. De dienster bracht een stuk strooptaart voor beide heren.

'Hoe moet je hem dan benaderen?' vroeg Worthing.

'Hij heeft een jonge pr-man naar wie hij schijnt te luisteren. Boris Kuznetsov. Heel intelligent. Heeft aan een van de Amerikaanse Ivy League-universiteiten gestudeerd. Hij is de sleutelfiguur. Hij houdt de Westerse kranten goed bij en hij heeft vooral waardering voor de stukken van jullie Mark Jefferson.'

Mark Jefferson was een redacteur die veel hoofdartikelen voor de *Telegraph* schreef, over zowel de binnenlandse als de buitenlandse politiek. Hij was een goed polemicus en een overtuigde conservatief.

Worthing kauwde op zijn strooptaart. 'Het is een idee,' zei hij ten slotte.

'Zie je,' vervolgde Marchbanks, die nu pas echt op stoom kwam, 'het wemelt in Moskou van de buitenlandse correspondenten. Maar een stafredacteur die een portret wil maken van de toekomstige leider, de man-van-morgen... dat is een andere zaak.'

Worthing dacht weer na. 'Misschien zouden we een portret van de belangrijkste drie kandidaten moeten maken. Vanwege het evenwicht.'

'Goed idee,' loog Marchbanks. 'Maar Komarov is de man in wie de mensen geïnteresseerd zijn, hoe je het ook bekijkt. Die andere twee zijn onbelangrijk. Zullen we naar boven gaan voor de koffie?'

'Ja, het is geen slecht idee,' beaamde Worthing toen ze in de lounge op de eerste verdieping zaten, onder het portret van de Dilettantes. 'Ik ben natuurlijk geroerd door je bezorgdheid om onze oplagecijfers, maar wat wil je dat we hem vragen?'

Marchbanks grinnikte om die rechtstreekse vraag.

'Juist. Nou, we willen een paar dingen weten waarmee we naar onze politieke bazen kunnen stappen. Bij voorkeur dingen die niet in het artikel zelf worden genoemd. Zij lezen tenslotte ook de *Telegraph*. Wij vragen ons af wat de man werkelijk van plan is. Met de etnische minderheden, bijvoorbeeld. Daarvan wonen er tien miljoen in Rusland, en Komarov vindt de autochtone Russen superieur. En hoe wil hij de glorie van de Russische natie herstellen? Met andere woorden, draagt hij een masker? En wat schuilt er achter dat masker? Heeft hij een geheime politieke agenda?'

'Als dat zo is,' zei Worthing peinzend, 'waarom zou hij dat dan tegen Jefferson zeggen?'

'Je weet het nooit. In het vuur van zijn betoog, misschien.'

'Hoe moeten we die Kuznetsov benaderen?'

'Jullie man in Moskou kent hem wel. Een persoonlijke brief van Jefferson zou in goede aarde vallen, denk ik.'

'Goed,' zei Worthing toen ze de brede trap afdaalden naar de hal. 'Ik zie al een centre-spread voor me. Niet slecht. Als hij werkelijk iets te zeggen heeft, tenminste. Ik zal contact opnemen met ons kantoor in Moskou.'

'Als het lukt, zou ik Jefferson na afloop graag willen spreken.'

'Een debriefing? Het is een lastig heerschap.'

'Ik zal hem in de watten leggen,' beloofde Marchbanks.

Ze namen afscheid op de stoep. Worthings chauffeur zag zijn baas naar buiten komen en kwam van zijn illegale parkeerplaats tegenover Suntory vandaan om hem terug te brengen naar de Canary Wharf in Dockland. Het hoofd van de SIS besloot het effect van de wijn en de calorieën van de strooptaart kwijt te raken door naar kantoor terug te lopen.

Washington, september 1985

Nog voordat hij voor de Sovjets ging spioneren, had Ames in 1984 gesolliciteerd naar de functie van hoofd van de Russische sectie op het grote CIA-bureau in Rome. In september 1985 hoorde hij dat hij was aangenomen.

Dat bracht hem in een moeilijke situatie. Hij wist toen nog niet dat de KGB hem ongewild in groot gevaar zou brengen door alle spionnen op te pikken die hij zo snel had verraden.

Als hij naar Rome ging, zou hij geen toegang meer hebben tot de 301-dossiers en de gegevens van de contraspionagetak van de SE-divisie in Langley. Aan de andere kant was Rome een uitstekende post en een prettige omgeving om te wonen. Hij overlegde met de Russen.

Moskou vond het prima. Om te beginnen hadden ze nog maanden van onderzoek, arrestaties en verhoren voor de boeg. Ames had hun zo veel materiaal in handen gespeeld en de Kolokol-groep was verhoudingsgewijs zo klein, dat het nog jaren kon duren voordat alles was verwerkt.

Want in de tussentijd had Ames – via zijn tussenpersoon Chuvakhin – nog het een en ander aan de Russen verraden, zoals de persoonlijke en zakelijke gegevens van bijna alle belangrijke CIA-officieren in Langley. Compleet met hun foto's, functies en de zaken waaraan ze hadden gewerkt. Gewapend met die informatie zou de KGB die officieren meteen in de gaten hebben waar en wanneer ze maar opdoken.

Bovendien vermoedden de Russen dat Ames in Rome – een van de belangrijkste centra van de Europese divisie – inzicht zou hebben in alle CIA-operaties en die van de Amerikaanse bondgenoten in het Middellandse-Zeegebied, van Spanje tot aan Griekenland, een gebied dat voor Moskou van vitaal belang was.

Ten slotte wisten de Russen dat ze Ames in Rome veel gemakkelijker konden benaderen dan in Washington, waar de FBI altijd op de loer lag. En dus adviseerden ze hem de functie aan te nemen.

Nog diezelfde september ging Ames naar de talenschool om Italiaans te leren.

In Langley had niemand een vermoeden van de volle omvang van de catastrofe die de CIA zou treffen. Ze waren het contact verloren met twee of drie van hun beste agenten in Rusland. Dat was zorgwekkend, maar nog niet rampzalig.

Onder de personeelsdossiers die Ames aan de KGB had doorgespeeld was ook het dossier van een jongeman die zojuist naar de SE-divisie was overgeplaatst. Ames noemde hem een 'rijzende ster', omdat zijn naam nogal eens werd genoemd. Hij heette Jason Monk.

De oude Gennadi ging al jaren het bos in om paddestoelen te plukken. Na zijn pensionering vormde het gratis natuurvoedsel een welkome aanvulling op zijn inkomen. Hij verkocht ze vers aan de beste restaurants in Moskou of droogde ze voor de schaarse delicatessenzaken die nog bestonden.

Als je champignons wilt zoeken, moet je vroeg op pad gaan, bij voorkeur voordat het licht wordt. Ze groeien 's nachts en overdag zijn ze een prooi voor muizen, eekhoorns of – nog erger – andere paddestoelenzoekers. Russen zijn er dol op.

De ochtend van 24 juli fietste Gennadi met zijn hond vanuit het kleine dorpje naar een bos waar hij een paar goede plekken wist waar de champignons in de zomernacht weelderig groeiden. Voordat de ochtenddauw was opgetrokken, hoopte hij een mandvol te hebben.

Het bos dat hij had uitgekozen lag vlak bij een hoofdweg waar de vrachtwagens naar het westen denderden, op weg naar Minsk, de hoofdstad van Wit-Rusland. Gennadi reed het bos in, zette zijn fiets tegen een boom die hij weer terug kon vinden, pakte zijn rieten mand en verdween in het donker.

Een half uur later, toen hij zijn mand al vol had en de zon juist boven de horizon uitkwam, begon zijn hond te janken bij een groepje struiken. Gennadi had hem getraind om paddestoelen te vinden. Blijkbaar had het dier wat ontdekt.

Toen Gennadi dichterbij kwam, drong er een weeë, zoete geur in zijn neusgaten. Hij kende die geur. Die had hij vaak genoeg opgesnoven toen hij als piepjonge soldaat van de Weichsel naar Berlijn was opgerukt.

Het lijk was tussen de struiken neergegooid of de man was er zelf naartoe gekropen voordat hij was overleden. Het was een magere oude man, zwaar verkleurd, met opengesperde ogen en een wijd open mond. De vogels hadden zijn ogen al uitgepikt. Drie stalen tanden glinsterden onder de dauwdruppels. Het bovenlichaam was ontbloot, maar een opgerolde oude overjas lag een halve meter verderop. Gennadi snoof nog eens. In die hitte, wist hij, moest het lijk er een paar dagen hebben gelegen.

Hij dacht even na. Hij was nog van de generatie die zijn burgerplicht deed, maar paddestoelen waren paddestoelen, en voor deze man kon hij niets meer doen. Honderd meter verderop hoorde hij het gedender van de vrachtwagens op weg van Moskou naar Minsk.

Hij zocht nog wat champignons totdat zijn mand vol was en fietste terug naar het dorp. Daar legde hij zijn oogst in de zon te drogen en liep toen naar de kleine, bouwvallige *selsoviet*, het gemeentekantoor. Het stelde niet veel voor, maar het had wel telefoon.

Hij belde 02 en kreeg de politie aan de lijn.

'Ik heb een lijk gevonden,' zei hij.

'Naam?' vroeg de stem.

'Hoe moet ik dat weten? Hij is dood.'

'Niet de zijne, idioot. Jóuw naam.'

'Wil je dat ik ophang?' vroeg Gennadi.

Er klonk een zucht.

'Nee, niet ophangen. Geef me je naam nou maar en vertel me waar je bent.'

Dat deed Gennadi. De politie controleerde de plek snel op de kaart. Het was nog net binnen de grenzen van de *oblast* Moskou – in het uiterste westen, maar wel binnen de grens.

'Wacht maar op de *selsoviet*. Er komt iemand naar je toe.'

Gennadi wachtte. Het duurde een half uur voordat er een jonge inspecteur van de uniformdienst kwam opdagen, met twee agenten van de militia in hun gebruikelijke geelblauwe Uzhgorod-jeep.

'Heb jij het lijk gevonden?' vroeg de inspecteur.

'Ja,' zei Gennadi.

'Goed. Wijs de weg maar. Waar ligt het?'

'In het bos.'

Gennadi voelde zich heel belangrijk toen hij meereed met de politiejeep. Ze stopten op aanwijzing van Gennadi en liepen in colonne het bos door. De paddestoelenplukker herkende de berk waar hij zijn fiets had neergezet en volgde dezelfde route. Even later roken ze het al.

'Daar ligt hij,' zei Gennadi, wijzend naar de struiken. 'Hij stinkt een uur in de wind. Hij ligt er al een tijdje.'

De drie politiemannen liepen naar het lichaam toe en bekeken het van een afstandje.

'Kijk eens in zijn broekzakken,' zei de inspecteur tegen een van de agenten, en tegen de ander: 'Fouilleer die overjas.'

De man die het kortste strootje had getrokken kneep zijn neus dicht en doorzocht met zijn vrije hand de broekzakken van het lijk. Niets. Met de neus van zijn schoen rolde hij het lichaam opzij. Eronder krioelden de maden. Hij doorzocht de achterzakken, stond weer op en schudde zijn hoofd. Zijn collega smeet de overjas tegen de grond en schudde ook ontkennend.

'Helemaal niets? Geen papieren?' vroeg de inspecteur.

'Nee. Geen geld, geen handschoenen, geen sleutels, geen papieren.'

'Doodgereden op de weg?' opperde een van de politiemannen.

Ze luisterden naar de geluiden vanaf de hoofdweg.

'Hoe ver is dat?' vroeg de inspecteur.

'Ongeveer honderd meter,' zei Gennadi.

'Mensen die iemand doodrijden en ervandoor gaan, slepen het slachtoffer niet honderd meter het bos in,' zei de inspecteur. 'Tien meter was trouwens al genoeg geweest, tussen die bomen hier.' Hij draaide zich naar een van zijn mannen.

'Loop eens naar de weg en kijk of je het wrak van een fiets of een auto kunt ontdekken. Misschien is hij verongelukt en zelf hierheen gekropen. Blijf daar dan staan en houd de ambulance aan.'

Met zijn draagbare telefoon belde de inspecteur het bureau en vroeg om een rechercheur, een fotograaf en een politiedokter. Deze man was geen natuurlijke dood gestorven. Een ambulance zou het lijk weghalen. Een van de politiemannen liep tussen de bomen door naar de weg. De anderen wachtten, op enige afstand vanwege de stank.

Eerst verschenen de politiemannen in burger, in een anonieme geelbruine Uzhgorod. Ze werden aangehouden op de snelweg, zetten hun auto in de berm en liepen de rest. De rechercheur knikte tegen de inspecteur.

'Wat hebben we hier?'

'Daar ligt hij. Ik heb jullie gebeld omdat het geen natuurlijke dood kan zijn. Hij is flink toegetakeld en hij ligt honderd meter van de weg.'

'Wie heeft hem gevonden?'

'Die paddestoelenplukker daar.'

De rechercheur kwam naar Gennadi toe.

'Vertel het me maar. Vanaf het begin.'

De fotograaf maakte opnamen en de dokter deed een smoeltje voor en onderwierp het lichaam aan een vluchtig onderzoek. Toen richtte hij zich op en trok zijn rubberen handschoenen uit.

'Tien kopeken tegen een goede fles Moskovskaya dat het moord is. Het laboratorium kan ons meer vertellen, maar iemand heeft hem in elkaar geslagen voordat hij stierf. Waarschijnlijk niet hier. Gefeliciteerd, Volody, je hebt je eerste *zhmurik* van de dag weer te pakken.'

Hij gebruikte het Russische bargoens voor 'lijk'. Twee broeders van de ambulance kwamen het bos in met een brancard. De dokter knikte. Ze ritsten het lichaam in een lijkzak en namen het mee naar de weg.

'Zijn jullie met me klaar?' vroeg Gennadi.

'Vergeet het maar,' zei de rechercheur. 'Je moet een verklaring afleggen op het bureau.'

De politiemensen brachten Gennadi naar het bureau, het hoofdkwartier van het westelijke district, vijf kilometer verderop, langs de weg naar Moskou. Het lijk reisde verder, naar het mortuarium van het Tweede Medische Instituut in het hartje van de stad. Daar werd het in een koelcel opgeslagen. Er waren maar weinig pathologen en ze konden het werk nauwelijks aan.

96

Yemen, oktober 1985

Half oktober infiltreerde Jason Monk in Zuid-Yemen. Hoe klein en arm de Volksrepubliek ook was, het vliegveld – de voormalige militaire basis van de Britse Royal Air Force – was eersteklas. Grote jets konden er landen en deden dat ook.

Monks Spaanse paspoort en zijn reispapieren van de Verenigde Naties werden grondig gecontroleerd, maar alles was in orde, en na een halfuurtje stond hij buiten, met zijn weekendtas in zijn hand.

Rome had inderdaad het hoofd van het plaatselijke project van de FAO – de Food and Agriculture Organization van de Verenigde Naties – gewaarschuwd dat señor Martinez Llorca eraan kwam, maar een datum genoemd die een week later lag dan de dag waarop Monk feitelijk arriveerde. Maar dat wist de Yemenitische douane niet. Er stond ook geen auto op hem te wachten. Hij nam een taxi en liet zich inschrijven in het nieuwe Franse hotel, het Frontel, op de landengte die de rots van Aden met het vasteland verbindt.

Hoewel zijn papieren in orde waren en hij niet verwachtte echte Spanjaarden tegen te komen, wist hij dat hij groot gevaar liep. Het was een illegale missie.

Het grootste deel van al het spionagewerk wordt uitgevoerd door agenten binnen een ambassade, die officieel tot het ambassadepersoneel behoren. Als er iets misgaat, worden ze beschermd door hun diplomatieke onschendbaarheid.

Sommige officieren werken zelfs officieel voor de inlichtingendienst. De plaatselijke contraspionage weet en accepteert dat, ook al wordt er geen ruchtbaarheid aan gegeven. Maar een groot bureau in vijandelijk gebied heeft altijd een paar agenten die zich uitgeven voor cultureel attaché, handelsattaché of medewerker van de kanselarij of de persdienst. Soms worden ze ontdekt, soms niet.

De reden daarvoor is simpel. Deze clandestiene agenten hebben meer kans om zich onopgemerkt buiten de ambassade te bewegen, zodat ze berichten kunnen ophalen of contactpersonen kunnen ontmoeten. De officiële inlichtingenofficieren worden altijd geschaduwd.

Maar een agent die zonder een diplomatieke dekmantel werkt, wordt niet beschermd door de akkoorden van Wenen. Een diplomaat kan hooguit worden uitgewezen. Vervolgens roept zijn regering dat hij onschuldig is en zet op haar beurt een diplomaat van het andere land over de grens. En na die rituele uitwisseling gaat het leven weer zijn gang.

Maar een 'illegale' spion heeft geen diplomatieke bescherming. Als hij wordt ontdekt, staan hem gevangenisstraf, martelingen, een werkkamp of een eenzame dood te wachten, afhankelijk van het land waar hij zich bevindt. Zelfs de mensen die hem hebben gestuurd kunnen hem zelden nog helpen.

In een democratie volgt meestal een eerlijk proces en opsluiting in een fatsoenlijke gevangenis. In een dictatuur bestaan geen burgerrechten. In sommige landen hebben ze daar nog nooit van gehoord. Zuid-Yemen was zo'n land. De Verenigde Staten had er in 1985 niet eens een ambassade.

In oktober was het er nog bloedheet en vrijdag was de rustdag. Hoe zou een gezonde Russische officier zijn vrije dag in de hitte doorbrengen? vroeg Monk zich af. Zwemmen leek een redelijke gok.

Om veiligheidsredenen had de CIA geen contact meer gehad met de UNICEF-werker die zijn verhaal aan de FBI-man had verteld. Misschien had hij een nog beter signalement van Solomin kunnen geven, of behulpzaam kunnen zijn bij het tekenen van een portret. Het was zelfs niet uitgesloten dat hij weer terug was in Zuid-Yemen en de majoor zou kunnen aanwijzen. Maar de CIA had de indruk dat de man een praatjesmaker was, die zijn mond niet kon houden. Daarom hadden ze afgezien van verdere contacten.

De Russen waren gemakkelijk te vinden. Ze waren overal. Blijkbaar mochten ze vrij met de Westeuropese kolonie omgaan, wat thuis in de Sovjetunie streng verboden zou zijn geweest. Misschien kwam het door de hitte, of was het gewoon onmogelijk om de Russische militaire adviseurs dag en nacht in hun eigen kamp te houden.

Twee hotels, de Rock en het nieuwe Frontel, hadden een mooi zwembad. Dan was er nog Abyan Beach, het lange strand met zijn schuimende branding, waar buitenlanders van allerlei nationaliteiten na het werk of op hun vrije dag kwamen zwemmen. Een andere mogelijkheid was de grote Russische legerwinkel in de stad, waar ook niet-Russen mochten winkelen omdat de Sovjetunie hun harde valuta goed kon gebruiken.

Monk zag al snel dat alle Russen officieren waren. Maar weinig Russen spraken Arabisch of zelfs maar Engels. Als dat wel zo was, hadden ze een speciale opleiding gevolgd en waren ze dus officier of aankomend officier. Soldaten en onderofficieren spraken geen vreemde talen en hadden dus niet met hun Yemenitische leerlingen kunnen communiceren. Vandaar dat de onderofficieren alleen als monteur of kok werkzaam waren. Ziekenbroeders werden plaatselijk gerekruteerd. En de lagere rangen konden zich de prijzen van de cafés in Aden niet veroorloven. Alleen officieren werden in harde munt uitbetaald.

Het was ook nog mogelijk dat de UNESCO-werker de Rus in zijn eentje had aangetroffen aan de bar van de Rock. Russen dronken graag, maar ze hielden ook van gezelschap, en de groep rond het zwembad van het Frontel was duidelijk een gesloten geheel. Waarom had Solomin alleen gezeten? Toe-

98

val? Of was hij iemand die liever in zijn eentje bleef?

Dat zou een aanwijzing kunnen zijn. De Amerikaan had gezegd dat hij lang en gespierd was, met zwart haar en amandelvormige ogen. Oosterse ogen, maar geen platte neus. De taalexperts van Langley beweerden dat de naam Solomin uit het oosten van de Sovjetunie afkomstig was. Monk wist dat Russen behoorlijk racistisch waren en grote minachting koesterden voor de 'zwarten' – met wie ze iedereen bedoelden die niet zuiver Russisch was. Misschien had Solomin genoeg van de grappen over zijn Aziatische uiterlijk.

Monk slenterde door de legerwinkel – de Russische officieren woonden allemaal alleen – liep langs de zwembaden en deed 's avonds de ronde door de cafés. De derde dag, toen hij in boxershort met een handdoek over zijn schouder over Abyan Beach wandelde, zag hij een man uit het water komen.

Hij was ongeveer een meter tachtig, met gespierde armen en schouders. Niet jong, een jaar of veertig, maar in goede conditie. Zijn haar was ravezwart, maar verder was hij onbehaard, behalve onder zijn oksels zag Mark, toen hij zijn handen optilde om het water uit zijn haar te wringen. Oosterlingen hebben niet veel lichaamshaar. Zwartharige westerlingen meestal wel.

De man slenterde het strand op, vond zijn handdoek terug en liet zich in het zand vallen, met zijn gezicht naar de zee. Hij zette een zonnebril op en leek al snel in gedachten verzonken.

Monk trok zijn shirt uit en liep naar de zee als een badgast voor zijn eerste duik. Het was druk op het strand en daarom viel het niet op dat hij een vrij plekje op nog geen meter afstand van de Rus uitkoos. Hij pakte zijn portefeuille en wikkelde zijn shirt eromheen. Daarna zijn handdoek. Hij schopte zijn sandalen uit en legde alles op een stapeltje. Toen keek hij aarzelend om zich heen en staarde ten slotte naar de Rus.

'Neem me niet kwalijk,' zei hij. De Rus keek hem aan. 'Blijft u hier nog even?' De man knikte.

'Wilt u op mijn spullen passen? Dat de Arabieren ze niet stelen? Oké?'

De Rus knikte nog eens en staarde toen weer naar de oceaan. Monk ging zwemmen en bleef tien minuten in het water. Toen hij druipend terugkwam, glimlachte hij naar de man met het zwarte haar.

'Bedankt.' De man knikte voor de derde keer. Monk droogde zich af en ging zitten.

'Mooie zee. Mooi strand. Jammer van die mensen.'

Het was voor het eerst dat de Rus iets zei. In het Engels: 'Welke mensen?'

'Die Arabieren. De Yemenieten. Ik ben hier nog niet zo lang, maar ik heb nou al de pest aan ze. Waardeloze figuren.'

De Rus staarde hem van achter zijn donkere brilleglazen aan, maar Monk kon de uitdrukking in zijn ogen niet peilen.

Na twee minuten ging hij verder: 'Ik bedoel, ik probeer ze te leren hoe ze met simpel gereedschap en trekkers moeten omgaan. Om de oogst te verbeteren en meer voedsel te produceren. Vergeet het maar. Ze maken alles kapot. Ik verspil hier mijn tijd en het geld van de Verenigde Naties.'

Monk sprak goed Engels, maar met een Spaans accent.

'Bent u Engels?' vroeg de Rus eindelijk. Het was het eerste teken van interesse.

'Nee, Spaans. Ik werk voor de FAO, de voedsel- en landbouworganisatie van de Verenigde Naties. En u? Ook bij de VN?'

De Rus bromde ontkennend.

'Sovjetunie,' zei hij.

'O. Nou, dan zal het hier voor u wel heter zijn dan thuis. Voor mij maakt het niet veel uit. Maar ik wou dat ik thuis was.'

'Ik ook,' zei de Rus. 'Ik hou van de kou.'

'Bent u hier al lang?'

'Twee jaar. Nog één jaar te gaan.'

Monk lachte. 'Lieve god, wij hoeven maar één jaar, en zo lang blijf ik niet eens. Dit is een zinloos project. Nou, ik ga maar weer. Hoor eens, na twee jaar weet u wel een geschikte plaats om een borrel te drinken na het eten. Zijn er hier nachtclubs?'

De Rus lachte spottend.

'Nee. Geen *diskoteki*. De bar van het Rock Hotel is wel rustig.'

'Bedankt. O, tussen haakjes, ik ben Esteban. Esteban Martinez.' Hij stak zijn hand uit.

De Rus aarzelde, maar gaf hem toen een hand. 'Pyotr,' zei hij. 'Of Peter. Peter Solomin.'

De volgende avond dook de Russische majoor weer op in de bar van het Rock Hotel. Dit voormalige koloniale hotel was letterlijk in en op een rots gebouwd, met een trap vanaf de straat naar de kleine receptie en op de bovenste verdieping een bar met een weids uitzicht over de haven. Monk zat aan een tafeltje bij het raam en keek naar buiten. In de ruit zag hij Solomin binnenkomen, maar hij wachtte tot de man zijn bier had gekregen voordat hij zich omdraaide.

'Ah, majoor, we lopen elkaar weer tegen het lijf. Komt u erbij zitten?'

Hij wees naar de andere stoel aan zijn tafeltje. De Rus aarzelde, maar ging toch zitten. Hij hief zijn glas.

'*Za vashe zdorovye.*'

Monk proostte. '*Pesetas, faena y amor.*' Solomin fronste. Monk grijnsde. 'Geld, werk en liefde – in welke volgorde dan ook.' De Rus lachte voor het eerst. Het was een hartelijke lach.

Ze raakten in gesprek. Over van alles. Over de onmogelijkheid om met de Yemenieten samen te werken en de frustratie dat alle machines naar de bliksem werden geholpen. Ze hadden allebei weinig voldoening in hun werk. Ze praatten zoals mannen ver van huis dat doen.

Monk vertelde over zijn geboortestreek Andalusië, waar je kon skiën vanaf de hoge toppen van de Sierra Nevada en dezelfde dag nog kon zwemmen in het warme water bij Sotogrande. Solomin vertelde over de diepe wouden in de sneeuw, waar de Siberische tijgers nog rondzwierven en de geoefende jager op vossen, wolven en herten kon jagen.

Ze ontmoetten elkaar vier avonden achtereen en genoten van elkaars gezelschap. De derde dag moest Monk zich melden bij de Nederlander die de leiding had van het FAO-project. Hij maakte een inspectieronde. Het CIA-bureau in Rome had van de FAO in dezelfde stad uitvoerige informatie gekregen over het project en Monk had die goed bestudeerd. Zijn eigen jeugd op het platteland had hem geholpen de problemen te doorgronden en hij was vol lof. De Nederlander was onder de indruk.

's Avonds, vaak tot diep in de nacht, kwam hij steeds meer te weten over majoor Pyotr Vasilyevich Solomin. En wat hij hoorde, beviel hem wel.

De man was geboren in 1945 op die grote landtong tussen het noordoosten van Mantsjoerije en de zee, met de Noordkoreaanse grens in het zuiden. Het gebied wordt Primorskiy Krai genoemd en Solomin kwam uit de stad Ussuriysk.

Zijn vader was van het platteland naar de stad gekomen om werk te zoeken, maar hij had zijn zoon de taal van hun stam, de Udegey, geleerd. Wanneer hij maar kon, nam hij de jongen mee terug naar de bossen, zodat de jonge Solomin een grote liefde opvatte voor de elementen van zijn land: bossen, bergen, water en dieren.

In de negentiende eeuw, voordat de Udegey definitief door de Russen waren onderworpen, had de schrijver Arsenyev de enclave bezocht en een boek over dit volk geschreven dat in Rusland nog steeds bekend was. Hij noemde hen de 'Tijgers van het Verre Oosten'.

Anders dan de Aziaten in het westen en het zuiden, kleine mensen met platte gezichten, waren de Udegey vrij lang en hadden ze scherp getekende gelaatstrekken. Vele eeuwen geleden waren sommigen van hun voorouders naar het noorden getrokken en de Beringstraat overgestoken naar het huidige Alaska. Daar hadden ze zich over Canada verspreid als de latere Sioux en Cheyenne Indianen.

Als hij naar die grote Siberische militair tegenover hem aan het tafeltje keek, kon Monk zich gemakkelijk de gezichten van die oude bizonjagers van de Platte en de Powder voor de geest halen.

De jonge Solomin had kunnen kiezen tussen de fabriek en het leger. Hij was op de trein naar het noorden gestapt en had dienst genomen in Khabarovsk. Iedere jongen moest toch drie jaar in dienst, en na twee jaar werden de besten tot sergeant bevorderd. Solomin onderscheidde zich tijdens de oefeningen en werd geselecteerd voor de officiersopleiding. Na nog twee jaar kreeg hij de rang van luitenant.

Hij diende zeven jaar als tweede en eerste luitenant voordat hij op zijn drieëndertigste tot majoor werd bevorderd. Inmiddels was hij getrouwd en had hij twee kinderen gekregen. Hij maakte carrière op eigen kracht, zonder kruiwagens, en overleefde racistische scheldwoorden als '*churka*', dat zoveel betekende als 'houtblok' of 'stom als een plank'. Een paar keer had hij zijn vuisten gebruikt om een ruzie te beslechten.

De missie naar Yemen in 1983 was zijn eerste buitenlandse reis. Hij wist dat de meesten van zijn collega's ervan genoten. Ondanks de harde omstandigheden – de hitte, de rotsen en het gebrek aan vertier – hadden ze een redelijke accommodatie, heel anders dan in de Sovjetunie. De meeste Russen waren ondergebracht in de voormalige Britse kazernes. Er was genoeg te eten en op het strand werd lamsvlees en vis gegrilld. Ze konden zwemmen en uit een catalogus mochten ze kleren, video's en muziekcassettes uit Europa bestellen.

Dat alles, vooral de onverwachte kennismaking met de geneugten van de Westerse consumptiemaatschappij, beviel Peter Solomin wel. Maar toch was er iets wat hem teleurstelde en bitter stemde tegenover het regime waarvoor hij werkte. Monk vóelde het gewoon, maar hij wilde niet aandringen.

Om het zo ver te kunnen schoppen had Solomin carrière moeten maken via de beweging van Jonge Communisten, de Komsomol, en vervolgens in de Partij. Sterker nog, als hij met de rang van majoor naar het buitenland was gestuurd, moest hij ervaring hebben bij de militaire inlichtingendienst, de GRU. Wat zat hem dan dwars? Dat bleek op de vijfde avond dat ze samen zaten te drinken en te praten. Toen zocht de opgekropte woede zich opeens een uitweg.

In 1982, een jaar voordat hij naar Yemen was gezonden – Andropov was nog president – was Solomin tijdelijk gedetacheerd bij de administratieve afdeling van het ministerie van Defensie in Moskou.

Daar was hij de onderminister opgevallen, die hem een vertrouwelijke opdracht had gegeven. Met geld dat hij aan het defensiebudget onttrok, had de onderminister een luxueuze datsja voor zichzelf laten bouwen, langs de rivier bij Peredelkino.

Tegen alle voorschriften van de partij, de Russische wet en de regels van het fatsoen in, had de onderminister meer dan honderd soldaten ingeschakeld bij de bouw van zijn comfortabele buitenhuis in de bossen. En Solomin kreeg de leiding. Hij zag de Finse ingebouwde keuken, betaald met Japans geld, een keuken waar iedere officiersvrouw haar linkerarm voor zou hebben gegeven. Hij zag de hifi-installaties in elke kamer, de vergulde badkamerkranen uit Stockholm en de cocktail-bar met op eikenhout gerijpte Schotse whisky's. Die ervaring had hem bitter gestemd tegenover de Partij en het regime. Hij was zeker niet de eerste loyale sovjet-officier die in opstand was gekomen tegen de onbeschaamde, blinde corruptie van de sovjetdictatuur.

's Avonds leerde hij zichzelf Engels en stemde af op de BBC World Service en The Voice of America. Die zonden allebei ook in het Russisch uit, maar hij wilde ze in de oorspronkelijke taal kunnen verstaan. En zo ontdekte hij, in tegenstelling tot wat hem altijd was verteld, dat het Westen helemaal geen oorlog met Rusland wilde.

En Yemen was de laatste druppel.

'Thuis wonen de mensen in kleine flatjes, terwijl de *nachalstvo* luxe huizen laten bouwen. Zij leven als vorsten van ons geld. Mijn vrouw kan niet eens een goede haardroger kopen of schoenen die niet uit elkaar vallen, maar er worden wel miljarden uitgegeven aan krankzinnige projecten om indruk te maken op... ja, op wie? Die mensen hier?'

'Het zal wel veranderen,' zei Monk behulpzaam. Maar de Siberiër schudde zijn hoofd.

Gorbatsjov was aan de macht sinds maart, maar de hervormingen die hij met tegenzin en in de meeste gevallen zonder veel overleg doorvoerde, kregen pas effect tegen het einde van 1987. Bovendien had Solomin zijn geboorteland al twee jaar niet gezien.

'Nee, het verandert nooit. Dat tuig aan de top... Laat me je vertellen, Esteban, sinds ik naar Moskou ben verhuisd, heb ik meer verspilling en verkwisting gezien dan iemand voor mogelijk zou houden.'

'Maar die nieuwe man, Gorbatsjov, zal misschien verandering brengen,' zei Monk. 'Ik zie het niet zo somber in. Ooit zullen de Russen zich wel bevrijden van die dictatuur. Dan krijgen ze stemrecht. Dat kan niet lang meer duren...'

'Jawel. Te lang. Het duurt allemaal veel te lang.'

Monk haalde diep adem. Een poging om iemand als spion te rekruteren kon heel gevaarlijk zijn. In een Westerse democratie zou een loyale sovjet-officier zijn beklag kunnen doen bij zijn ambassadeur, wat tot een diplomatiek incident kon leiden. In een obscure dictatuur kon het een pijnlijke en eenzame dood betekenen.

Zonder enige waarschuwing ging Monk opeens in vloeiend Russisch verder. 'Je zou zelf kunnen helpen dat proces wat te bespoedigen, mijn vriend. Samen kunnen we het veranderen. Zoals jij het graag zou willen.'

Solomin staarde hem een halve minuut doordringend aan. Monk keek terug.

Ten slotte zei de Rus in zijn eigen taal: 'Wie ben je eigenlijk, verdomme?'
'Dat begrijp je wel, Pyotr Vasilyevich. De vraag is nu of je mij zult verraden, terwijl je weet wat die Arabieren met me zullen doen voordat ik sterf. Daarna zul je met je eigen geweten moeten leven.'
Solomin keek hem nog een tijd strak aan. Toen zei hij: 'Ik zou mijn ergste vijand nog niet verraden aan die apen hier. Maar wat je me vraagt, is krankzinnig. Waanzin. Ik zou moeten antwoorden dat je naar de bliksem kan lopen.'
'Misschien wel. En dan zou ik dat doen. Heel snel. Voor mijn eigen bestwil. Maar is het niet even krankzinnig om je kwaad te maken en toe te zien hoe je land naar de verdommenis gaat, zonder er iets aan te doen?'
De Rus stond op. Zijn bier stond onaangeroerd.
'Ik moet nadenken,' zei hij.
'Morgenavond,' zei Monk, nog steeds in het Russisch. 'Hier. Als je alleen komt, kunnen we praten. Als je die Arabieren meeneemt, ben ik dood. Als je niet komt, stap ik op het volgende vliegtuig.'
Majoor Solomin liep de bar uit.
Volgens de standaardprocedure had Monk meteen uit Yemen moeten vluchten. Solomin had hem niet afgewezen, maar ook niet toegehapt. Alle beslissingen waren dus nog mogelijk, en de kelders van de Yemenitische geheime politie hadden een gruwelijke reputatie.
Monk wachtte vierentwintig uur. En de majoor kwam terug. Alleen. Er moest nog twee avonden worden gepraat. Verborgen in zijn toiletspullen had Monk een eenvoudig communicatiesetje meegenomen: onzichtbare inkt, een veilig adres, een paar codezinnen met een geheime betekenis. Er was niet veel geheime informatie die Solomin de Amerikanen vanuit Yemen kon doorgeven, maar over een jaar zou hij terug in Moskou zijn. Als hij dan nog niet van mening was veranderd, zou hij zich nuttig kunnen maken voor de CIA.
Ze namen afscheid met een langdurige handdruk.
'Veel geluk, mijn vriend,' zei Monk.
'Goede jacht, zoals we bij ons thuis zeggen,' antwoordde de Siberiër.
Om niet gelijk met de Rus te vertrekken, bleef Monk nog even zitten. Zijn nieuwe rekruut had een codenaam nodig. Hoog aan de hemel glinsterden de sterren met die helderheid die je alleen in de tropen zag. Monk herkende de gordel van Orion, en zo werd agent Orion geboren.

Op de tweede augustus ontving Boris Kuznetsov een persoonlijke brief van de Britse journalist Mark Jefferson, met het briefhoofd van *The Daily Telegraph* in Londen. Hoewel de brief naar het bureau van de krant in Moskou was gefaxt, werd de fax door een koerier bij het hoofdkwartier van de UPK bezorgd.

Jefferson sprak zijn bewondering uit voor de maatregelen die Igor Komarov wilde nemen tegen chaos, corruptie en criminaliteit, en hij schreef dat hij de toespraken van de partijleider de afgelopen maanden uitvoerig had bestudeerd.

Na de recente dood van de Russische president, vervolgde hij, stond de toekomst van het grootste land ter wereld opnieuw in het centrum van de belangstelling. Hij zou graag in de eerste helft van augustus naar Moskou komen. Uit overwegingen van tact zou hij ook de presidentskandidaten van links en het centrum moeten interviewen, maar dat was slechts een formaliteit.

Het was duidelijk dat de wereld alleen geïnteresseerd was in de gedoodverfde winnaar van de verkiezingen, Igor Komarov. Hij, Jefferson, zou de heer Kuznetsov bijzonder erkentelijk zijn als hij een onderhoud met Igor Komarov kon regelen. Hij kon een centre-spread in *The Daily Telegraph* beloven, met de garantie dat het interview ook in heel Europa en Noord-Amerika zou worden gepubliceerd.

Kuznetsovs vader was jarenlang diplomaat bij de Verenigde Naties geweest en had van die positie gebruik gemaakt om zijn zoon aan Cornell te laten studeren. Kuznetsov kende Amerika daarom beter dan Europa, maar Londen kende hij wel.

Hij wist ook dat de Amerikaanse pers veel liberale trekjes vertoonde en zich nogal vijandig tegenover Komarov had opgesteld bij de schaarse gelegenheden dat Amerikaanse journalisten voor een interview waren uitgenodigd. De laatste keer, een jaar geleden, waren de vragen bijzonder agressief geweest. Daarna had Komarov alle contacten met de Amerikaanse pers verboden.

Maar Londen was een andere zaak. Daar kende hij een paar grote conservatieve kranten en tijdschriften, hoewel ze niet zo extreem rechts waren als Igor Komarov in zijn uitspraken was.

'Ik vind dat we een uitzondering moeten maken voor Mark Jefferson, meneer de president,' zei hij tegen Igor Komarov tijdens hun wekelijkse overleg, de volgende dag.

'Wie is die man?' vroeg Komarov, die een hekel had aan alle journalisten, ook Russische. Ze stelden altijd vragen waarop hij helemaal geen zin had om te antwoorden.

'Ik heb een dossier over hem opgesteld, meneer de president,' zei Kuznetsov en hij gaf Komarov een dunne map. 'Zoals u ziet, steunt hij het herstel van de doodstraf voor moordenaars in zijn eigen land. Hij is een fel tegenstander van het Britse lidmaatschap van de afbrokkelende Europese Unie. Een verstokte conservatief. De laatste keer dat hij u noemde, schreef hij dat u het soort leider was dat de steun van Londen verdiende. De Britten moesten zaken met u doen, vond hij.'

Komarov bromde wat en stemde toe. Nog dezelfde dag werd zijn antwoord door een koerier naar het kantoor van *The Daily Telegraph* in Moskou gebracht. De heer Jefferson werd uitgenodigd voor een onderhoud op 9 augustus in Moskou.

Yemen, januari 1986

Solomin noch Monk had kunnen voorzien dat het verblijf van de majoor in Yemen met negen maanden zou worden bekort. Op 13 januari brak er een gewelddadige burgeroorlog uit tussen twee concurrerende fracties binnen de regering. De gevechten waren zo hevig dat het besluit werd genomen om alle buitenlanders, ook de Russen, te evacueren. Deze evacuatie voltrok zich binnen zes dagen, vanaf 25 januari. Peter Solomin was een van degenen die op de boot stapte.

Het vliegveld lag onder vuur, daarom was de zee de enige uitweg. Toevallig voer het Britse koninklijke jacht *Brittannia* juist bij de zuidpunt van de Rode Zee, op weg naar Australië om een bezoek van koningin Elizabeth voor te bereiden.

Na een bericht van de Britse ambassade in Aden werd de Admiraliteit gewaarschuwd, die overleg pleegde met de privé-secretaris van de koningin. Hij sprak met de vorstin en koningin Elizabeth vond dat de *Brittannia* hulp moest bieden.

Twee dagen later vluchtte majoor Solomin met een groepje Russische officieren naar het strand van Abyan Beach, waar de sloepen van de *Brittannia* op de branding dobberden. De Britse zeelui hielpen hen uit het heuphoge water en binnen een uur legden de verbaasde Russen hun geleende slaapzakken op de vrijgemaakte vloer van de koninklijke privé-salon neer.

Tijdens haar eerste missie nam de *Brittannia* 431 vluchtelingen mee. Daarna voer het schip nog een paar keer naar de kust en evacueerde in totaal 1068 mensen van vijfenvijftig verschillende nationaliteiten. De vluchtelingen werden tussendoor naar Djibouti in de hoorn van Afrika vervoerd. Solomin en de andere Russen vlogen via Damascus terug naar Moskou.

Als Solomin nog twijfels had gehad over zijn besluit, waren die nu weggenomen door het contrast tussen de hartelijke houding van de Britse zeelui tegenover de Britse, Franse en Italiaanse vluchtelingen en de sombere paranoia van zijn debriefing in Moskou.

Maar dat kon de CIA niet weten. De Amerikanen wisten alleen dat een van hun nieuwe spionnen, die drie maanden geleden was gerekruteerd, onverwachts in de alles verslindende muil van de Sovjetunie was verdwenen. Misschien zou hij nog contact opnemen, misschien ook niet.

In de loop van die winter stortte het hele netwerk van de SE-divisie van de CIA volledig in elkaar. Eén voor één werden de CIA-spionnen vanaf hun Russische buitenposten naar Moskou teruggeroepen met allerlei plausibele excuses: je zoon doet het slecht op school en heeft zijn vader nodig, je moet gesprekken voeren over een mogelijke promotie, enzovoort. Eén voor één trapten ze erin en keerden naar de Sovjetunie terug. Bij aankomst werden ze meteen gearresteerd en naar kolonel Grishin gebracht, die nu een hele vleugel van de grimmige Lefortovo-gevangenis tot zijn beschikking had. Langley wist niets van deze arrestaties, alleen dat er steeds minder spionnen overbleven.

En van de spionnen die in de Sovjetunie zelf actief waren, hoorden ze ook niets meer.

Het was in Rusland onmogelijk om iemand op kantoor te bellen en hem uit te nodigen voor een kopje koffie. Alle telefoons werden afgeluisterd en alle diplomaten geschaduwd. Buitenlanders vielen alleen al op door hun kleding. Contacten waren dus zeldzaam en heel gevaarlijk.

De communicatie verliep in het algemeen via berichten op afgesproken plaatsen. Dat lijkt primitief, maar het werkt nog steeds. Aldrich Ames maakte er tot het eind gebruik van. De mogelijkheden zijn legio: een holle boom, een regenpijp of een duiker onder de weg, alles waar je ongemerkt een boodschap of een pakketje kunt verbergen.

Als de spion een bericht of een microfilmpje heeft achtergelaten, waarschuwt hij zijn opdrachtgever met een krijtstreep op een muur of een lantaarnpaal. De positie van het merkteken geeft aan welke bergplaats is gebruikt. Een auto van de ambassade die regelmatig de plaats passeert, kan de waarschuwing noteren, zelfs als hij door de tegenpartij wordt geschaduwd.

Later probeert een onopvallende agent dan aan zijn achtervolgers te ontsnappen om het pakje op te halen en contant geld of nieuwe instructies achter te laten. Hij zet dan ook ergens een krijtstreep, zodat de spion weet dat zijn zending is ontvangen en dat er iets op hem ligt te wachten. In het holst van de nacht gaat hij dan naar de bergplaats terug.

Op die manier kan een spion maanden- of zelfs jarenlang met zijn opdrachtgevers in contact blijven zonder dat ze elkaar ooit persoonlijk ontmoeten.

Als de spion ver buiten de hoofdstad woont, ergens waar de diplomaten niet kunnen komen, of wanneer hij een tijdlang niets bijzonders te melden heeft, is het gebruikelijk dat hij regelmatig een teken van leven geeft. In de hoofdstad, waar de diplomaten gemakkelijk rond kunnen rijden, worden soms verschillende krijtstrepen gebruikt, waarvan de vorm of de locatie verschillende betekenissen heeft, zoals: alles gaat goed, maar ik heb niets voor jullie. Of: ik ben bang dat ik in de gaten word gehouden.

Waar de afstanden te groot zijn voor zulke geheime berichten (en de buiten-gewesten van de Sovjetunie waren altijd al verboden voor Amerikaanse diplomaten), zijn kleine advertenties in de landelijke kranten een geschikte manier om contact te houden: 'Boris heeft een leuke labradorpup te koop. Bel...' Dat soort teksten, heel onschuldig. De kranten worden ook op de ambassades gelezen. De inhoud van de advertentie bepaalt de strekking. 'Labrador' betekent misschien 'alles in orde', terwijl 'spaniël' op proble-men duidt. Een 'leuke' pup kan betekenen: 'Ik ben volgende week in Mos-kou en laat op de vaste plaats iets voor jullie achter.' Een 'gezonde' pup zou kunnen betekenen: 'Ik kan de eerste maand nog niet naar Moskou komen.'

Maar als elk teken van leven uitblijft, wijst dat op problemen. Misschien wel een hartaanval, of een verkeersongeluk, waardoor de spion in het zie-kenhuis is beland. En hoe langer de stilte duurt, hoe groter het probleem.

Zo ging het ook in de herfst en de winter van 1985-1986. Alle berichten stopten. Gordievsky deed een noodoproep en werd door de Britten gered. Majoor Bokhan in Athene kreeg argwaan en vluchtte naar Amerika. Maar de andere twaalf gingen gewoon in rook op.

De afzonderlijke CIA-officieren in Langley of het buitenland wisten dat ze iemand kwijt waren en meldden dat aan het hoofdkwartier. Alleen Carey Jordan en het hoofd van de SE-divisie hadden het overzicht en konden de conclusie trekken dat er iets helemaal fout zat.

Ironisch genoeg was het juist het vreemde optreden van de KGB waardoor Ames voorlopig werd gered. Niemand zou ooit in één keer al die spionnen hebben opgepakt als de verrader zich nog in de boezem van de CIA ver-school, redeneerde Langley. Dus konden ze de mogelijkheid van een 'mol' wel uitsluiten. Toch moest er een grondig onderzoek worden ingesteld. Dat gebeurde ook. Niet in het hart van de CIA, maar ergens anders.

De eerste verdachte was de hoofdpersoon van een eerder fiasco, Edward Lee Howard, die inmiddels veilig in Moskou zat. Howard had bij de SE-divisie van de CIA gewerkt en een functie gekregen op de ambassade in Moskou. Hij kende de details van alle operaties. Maar vlak voor zijn over-plaatsing werd ontdekt dat hij financiële problemen had en drugs gebruikte. Tegen Machiavelli's gulden regel in, besloot de CIA hem te ontslaan, maar zonder hem te arresteren. Twee jaar lang sleet Howard zijn dagen in het park en overwoog om naar de Russen over te lopen met alles wat hij wist. Ten slotte kreeg de FBI van de zaak te horen en trapte een scène. Ze begon-nen Howard te schaduwen, maar maakten een fout, waardoor Howard hen in de gaten kreeg. De FBI raakte hem kwijt en binnen twee dagen, in septem-ber 1985, zat Howard op de Russische ambassade in Mexico Stad, die hem via Havana naar Moskou overbracht.

Bij controle bleek dat Howard drie van de verdwenen spionnen had kunnen verraden, misschien zelfs zes. In werkelijkheid noemde hij alleen de drie namen die hij zelf kende, maar die waren in juni al door Ames aan de Russen doorgegeven. Alle drie werden ze dus twee keer verraden.

Een andere aanwijzing kwam van de Russen zelf. In een wanhopige poging om hun 'mol' te beschermen, bedacht de KGB een grootschalige afleidingsmanoeuvre om de CIA op een dwaalspoor te brengen. Die opzet slaagde. Uit een ogenschijnlijk authentiek lek in Oost-Berlijn bleek dat er een aantal codes was ontcijferd en berichten waren onderschept.

Die codes werden gebruikt door een geheime CIA-zender in Warrenton, Virginia. Een jaar lang werden Warrenton en de mensen die er werkten aan een grondig onderzoek onderworpen. Tevergeefs. Nergens was een lek te vinden. Als de codes werkelijk waren ontcijferd, had de KGB nog veel meer dingen moeten weten, maar daar waren geen aanwijzingen voor. De codes moesten dus nog intact zijn.

De derde suggestie die de KGB probeerde te verspreiden was dat ze briljant speurwerk hadden verricht. Daarop reageerde Langley verrassend nonchalant. Elke operatie bevatte nu eenmaal de kiem van haar eigen ondergang, zo stelde één rapport. Met andere woorden: veertien agenten hadden zich opeens collectief als idioten gedragen.

Maar sommige mensen bij de CIA waren minder nonchalant. Een van hen was Carey Jordan, een ander Gus Hathaway. En dan was er nog iemand op lager niveau, die het gerucht hoorde dat zijn hele divisie systematisch werd ondermijnd. Die man was Jason Monk.

Ten slotte kwam er een onderzoek naar de 301-dossiers, waarin alle gegevens over de spionnen waren opgeslagen. De uitkomst was alarmerend. Het bleek dat maar liefst 198 mensen toegang hadden tot deze gevoelige dossiers. Dat was een onrustbarend aantal. Het laatste waar een eenzame en bedreigde spion in de Sovjetunie behoefte aan had, was een legertje onbekenden dat in zijn dossier kon snuffelen.

6

Professor Kuzmin waste zijn handen in de onderzoekskamer van het mortuarium onder het Tweede Medische Instituut. Hij had weinig zin in zijn derde
sectie van die dag.
'Wie is de volgende?' riep hij naar zijn assistent terwijl hij zijn handen
droogde met een papieren handdoek – niet echt hygiënisch.
'Nummer 158,' antwoordde zijn helper.
'Gegevens?'
'Blanke man, middelbaar tot bejaard, doodsoorzaak niet vastgesteld, identiteit onbekend...'
Kuzmin kreunde. Waar doe ik het nog voor? vroeg hij zich af. Weer zo'n
zwerver, weer zo'n hopeloos geval van wie de stoffelijke resten na afloop
misschien nog nuttig waren om de medische studenten, drie verdiepingen
hoger, te laten zien wat langdurige mishandeling met het menselijk lichaam
kon aanrichten. Wie weet zou zijn geraamte nog eindigen als skelet voor de
colleges anatomie.
Net als alle andere grote steden leverde Moskou elke nacht een oogst aan
sterfgevallen op, maar gelukkig hoefde er maar in een aantal gevallen sectie
te worden verricht. Anders zouden de professor en zijn collega's de moed al
lang hebben opgegeven.
De meerderheid stierf aan natuurlijke oorzaken – van ouderdom, thuis of in
het ziekenhuis, of aan een van die honderd voorspelbare dodelijke ziekten.
In die gevallen kon de huisarts de overlijdensverklaring zelf tekenen.
Dan waren er nog de onvoorziene natuurlijke doodsoorzaken, meestal een
hartaanval. Ook daarvoor kon de administratie door de huisarts of het ziekenhuis worden afgehandeld.
Daarna volgden de ongelukken, in huis, op het werk of in het verkeer. Maar
Moskou had nog twee andere categorieën die de afgelopen jaren schrikba-
rend in omvang waren toegenomen: bevriezingsdood ('s winters) en zelfmoord. De aantallen liepen al in de duizenden.
Lichamen die uit de rivier werden gevist, anoniem of niet, werden onderverdeeld in drie groepen: 1) Geheel gekleed, geen alcohol in de bloedvaten –
zelfmoord; 2) Gekleed, zwaar beschonken – ongeluk; 3) Zwembroek, geen
alcohol – verdronken bij het zwemmen.
Daarna kwamen de moorden. Die gingen naar de recherche, die bij professor Kuzmin aanklopte. Maar meestal was het een formaliteit. Het grootste

percentage moorden vond plaats in huiselijke kring, zoals in alle steden. In tachtig procent van de gevallen was de dader een familielid en werd hij binnen een paar uur door de politie aangehouden. Dan hoefde de sectie alleen maar te bevestigen wat de politie al wist: dat Ivan zijn vrouw had neergestoken. Kuzmins verklaring maakte het de rechter nog gemakkelijker een vonnis te wijzen.

Maar er waren ook vechtpartijen en moorden in het criminele circuit. In dat laatste geval was de kans op een veroordeling maar drie procent, hoewel de doodsoorzaak eenvoudig genoeg was vast te stellen: een kogel door het hoofd. Of de politie de dader ooit zou vinden (waarschijnlijk niet), was niet het probleem van de professor.

Bij al deze gevallen, duizenden en duizenden per jaar, stond één ding vast. De autoriteiten wisten wie het slachtoffer was. Maar zo nu en dan vonden ze een onbekende. Zoals kadaver nummer 158. Professor Kuzmin deed zijn maskertje voor, bewoog zijn vingers in de dunne rubberhandschoenen en liep met enige nieuwsgierigheid naar de tafel toen zijn assistent het laken wegtrok.

Aha, dacht hij. Vreemd. Interessant zelfs. De stank waarbij een leek over zijn nek zou gaan, deed hem niets. Hij was eraan gewend. Met de scalpel in zijn hand liep hij om de lange tafel heen en bekeek het gehavende lichaam aandachtig. Heel vreemd.

Het hoofd leek intact, afgezien van de lege oogkassen, maar dat was duidelijk het werk van de vogels. De man had ongeveer zes dagen in de bossen langs de weg naar Minsk gelegen. Onder het bekken leken de benen verkleurd, door leeftijd en verrotting, maar ze waren niet beschadigd. Maar tussen de borstkas en de genitaliën was bijna elke vierkante centimeter bont en blauw.

Hij legde de scalpel neer en keerde het lichaam om. Op de rug zag hij hetzelfde patroon. Hij draaide het lijk weer terug, pakte zijn scalpel en begon te snijden, terwijl hij zijn commentaar insprak in de draaiende cassetterecorder in zijn zak. Met behulp van het bandje zou hij later zijn rapport kunnen schrijven voor die gorilla's van Moordzaken, in Petrovka. Hij begon met de datum: 2 augustus 1999.

Washington, februari 1986

Halverwege de maand, tot grote vreugde van Jason Monk en tot verbazing van zijn chefs bij de SE-divisie, nam majoor Pyotr Solomin contact op. Hij schreef een brief.

Hij was zo verstandig geweest om geen contact te leggen met Westerlingen in Moskou, en zeker niet met de Amerikaanse ambassade. In plaats daarvan schreef hij naar het adres in Oost-Berlijn dat hij van Monk had gekregen.

Het was een risico geweest om hem dat adres te geven, maar een beredeneerd risico. Als Solomin naar de KGB was gestapt om het onderduikadres te verraden, had hij een paar heel lastige vragen moeten beantwoorden. De Russische geheime dienst wist ook wel dat hij zo'n adres nooit zou hebben gekregen als hij niet had toegestemd om voor de CIA te werken. Natuurlijk had hij kunnen antwoorden dat het een truc van hem was geweest, maar dat had het er niet beter op gemaakt.

Waarom, zou de KGB hem hebben gevraagd, heb je dat contact niet onmiddellijk gerapporteerd aan de commandant van de GRU in Aden, en waarom heb je die Amerikaan de kans gegeven om te ontsnappen? En op die vragen had hij het antwoord schuldig moeten blijven.

Daarom ging Monk ervan uit dat Solomin de hele zaak zou verzwijgen of zich daadwerkelijk bij de Amerikanen zou aansluiten. De brief was een bewijs voor het laatste.

In de Sovjetunie werd alle binnenkomende en uitgaande post onderschept, net als alle telefoontjes, telegrammen, faxen en telexberichten. Maar de binnenlandse Russische post was zo omvangrijk dat hij niet kon worden gecontroleerd, tenzij de ontvanger al onder verdenking stond. Hetzelfde gold voor de post binnen het Oostblok, waartoe ook Oost-Duitsland behoorde.

Het adres in Oost-Berlijn was van een metromachinist die als postbode voor de CIA optrad en daar goed voor betaald kreeg. De CIA-post die bij zijn flat in een armoedige buurt in Friedrichshain arriveerde, was altijd geadresseerd aan Franz Weber.

Weber was de vorige bewoner van de flat en inmiddels overleden. Als de machinist ooit werd ondervraagd, kon hij altijd beweren dat hij de brieven wel had gekregen maar geen woord Russisch sprak. De brieven waren gericht aan Weber, maar Weber was dood, dus had hij ze weggegooid. Hij wist van niets.

De brieven hadden nooit een afzender. De tekst was banaal en nietszeggend: 'Ik hoop dat je het goed maakt, hier is alles naar wens, hoe gaat het met je studie Russisch? Ik hoop dat we elkaar weer gauw zullen ontmoeten. Hartelijke groeten, je correspondentievriend Ivan.'

Zelfs de Oostduitse geheime politie, de Stasi, had uit die tekst alleen kunnen afleiden dat Weber tijdens een of andere culturele uitwisseling een Rus had leren kennen en dat ze elkaar regelmatig schreven. Zulke contacten werden trouwens aangemoedigd.

Zelfs als de Stasi tussen de regels de verborgen code in onzichtbare inkt had ontdekt, was dat slechts het bewijs geweest dat Weber voor het Westen had gespioneerd. Maar Weber was dood.

En de afzender bleef anoniem. Die had de brief in Moskou op de bus gedaan en kon onmogelijk worden opgespoord.

Zodra Heinrich, de metromachinist, een brief uit Rusland kreeg, stuurde hij die over de muur naar het Westen. Hoe hij dat deed, leek vreemd, maar tijdens de koude oorlog gebeurden er wel vreemdere dingen in de verdeelde stad Berlijn. Zijn methode was zo simpel, dat hij nooit werd betrapt. Toen er een einde kwam aan de koude oorlog en Duitsland werd herenigd, kon Heinrich zeer comfortabel van zijn oude dag genieten.

Voordat Berlijn in 1961 door de muur in tweeën werd gedeeld om te voorkomen dat de Oostduitsers naar het Westen zouden vluchten, bestond er nog een metro voor de hele stad. Na de bouw van de muur werd ook het metronet gescheiden. De meeste tunnels tussen Oost en West werden afgesloten, maar er was één traject waar de Oostduitse metro de lucht in ging en over een viaduct door West-Berlijn liep.

Zodra de metro dit gedeelte van West-Berlijn kruiste, werden alle ramen en deuren hermetisch afgesloten. Zo konden de Oostberlijnse passagiers neerkijken op een stukje West-Berlijn dat onbereikbaar voor hen bleef.

Maar in de cabine, moederziel alleen, kon Heinrich gewoon zijn raampje omlaag draaien en met een katapult een kleine capsule naar een braakliggend terrein schieten. Daar liep een man van middelbare leeftijd, die Heinrichs rooster kende en zijn hondje uitliet. Als de trein verdwenen was, raapte hij de capsule op en bracht die naar zijn collega's op het grote CIA-bureau in West-Berlijn. In de capsule zat de opgerolde brief.

Solomin had nieuws, goed nieuws zelfs. Na zijn terugkeer had hij een uitvoerige debriefing ondergaan en daarna een week verlof gekregen, voordat hij zich weer op het ministerie van Defensie had gemeld voor een nieuwe opdracht.

In de hal was hij opgemerkt door de onderminister van Defensie, voor wie hij drie jaar geleden een datsja had gebouwd. De man had inmiddels promotie gemaakt tot eerste onderminister.

Hoewel hij het uniform droeg van een kolonel-generaal, met genoeg medailles om een kanonneerboot te laten zinken, was de onderminister in werkelijkheid een apparatsjik die carrière had gemaakt via de politiek. Hij vond het wel leuk om zo'n ruige soldaat uit Siberië in zijn gevolg te hebben.

Hij was blij met zijn datsja, die op tijd was opgeleverd en zijn *aide-de-camp* was juist om gezondheidsredenen (te veel wodka) met pensioen gegaan. De onderminister had Solomin tot luitenant-kolonel bevorderd en hem de vrijgekomen post gegeven.

Ondanks de gevaren noemde Solomin zijn eigen adres in Moskou en vroeg om nadere instructies. Als de KGB de brief zou hebben onderschept en ontcijferd, was het zijn dood geworden. Maar omdat Solomin geen contact kon opnemen met de Amerikaanse ambassade, moest Langley weten hoe ze hem konden benaderen. Hij had veel betere spullen moeten hebben voordat hij uit Yemen wegging, maar de burgeroorlog had de plannen doorkruist.

Tien dagen later kreeg hij een 'laatste aanmaning' voor een verkeersovertreding. De envelop had het logo van het Centraal Bureau Verkeerspolitie en was in Moskou gepost. De aanmaning en de envelop waren zo goed vervalst, dat Solomin bijna had opgebeld om te protesteren dat hij nog nooit van zijn leven door een rood licht was gereden, maar toen zag hij de zandkorreltjes uit de envelop dwarrelen.

Hij kuste zijn vrouw toen ze vertrok om de kinderen naar school te brengen. Zodra hij alleen was, bespoot hij de brief met de versterker uit het kleine flesje dat hij tussen zijn scheerspullen uit Aden had meegesmokkeld. De boodschap was simpel. De volgende zondag. Halverwege de ochtend. Een café op Leninsky Prospekt.

Hij zat al aan zijn tweede koffie toen er een anonieme figuur voorbijkwam die bezig was zijn overjas aan te trekken tegen de kille wind op straat. Uit de lege mouw van zijn jas viel een pakje Russische Marlboro's op Solomins tafeltje. De man met de overjas verliet het café zonder om te kijken.

Het pakje leek vol met sigaretten te zitten, maar de twintig filtersigaretten waren hol en vormden één blok, aan elkaar gelijmd, zonder tabak erin. In de holte zaten een kleine camera, voorraad van tien filmrolletjes, een velletje rijstpapier met een beschrijving van drie geheime bergplaatsen in de stad en aanwijzingen hoe hij ze moest vinden, plus tekeningen van zes verschillende krijtstrepen, met hun locaties, om aan te geven wanneer de bergplaatsen leeg of vol waren. Er zat ook een hartelijke persoonlijke brief bij van Jason Monk, die begon met de tekst: 'Zo, mijn jagersvriend, wij zullen de wereld wel veranderen...!'

Een maand later leverde Orion zijn eerste materiaal af en pikte nog wat filmrolletjes op. Zijn informatie kwam uit het hart van de Russische wapenindustrie en was van onschatbare waarde.

Professor Kuzmin controleerde de transcriptie van zijn verslag over de sectie op kadaver 158 en maakte nog een paar notities met de hand. Hij zou zijn overbezette secretaresse niet eens vragen het rapport opnieuw uit te typen. Die schaapskoppen op het bureau moesten maar zien wat ze ermee deden.

Hij twijfelde er niet aan dat het rapport naar Moordzaken zou gaan. Hij had medelijden met de rechercheurs. Als het maar enigszins kon, noteerde hij als conclusie een ongeluk of een natuurlijke doodsoorzaak. Dan konden de nabestaanden het lichaam komen halen en ermee doen wat ze wilden. Als het slachtoffer niet bekend was, bleef het in het mortuarium voor de periode die in de wet stond genoemd. Het bureau Vermiste Personen werd gewaarschuwd, maar als ze het daar ook niet wisten, werd het lichaam uiteindelijk op kosten van de gemeenschap begraven of voor de medische wetenschap gebruikt.

Maar kadaver 158 was duidelijk een geval van moord, daar kon hij niet omheen. Afgezien van een voetganger die door een vrachtwagen op volle snelheid was overreden, had hij nog nooit zoveel inwendige schade gezien. Eén enkele klap, zelfs door de bumper en de wielen van een vrachtwagen, had dat nooit kunnen veroorzaken. Zo moest je er ongeveer uitzien als je door een kudde bisons onder de voet was gelopen, dacht Kuzmin. Maar er waren niet veel bisons in Moskou – en bovendien zouden die ook het hoofd en de benen hebben vertrapt. Nee, kadaver 158 was systematisch in elkaar geslagen, met een stomp voorwerp, tussen de nek en de heupen, op de rug en de buik.

Toen hij klaar was met zijn notities zette hij zijn handtekening en de datum, 2 augustus, eronder en legde het rapport in zijn uit-bakje.

'Moord?' vroeg zijn secretaresse opgewekt.

'Moord. Slachtoffer onbekend,' beaamde hij. Ze typte het adres op de bruine envelop, stak het rapport erin en legde het pakje naast zich neer. Als ze die avond vertrok, zou ze het aan de portier geven, in zijn hokje op de begane grond, die het op zijn beurt zou doorgeven aan de chauffeur van het busje die de rapporten naar hun verschillende bestemmingen in Moskou bracht.

Ondertussen lag kadaver nummer 158 in de ijzige duisternis, zonder zijn ogen en het grootste deel van zijn ingewanden.

Langley, maart 1986

Carey Jordan stond voor zijn raam en genoot van zijn favoriete uitzicht. Het liep tegen het einde van de maand en het eerste vage groen was al zichtbaar in het bos tussen het CIA-gebouw en de rivier de Potomac. Spoedig zou de glinstering van het water, die bij de kale wintermaanden hoorde, aan het gezicht worden onttrokken. Jordan hield van Washington. Het had meer bossen, bomen, parken en tuinen dan enige andere Amerikaanse stad die hij kende, en de lente was zijn favoriete jaargetijde.

Tot dan toe, tenminste. Want de lente van 1986 begon op een nachtmerrie te lijken. Sergei Bokhan, de GRU-officier die voor de CIA in Athene had gewerkt, had tijdens zijn uitgebreide verhoor een paar keer met klem beweerd dat hij in Moskou voor een vuurpeloton zou zijn gezet als hij op het vliegtuig naar huis was gestapt. Hij kon het niet bewijzen, maar de smoes die zijn chef als reden voor zijn terugkeer had bedacht – de slechte cijfers van zijn zoon aan de militaire academie – was een duidelijke leugen geweest. Ze hadden hem dus in de gaten. Maar hij had geen fouten gemaakt, dus moest hij verraden zijn.

Omdat Bokhan tot de eerste drie spionnen behoorde die in moeilijkheden waren gekomen, was de CIA nogal sceptisch. Dat was inmiddels wel veranderd. Vijf andere spionnen in verschillende delen van de wereld waren ook om onduidelijke redenen naar Moskou teruggeroepen en daarna spoorloos verdwenen.

Dat bracht het totaal op zes. Zeven, als je Gordievsky, de man van de Britten, meetelde. Vijf anderen, die binnen de Sovjetunie werkten, waren ook verdwenen. Van al die spionnen, in wie zoveel tijd, moeite, geduld, inventiviteit, plus een enorme hoeveelheid belastinggeld was geïnvesteerd, was niemand meer over. Behalve die twee recente rekruten.

Achter hem zat Harry Gaunt, hoofd van de SE-divisie, het belangrijkste – nee, op dit moment het enige – slachtoffer van dit vreemde virus, in gedachten verzonken. Gaunt was van dezelfde leeftijd als de DDO en ze hadden allebei carrière gemaakt binnen de dienst, ontberingen geleden op exotische buitenposten, spionnen gerekruteerd en het Grote Spel gespeeld tegen hun aartsvijand, de KGB. Ze vertrouwden elkaar als broers.

Dat was ook het probleem bij de SE-divisie. Iedereen vertrouwde elkaar daar volkomen. Dat moesten ze wel. Zij vormden de harde kern, de meest exclusieve club, het scherpsnijdende zwaard van de geheime oorlog. Maar toch koesterden ze ook allemaal een afschuwelijke verdenking. Het verraad van Howard, de gebroken codes, goed speurwerk van Lijn-KR van de KGB... Het zou de verklaring kunnen zijn voor het verlies van vijf, zes, misschien wel zeven agenten. Maar veertien? Het hele stel? Maar toch kòn er geen verrader zijn. Dat mòcht niet. Niet bij de SE-divisie.

Er werd geklopt. De stemming werd wat vrolijker. Hun enige hoop stond voor de deur.

'Ga zitten, Jason,' zei de DDO. 'Harry en ik wilden je even feliciteren. Jouw man Orion heeft uitstekend materiaal geleverd. De analisten hebben gouden tijden. De agent die hem heeft gerekruteerd verdient wel een opstapje naar GS-15.'

Promotie. Van GS-14 naar GS-15. Hij bedankte hen.

'En hoe gaat het met Lysander, in Madrid?'

'Goed, meneer. Hij meldt zich regelmatig. Geen spectaculair nieuws, wel nuttig. Zijn termijn zit er bijna op. Binnenkort gaat hij terug naar Moskou.'

'Hij is toch niet voortijdig teruggeroepen?'

'Nee, meneer. Hoezo?'

'Zomaar, Jason. Geen speciale reden.'

'Mag ik iets zeggen? Recht voor z'n raap?'

116

'Ga je gang.'

'Het gerucht gaat dat de divisie de afgelopen zes maanden grote problemen heeft gehad.'

'O ja?' vroeg Gaunt. 'Ach, de mensen kletsen zoveel.'

Tot dat moment was de volle omvang van de ramp alleen bekend bij de hoogste tien mensen binnen de hiërarchie van de CIA. Maar hoewel het Operationele Directoraat zesduizend werknemers had, van wie duizend bij de SE-divisie en maar ongeveer honderd op Monks niveau, was het nog steeds een dorp, met de bijbehorende roddels. Monk haalde diep adem en vervolgde:

'Er wordt gezegd dat we agenten kwijtraken. Ik heb zelfs het getal tien horen noemen.'

'Je weet dat we geen dingen met je bespreken die je niet hoeft te weten, Jason.'

'Ja, meneer.'

'Goed, misschien zijn er wat problemen. Die zijn er altijd. Soms zit het mee, soms zit het tegen. Waar wil je heen?'

'Zelfs als het om tien agenten zou gaan, is er maar één plaats waar al die informatie samenkomt. In de 301-dossiers.'

'Dacht je dat je ons iets nieuws vertelde, soldaat?' bromde Gaunt.

'Waarom lopen Lysander en Orion dan nog steeds vrij rond?' vroeg Monk.

'Hoor eens, Jason,' zei de DDO geduldig, 'ik heb je ooit gezegd dat je een vreemde snuiter was. Dat je je weinig van de regels aantrok, maar wel geluk had. Oké, we zijn een paar mensen kwijt, maar vergeet niet dat jouw twee rekruten ook in de 301-dossiers voorkomen.'

'Nee, meneer, dat is niet zo.'

Je had een pinda op het hoogpolige tapijt kunnen horen vallen. Harry Gaunt had met zijn pijp zitten spelen, die hij binnenshuis nooit opstak maar uitsluitend als accessoire gebruikte. Opeens zat hij doodstil.

'Ik ben er nooit aan toegekomen om hun gegevens in het centraal register op te nemen. Dat was een nalatigheid. Het spijt me.'

'Waar zijn de oorspronkelijke rapporten dan? Je eigen rapporten, met de details van de rekrutering en de plaatsen en tijden van de ontmoetingen?' vroeg Gaunt eindelijk.

'In mijn kluis. Daar zijn ze nooit vandaan geweest.'

'En alle huidige procedures?'

'In mijn hoofd.'

Er viel een nog langere stilte.

'Dank je, Jason,' zei de DDO ten slotte. 'Je hoort nog van ons.'

Veertien dagen later hield de top van het Operationele Directoraat strategisch beraad. De 198 mensen die de afgelopen twaalf maanden theoretisch toegang hadden gehad tot de 301-dossiers waren door Carey Jordan en twee andere analisten inmiddels teruggebracht tot eenenveertig. Aldrich Ames, die op dat moment nog een cursus Italiaans volgde, stond op die korte lijst.

Jordan, Gaunt, Gus Hathaway en twee anderen vonden dat die eenenveertig mensen aan een grondig onderzoek moesten worden onderworpen, hoe pijnlijk het misschien ook was. Dat betekende onder meer een vijandige leugendetectortest en een controle van hun persoonlijke financiën.

De leugendetector was een Amerikaanse vinding, die heel serieus genomen werd. Pas tegen het eind van de jaren tachtig en in het begin van de jaren negentig bleek uit research hoe onbetrouwbaar de uitkomsten konden zijn. Een ervaren leugenaar kon de test omzeilen, en spionage is gebaseerd op leugens en bedrog – bij voorkeur tegen de vijand gericht.

Een ander nadeel is dat de ondervrager bijzonder goed geïnstrueerd moet zijn om de juiste vragen te kunnen stellen. En dat is pas mogelijk als het slachtoffer grondig is doorgelicht. Om hem op leugens te kunnen betrappen, moet het slachtoffer denken: o god, ze weten het, ze weten het. Dan pas gaat zijn hart sneller kloppen. Als de leugenaar aan de vragen merkt dat niemand iets weet, blijft hij kalm en werkt de test niet. Dat is het verschil tussen een vriendelijke en een vijandige leugendetectortest. De vriendelijke variant is tijdverspilling als het slachtoffer goed kan liegen.

De sleutel tot het onderzoek dat de DDO wilde instellen waren de persoonlijke financiën. Hadden ze op dat moment maar geweten dat Aldrich Ames, die twaalf maanden geleden – na een onaangename echtscheiding en een nieuw huwelijk – nog failliet was geweest, sinds april 1985 weer zwom in het geld.

Aanvoerder van de groep die zich tegen het voorstel van de DDO verzette was Ken Mulgrew. Hij herinnerde aan de geweldige schade die James Angleton had veroorzaakt met zijn jacht op loyale officieren en merkte op dat een onderzoek naar persoonlijke financiën een grove schending van de privacy was en tegen de burgerrechten indruiste.

Gaunt wierp tegen dat er in Angletons tijd nooit binnen zes maanden veertien agenten waren verdwenen. Angletons onderzoek was gebaseerd geweest op paranoia. Nu, in 1986, had de CIA harde bewijzen dat er wel degelijk iets mis was.

Maar de haviken verloren. De burgerrechten gaven de doorslag. Het 'harde' onderzoek naar de eenenveertig kandidaten was van de baan.

Inspecteur Pavel Volsky zuchtte toen er weer een dossier op zijn bureau werd gegooid.

Tot een jaar geleden was hij nog heel gelukkig geweest als brigadier van de afdeling Georganiseerde Misdaad. Daar had hij tenminste de kans gekregen om de pakhuizen van de mafia te overvallen en hun illegaal verkregen rijkdommen in beslag te nemen. Een handige brigadier kon er goed van leven als hij daar een klein deel van nam voordat hij de buit aan de staat overdroeg.

Maar nee, zijn vrouw was liever getrouwd met een inspecteur, dus had hij de opleiding gevolgd toen de kans zich voordeed. Daarna had hij promotie gemaakt en was hij naar Moordzaken overgeplaatst.

Hij had niet geweten dat ze hem de afdeling Onbekende Slachtoffers zouden geven. Als hij die stapel dossiers zag die niemand interesseerde, verlangde hij vaak terug naar zijn bureau in de Shabolovkastraat.

In elk geval was het motief in de meeste zaken wel duidelijk. Roof, natuurlijk. En met zijn portefeuille verloor het slachtoffer niet alleen zijn geld, maar ook zijn creditcards, zijn familiekiekjes en zijn paspoort – de belangrijkste Russische legitimatie, met een foto en alle persoonlijke gegevens. O ja, en zijn leven, anders zou hij niet in het mortuarium zijn beland.

In het geval van een fatsoenlijke burger met geld in zijn portefeuille was er meestal ook wel familie. Die meldde zich bij Vermiste Personen. Volsky kreeg elke week een galerij van familiefoto's te zien, en vaak herkende hij wel iemand. Dan kon hij de treurende familie vertellen waar ze het lichaam konden identificeren en het vermiste familielid konden ophalen.

Als roof niet het motief was, had het slachtoffer meestal nog zijn paspoort in zijn zak. Dan kwam het dossier dus ook niet op Volsky's bureau terecht.

Zwervers die van de kou of door drankmisbruik waren gestorven hadden vaak hun paspoort weggegooid omdat ze niet wilden dat de militia hen zou terugsturen naar de plaats waar ze vandaan kwamen. Ook die gevallen belandden niet bij Volsky. Hij hield zich alleen bezig met moorden door onbekende daders. Een exclusieve, maar vrij zinloze bezigheid, dacht hij peinzend.

Het dossier van die 2e augustus was anders. Roof kon het motief niet zijn. Een blik in het politierapport van het Westelijk District leerde hem dat het lijk was ontdekt door een paddestoelenplukker in de bossen langs de weg naar Minsk, nog net binnen de stadsgrenzen. Het lichaam had honderd meter van de weg gelegen, dus het kon geen verkeersslachtoffer zijn.

De lijst met persoonlijke bezittingen was niet opwekkend. De man droeg (van beneden naar boven) gescheurde plastic schoenen; goedkope vuile sokken; vuil ondergoed; een dunne, smerige, zwarte broek; een versleten plastic riem. Dat was het. Geen overhemd, geen das, geen jasje. Alleen een overjas, die een paar meter verderop was gevonden, een versleten militaire jas uit de jaren vijftig.

Onderaan stond nog een korte opmerking. De zakken waren leeg. Geen horloge, geen ringen of andere bezittingen.

119

Volsky bekeek de foto van de toestand waarin het lichaam was gevonden. Iemand was zo meevoelend geweest om de ogen te sluiten. Een man van halverwege de zestig, die tien jaar ouder leek. Een mager, ongeschoren gezicht. Uitgeteerd, dat was het woord. Nog voordat hij dood was.

Arme ouwe donder, dacht Volsky. Ze hebben jou niet doodgeslagen voor je Zwitserse bankrekening. Hij las het sectierapport door. Na een paar alinea's drukte hij zijn sigaret uit en vloekte.

'Waarom kunnen die geleerden geen gewoon Russisch schrijven?' vroeg hij aan de muur, en niet voor de eerste keer. Het wemelde van de trauma's en kwetsuren. Als je blauwe plekken en snijwonden bedoelde, waarom zei je dat dan niet?

Sommige opmerkingen zetten hem aan het denken toen hij zich door het jargon heen worstelde. Hij keek naar het officiële stempel van het Tweede Medische Instituut en belde het nummer van het mortuarium. Hij had geluk. Professor Kuzmin zat achter zijn bureau.

'Met professor Kuzmin?' vroeg hij.

'Ja. Met wie spreek ik?'

'Inspecteur Volsky van Moordzaken. Ik heb uw rapport hier voor me liggen.'

'Boft u even.'

'Mag ik eerlijk zijn, professor?'

'Dat lijkt me een voorrecht, in deze tijden.'

'Ik heb wat moeite met sommige omschrijvingen. U hebt het over ernstige kneuzingen op de beide bovenarmen. Enig idee wat de oorzaak kan zijn?'

'Als patholoog niet. Het zijn gewoon kneuzingen. Maar ik denk dat ze zijn veroorzaakt door menselijke vingers.'

'Iemand heeft hem vastgegrepen?'

'Nee, mijn beste inspecteur, iemand heeft hem overeind gehouden. Ondersteund. Twee sterke kerels hielden hem vast terwijl hij werd afgetuigd.'

'Dus dit is mensenwerk? Er zijn geen apparaten aan te pas gekomen?'

'Als zijn hoofd en zijn benen in dezelfde toestand hadden verkeerd, zou ik zeggen dat hij vanuit een helikopter op een betonvloer was gegooid. Van vrij grote hoogte. Maar dat kan dus niet, want zijn hoofd en zijn benen zijn niet beschadigd. Hij is gewoon geslagen, herhaaldelijk geslagen, tussen zijn nek en zijn heupen, op zijn buik en zijn rug. Met een hard, stomp voorwerp.'

'En de doodsoorzaak... verstikking?'

'Dat staat er, inspecteur.'

'Neem me niet kwalijk, maar als hij in elkaar is geslagen, waarom is hij dan aan verstikking overleden?'

Kuzmin zuchtte.

'Al zijn ribben zijn gebroken, op één na. Sommige zelfs op meer plaatsen. Daardoor zijn ze zijn longen in geramd. Zo is er bloed in de luchtpijp geraakt, waardoor hij is gestikt.'

'U bedoelt dat hij is gestikt door het bloed in zijn keel?'

'Dat probeerde ik u duidelijk te maken, ja.'

'Sorry, ik ben nieuw hier.'

'En ik heb honger,' zei de professor. 'Het is lunchtijd. Goedemiddag, inspecteur.'

Volsky las het rapport nog eens door. Dus die ouwe knakker was in elkaar geslagen. Alles wees op de mafia. Maar gangsters waren meestal jonger. Blijkbaar had hij iemand behoorlijk kwaad gemaakt. Als hij niet was gestikt, hadden ze hem gewoon doodgeslagen.

Maar waarom? Wat moesten ze van hem? Informatie? Die zou hij hun toch wel hebben gegeven zonder het zo ver te laten komen? Wraak? Een voorbeeld? Puur sadisme? Alle drie een beetje, misschien. Maar hoe zou zo'n oude zwerver iets kunnen weten dat belangrijk was voor de mafia? Of hoe had hij een mafiabaas zo woedend kunnen maken?

Er viel hem nog iets op. Onder 'Uiterlijke kenmerken' had de professor genoteerd: 'Op het lichaam geen, maar in de mond twee roestvrij stalen voortanden en één stalen hoektand, blijkbaar overgehouden aan de primitieve tandheelkunde van het leger.' Dus de man had drie stalen tanden gehad.

De laatste opmerking van de patholoog herinnerde Volsky ergens aan. Het was inderdaad lunchtijd, en hij had afgesproken met een collega van Moordzaken. Dus stond hij op, sloot zijn armoedige kantoortje af en vertrok.

Langley, juli 1986

De brief van kolonel Solomin veroorzaakte een groot probleem. Hij had drie pakketjes achtergelaten in een geheime bergplaats in Moskou, maar hij wilde weer een gesprek met zijn contactman, Jason Monk. En omdat hij geen kans zag naar het buitenland te komen, zouden ze elkaar dus in de Sovjetunie moeten treffen.

De eerste reactie van de CIA op zo'n verzoek was dat de spion vermoedelijk was gearresteerd en onder dwang een brief had geschreven om de CIA-agent in de val te lokken.

Maar Monk was ervan overtuigd dat Solomin niet laf of onnozel was. Ze hadden één woord afgesproken dat hij, als hij onder dwang schreef, tot elke prijs moest vermijden, en een ander woord dat hij juist wel moest gebruiken. Zelfs in die omstandigheden zou hij daar wel aan kunnen voldoen. Solomins brief uit Moskou bevatte geen verdachte woorden of omissies. Alles leek dus in orde.

Harry Gaunt was het allang met Monk eens dat Moskou een te riskante plek voor een ontmoeting was. Te veel agenten van de KGB en andere veiligheidsdiensten. Als Monk op zo'n korte termijn als 'diplomaat' naar Moskou werd gestuurd, zou het Russische ministerie van Buitenlandse Zaken alle bijzonderheden meteen doorgeven aan het Tweede Hoofddirectoraat. Zelfs in vermomming zou Monk voortdurend worden geschaduwd. Het was onmogelijk om in die situatie een veilige afspraak te maken met de adjudant van de minister van Defensie. Bovendien had Solomin zelf een andere suggestie.

Hij schreef dat hij eind september verlof had en bovendien een beloning gekregen had: een vakantieappartement in Gurzuf, een badplaats aan de Zwarte Zee.

Monk keek op de kaart. Gurzuf was een klein dorp aan de kust van de Krim, een bekend vakantieoord voor militairen. Er stond ook een groot sanatorium van Defensie, waar gewonde of herstellende officieren in de zon op verhaal konden komen.

Hij overlegde met twee voormalige Russische officieren die nu in de Verenigde Staten woonden. Ze waren er zelf nooit geweest, maar ze kenden Gurzuf uit de verhalen. Het was een mooie vissersplaats waar Tsjechov had geleefd en gewerkt in zijn villa bij de zee, vijftig minuten met de bus of vijfentwintig minuten met de taxi vanaf Yalta.

Monk richtte zijn aandacht nu op Yalta. De Sovjetunie was in veel opzichten nog steeds een afgegrendeld gebied. Het was uitgesloten om er per vliegtuig te komen. Die route liep via Moskou, met tussenstops in Kiev en Odessa. Dat zou een buitenlandse toerist nooit lukken, en bovendien kwamen er geen buitenlandse toeristen naar Yalta. Het was wel een Russische vakantieplaats, maar een buitenlander zou onmiddellijk opvallen. Daarom verdiepte hij zich in de zeeroutes, en zag een mogelijkheid.

Altijd tuk op harde valuta had Moskou de Black Sea Shipping Company toestemming gegeven om cruises te organiseren over de Middellandse Zee. Hoewel de hele bemanning Russisch was, met (uiteraard) een handvol KGB-agenten ertussen, waren de passagiers voornamelijk Westerlingen.

Omdat de cruises naar Westerse begrippen heel goedkoop waren, was er vooral veel belangstelling van studenten, academici en ouderen. De maatschappij had die zomer drie schepen ingezet: de *Litva*, de *Latvia* en de *Armenia*. In september was er een cruise met de *Armenia*.

Volgens de Londense agent van de Black Sea Shipping Company zou het schip vanuit Odessa naar de Griekse haven Piraeus varen. Het eerste deel van de reis was de *Armenia* nog praktisch leeg. Vanaf Griekenland werd er koers gezet naar Barcelona in Spanje, en dan terug via Marseille, Napels, Malta, Istanbul, Varna (in Bulgarije, aan de Zwarte Zee), Yalta en Odessa. De meeste Westerse passagiers zouden opstappen in Barcelona, Marseille of Napels.

Eind juli werd er met medewerking van de Britse geheime dienst ingebroken in het Londense kantoor van de cruisemaatschappij. De Britse agenten fotografeerden de reserveringen voor de *Armenia* en vertrokken zonder een spoor achter te laten.

Op de passagierslijst stond ook een groep van zes leden van het Amerikaans-Russische Vriendengenootschap. Bij controle bleek dat een groepje van voornamelijk middelbare Amerikanen te zijn, die in hun naïeve oprechtheid de betrekkingen tussen de Verenigde Staten en de Sovjetunie wilden verbeteren. Ze woonden allemaal in het noordwesten van Amerika, of daar in de buurt.

Begin augustus sloot professor Norman Kelson uit San Antonio in Texas zich bij het genootschap aan en vroeg wat literatuur op. Daarin las hij over de aanstaande reis met de *Armenia* en hij gaf zich meteen op als zevende lid van de groep, die in Marseille aan boord zou gaan. De Russische organisatie Intourist zag geen bezwaren en hij werd op de lijst gezet.

De werkelijke Norman Kelson was een voormalige archivaris van de CIA, die na zijn pensionering in San Antonio was gaan wonen en vaag op Jason Monk leek, maar dan vijftien jaar ouder – een verschil dat kon worden overbrugd door een grijze spoeling en donkere brilleglazen.

Half augustus liet Monk aan Solomin weten dat een vriend hem zou opwachten bij het hek van de Botanische Tuinen in Yalta. Dat was een bekende bezienswaardigheid, buiten de stad, op ongeveer eenderde van de kustweg naar Gurzuf. De vriend zou er staan op 27 en 28 september, om twaalf uur 's middags.

Inspecteur Volsky was laat voor zijn lunchafspraak, dus liep hij snel door de gangen van het grote grijze gebouw in Petrovka, waar het hoofdkwartier van de Moskouse militia is ondergebracht. Zijn vriend was niet in zijn kantoor, dus liep hij naar het wachtlokaal en vond hem in gesprek met een paar collega's.

'Sorry dat ik zo laat ben,' zei hij.

'Geeft niet. Zullen we gaan?'

Met hun salaris konden de twee mannen niet buiten de deur gaan eten, maar de militia had een goedkope kantine met een systeem van lunchbonnen, en het eten was redelijk. De twee mannen draaiden zich om naar de deur. Volsky's oog viel op het mededelingenbord ernaast en opeens bleef hij stokstijf staan.

'Schiet op,' zei zijn vriend, 'anders zijn alle tafeltjes bezet.'

'Vertel eens,' zei Volsky toen ze een tafeltje hadden bemachtigd en achter een bord stamppot en een halve liter bier zaten. 'Het wachtlokaal...'

'Wat is daarmee?'

'Dat mededelingenbord naast de deur. Er hangt een foto op. Een soort kopie van een krijttekening. Een oude vent met rare tanden. Weet je daar iets van?'

'O, dat,' zei inspecteur Novikov. 'Een mysterie. Blijkbaar was er ingebroken bij iemand van de Britse ambassade. Twee daders. Ze hebben niets gestolen, maar de flat wel binnenstebuiten gekeerd. Ze werden verrast door de bewoonster en sloegen haar neer. Maar een van die kerels zag ze nog.'

'Wanneer was dat?'

'Een week of twee, drie geleden. De ambassade protesteerde bij Buitenlandse Zaken. Die sprongen uit hun vel en klaagden bij Binnenlandse Zaken. Die sloegen meteen op tilt en belden Inbraak om die vent op te sporen. Iemand heeft die tekening van hem gemaakt. Ken je Chernov? Nee? Nou, dat is de grote speurder van Inbraak. Die rent nou woedend rond omdat zijn carrière op het spel staat, maar hij is nog geen spat verder. Daarom heeft hij ons gevraagd die foto op te hangen.'

'Verder geen aanwijzingen?' vroeg Volsky.

'Nee. Chernov heeft geen idee wie of waar die vent is. Jasses, die stamppot wordt elke keer vetter.'

'Ik weet niet wíe hij is, maar wel wáár,' zei Volsky. Novikov bleef doodstil zitten, met zijn bierglas halverwege zijn mond.

'Verdomd! Waar dan?'

'Hij ligt in het mortuarium van het Tweede Medische Instituut. Ik heb vanochtend zijn dossier gekregen. Hij is een week geleden gevonden, in de bossen in het westen van de stad. Doodgeslagen. Geen papieren op zak. Ze weten niet wie hij is.'

'Nou, dan kun je Chernov bellen. En maak je borst maar nat.'

Inspecteur Novikov werkte de restjes van zijn stamppot naar binnen en staarde peinzend voor zich uit.

Rome, augustus 1986

Op 22 juli arriveerde Aldrich Ames met zijn vrouw in de Eeuwige Stad. Ook na een opleiding van acht maanden was zijn Italiaans nog steeds niet vloeiend. Hij had geen talenknobbel, zoals Monk.

Met zijn nieuwe rijkdom kon hij een veel luxer leventje leiden dan vroeger, maar niemand van het CIA-bureau in Rome zag het verschil, omdat ze niet wisten hoe hij vroeger had geleefd.

Net zoals iedereen ontdekte de bureauchef, Alan Wolfe – een oude rot bij de CIA met ervaring in Pakistan, Jordanië, Irak, Afghanistan en Londen – al gauw dat Ames een waardeloze figuur was. Als hij de rapporten van zijn collega's in Turkije en Mexico had gezien voordat ze door Ken Mulgrew waren geredigeerd, zou hij heftig bij de DDO hebben geprotesteerd tegen de benoeming van de nieuwe chef van zijn Sovjet-sectie.

Het duurde niet lang voordat Ames zich onderscheidde als een zuiplap en een klaploper. Dat maakte de Russen niet veel uit. Die benoemden snel een tussenpersoon, een lagere officier die Khrenkov heette en die Ames kon ontmoeten zonder achterdocht te wekken. Ames zei gewoon tegen zijn collega's dat hij Khrenkov probeerde te rekruteren. Dat was het excuus voor een reeks langdurige en zeer vloeibare lunches, waarna Ames nog maar nauwelijks in staat was zijn bureau terug te vinden.

Net als in Langley veegde Ames stapels vertrouwelijke dossiers in plastic draagtassen waarmee hij de ambassade uit wandelde om ze bij Khrenkov af te leveren.

In augustus kwam zijn hoogste contactman uit Moskou naar Rome voor een persoonlijke ontmoeting. In tegenstelling tot Androsov in Washington woonde de nieuwe KGB-man niet in Rome zelf, maar nam hij het vliegtuig vanuit Moskou als persoonlijk overleg noodzakelijk was. In Rome konden de Sovjets zich veel vrijer bewegen dan in Amerika.

Ames vertrok gewoon van kantoor om heel openlijk met Khrenkov in een café te gaan lunchen. Daarna stapten ze minder openlijk in een gesloten auto waarmee Khrenkov naar de Villa Abamelek reed, de ambtswoning van de Russische ambassadeur. Daar werd hij opgewacht door zijn contactman, 'Vlad'. In alle rust konden ze uren met elkaar praten. Vlad was in werkelijkheid kolonel Vladimir Mechulayev van Directoraat K van het Eerste Hoofddirectoraat.

Bij hun eerste gesprek wilde Ames protesteren tegen de overhaaste manier waarop de KGB de spionnen had opgepakt die hij had verraden en Ames daardoor in een riskante positie had gebracht. Maar Vlad was hem vóór, maakte zijn verontschuldigingen en legde uit dat Mikhail Gorbatsjov persoonlijk bevel had gegeven tot die snelle arrestaties. Daarna begon hij over de kwestie waarvoor hij naar Rome was gekomen.

'We hebben een probleem, mijn beste Rick,' zei hij. 'Je hebt ons enorm veel materiaal geleverd, en van hoge kwaliteit. Misschien wel de belangrijkste gegevens zijn de beschrijvingen en foto's van de contactofficieren van alle spionnen die in de Sovjetunie zelf opereren.'

Ames keek verbaasd en probeerde zich te concentreren, ondanks een nevel van alcohol.

'Is er iets mis mee?' vroeg hij.

'Nee, absoluut niet. We hebben alleen een vraag,' zei Mechulayev, en hij legde een foto op het koffietafeltje.

'Deze hier. Een zekere Jason Monk. Klopt?'

'Ja, dat is hem.'

'In je rapport noem je hem een rijzende ster van de SE-divisie. Dat betekent, neem ik aan, dat hij één of misschien wel twee spionnen in de Sovjetunie onder zijn hoede heeft.'

'Ja, daar gaat iedereen van uit. Ik ook. Die zullen er wel tussen zitten.'

'Nee, mijn beste Rick, dat is juist het probleem. Alle verraders die je ons hebt uitgeleverd zijn inmiddels geïdentificeerd, aangehouden en... ondervraagd. Ze zijn allemaal... hoe zal ik het zeggen...' De Rus herinnerde zich de bevende mannen die hij in de verhoorkamer had gezien toen Grishin hen op zijn eigen manier had geadviseerd om mee te werken.

'Ze zijn allemaal heel openhartig geweest en hebben goed meegewerkt. Ze hebben ons verteld wie hun contactpersonen waren; soms hadden ze er meer dan één. Maar niemand heeft de naam Jason Monk genoemd. Niemand. Natuurlijk worden er meestal valse namen gebruikt, maar zijn foto is ook door niemand herkend. Begrijp je het probleem? Wie en waar zijn Monks spionnen?'

'Geen idee. Ik begrijp er niets van. Ze moeten in de 301-dossiers hebben gezeten.'

'Wij begrijpen het net zomin als jij, maar ze zaten er niet bij.'

Tegen het einde van het gesprek kreeg Ames een zak met geld en een lijst met nieuwe instructies. Hij bleef nog drie jaar in Rome en verraadde alles en iedereen, ook nog vier spionnen uit de andere Oostbloklanden. Maar zijn belangrijkste taak zodra hij weer terug was in Washington, of hopelijk nog eerder, was te ontdekken welke Russische spionnen door Jason Monk waren gerekruteerd.

Terwijl de inspecteurs Novikov en Volsky een nuttige lunch hadden in de kantine van het hoofdbureau, was de Doema in plenaire vergadering bijeen.

Het had enige tijd gekost om het Russische parlement van zijn zomerreces terug te roepen, want het land is zo groot dat veel afgevaardigden duizenden kilometers moesten reizen om het constitutionele debat bij te wonen. Toch was die discussie van groot belang, omdat het een verandering van de grondwet betrof.

Na de onverwachte dood van president Cherkassov vereiste artikel 59 van de grondwet dat de minister-president de macht zou overnemen voor een tijdvak van drie maanden.

Volgens die regel had premier Ivan Markov het tijdelijke presidentschap op zich genomen. Omdat er in juni van het jaar 2000 toch presidentsverkiezingen zouden worden gehouden, leek het deskundigen niet verstandig om negen maanden eerder, in oktober 1999, eerst nog een nieuwe president te kiezen. Dat zou tot verwarring of chaos kunnen leiden.

Daarom was er een motie ingediend tot een eenmalige wijziging van de grondwet, waarbij Markov nog drie maanden langer aan het bewind zou kunnen blijven en de verkiezingen in het jaar 2000 van juni naar januari konden worden vervroegd.

De naam Doema komt van het werkwoord *doemat*, dat 'denken' of 'overwegen' betekent. De Doema was dus een plaats van overweging. In werkelijkheid werd er vaker geschreeuwd dan nagedacht, zeker op die hete zomerdag in 1999.

Het debat duurde de hele dag en gaf aanleiding tot zulke heftige emoties, dat de voorzitter een groot deel van de tijd om orde moest schreeuwen en één keer zelfs dreigde de hele zitting te schorsen.

Twee afgevaardigden waren zo beledigend dat de voorzitter hen liet verwijderen. Voor het oog van de tv-camera's verzetten de mannen zich tegen hun begeleiders, die de grootste moeite hadden het tweetal de deur uit te zetten. Op de stoep kregen ze slaande ruzie met elkaar en gaven allebei een geïmproviseerde persconferentie die eindigde in een ordinaire kloppartij waar de politie aan te pas moest komen.

Binnen bezweek intussen de airco onder de druk en stonden de zwetende afgevaardigden van het land dat zichzelf als de op twee na grootste democratie ter wereld beschouwde nog steeds tegen elkaar te vloeken en te tieren. Maar ten slotte werden de posities duidelijk.

De fascistische Unie van Patriottische Krachten, geleid door Igor Komarov, stond erop dat er in oktober, drie maanden na de dood van Cherkassov, presidentsverkiezingen moesten worden gehouden, zoals voorgeschreven in artikel 59 van de grondwet. De reden lag voor de hand. De UPK lag zo ver voor in de peilingen dat de partij zo snel mogelijk aan het bewind wilde komen.

De neo-communisten van de Socialistische Unie en de hervormers van de Democratische Alliantie waren het voor deze gelegenheid met elkaar eens. Ze lagen allebei achter in de peilingen en hadden dus tijd nodig om die achterstand in te lopen. Daarom voelden ze niets voor vroege verkiezingen.

Het debat, als je het zo kon noemen, duurde tot zonsondergang, toen de schorre voorzitter ten slotte besloot dat iedereen zijn zegje had gedaan en dat er gestemd moest worden. De linkervleugel en het centrum hadden samen meer stemmen dan extreem rechts, en dus werd de motie aangenomen. De verkiezingen van juni 2000 werden vervroegd naar 16 januari 2000, en Markov zou tot die datum president blijven, drie maanden langer dan in de grondwet was bepaald.

Binnen een uur had de nationale tv-zender Vremlya het nieuws bekendgemaakt. Op de ambassades in de hoofdstad werd nog laat doorgewerkt om codetelegrammen naar alle delen van de wereld te versturen.

Omdat ook de Britse ambassade volledig bemand was, zat 'Gracie' Fields nog achter zijn bureau toen het telefoontje van inspecteur Novikov binnenkwam.

Yalta, september 1986

Het was een hete dag en de taxi die rammelend over de kustweg ten noordoosten van Yalta reed, had geen airconditioning. De Amerikaan draaide het raampje naar beneden om de frisse lucht vanaf de Zwarte Zee binnen te laten. Toen hij zich opzij boog, kon hij in het spiegeltje kijken, boven het hoofd van de chauffeur. Zo te zien werden ze niet gevolgd door een auto van de plaatselijke Cheka.

De lange cruise vanaf Marseille via Napels, Malta en Istanbul was vermoeiend maar niet onaangenaam geweest. Monk had braaf zijn rol gespeeld zonder achterdocht te wekken. Met zijn grijze haar, zijn getinte bril en zijn voorkomendheid was hij het prototype van een gepensioneerd academicus op vakantie.

Zijn mede-Amerikanen aan boord dachten dat hij het helemaal eens was met hun oprechte overtuiging dat een beter contact tussen de volkeren van de Verenigde Staten en de Unie van Socialistische Sovjetrepublieken de enige hoop was voor de wereldvrede. Een van hen, een vrijgezelle lerares uit Connecticut, was duidelijk gecharmeerd van de hoffelijke Texaan die haar stoel voor haar achteruitschoof en even zijn Stetson afnam als ze elkaar op het dek tegenkwamen.

In Varna, in Bulgarije, was hij niet van boord gegaan, zogenaamd omdat hij last van zonnebrand had. Maar in alle andere havens was hij samen met de toeristen uit vijf Westerse landen aan land gegaan om ruïnes, ruïnes en nog meer ruïnes te bekijken.

In Yalta zette hij voor het eerst van zijn leven voet op Russische bodem. Na zijn uitvoerige instructies viel het hem eigenlijk wel mee. Hoewel de *Armenia* het enige cruiseschip in de haven was, lagen er tientallen vrachtvaarders van buiten de Sovjetunie, waarvan de bemanningen de hele stad door zwierven.

De toeristen van de *Armenia*, die sinds Varna aan boord hadden gezeten, daalden als een troep ganzen de loopplank af. De twee Russische douanemensen op de kade wierpen een vluchtige blik op de paspoorten en wuifden hen door. Professor Kelson trok de aandacht vanwege zijn kleding, maar die belangstelling was positief bedoeld.

In plaats van vooral niet op te vallen, had Monk gekozen voor een opzichtige aanpak. Hij droeg een crèmekleurig overhemd met een string-das met een zilveren clip, een lichtgewicht lichtbruin pak, zijn Stetson en cowboylaarzen.

'Goh, professor, u ziet er goed uit,' koerde de lerares. 'Gaat u ook mee met de stoeltjeslift naar de top van de berg?'

'Nee, mevrouw,' zei Monk, 'ik denk dat ik een wandeling langs de kades maak en een kopje koffie ga drinken.'

De Intourist-gidsen namen hun groepjes mee naar verschillende plaatsen en lieten Monk in zijn eentje achter. Hij wandelde de haven uit, langs de terminal, de stad in. Hij trok veel bekijks en de meeste mensen grijnsden. Een kleine jongen bleef staan, hield zijn handen langs zijn zij en deed alsof hij bliksemsnel twee Colts .45 trok. Monk streek hem even door zijn haar.

Hij had gehoord dat het amusement op de Krim nogal eentonig was. De televisie was zo saai als slootwater. Het enige vertier was de film. Vooral cowboyfilms, getolereerd door het regime, waren populair, en hier liep een echte cowboy! Zelfs een agent van de militia, slaperig door de hitte, staarde hem aan. Hij grinnikte en salueerde toen Monk aan zijn hoed tikte. Na een uurtje en een kop koffie op een terrasje was hij ervan overtuigd dat hij niet werd geschaduwd. Hij koos een taxi uit een lange rij en vroeg de chauffeur om naar de Botanische Tuinen te rijden. Met zijn gids, zijn kaart en zijn gebroken Russisch was hij zo duidelijk een toerist van een van de schepen dat de chauffeur zwijgend knikte en vertrok. Bovendien werden de beroemde tuinen van Yalta door duizenden mensen bezocht.

Monk stapte uit voor de poort en betaalde de chauffeur in roebels, maar met vijf dollar fooi en een knipoog. De man grijnsde, knikte en vertrok.

Er stond een lange rij voor het hek, vooral Russische kinderen met hun leraren op een schoolreisje. Monk sloot aan en hield de omgeving in de gaten, maar hij kon geen mannen in glimmende pakken ontdekken. Hij kocht een kaartje, stapte naar binnen en zag het ijscokraampje. Hij kocht een grote vanillehoorn, ging op een rustig bankje zitten en likte aan zijn ijsje.

Een paar minuten later kwam er een man aan de andere kant van het bankje zitten. Hij bestudeerde een plattegrond van de uitgestrekte tuinen. Achter de kaart kon niemand zijn lippen zien bewegen. Monks lippen bewogen ook, omdat hij aan een ijsje likte.

'Zo, mijn vriend, hoe gaat het?' vroeg Pyotr Solomin.

'Een stuk beter nu ik jou weer zie, beste kerel,' mompelde Monk.

'Worden we in de gaten gehouden?'

'Nee. Ik ben hier al een uur. Jij wordt niet geschaduwd. Ik ook niet,' antwoordde Monk. 'Mijn mensen zijn heel blij met je, Peter. Met de informatie die je hebt doorgegeven kunnen we nog sneller een eind maken aan de koude oorlog.'

'Ik wil die klootzakken weg hebben,' zei de Siberiër. 'Je ijsje begint te smelten. Gooi het maar weg, dan haal ik twee nieuwe.'

Monk gooide de druipende hoorn in een afvalemmer naast het bankje. Solomin slenterde naar de kiosk en kocht twee ijsjes. Toen hij terugkwam, kon hij onopvallend wat dichter naar Monk toe schuiven.

'Ik heb wat voor je. Een filmpje. In het omslag van mijn plattegrond. Ik zal hem op het bankje laten liggen.'

'Dank je. Waarom heb je dat niet in Moskou doorgegeven? Mijn mensen werden een beetje achterdochtig,' zei Monk.

'Omdat ik nog meer weet, maar dat moet ik je mondeling zeggen.'

Hij beschreef wat zich die zomer van 1986 in het politburo en op het Russische ministerie van Defensie had afgespeeld. Monk had moeite zijn gezicht strak te houden en niet tussen zijn tanden te fluiten. Solomin was een half uur aan het woord.

'Is dat allemaal waar, Peter? Is het eindelijk zo ver?'

'Zowaar als ik hier zit. Ik heb het de minister van Defensie zelf horen zeggen.'

'Dat zal een grote verandering betekenen,' zei Monk. 'Dank je, oude jager. Ik stap weer eens op.'

Als twee onbekenden die op een parkbankje een praatje hadden gemaakt, stak Monk zijn hand uit. Solomin keek er gefascineerd naar.

'Wat is dat?' vroeg hij.

Het was een ring. Monk droeg meestal geen ringen, maar deze hoorde bij het karakter van de Texaan. Het was een Navajo-ring van ruw zilver met een turkoois, zoals die overal in Texas en New Mexico werden gedragen. De man van de Udegey-stam uit Primorskiy Krai vond hem prachtig. In een opwelling trok Monk de ring van zijn vinger en gaf hem aan de Siberiër.

'Voor mij?' vroeg Solomin.

Hij had nog nooit om geld gevraagd en Monk vermoedde dat hij beledigd zou zijn als de Amerikanen het zouden aanbieden. Aan het gezicht van de Siberiër te zien was de ring meer dan voldoende beloning – een turkoois en zilver van honderd dollar, uit de heuvels van Texas gehakt en door zilversmeden van de Ute of Navajo bewerkt.

Ze konden elkaar niet in het openbaar omhelzen, dus draaide Monk zich om en vertrok. Nog één keer keek hij om. Peter Solomin had de ring om de pink van zijn linkerhand geschoven en keek er bewonderend naar. Het was het laatste dat Monk van de jager uit het oosten zag.

De *Armenia* voer verder naar Odessa en zette haar passagiers daar af. De douane controleerde alle koffers, maar ze zochten alleen naar anti-sovjet-propaganda. Monk was verteld dat ze buitenlandse toeristen nooit fouilleerden tenzij de KGB verdenkingen had.

Monk had het microfilmpje onder een pleister op zijn billen verborgen. Samen met de andere Amerikanen klapte hij zijn koffer weer dicht. Even later werden ze door de Intourist-gids langs de andere loketten geloodst en op de trein naar Moskou gezet.

De volgende dag, in de hoofdstad, leverde Monk zijn pakketje bij de ambassade af, die het met de diplomatieke post naar Langley zou sturen. Monk stapte op het vliegtuig terug naar Amerika. Hij had een heel lang rapport te schrijven.

7

'Goedenavond, Britse ambassade,' zei de telefoniste op de Sofiskayakade.

'*Shto?*' vroeg een verbaasde stem aan de andere kant van de lijn.

'*Dobriy vecher, angliyskoye posolstvo,*' herhaalde de telefoniste in het Russisch.

'Ik zocht het plaatskaartenbureau van het Bolshoi Theater,' zei de stem.

'Dan hebt u het verkeerde nummer, ben ik bang,' zei de telefoniste, en ze hing op.

De luistervinken achter de batterij telefoons op het hoofdkwartier van de FAPSI, de Russische afluisterdienst, noteerden het gesprek, maar dachten er verder niet over na. Verkeerd verbonden kwam zo vaak voor.

Op de ambassade negeerde de telefoniste de knipperende lampjes van nog twee binnenkomende gesprekken, raadpleegde een lijst en koos een intern nummer.

'Meneer Fields?'

'Ja.'

'Centrale hier. Er belde zojuist iemand die het plaatskaartenbureau van het Bolshoi Theater moest hebben.'

'Goed. Bedankt.'

Gracie Fields belde Jock Macdonald. De interne lijnen werden regelmatig gecontroleerd door de veiligheidsdienst en waren in principe veilig.

'Mijn vriend van de Moskouse Hermandad heeft gebeld,' zei Fields. 'Volgens de code die hij gebruikte, is het dringend. Ik zal hem terugbellen.'

'Hou me op de hoogte,' zei de SIS-bureauchef.

Fields keek op zijn horloge. Precies een uur na de oproep moest hij terugbellen. Er waren nu vijf minuten verstreken.

Bij een telefooncel in de hal van een bank, twee straten van het hoofdbureau, keek inspecteur Novikov ook op zijn horloge en besloot een kop koffie te gaan drinken terwijl hij wachtte. Daarna zou hij naar een telefooncel in de volgende straat wandelen, waar Fields hem kon bereiken.

Fields vertrok tien minuten later en reed langzaam naar het Kosmos Hotel op Prospekt Mira. Het hotel dateerde uit 1979. Het was naar Russische maatstaven vrij modern en had een rij telefooncellen in de lobby.

Precies een uur na de oproep controleerde Fields het nummer in zijn opschrijfboekje en belde. Gesprekken tussen openbare telefooncellen zijn een nachtmerrie voor contraspionagediensten omdat er zoveel cellen zijn en niemand ze ooit allemaal in het oog kan houden.

'Boris?' Novikov heette geen Boris, maar Yevgeni. De naam Boris betekende dat hij Fields aan de lijn had.

'Ja. Die tekening die je me hebt gegeven. Ik weet nu wat meer. We moeten
elkaar spreken.'

'Goed. Laten we gaan eten in het Rossiya Hotel.' Ze waren helemaal niet
van plan om naar het Rossiya te gaan. In werkelijkheid had Fields het over
de Carrousel, een bar halverwege de Tverskayastraat. Koel, donker en discreet. En weer moesten ze allebei een uur wachten.

Zoals in veel grotere steden werkte er op de Britse ambassade in Moskou
ook een agent van de Britse binnenlandse veiligheidsdienst, beter bekend
als MI5, de zusterorganisatie van de buitenlandse inlichtingendienst, de
Secret Intelligence Service, die vaak onjuist MI6 wordt genoemd.

De agent van MI5 hoeft geen informatie te verzamelen over het gastland,
maar hij is verantwoordelijk voor de veiligheid van de ambassade, de buitenposten en het personeel.

De medewerkers hadden geen zin om altijd opgesloten te zitten, en 's
zomers gingen ze vaak naar een mooi strandje buiten Moskou, waar de
rivier de Moskva een bocht maakt. Het was een geliefde plek voor de diplomaten om te zwemmen en te picknicken.

Voordat hij was bevorderd tot inspecteur en naar Moordzaken was overgeplaatst, was Yevgeni Novikov brigadier geweest van dat landelijke district,
dat ook Serebryaniy Bor, de 'Zilveren Bossen', omvatte.

Daar had hij de toenmalige Britse agent van de veiligheidsdienst leren kennen, die hem aan de pas aangekomen Gracie Fields had voorgesteld.

Fields hield contact met de jonge politieman en opperde ten slotte dat een
klein maandelijks bedrag in harde valuta welkom zou kunnen zijn voor een
man met een vast salaris in tijden van gierende inflatie. En zo werd inspecteur Novikov een van zijn tipgevers. Hij had geen hoge positie, maar toch
kon hij nuttig zijn. En deze keer zou de rechercheur van Moordzaken de
investering dubbel en dwars terugbetalen.

'We hebben een lijk,' zei hij tegen Fields toen ze in de donkere Carrousel
achter een koud biertje zaten. 'Ik weet bijna zeker dat het die man van de
tekening is. Bejaard, drie stalen tanden...'

Hij vertelde wat hij van zijn collega Volsky had gehoord.

'Bijna drie weken, dat is een hele tijd om dood te zijn in deze hitte. Van zijn
gezicht is niet veel meer over,' zei Fields. 'Misschien is het iemand anders.'

'Hij heeft maar een week in dat bos gelegen, en daarna negen dagen in een
koelcel. Hij is nog wel herkenbaar.'

'Ik heb een foto nodig, Boris. Kun je dat regelen?'

'Ik weet het niet. Al het materiaal ligt bij Volsky. Ken je een zekere inspecteur Chernov?'

'Ja. Die is op de ambassade geweest. Ik heb hem ook een tekening gegeven.'

'Dat weet ik,' zei Novikov. 'Hij heeft overal kopieën verspreid. Hij zal zich wel melden, want Volsky zou contact met hem opnemen. Hij heeft waarschijnlijk een echte foto van het gezicht van het lijk.'

'Voor zichzelf, niet voor ons.'

'Het zal niet eenvoudig zijn om nog een foto los te krijgen.'

'Doe je best, Boris. Doe je best. Jij zit toch bij Moordzaken? Zeg maar dat je die foto aan je contacten in de onderwereld wilt laten zien. Dat is toch je werk? Moorden oplossen?'

'Dat is de bedoeling, tenminste,' zei Novikov somber. Hij vroeg zich af of de Engelsman wist dat maar drie procent van de mafiamoorden ooit werd opgelost.

'Ik kan je een bonus beloven,' zei Fields. 'We zijn niet krenterig als we de dader te pakken kunnen krijgen. We houden er niet van dat onze mensen worden overvallen.'

'Goed,' zei Novikov. 'Ik zal proberen een foto voor je te krijgen.'

Dat bleek achteraf niet nodig. Het dossier over het onbekende lijk kwam vanzelf bij Moordzaken terecht en twee dagen later drukte Novikov een van de foto's achterover die in de bossen langs de weg naar Minsk waren gemaakt.

Langley, november 1986

Carey Jordan was in een ongebruikelijk goed humeur. Dat kwam in dat jaar, 1986, niet vaak voor, omdat Washington werd geplaagd door het Iran-Contra-schandaal en Jordan meer dan de meeste anderen wist hoe nauw de CIA daarbij betrokken was.

Maar hij was zojuist op het kantoor van directeur William Casey geweest om een hartelijk compliment in ontvangst te nemen. De reden voor die geste van de oude directeur was het nieuws uit Yalta dat Jason Monk had meegebracht.

In het begin van de jaren tachtig, toen Yuri Andropov nog president van de Sovjetunie was, had de voormalige KGB-chef zich bijzonder agressief tegenover het Westen opgesteld. Het was een laatste poging van de stervende Andropov om door zuivere intimidatie de wilskracht van het NAVO-bondgenootschap te breken.

De kern van deze politiek was de plaatsing van driehonderdvijftig nieuwe middellange-afstandsraketten in de Russische satellietstaten in Oost-Europa. Met drie onafhankelijk gerichte kernbommen vormden deze ss-20's een bedreiging voor alle steden in Europa, van Noorwegen tot aan Sicilië.

Ronald Reagan zat toen in het Witte Huis en Margaret Thatcher in Downing Street. De twee Westerse leiders besloten zich niet te laten intimideren. Voor elke raket die er op het Westen stond gericht, zouden ze er zelf ook een plaatsen.

De Pershings ii en de kruisraketten werden in Engeland en West-Europa opgesteld, ondanks de voortdurende en luidruchtige demonstraties van Europees links. Reagan en Thatcher gaven geen duimbreed toe.

Het Amerikaanse Star-Wars-programma dwong de Sovjetunie ertoe een eigen antiraketsysteem te ontwikkelen. Andropov stierf, Tsjernenko kwam en ging, Gorbatsjov kwam aan de macht, maar de politieke en industriële strijd ging door.

Het nieuws dat kolonel Solomin via Yalta had doorgegeven, was dat de Russische economie de last niet langer kon dragen.

In maart 1985 werd Mikhail Gorbatsjov benoemd tot secretaris-generaal van de communistische partij. Hij was een overtuigd communist. Het enige verschil met zijn voorgangers was dat hij een praktische kijk had en de leugens niet geloofde die vroegere leiders voor zoete koek hadden geslikt. Gorbatsjov wilde de werkelijke feiten en cijfers over de Russische industrie en economie boven tafel krijgen. En hij schrok toen hij die zag.

Toch dacht hij nog dat het hijgende karrepaard van de communistische economie met ingrijpende maatregelen tot een soepel renpaard kon worden omgetoverd. Vandaar de politiek van perestroika of hervorming.

Maar in de zomer van 1986 wisten het Kremlin en het ministerie van Defensie al dat het hopeloos was. De wapenindustrie en de wapenaankopen vergden zestig procent van het Russische bruto nationaal produkt, en dat kon onmogelijk zo doorgaan. De bevolking begon steeds luider te morren door alle ontberingen.

Die zomer werd een uitvoerig onderzoek ingesteld om te zien hoe lang de Sovjetunie de wedloop nog kon volhouden. De uitkomst had niet somberder kunnen zijn. Op industrieel gebied was het kapitalistische Westen de Russische dinosaurus in alle opzichten de baas. Het was een microfilmpje van dat rapport dat Solomin op het bankje in Yalta aan Jason Monk had gegeven.

Wat erin stond, en wat Solomin mondeling bevestigde, was dat de Russische economie ineen zou storten en het Kremlin de wapenwedloop zou moeten opgeven als het Westen het nog twee jaar volhield. Net als bij een spelletje poker had de Siberiër het Westen alle kaarten van het Kremlin laten zien.

Het nieuws ging rechtstreeks naar het Witte Huis en naar mevrouw Thatcher aan de andere kant van de oceaan. De twee Westerse leiders schepten moed, ondanks de binnenlandse twijfels en kritiek. Bill Casey kreeg de gelukwensen van het Oval Office en gaf ze door aan Carey Jordan, die op zijn beurt Jason Monk feliciteerde. Tegen het eind van hun gesprek sneed Jordan een onderwerp aan dat al eerder ter sprake was gekomen.

'Ik heb toch een probleem met die vervloekte dossiers van je, Jason. Je kunt ze niet zomaar in je eigen kluis houden. Als jou iets overkomt, hebben wij geen idee hoe we die agenten van jou, Lysander en Orion, moeten benaderen. Je moet je procedures toch in het centrale register opslaan.'

Het was ruim een jaar geleden sinds het eerste verraad van Aldrich Ames, en zes maanden geleden dat de catastrofe van de vermiste agenten aan het licht was gekomen. De schuldige zat nog steeds in Rome. Officieel ging de jacht nog door, maar de vaart was eruit.

'Er bestaat een oude wijsheid: als iets niet kapot is, moet je het niet repareren,' vond Monk. 'Die mannen wagen hun leven voor ons. Ze kennen mij en ik ken hen. We vertrouwen elkaar. Laat het maar zoals het is,' drong hij aan.

Jordan kende de vreemde band die tussen een spion en zijn contactman kon ontstaan. Het was een relatie waar de CIA officieel bezwaar tegen had, om twee redenen. De contactman kon naar een andere functie worden overgeplaatst, met pensioen gaan of overlijden. Als ze een te persoonlijke verhouding hadden gehad, zou de spion diep in het hart van Rusland kunnen besluiten dat hij niet met een andere contactman in zee wilde gaan. Aan de andere kant, als de spion iets overkwam, kon de CIA-man zo depressief raken dat hij zijn werk niet meer goed kon doen. Een spion die jarenlang actief bleef, had daarom meestal verschillende contactpersonen. Monks nauwe relatie met zijn twee spionnen beviel Jordan niet erg. Het was... tegen de voorschriften.

Maar Monk was nu eenmaal een vreemde vogel. Zonder dat Jordan het wist, had Monk de gewoonte om zijn twee informanten (Turkin was uit Madrid naar Moskou teruggehaald en leverde uitstekend materiaal vanuit het hart van het Directoraat K van het Eerste Hoofddirectoraat) behalve hun instructies ook lange persoonlijke brieven te sturen.

Jordan koos ten slotte voor een compromis. De dossiers met de gegevens van de mannen, waar en hoe ze waren gerekruteerd, waar ze werkten en hoe hij contact met hen opnam – alles, behalve hun namen, maar genoeg om hen te kunnen identificeren – zouden in de persoonlijke kluis van de DDO worden opgeslagen. Als iemand ze wilde inzien, zou hij dat aan de DDO zelf moeten vragen, met goede redenen. Daar ging Monk mee akkoord, en de dossiers werden overgebracht.

Inspecteur Novikov had gelijk. De volgende morgen, 5 augustus, meldde rechercheur Chernov zich inderdaad bij de ambassade. Jock Macdonald liet hem naar zijn kantoor brengen, waar hij zich voordeed als attaché van de kanselarij.

'Waarschijnlijk hebben we de man gevonden die in het appartement van uw collega heeft ingebroken,' zei Chernov.

'Gefeliciteerd, inspecteur.'

'Helaas is hij dood.'

'O. Maar hebt u wel een foto?'

'Ja. Van het lijk. Het gezicht, tenminste. En...' Hij klopte op een linnen tas die hij bij zich had. 'En de overjas die hij vermoedelijk droeg.'

Hij legde een glanzende foto op Macdonalds bureau. Het was een gruwelijke opname, maar het gezicht was hetzelfde als op de krijttekening.

'Ik zal juffrouw Stone vragen of ze die ongelukkige man kan identificeren.'

Celia Stone werd binnengebracht door Fields, die bij het gesprek aanwezig bleef. Macdonald waarschuwde haar dat het een akelige foto was, maar hij vroeg haar toch of ze wilde kijken. Ze wierp een blik op de foto en sloeg haar hand voor haar mond. Chernov haalde de gerafelde legerjas uit de tas en hield hem omhoog. Celia keek wanhopig naar Macdonald en knikte.

'Ja, dat is hem. Dat was de man die...'

'Die je uit je flat zag vluchten. Natuurlijk. Criminelen krijgen weleens ruzie, inspecteur. Dat zal hier niet anders zijn dan overal.'

Celia Stone werd weggeleid.

'Mag ik u uit naam van de Britse regering zeggen dat u uitstekend werk hebt gedaan, inspecteur? We zullen de naam van de man misschien nooit te weten komen, maar dat maakt nu weinig meer uit. De arme schooier is dood. Ik kan u verzekeren dat wij een heel gunstig rapport zullen schrijven aan de commandant van de Moskouse militia,' zei Macdonald tegen de stralende Rus.

Toen hij de ambassade verliet en in zijn auto stapte, had Chernov een warm gevoel. Zodra hij terug was in Petrovka droeg hij het hele dossier van Inbraak aan Moordzaken over. Dat er nog een tweede inbreker was geweest, deed er niet toe. Zonder signalement of een getuigenis van zijn dode makker, zouden ze hem toch nooit kunnen vinden.

Nadat Chernov was vertrokken, stapte Fields weer bij Macdonald binnen. De bureauchef schonk zich een kop koffie in.

'Wat denk je ervan?' vroeg hij.

'Mijn informant zegt dat de man is doodgeslagen. Hij heeft een collega bij het bureau Vermiste Personen, die de tekening aan een muur zag hangen en het gezicht herkende. Volgens het sectierapport heeft die ouwe vent ongeveer een week in de bossen gelegen voordat hij werd gevonden.'

137

'En wanneer was dat?'
Fields las de gegevens door die hij meteen na zijn gesprek in de Carrousel had genoteerd.
'Op 24 juli.'
'Dus... hij is ergens op de 17e of de 18e vermoord. De dag nadat hij dat dossier in de auto van Celia Stone had gegooid. De dag waarop ik naar Londen ben gevlogen. Die jongens laten er geen gras over groeien.'
'Welke jongens?'
'Nou, ik durf er een miljoen pond onder te wedden, tegen een glas verschaald bier, dat die gorilla's voor die klootzak van een Grishin werkten.'
'Komarovs veiligheidschef?'
'Ja, zo kun je hem noemen,' zei Macdonald. 'Heb je zijn dossier weleens gelezen?'
'Nee.'
'Moet je doen. Hij heeft bij het Tweede Hoofddirectoraat gewerkt, als ondervrager. Een smerig stuk vreten.'
'Als ze hem uit wraak hebben doodgeslagen, wie was die oude man dan?' vroeg Fields. Macdonald staarde uit het raam naar het Kremlin aan de overkant van de rivier.
'Waarschijnlijk de dief zelf.'
'Maar hoe heeft zo'n oude zwerver dat manifest te pakken gekregen?'
'Ik kan alleen bedenken dat hij daar werkte, in een ondergeschikt baantje, en dat dossier ergens heeft zien liggen. Zuiver geluk – of pech, goed beschouwd. Weet je, ik vind dat die politieman van jou een hele vette bonus heeft verdiend.'

Buenos Aires, juni 1987

Het was een slimme jonge agent van het CIA-bureau in de Argentijnse hoofdstad die voor het eerst vermoedde dat er misschien een schoonheidsfoutje kleefde aan Valeri Yurevich Kruglov, de eerste secretaris op de Russische ambassade. De chef van de jonge agent overlegde met Langley.
De Latijns-Amerikaanse divisie had al een dossier over hem, omdat Kruglov halverwege de jaren zeventig ook in Mexico Stad actief was geweest. Ze wisten dat hij een expert op het gebied van Latijns-Amerika was. Hij had drie verschillende posten achter de rug, met twintig jaar ervaring bij de Russische buitenlandse dienst. En omdat hij zo vriendelijk en sociaal leek, vermeldde het dossier zijn hele carrière.
Valeri Kruglov, geboren in 1944, was de zoon van een diplomaat – ook al een kenner van Latijns-Amerika. De jongen had het aan zijn vader te dan-

138

ken dat hij was toegelaten tot het elitaire Instituut voor Internationale Betrekkingen, het MGIMO, waar hij Spaans en Engels leerde. Daar studeerde hij van 1961 tot 1966. Daarna werd hij twee keer naar Zuid-Amerika gestuurd, naar Colombia toen hij nog heel jong was, en tien jaar later naar Mexico, voordat hij opeens weer opdook als eerste secretaris op de ambassade in Buenos Aires.

De CIA was ervan overtuigd dat hij niet voor de KGB werkte, maar een echte diplomaat was. Hij stond bekend als een vrij liberale, mogelijk zelfs pro-Westerse Rus, zeker geen verstokte *homo sovieticus*. De reden waarom de jonge CIA-agent in de zomer van 1987 achterdocht kreeg, was een gesprek van Kruglov met een Argentijn, die de Amerikanen had verteld dat Kruglov binnenkort naar Moskou zou teruggaan, nooit meer een post in het buitenland zou krijgen en flink op zijn salaris zou worden gekort.

Omdat hij een Rus was, werd de SE-divisie ingelicht. Harry Gaunt stelde voor om iemand op hem af te sturen. Jason Monk, die Spaans en Russisch sprak, kwam het meest in aanmerking. Jordan was het met hem eens.

Het leek eenvoudig genoeg. Kruglov had nog maar een maand te gaan. Zoals de tekst van het liedje luidde: *It's now or never.*

Vijf jaar na de Falklands-oorlog was Argentinië weer een democratie en Buenos Aires een vrije stad. Het was geen enkel probleem voor een Amerikaanse zakenman, met een meisje van de Amerikaanse ambassade als gezelschap, om Kruglov op een receptie te ontmoeten. Monk raakte met hem in gesprek en stelde voor om ergens te gaan eten.

De Rus, die als eerste secretaris een redelijke vrijheid kreeg van zijn ambassadeur en de KGB, had wel zin in een etentje met iemand van buiten de diplomatie. Monk verzon een verhaal dat gebaseerd was op het werkelijke leven van zijn voormalige Franse lerares, mevrouw Brady. Hij vertelde dat zijn moeder tolk bij het Rode Leger was geweest en na de val van Berlijn verliefd was geworden op een jonge Amerikaanse officier. Tegen alle regels in waren ze ertussenuit geknepen en getrouwd in het Westen. Thuis was Monk dus tweetalig opgevoed, met Engels en Russisch. Daarna gingen ze in het Russisch over, tot opluchting van Kruglov, die uitstekend Spaans sprak, maar moeite had met Engels.

Binnen twee weken was Kruglovs werkelijke probleem duidelijk geworden. Hij was drieënveertig, gescheiden, had twee kinderen in de tienerleeftijd, terwijl hij nog steeds een appartement deelde met zijn ouders. Als hij zo'n twintigduizend dollar had, zou hij een eigen flatje in Moskou kunnen kopen. Monk, zogenaamd een rijke polo-speler die in Argentinië was om een paar nieuwe paarden te bekijken, wilde zijn nieuwe vriend dat bedrag graag lenen.

De bureauchef van de CIA stelde voor om de overdracht van het geld te fotograferen, maar daar voelde Monk niets voor.

'Chantage heeft geen zin. Hij moet vrijwillig meewerken, anders wordt het niks.'

Hoewel Monk lager in rang was, liet de bureauchef de beslissing aan hem over. De strategie die Monk gebruikte was het conflict tussen de liberalen en de oorlogshitsers. Mikhail Gorbatsjov, merkte hij op, was erg populair in de Verenigde Staten. Dat wist Kruglov ook, en daar was hij blij om. Hij was een groot aanhanger van Gorbatsjov.

Gorby probeerde oprecht de oorlogsmachine af te remmen, zei Monk, om vrede en vertrouwen te kweken tussen de twee volkeren. Het probleem was alleen dat er aan beide kanten nog verstokte haviken waren, zelfs op het Russische ministerie van Buitenlandse Zaken. Die zouden proberen het proces te doorkruisen. Het zou dus prettig zijn als Kruglov zijn nieuwe vriend kon vertellen wat er zich werkelijk afspeelde op het ministerie. Tegen die tijd begreep Kruglov natuurlijk heel goed hoe de vork in de steel zat. Hij was niet eens verbaasd.

Voor Monk, een enthousiaste sportvisser, was het net alsof hij een tonijn binnenhaalde die zich bij het onvermijdelijke had neergelegd. Kruglov kreeg zijn dollars en een pakketje met communicatiemiddelen. Gegevens over zijn persoonlijke omstandigheden moesten in onzichtbare inkt in een onschuldige brief naar een 'gewoon' adres in Oost-Berlijn worden gestuurd. Alle geheime inlichtingen moesten worden gefotografeerd en via een geheime bergplaats in Moskou aan het CIA-bureau op de Amerikaanse ambassade worden doorgegeven.

Ze omhelsden elkaar toen ze afscheid namen, in Russische stijl.

'Niet vergeten, Valeri,' zei Monk. 'Wij... de goede kant... wij zullen winnen. Binnenkort is al die ellende achter de rug, ook dankzij ons. Als je me ooit nodig hebt, bel je maar, dan kom ik meteen.'

Kruglov stapte op het vliegtuig naar Moskou en Monk ging naar Langley terug.

'Met Boris. Ik heb hem.'

'Wat heb je?'

'De foto die je wilde. Het dossier is overgeheveld naar Moordzaken. Die klootzak van een Chernov heeft zijn handen ervan af getrokken. Ik heb een van de beste foto's achterovergedrukt. De ogen zijn gesloten, dus het ziet er niet zo gruwelijk uit.'

'Mooi werk, Boris. Ik heb een envelop in mijn zak met vijfhonderd pond erin. Maar ik wilde je nog iets vragen. Dan wordt die envelop nog dikker – duizend pond.'

In zijn telefooncel haalde inspecteur Novikov diep adem. Hij kon niet eens zo gauw uitrekenen hoeveel miljoenen roebels duizend Britse ponden vertegenwoordigen. Meer dan een jaarsalaris, dat wel.

'Ga door.'

'Ik wil je vragen om naar de directeur personeelszaken van het partijbureau van de UPK te gaan en hem die foto te laten zien.'

'De wàt?'

'De Unie van Patriottische Krachten.'

'Wat heeft die er in godsnaam mee te maken?'

'Dat weet ik niet. Het is maar een vermoeden. Misschien hebben zij die man al eens eerder gezien.'

'Hoezo?'

'Dat weet ik niet, Boris. Het zou kunnen. Het is maar een idee.'

'Wat voor excuus moet ik opgeven?'

'Je bent inspecteur bij Moordzaken. Je stelt een onderzoek in. Je volgt een spoor. Het slachtoffer is gesignaleerd in de buurt van het partijbureau. Misschien heeft hij geprobeerd om in te breken. Hebben de bewakers hem soms gezien? Je verzint maar wat.'

'Goed. Maar dit zijn belangrijke mensen. Als ik word gearresteerd, is het jouw schuld.'

'Gearresteerd? Hoezo? Je bent een gewone smeris die zijn werk doet. Deze inbreker is gezien in de omgeving van het partijbureau van Igor Komarov, bij de Kiselny Boulevard. Het is jouw taak om hen te waarschuwen, zelfs al is de man nu dood. Hij was misschien lid van een bende. Hij hield het gebouw misschien in de gaten. Nee, jou kan niets gebeuren. Doe het nou maar, dan krijg je die duizend pond.'

Yevgeni Novikov mopperde nog wat en hing op. Die *Anglichanye* waren niet goed wijs, dacht hij. Die ouwe vent had alleen maar ingebroken in een van hun appartementen. Maar vooruit, duizend pond was een heleboel geld.

Moskou, oktober 1987

Kolonel Anatoli Grishin was gefrustreerd. Hij voelde zich als iemand die zijn beste tijd gehad had, zonder de kans om nog ooit iets nuttigs te doen.

De laatste ondervraging van de spionnen die door Ames waren verraden was allang voorbij. De doodsbange slachtoffers waren als citroenen uitgeperst. Twaalf van hen hadden huilend in de kelders onder de Lefortovo gelegen voordat ze naar boven werden gesleept om te worden verhoord door de beulen van het Eerste en Tweede Hoofddirectoraat. Wie zich verzette of aan geheugenverlies leed, werd naar Grishins speciale kamertje gebracht.

Tegen Grishins advies in, hadden twee van de mannen niet de doodstraf gekregen, maar een lange straf in een werkkamp. Ze hadden maar heel kort voor de CIA gespioneerd of waren zo laag in rang dat ze niet veel kwaad hadden aangericht. De rest was ter dood veroordeeld. Negen van hen waren terechtgesteld op het grind van de binnenplaats achter de geïsoleerde gevangenisvleugel. Geknield hadden ze gewacht op de kogel in het achterhoofd. Grishin was erbij geweest als hoogste officier.

Slechts een van de verraders werd in leven gehouden, op aandringen van Grishin zelf. Hij was de oudste van allemaal. Generaal Dmitri Polyakov werkte al twintig jaar voor Amerika voordat hij werd verraden. In feite was hij al gepensioneerd toen hij in 1980 voor het laatst naar Moskou terugkeerde.

Hij had nooit geld aangenomen. Hij had het alleen gedaan uit afkeer van het sovjetregime en het optreden van de regering. Dat zei hij ook. Hij zat kaarsrecht in zijn stoel en vertelde hun hoe hij over hen dacht. Hij toonde meer moed en waardigheid dan alle anderen. Hij smeekte niet om zijn leven. En omdat hij zo oud was, had hij weinig actuele informatie kunnen doorgeven. Hij kende de laatste geheimen niet en kon zijn ondervragers alleen de namen noemen van CIA-agenten die al met pensioen waren.

Toen het achter de rug was, had Grishin zo'n diepe haat tegen de oude generaal opgevat, dat hij besloot hem in leven te houden voor een bijzondere behandeling. De oude man lag nu in zijn eigen uitwerpselen op een stenen bank, en huilde. Zo nu en dan wierp Grishin een blik door de tralies van de cel om te kijken hoe de generaal zijn vernederingen onderging. Pas op 15 maart 1988 werd Polyakov op bevel van generaal Boyarov eindelijk uit zijn lijden verlost.

'Het punt is, mijn waarde collega,' had Boyarov tegen Grishin gezegd, 'dat we klaar zijn met ons werk. De Rattenvangersgroep kan worden opgeheven.'

'We zoeken nog één man, die Amerikaan over wie ze het steeds hebben bij het Eerste Hoofddirectoraat. De man die spionnen in Rusland heeft gerekruteerd maar nog altijd niet is gepakt.'

'De man die ze niet kunnen identificeren. Geruchten, beste collega. Niemand van de verraders had ooit van hem gehoord.'

'Maar als we toch een van zijn spionnen te pakken krijgen?' vroeg Grishin.

'Dan zullen ze moeten boeten,' zei Boyarov. 'Als onze agent in Washington hun namen weet te vinden, kun je de Rattenvangersgroep weer bijeen roepen en opnieuw beginnen. Misschien onder een nieuwe naam: het Monakh-comité.'

Grishin snapte het niet, maar Boyarov moest er bulderend om lachen. *Monakh* is het Russische woord voor 'monnik'. Net als het Amerikaanse *monk*.

Als Pavel Volsky dacht dat hij van de patholoog van het mortuarium verlost was, dan had hij zich vergist. Op 7 augustus, dezelfde morgen dat zijn vriend Novikov een geheim gesprek had met een officier van de Britse inlichtingendienst, ging Volsky's telefoon.

'Met Kuzmin,' zei een stem. Volsky zweeg.

'Professor Kuzmin van het Tweede Medische Instituut. We hebben elkaar een paar dagen terug gesproken over mijn sectie op een onbekend slachtoffer.'

'O ja. Wat kan ik voor u doen, professor?'

'Het is eerder omgekeerd. Misschien heb ik iets voor u.'

'Dank u. Wat dan?'

'Vorige week is er een lijk uit de Moskva gevist, bij Lytkarino.'

'Dat is toch hùn zaak?'

'Jawel, Volsky, maar een van die slimme jongens bedacht dat het lijk ongeveer twee weken in het water had gelegen en in die tijd waarschijnlijk door de stroming uit Moskou was meegevoerd. Daarom hebben die etters het lichaam naar ons teruggestuurd. Ik ben er net mee klaar.'

Volsky dacht na. Twee weken in het water, hartje zomer. De professor moest een maag hebben als een cementmolen.

'Vermoord?' vroeg hij.

'Integendeel. Hij droeg alleen een onderbroek. Waarschijnlijk een eindje gaan zwemmen in de hitte, in problemen geraakt en verdronken.'

'Dan is het een ongeluk. Daarvoor moet u niet bij mij zijn. Ik zit bij Moordzaken.'

'Luister, jongeman, en luister goed. Normaal hadden we het lichaam nooit kunnen identificeren. Maar die idioten in Lytkarino hebben iets over het hoofd gezien. De vingers waren zo opgezwollen dat het vlees eroverheen puilde. Een trouwring. Massief goud. Ik moest de vinger afhakken om die ring los te krijgen. Maar in de ring stond een inscriptie: "N.I. Akopov. Van Lidia." Bruikbaar?'

'Heel goed, professor. Maar als het geen moord is...'

'Hoor eens, hebt u weleens contact met Vermiste Personen?'

'Natuurlijk. Elke week krijg ik een map met foto's om te zien of ik iemand herken.'

'Nou, een man met een dikke gouden trouwring zal wel familie hebben. En als hij al drie weken wordt vermist, zullen ze de politie hebben gewaarschuwd. Ik dacht dat u mijn speurwerk misschien kon gebruiken om een punt te scoren bij uw vrienden van Vermiste Personen. Ik ken daar niemand, daarom heb ik u gebeld.'

Volsky's gezicht klaarde op. Hij vroeg altijd gunsten van Vermiste Personen. Nu zou hij iets terug kunnen doen om wat krediet op te bouwen. Hij noteerde de bijzonderheden, bedankte de professor en hing op.

Zijn gebruikelijke contactman bij Vermiste Personen kwam na tien minuten aan de lijn.

'Hebben jullie iemand op de lijst die N.I. Akopov heet?' vroeg Volsky. Zijn collega controleerde de gegevens en meldde zich weer.

'Jazeker. Hoezo?'

'Wat zijn de gegevens?'

'Op 17 juli als vermist opgegeven. Niet van zijn werk thuisgekomen. Sinds de vorige avond niet meer gezien. De vermissing is aangegeven door zijn vrouw. Naaste familie...'

'Mevrouw Lidia Akopov?'

'Hoe weet jij dat? Ze is hier al vier keer geweest om te informeren. Waar is die vent?'

'In een koelcel in het mortuarium van het Tweede Medische Instituut. Verdronken bij het zwemmen. Hij is vorige week bij Lytkarino uit de rivier gevist.'

'Mooi. Zijn vrouw zal blij zijn. Dat het raadsel is opgelost, bedoel ik. Je weet zeker niet wie hij is... of was?'

'Geen idee,' zei Volsky.

'De privé-secretaris van Igor Komarov.'

'De politicus?'

'Onze volgende president, ja. Niemand minder. Bedankt, Pavel. Ik ben je wat schuldig.'

Dat ben je zeker, dacht Volsky, en hij ging weer verder met zijn werk.

Oman, november 1987

Carey Jordan werd die maand gedwongen om ontslag te nemen. Niet vanwege de vlucht van Edward Lee Howard of de vermiste agenten, maar vanwege het Iran-Contra-schandaal. Het bevel om de Nicaraguaanse Contra's te steunen in hun strijd om de marxistische Sandinista's ten val te brengen, was jaren geleden uit het Oval Office zelf gekomen. Bill Casey, de directeur van de CIA, was bereid geweest die orders uit te voeren, maar het Congres had nee gezegd en geen geld beschikbaar gesteld. Casey en anderen, woedend over de weigering van het Congres, hadden vervolgens het geld bijeengebracht door illegaal wapens aan Teheran te verkopen.

Toen het allemaal uitkwam, had Casey in december 1986 een hartaanval gekregen in zijn kantoor in Langley. Dat kwam iedereen goed uit. Casey kwam nooit meer terug en overleed in mei 1987. President Reagan benoemde de 'politiek correcte' William Webster, de directeur van de FBI, als zijn opvolger. Carey Jordan had de orders van zijn president en zijn directeur loyaal uitgevoerd, maar de één leed nu aan geheugenverlies en de ander was dood.

Jordans plaats als DDO werd ingenomen door de CIA-veteraan Richard Stoltz, die al zes jaar met pensioen was. Daarom had hij nooit iets te maken gehad met de Iran-Contra-affaire. Hij wist ook niets van de problemen bij de SE-divisie, twee jaar geleden. Omdat hij zijn draai nog moest vinden, namen de bureaucraten de macht over. Er werden drie dossiers uit de kluis van de afgetreden DDO gehaald en opgenomen in het centrale register, de 301-dossiers, of wat daar nog van over was. Ze bevatten de gegevens over drie agenten: Lysander, Orion en een nieuwe spion, Delphi.

Jason Monk wist hier niets van. Hij was met vakantie in Oman. Altijd op zoek naar nieuwe visstekjes, had hij in de bladen gelezen dat er in november en december grote scholen tonijn voorbij de kust van de hoofdstad Muscat zwommen.

Uit beleefdheid had hij zich nog even gemeld bij het eenmansbureau van de CIA op de ambassade in Oman, in het hartje van het oude Muscat, dicht bij het paleis van de sultan. Hij had een borrel gedronken met zijn collega, maar niet verwacht dat hij hem daarna nog terug zou zien.

Omdat hij wat te lang in de zon had gezeten, besloot hij de derde dag aan wal te blijven om inkopen te doen. Hij had op dat moment een relatie met een mooie blondine van Buitenlandse Zaken en hij nam een taxi naar de soukh van Mina Qaboos om te zien of hij tussen de kraampjes met wierook, kruiden, stoffen, zilver en antiek iets leuks voor haar kon vinden.

Hij koos een mooi bewerkte zilveren koffiepot met een lange tuit, lang geleden gemaakt door een zilversmid hoog in de Jebel. De eigenaar van het antiekzaakje pakte de pot in en deed hem in een plastic draagtas.

Al gauw raakte Monk verdwaald in het labyrint van steegjes en pleintjes, en ten slotte kwam hij niet aan de kade, maar ergens in de binnenstad uit. Hij liep een steegje door dat niet breder was dan zijn schouders en stond plotseling op een kleine binnenplaats met twee smalle ingangen recht tegenover elkaar. Een man stak het plaatsje over. Hij leek een Europeaan.

Achter hem liepen twee Arabieren. Op het moment dat zij de binnenplaats bereikten, rukten ze allebei een kromme dolk achter hun gordel vandaan en renden langs Monk heen op hun slachtoffer af.

Monk reageerde zonder na te denken. Hij zwaaide met de draagtas en raakte een van de overvallers vol tegen de zijkant van zijn hoofd. De klap van de zware koffiepot was voldoende om de man te laten neergaan.

De andere Arabier aarzelde, gevangen tussen twee vuren. Ten slotte koos hij voor Monk. Hij hief zijn glinsterende mes op, maar Monk dook onder zijn arm, ving de klap op en ramde zijn vuist tegen de vuile *disjdasj* ter hoogte van het middenrif.

De man bleef op de been. Hij kreunde, greep zijn mes en ging er snel vandoor. Zijn kameraad krabbelde overeind en rende achter hem aan. Zijn mes bleef op de grond achter.

De Europeaan had zich omgedraaid en alles gezien zonder een woord te zeggen. Blijkbaar begreep hij dat hij zou zijn neergestoken als de blonde Amerikaan niet tussenbeide was gekomen. Monk zag een slanke jongeman met een olijfkleurige huid en donkere ogen. Hij droeg een wit overhemd en een donker pak. Monk wilde juist iets zeggen toen de vreemdeling zich met een kort knikje omdraaide en verdween.

Monk bleef staan om de dolk op te rapen. Het was geen Omaanse *kunja*. Bovendien bestonden er geen Omaanse straatrovers. Het was een Yemenitische *gambiah*, met een eenvoudig recht heft. Monk vermoedde waar de overvallers vandaan kwamen. Het waren Audhali of Aulaqi, stammen die binnen de Yemenitische grens woonden. Wat deden ze dan helemaal in Oman, en waarom hadden ze die jonge Westerling willen vermoorden?

In een opwelling ging hij terug naar de ambassade en meldde zich weer bij de CIA-man.

'Heb je toevallig een fotoboek van onze vrienden op de Russische ambassade?' vroeg hij.

Het was algemeen bekend dat de Sovjetunie zich na het fiasco van de burgeroorlog volledig uit Yemen had teruggetrokken en de Moskou-gezinde Yemenitische regering verarmd en verbitterd aan haar lot had overgelaten. Woedend over deze vernedering, zoals zij het zagen, hadden de Yemenieten zich tot het Westen gewend voor geld en kredieten om de economie draaiende te houden. Vanaf dat moment liep het leven van iedere Rus in Yemen groot gevaar. Niemand wordt immers zo gehaat als een vriend die je heeft verraden. Maar eind 1987 had de Sovjetunie een grote ambassade in het zeer anti-communistische Oman gevestigd om de pro-Britse sultan het hof te maken.

'Nee, die heb ik niet,' zei Monks collega, 'maar de Britten wel, neem ik aan.'

Het was maar een klein eindje lopen vanaf de Amerikaanse ambassade met haar smalle, vochtige gangetjes naar het veel comfortabeler Britse consulaat. Ze liepen langs de zware, bewerkte houten deuren, knikten naar de wachtpost en staken de binnenplaats over. Het klassieke complex was ooit de woning van een rijke handelaar geweest.

Tegen een muur van de binnenplaats zat een plaquette die was achtergelaten door een Romeins legioen dat de woestijn in was getrokken en nooit teruggekeerd. Midden op de plaats stond de Britse vlaggemast die lang geleden een slaaf zijn vrijheid garandeerde als hij hem kon bereiken. Ze sloegen linksaf naar het ambassadegebouw zelf, waar de bureauchef van de SIS al op hen zat te wachten. Ze schudden handen.

'Wat is het probleempje, beste kerel?' vroeg de Engelsman.

'Het probleempje,' antwoordde Monk, 'is dat ik zojuist iemand in de soukh heb gezien die misschien wel een Rus zou kunnen zijn.'

Het was maar een klein detail, maar de man in de soukh had de open kraag van zijn overhemd over zijn jasje heen gedragen, zoals Russen vaak doen, maar Westerlingen zelden.

'Nou, ik zal je de foto's laten zien,' zei de Brit.

Hij nam hem mee langs de stalen veiligheidsdeuren, de koele zuilenhal door en de trap op. Het SIS-bureau zat op de bovenste verdieping. De SIS-chef haalde een album uit een kluis en Monk bladerde het door.

Alle medewerkers van de nieuwe Russische ambassade stonden erin, gefotografeerd op het vliegveld, op een terrasje of als ze een straat overstaken. De jongeman met de donkere ogen was de laatste. Zijn foto was genomen toen hij bij aankomst in Oman door de hal van het vliegveld liep.

'De Omani's zijn heel behulpzaam met dit soort dingen,' zei de Brit. 'De Russen moeten hun komst aankondigen bij het ministerie van Buitenlandse Zaken hier, om zich te laten accrediteren. Wij krijgen alle gegevens. En zodra ze uit Rusland vertrekken, worden we getipt, zodat we ze met een telelens kunnen opwachten. Is dit de vent die je zoekt?'

'Ja. Weet je wat over hem?'

De SIS-man raadpleegde een stapel kaartjes.

'Ja, daar heb ik het. Hij is de derde secretaris, achtentwintig jaar, en hij heet Umar Gunayev. Tenzij het allemaal gelogen is, natuurlijk.'

'Nee,' zei Monk peinzend, 'hij leek me wel een Tsjetsjeen. En een moslim.'

'Een KGB-agent?' vroeg de Brit.

'Ja, absoluut.'

'Nou, bedankt voor de tip. Moeten we nog iets tegen hem ondernemen? Een klacht indienen bij de regering?'

'Nee,' zei Monk. 'We moeten allemaal ons brood verdienen. Het is handig om te weten wie hij is. Als ze hem het land uitzetten, sturen de Russen wel iemand anders.'

Toen ze terugwandelden, vroeg de CIA-chef aan Monk: 'Hoe wist je dat?'

'Intuïtie.'

Het was in feite wel wat meer. Hij had Gunayev al eens eerder gezien. Een jaar eerder, toen de Rus een jus d'orange zat te drinken in de bar van het Frontel in Aden. Monk was dus niet de enige die hem had herkend. De twee stamleden hadden hem ook ontdekt en besloten wraak te nemen voor de belediging die de Russen hun land hadden aangedaan.

Mark Jefferson kwam op 8 augustus met de middagvlucht op het vliegveld Sheremetyevo bij Moskou aan en werd opgewacht door de chef van het Russische bureau van *The Daily Telegraph.*

De belangrijkste politieke commentator van de krant was een kleine, kwieke man met dun rossig haar en een kort baardje in dezelfde tint. Het gerucht ging dat hij net zo kortaangebonden was als klein.

Een uitnodiging om met zijn collega en diens vrouw te gaan eten sloeg hij plompverloren af. Hij wilde zo snel mogelijk naar het dure National Hotel op het Manegeplein.

Daar aangekomen, zei hij tegen zijn collega dat hij Igor Komarov het liefst in zijn eentje zou interviewen en wel een huurauto zou regelen via het hotel. De collega droop af, duidelijk gepikeerd.

Jefferson liet zich inschrijven en zijn gegevens werden genoteerd door de manager zelf, een lange, hoffelijke Zweed. Zijn paspoort werd door de receptie ingenomen om de details te kopiëren en aan het ministerie van Toerisme door te geven. Voor zijn vertrek uit Londen had Jefferson zijn secretaresse gevraagd om het National te melden voor welke krant hij werkte en hoe belangrijk hij wel was.

Eenmaal in zijn kamer belde hij het nummer dat hem was gefaxt door Boris Kuznetsov, de pr-man van Igor Komarov.

'Welkom in Moskou, meneer Jefferson,' zei Kuznetsov in vloeiend Engels, met een licht Amerikaans accent. 'Meneer Komarov verheugt zich al op het gesprek.'

Dat was niet zo, maar Jefferson geloofde het onmiddellijk. Ze maakten een afspraak voor de volgende avond zeven uur, omdat de Russische politicus de hele dag de stad uit was. Een auto met chauffeur zou Jefferson van het hotel halen.

Tevreden liep de journalist naar de eetzaal om in zijn eentje te dineren, en dook toen zijn bed in.

De volgende morgen, na een ontbijt van eieren met spek, veroorloofde Mark Jefferson zich het onvervreemdbare genoegen van iedere Engelsman in een onbekend deel van de wereld: een eindje wandelen.

'Een eindje wandelen?' herhaalde de Zweedse manager fronsend. 'Waar had u dat willen doen?'

'Maakt niet uit. Even een frisse neus halen. De benen strekken. Een kijkje nemen bij het Kremlin, misschien.'

'We kunnen u de auto van het hotel ter beschikking stellen,' zei de manager. 'Veel comfortabeler, en een stuk veiliger.'

Maar daar wilde Jefferson niet van horen. Hij wilde een wandelingetje, en dus moest dat gebeuren. De manager wist hem nog wel te overreden om zijn horloge en al zijn buitenlandse geld in het hotel achter te laten en een bundeltje miljoen-roebelbiljetten mee te nemen voor de bedelaars. Genoeg om hen tevreden te stellen, maar te weinig om een beroving uit te lokken. Als hij geluk had.

De middelbare Britse journalist, die ondanks zijn reputatie zijn hele leven in Londen had gewerkt en nooit als correspondent naar de brandhaarden in de wereld was gestuurd, was binnen twee uur weer terug. Zichtbaar ontdaan.

Hij was twee keer eerder in Moskou geweest, de eerste keer tijdens het communistische bewind en de laatste keer acht jaar geleden, toen Jeltsin net aan de macht was. Beide keren hadden zijn ervaringen zich beperkt tot de taxi vanaf het vliegveld, een luxe hotel en het Britse diplomatieke kringetje. Hij had wel gedacht dat Moskou een grauwe en smerige stad was, maar deze ellende had hij niet voor mogelijk gehouden.

Hij zag er zo duidelijk buitenlands uit, dat hij zelfs al langs de rivier en in de Alexandrovsky Tuinen was omstuwd door de zwervers die overal op de loer lagen. Twee keer dacht hij dat hij door een jeugdbende werd achtervolgd. De enige auto's die hij had gezien waren politiewagens en de limousines van de rijken en machtigen. In elk geval had hij een paar indringende vragen voor Igor Komarov, die avond.

Toen hij een glas ging drinken voor de lunch – hij had voorlopig besloten om in het hotel te blijven totdat Kuznetsov hem kwam halen – zat hij in zijn eentje in de bar, afgezien van een vermoeide, blasé ogende Canadese zakenman. Zoals alle vreemdelingen in een bar raakten ze in gesprek.

'Hoe lang bent u al in de stad?' vroeg de man uit Toronto.

'Gisteravond aangekomen,' zei Jefferson.

'Blijft u lang?'

'Morgen ga ik weer terug naar Londen.'

'Bofkont. Ik zit hier al drie weken. Ik probeer zaken te doen, maar het is een raar land, dat zal ik u vertellen.'

'Geen succes?'

'O jawel, ik heb de contracten, ik heb het kantoor en ik heb de partners. Maar weet u wat er gebeurde?'

De Canadees kwam aan Jeffersons tafeltje zitten om zijn verhaal te doen.

'Ik kom hiernaartoe met alle contacten in de houtindustrie die ik nodig had. Dat dacht ik, tenminste. Ik huur een kantoor in een torenflat, maar twee dagen later wordt er op de deur geklopt. Er staat een keurige vent in een pak met een stropdas. "Morgen, meneer Wyatt," zegt hij, "ik ben uw nieuwe partner."'

'Kende u hem?' vroeg Jefferson.

'Nooit eerder gezien. Hij blijkt de afgezant van de plaatselijke mafia te zijn, en hij doet me een voorstel. Hij en zijn mensen krijgen vijftig procent van de winst, en in ruil daarvoor vervalsen ze alle vergunningen en papieren die

149

ik ooit nodig heb. Ze houden de ambtenaren onder de duim, zorgen ervoor dat alle spullen op tijd geleverd worden en drukken elke discussie over arbeidsverhoudingen de kop in. Voor de helft van alle inkomsten.'

'Dus u zei dat hij kon oplazeren?' vroeg Jefferson.

'Helemaal niet. Je leert hier snel. Dat noemen ze een "dak boven je hoofd". Protectie, dus. Als je geen protectie hebt, kom je nergens. Voornamelijk omdat ze dan je benen onder je vandaan blazen.'

Jefferson staarde hem ongelovig aan. 'God allemachtig. Ik had wel gehoord dat de criminaliteit hier heel gewelddadig was, maar zoiets...'

'Het is onvoorstelbaar, geloof me maar.'

Een van de verschijnselen die Westerse waarnemers na de val van het communisme het meest hadden verbaasd was de ogenschijnlijk bliksemsnelle opkomst van de Russische onderwereld, die – bij gebrek aan een betere benaming – de Russische mafia werd genoemd. Zelfs de Russen spraken na een tijdje over de *maffiya*. Sommige buitenlanders dachten dat het een nieuw verschijnsel was, dat pas was ontstaan na het einde van het communistische bewind. Niets was minder waar.

In Rusland bestond al eeuwen een omvangrijke criminaliteit. Maar anders dan de Siciliaanse mafia had de Russische onderwereld een eensgezinde leiding en geen buitenlandse aspiraties. Het was een grote broederschap met regionale en plaatselijke bendeleiders, een fanatieke loyaliteit aan de eigen groep en de bijbehorende tatoeages om dat te bewijzen.

Stalin had geprobeerd de georganiseerde misdaad uit te roeien en had duizenden criminelen naar de strafkampen gestuurd. Het enige gevolg was dat de *zeki* de feitelijke macht kregen in de kampen, met medewerking van de bewakers, die liever een rustig leven leidden dan voor de veiligheid van hun gezinnen te moeten vrezen. In veel gevallen leidden de *vory v zakone*, de 'dieven bij statuut' – vergelijkbaar met de mafiabazen in het Westen – vanuit de kampen hun organisaties in de buitenwereld.

Een van de ironische aspecten van de koude oorlog was dat het communisme waarschijnlijk tien jaar eerder zou zijn ingestort als de georganiseerde misdaad het systeem niet overeind had gehouden. Zelfs de partijbonzen werden tenslotte gedwongen om heimelijke akkoorden met de mafia te sluiten.

De reden was eenvoudig. De misdaad was het enige in de Sovjetunie dat nog efficiënt werd georganiseerd. Een fabrieksdirecteur die een belangrijk produkt op de markt bracht, zag zijn machines soms vastlopen door een defect in één enkele klep. Als hij via de gebruikelijke kanalen een nieuwe bestelde, kon dat zes tot twaalf maanden duren. Al die tijd lag zijn hele produktie stil.

Maar hij kon ook met zijn zwager gaan praten, die iemand kende met de juiste contacten. Dan was de klep er binnen een week. Later keek de fabrieksdirecteur dan een andere kant op als er een lading stalen platen verdween, die zijn weg vond naar een andere fabriek die daar weer om zat te springen. Vervolgens knoeiden beide directeuren met de boeken om aan te tonen dat ze hun 'normen' hadden gehaald.

In elke samenleving waar de combinatie van een verstarde bureaucratie en schandelijke incompetentie tot een volledige stilstand heeft geleid, is de zwarte markt het enige smeermiddel. Dat smeermiddel hield de Sovjetunie al die jaren op de been, zeker de laatste tien jaar, toen er helemaal niets anders meer was.

De onderwereld kon de zwarte markt heel eenvoudig controleren. Het enige verschil was dat de Russische mafia na 1991 veel openlijker optrad en haar macht en rijkdom nog verder vergrootte. De georganiseerde misdaad beperkte zich nu niet langer tot terreinen als alcohol, drugs, protectie en prostitutie, maar drong tot alle facetten van het leven door.

Indrukwekkend was de snelheid en meedogenloosheid waarmee de feitelijke overname van de Russische economie tot stand kwam. Drie factoren speelden daarbij een belangrijke rol. Om te beginnen was de Russische mafia nog veel gewelddadiger dan de Amerikaanse Cosa Nostra. Iedereen, Rus of buitenlander, die zich verzette tegen mafia-deelneming in een bedrijf, kreeg maar één waarschuwing, meestal een afranseling of brandstichting in de zaak. Wie dan nog niet meewerkte, werd eenvoudigweg vermoord. Dat gold voor iedereen, tot en met de hoogste bazen van de grote banken.

De tweede factor was de machteloosheid van de politie, die in geen enkel opzicht tegen deze vloedgolf van criminaliteit was opgewassen. Ze had te weinig geld, te weinig mensen en te weinig ervaring om te kunnen optreden tegen de uitbarsting van geweld na de val van het communisme. En ten slotte was er de onuitroeibare Russische traditie van corruptie. De gierende inflatie van 1991 tot 1995 droeg daar nog aan bij.

Onder het communisme was de roebel nog twee dollar waard, een belachelijke koers die niets met de werkelijke waarde en koopkracht te maken had, maar kunstmatig in stand werd gehouden door de Sovjetunie, die geen gebrek had aan geld, maar wel aan goederen. De inflatie holde de spaartegoeden uit en maakte armoedzaaiers van werknemers met een vast salaris.

Als een agent wekelijks minder verdient dan de prijs van zijn sokken, is het logisch dat hij een bankbiljet aanneemt dat in een vervalst rijbewijs zit gevouwen.

Maar dat waren centenkwesties. De Russische mafia wist ook de hoogste ambtenaren in haar greep te krijgen, zodat zij ten slotte de hele bureaucratie kon manipuleren – en de bureaucratie was àlles in Rusland.

Vergunningen, volmachten, onroerend goed, concessies, licenties – alles kon gemakkelijk van de betreffende ambtenaren worden gekocht, waardoor de mafia astronomische winsten maakte.

De Russische criminelen maakten ook indruk op buitenstaanders door de snelheid waarmee ze vanuit de traditionele misdaadterreinen (die ze stevig in hun greep hielden) in de legitieme zakenwereld wisten door te dringen. Het had een generatie geduurd voordat de Amerikaanse Cosa Nostra besefte dat legitieme bedrijven, gekocht met crimineel geld, een goede manier waren om de winsten te vergroten en zwart geld wit te wassen. De Russen hadden dat al binnen vijf jaar in de gaten en in 1995 bezaten of controleer-den ze veertig procent van de nationale economie. Tegen die tijd hadden ze hun activiteiten ook naar het buitenland uitgebreid, vooral op drie terreinen: wapens, drugs en verduistering, ondersteund door grof geweld. Daarbij richtten ze zich op heel West-Europa en Noord-Amerika.

Het probleem was dat ze het tegen 1998 een beetje te gek hadden gemaakt. Door pure hebzucht hadden ze de economie geplunderd waar ze zelf van leefden. In 1996 werd voor vijftig miljard Amerikaanse dollars aan Russi-sche rijkdommen – voornamelijk goud, diamanten, edelmetalen, olie, gas en hout – gestolen en illegaal geëxporteerd. De goederen werden gekocht met praktisch waardeloze roebels, en dan nog tegen afbraakprijzen, van corrupte bureaucraten, en vervolgens in het buitenland tegen dollars verkocht. Som-mige van die dollars werden weer omgewisseld voor een kapitaal aan roe-bels, om nog meer misdaad en omkoperij te financieren. De rest werd in het buitenland op rekening gezet.

'Het probleem is,' zei Wyatt somber, terwijl hij van zijn bier dronk, 'dat het land daardoor is leeggebloed. De corrupte politici, de nog corruptere ambte-naren en de criminelen hebben samen de kip met de gouden eieren geslacht. Hebt u ooit iets gelezen over de opkomst van het Derde Rijk?'

'Ja, lang geleden. Hoezo?'

'Herinnert u zich de beschrijvingen van de laatste dagen van de Weimar Republiek? De rijen werklozen, de misdaad op straat, de waardeloze spaar-gelden, de gaarkeukens, de ruziënde dwergen in de Reichstag die elkaar voor rotte vis uitscholden terwijl het land bankroet ging? Nou, dat is precies wat hier gebeurt. Van voren af aan. Verdomme, ik moet weg. Ik heb bene-den een lunchafspraak. Leuk om even gepraat te hebben, meneer...'

'Jefferson.'

De naam deed geen lampje branden. Blijkbaar las Wyatt niet *The Daily Telegraph*.

Interessant, dacht de Londense journalist toen de Canadees was opgestapt. Al zijn knipsels uit het archief van de krant wezen erop dat de man die hij van-avond ging interviewen waarschijnlijk de enige was die het land kon redden.

152

De lange zwarte Chaika kwam Mark Jefferson om half zeven halen. Jefferson stond al bij de ingang. Hij was een man van de klok en verwachtte van anderen hetzelfde. Hij droeg een donkergrijze broek, een blazer, een fris wit katoenen overhemd en zijn das van de Garrick Club. Hij zag er net íets te keurig uit – op en top een Engelsman.

De Chaika slingerde zich door de avondspits, in noordelijke richting naar de Kiselny Boulevard, tot aan de zijstraat vlak voor de Tuin Ringweg. Toen de wagen naar het groene stalen hek reed, drukte de chauffeur op de knop van een apparaatje dat hij uit zijn jaszak haalde.

De camera's op de muur registreerden de naderende auto en de wachtpost bij het hek keek op de monitor en controleerde het nummerbord van de Chaika. Het nummer kwam overeen met dat op zijn lijst en hij opende het hek.

Zodra de auto was gepasseerd, schoof het hek weer dicht en liep de wacht-post naar het raampje van de Chaika toe. Hij bekeek de legitimatie van de chauffeur, wierp een blik achterin, knikte en liet de stalen punten in het wegdek zakken.

Kuznetsov, die door de wachtpost was gewaarschuwd, stond al in de deur-opening van het grote herenhuis om zijn gast te verwelkomen. Hij bracht de Britse journalist naar een fraai ingerichte ontvangsthal op de eerste verdie-ping, naast Komarovs eigen suite en het kantoor waar wijlen N.I. Akopov ooit had gewerkt.

Van Igor Komarov mocht er niet gedronken of gerookt worden in zijn nabij-heid, iets wat Jefferson niet wist en ook nooit te weten zou komen omdat niemand het noemde. Een Rus die sterke drank afwijst was een zeldzaam-heid in een land waar drinken bijna een bewijs van mannelijkheid is. Jefferson, die een aantal video's van Komarov in zijn rol van volksheld had bekeken, had hem gezien met het verplichte glas in zijn hand, terwijl hij de ene na de andere toost uitbracht, zonder zichtbare gevolgen. Hij wist niet dat de man gewoon bronwater in zijn glas had. Die avond werd er alleen koffie aangeboden, maar Jefferson bedankte.

Na vijf minuten kwam Igor Komarov binnen – een indrukwekkende figuur van ongeveer vijftig jaar, bijna een meter tachtig lang, met grijs haar en doordringende hazelnootbruine ogen die door zijn aanhangers 'hypnotise-rend' werden genoemd.

Kuznetsov schoot overeind. Jefferson volgde, wat rustiger. De pr-adviseur stelde de twee mannen aan elkaar voor en Komarov schudde Jefferson de hand. Toen ging hij zitten, in een leren stoel met een geknoopte rug, iets hoger dan de twee stoelen tegenover hem.

Jefferson nam plaats, haalde een platte cassetterecorder uit zijn binnenzak en vroeg Komarovs toestemming. De Russische politicus knikte minzaam.

Hij wist dat Westerse journalisten geen steno meer kenden. Toen keek hij Jefferson bemoedigend aan. Het interview kon beginnen.

'Meneer de president, het belangrijkste nieuws van dit moment is het besluit van de Doema om het tijdelijke presidentschap met drie maanden te verlengen en de verkiezingen van volgend jaar naar januari te vervroegen. Hoe staat u daar tegenover?'

Kuznetsov vertaalde de vraag en luisterde naar het antwoord in monotoon Russisch. Toen Komarov uitgesproken was, draaide de tolk zich naar Jefferson toe:

'Natuurlijk waren ikzelf en de Unie van Patriottische Krachten teleurgesteld door dit besluit, maar als democraten leggen we ons erbij neer. Het zal geen geheim voor u zijn, meneer Jefferson, dat de situatie in dit land, waar ik zielsveel van houd, niet erg rooskleurig is. Veel te lang heeft een incompetente regering een economische neergang, een onrustbarende corruptie en een verbijsterende groei van de criminaliteit getolereerd. Ons volk heeft het zwaar te verduren. Hoe langer dit zo doorgaat, des te erger het wordt. Daarom betreuren wij het uitstel. Ik denk dat we de presidentsverkiezingen hadden gewonnen als ze in oktober waren gehouden. Maar als het januari wordt, zullen we ook in januari winnen.'

Mark Jefferson had te veel ervaring om niet te merken dat dit antwoord was ingestudeerd, alsof Komarov die vraag al zo vaak had gehoord dat hij er slapend op kon reageren. In Engeland en Amerika waren politici veel meer op hun gemak tegenover journalisten, van wie ze een groot aantal bij de voornaam kenden. Jefferson ging er prat op dat hij een driedimensionaal beeld kon schetsen van mensen die hij interviewde en dat hij zich niet beperkte tot een lijst van politieke clichés. Maar deze man leek wel een robot.

Jeffersons ervaring had hem geleerd dat Oosteuropese politici gewend waren aan veel meer respect van de pers dan hun Britse of Amerikaanse collega's, maar dit was absurd. Deze man was zo stijf en harkerig als een etalagepop.

Na zijn derde vraag begreep Jefferson opeens waarom. Komarov had duidelijk een bloedhekel aan interviews en aan de pers in het algemeen. De Londense journalist probeerde het met een luchtige aanpak, maar de Rus ontdooide geen moment. Een politicus die zichzelf serieus nam, was niets nieuws, maar deze man was wel erg fanatiek in zijn zelfverheerlijking. Het leek of hij zijn antwoorden van een autocue las.

Jefferson keek wat verbaasd naar Kuznetsov. De jonge pr-adviseur en tolk was tweetalig, modern en intelligent, maar toch had hij een bijna slaafse houding tegenover Komarov.

Jefferson probeerde het nog een keer: 'U weet natuurlijk, meneer, dat in Rusland de meeste macht bij de president berust, veel meer dan dat bij de

154

Amerikaanse president of de Britse premier het geval is. Als u een beeld moest schetsen van de eerste zes maanden onder uw bewind, welke veranderingen zou een objectieve waarnemer dan kunnen zien? Met andere woorden: wat zijn uw prioriteiten?'

Weer werd het antwoord opgedreund als een citaat uit een politiek manifest. De georganiseerde misdaad moest worden bestreden, de logge bureaucratie gereorganiseerd, de agrarische produktie verhoogd en het muntstelsel hervormd. Op de vraag hoe dit alles kon worden gerealiseerd, antwoordde Komarov met holle frasen. Geen enkele Westerse politicus had zich zo'n interview kunnen permitteren, maar Komarov vond kennelijk dat Jefferson hier maar tevreden mee moest zijn.

Jefferson dacht aan de instructies die hij van zijn hoofdredacteur had gekregen en vroeg hoe Komarov zich voornam de glorie van Rusland te doen herleven. Voor het eerst kreeg hij enige reactie.

Iets wat hij zei scheen Komarov een schok te geven, alsof er een elektrische stroom door hem heen ging. De Rus staarde hem met zijn lichtbruine ogen strak aan, totdat Jefferson ten slotte zijn ogen neersloeg en naar zijn cassetterecorder keek. Noch hij, noch Kuznetsov zag dat de partijleider doodsbleek was geworden en twee felrode blosjes op zijn wangen had gekregen. Zonder een woord te zeggen stond Komarov plotseling op, liep de kamer uit naar zijn eigen kantoor en trok de deur achter zich dicht.

Jefferson trok vragend een wenkbrauw op naar Kuznetsov. De jongeman keek ook verbaasd, maar hij viel meteen weer terug in zijn sociale rol.

'Ik weet zeker dat de president straks terugkomt. Ik denk dat hij zich iets herinnerde wat geen uitstel verdroeg. Zodra hij klaar is, kunnen we hem weer verwachten.'

Jefferson boog zich naar voren en schakelde zijn recorder uit. Na drie minuten en een kort telefoontje kwam Komarov terug, ging zitten en beantwoordde de vraag op afgemeten toon. Jefferson zette de recorder weer aan.

Een uur later gaf Komarov aan dat het interview ten einde was. Hij stond op, knikte stijfjes tegen Jefferson en verdween in zijn kantoor. In de deuropening wenkte hij Kuznetsov om hem te volgen.

De pr-man kwam twee minuten later terug, duidelijk verlegen met de situatie. 'Ik ben bang dat we een probleem hebben met het vervoer,' zei hij toen hij met Jefferson de trap afliep naar de hal. 'De auto waarmee u bent gekomen is dringend ergens anders nodig en alle andere wagens zijn van mensen die vanavond overwerken. Zou u misschien een taxi kunnen nemen, terug naar uw hotel?'

'Eh, ja, dat kan wel,' zei Jefferson, die spijt had dat hij niet zelf een auto van het hotel had meegenomen en de chauffeur had laten wachten. 'Kunt u er een voor me bellen?'

'Ik vrees dat ze geen telefonische aanvragen meer aannemen,' zei Kuznetsov, 'maar ik zal u wijzen waar u moet zijn.'

Hij bracht de verbijsterde Jefferson van de voordeur naar het stalen hek, dat opzij schoof om hen door te laten. In de zijstraat wees Kuznetsov in de richting van de Kiselny Boulevard, honderd meter verderop.

'Op de boulevard kunt u binnen een paar seconden een taxi aanhouden, en op dit uur van de avond bent u dan in een kwartier weer terug bij uw hotel. Ik hoop dat u begrip hebt voor het ongemak. Het was me een groot genoegen, een werkelijk genoegen, om u te hebben ontmoet, meneer.'

En met die woorden verdween hij. Totaal in de war liep Mark Jefferson het smalle straatje door naar de hoofdweg. Onder het lopen prutste hij aan de cassetterecorder. Ten slotte stak hij het ding weer in de binnenzak van zijn blazer toen hij op de boulevard uitkwam. Hij keek naar links en rechts, maar er was geen taxi te bekennen, zoals hij al had verwacht. Geërgerd sloeg hij linksaf, in de richting van het centrum. Zo nu en dan keek hij over zijn schouder, in de hoop dat er nog een taxi zou opduiken.

De twee mannen in zwartleren jacks zagen hem uit de zijstraat komen en hun kant op lopen. Een van hen opende het achterportier van de auto en ze stapten na elkaar uit. Toen de Engelsman nog tien meter bij hen vandaan was, staken ze allebei hun hand onder hun jasje en haalden een automatisch pistool met geluiddemper te voorschijn. Er werd geen woord gesproken. Ze vuurden maar twee kogels af, die de journalist recht in zijn borst troffen.

Door de kracht van de kogels bleef de Engelsman abrupt staan, en viel toen op zijn achterwerk op de straat omdat zijn benen het begaven. Zijn bovenlichaam dreigde achterover te vallen, maar de twee moordenaars hadden hem al bereikt. Een van hen hield Jefferson overeind, terwijl de ander een hand in het jasje van de journalist stak en de cassetterecorder en de portefeuille uit zijn binnenzakken haalde.

De auto reed achteruit, stopte naast hen, en ze sprongen erin. Toen ze met brullende motor vertrokken, kwam er een vrouw langs, die een blik op het lichaam wierp. Ze dacht eerst nog dat het een dronken zwerver was, maar toen zag ze een straaltje bloed en begon te gillen. Niemand had het kenteken van de auto genoteerd. Het was trouwens vals.

8

Iemand in een restaurant, verderop in de straat, hoorde de vrouw gillen, keek naar buiten en belde via de telefoon van de bedrijfsleider het nummer 03 om een ambulance te laten komen.

De ziekenbroeders dachten dat ze met een hartaanval van doen hadden, totdat ze de kogelgaten in de dubbele revers van de blauwe blazer zagen en de bloedplas eronder. Ze waarschuwden de politie terwijl ze het slachtoffer zo snel mogelijk naar het dichtstbijzijnde ziekenhuis brachten.

Een uur later staarde inspecteur Vassili Lopatin van de afdeling Moordzaken somber naar het lijk op de brancard in een operatiekamer van het Botkin-ziekenhuis.

De dienstdoende chirurg trok zijn rubberhandschoenen uit. 'Geen enkele hoop,' zei hij. 'Een kogel recht door het hart, van korte afstand. Hij moet nog ergens in het lichaam zitten. Bij de sectie komt hij wel te voorschijn.'

Lopatin knikte. Het verbaasde hem niet. Er waren genoeg geweren en pistolen in Moskou om het hele Russische leger opnieuw te bewapenen. De kans om dit pistool te vinden – laat staan de man die de kogel had afgevuurd – was ongeveer nul, en dat wist hij. De vrouw die kennelijk getuige was geweest van de moord op de Kiselny Boulevard was spoorloos verdwenen. Ze had tegen iemand gezegd dat ze twee daders en een auto had gezien. Geen signalement.

Het rossige baardje op de brancard stak nijdig omhoog boven het bleke, sproetige lichaam. Op het gezicht lag een uitdrukking van stomme verbazing. Een broeder trok een groen laken over het lijk om de nietsziende ogen te beschermen tegen het felle schijnsel van de booglampen.

De man was naakt, maar op een tafeltje lagen zijn kleren en in een niervormig stalen bakje waren zijn eigendommen verzameld. De rechercheur liep ernaartoe, pakte het jasje en keek naar het merkje in de kraag. Verdomme. Een buitenlander.

'Kunt u het lezen?' vroeg hij aan de chirurg.

De arts tuurde naar het geborduurde merkje in het jasje.

'L-A-N-D-A-U,' las hij langzaam, en onder de naam van de kledingzaak: 'Bond Street.'

'En dit?' Lopatin wees naar het overhemd.

'Marks and Spencer,' las de arts. 'Dat is in Londen,' voegde hij er behulpzaam aan toe. 'Bond Street ook, geloof ik.'

Het Russisch kent zeker twintig woorden voor menselijke uitwerpselen en delen van de mannelijke en vrouwelijke geslachtsorganen. In gedachten werkte Lopatin ze allemaal af. Een Britse toerist. Jezus. Een overval die verkeerd was afgelopen, en het slachtoffer was een Engelsman!

Hij doorzocht de persoonlijke bezittingen. Veel was het niet. Geen munten, natuurlijk. Russische munten waren al heel lang waardeloos. Een keurig opgevouwen witte zakdoek, een foliezakje met inhoud, een zegelring en een horloge. Hij nam aan dat de gillende vrouw de overvallers had gestoord, zodat ze het horloge niet van de linkerpols hadden kunnen trekken of de ring van de pink.

Maar de ring noch het horloge bevatte aanwijzingen over de identiteit van de man. En nog erger: zijn portefeuille was weg. Lopatin doorzocht de rest van de kleren. De schoenen waren van het merk Church, simpel, zwart, met veters. De donkergrijze sokken hadden geen merk en in de onderbroek kwam hij weer de naam Marks and Spencer tegen. De das kwam volgens de dokter van een firma die Turnbull and Asser heette, uit Jermyn Street. Ook in Londen, nam hij aan.

Moedeloos doorzocht Lopatin de blazer. Hij kreeg weer hoop toen hij ontdekte dat de ziekenbroeder iets over het hoofd had gezien. Iets hards in het borstzakje, waar sommige mannen hun bril bewaarden. Hij haalde het eruit. Het was een geperforeerd kaartje van hard plastic.

Een hotelsleutel, niet van het ouderwetse type, maar een moderne computerkaart. Er stond geen kamernummer op, om het de dieven nog moeilijker te maken, maar wel het logo van het National Hotel.

'Is er hier telefoon?' vroeg hij.

Als het niet augustus was geweest, zou Benny Svenson, de manager van het National, al thuis zijn geweest. Maar het was hoogseizoen en twee medewerkers lagen thuis met zomergriep. Dus was hij nog laat in het hotel toen de telefoniste zich meldde.

'De politie, meneer Svenson.'

Hij drukte een toets in en kreeg Lopatin aan de lijn.

'Ja?'

'De manager?'

'Ja. Met Svenson. Met wie spreek ik?'

'Inspecteur Lopatin van de Moskouse militia. Afdeling Moordzaken.'

Svenson kreeg een akelig voorgevoel. Moordzaken.

'Logeert er een Britse toerist bij u in het hotel?'

'Natuurlijk. Meer dan één zelfs. Minstens twaalf. Hoezo?'

'Herkent u dit signalement? Een meter zeventig, kort rossig haar, een rossig baardje, donkerblauw jasje met dubbele revers, een stropdas met afgrijselijke strepen.'

158

Svenson sloot zijn ogen en slikte. O nee, toch niet Jefferson? Hij had hem die avond nog in de hal zien staan, wachtend op een auto.

'Waarom vraagt u dat?'

'De man is op straat beroofd. Hij ligt nu in het Botkin-ziekenhuis. Kent u dat? Bij de paardenrenbaan.'

'Ja, natuurlijk. Maar u bent toch van Moordzaken, zei u?'

'Ik vrees dat hij dood is. Zijn portefeuille en al zijn papieren zijn gestolen, maar er zat nog een plastic kamersleutel in zijn jasje met uw logo erop.'

'Blijft u daar, inspecteur. Ik kom meteen.'

Benny Svenson bleef nog een paar minuten achter zijn bureau zitten, overmand door afschuw. Hij werkte al twintig jaar in de hotelbusiness, maar er was nog nooit een gast vermoord.

Zijn enige passie buiten zijn werk was bridge, en hij herinnerde zich dat een van zijn vaste partners op de Britse ambassade werkte. Hij raadpleegde zijn adresboekje en belde het privé-nummer van de diplomaat. Het was tien voor twaalf en de man sliep al, maar hij was meteen klaarwakker toen hij het nieuws hoorde.

'Allemachtig, Benny, die journalist? Die voor de *Telegraph* schrijft? Ik wist niet eens dat hij in de stad was. Maar in elk geval bedankt.'

Dat wordt een rel, dacht de diplomaat toen hij ophing. Britse burgers die in het buitenland in problemen kwamen, levend of dood, waren natuurlijk een zaak voor het consulaat, maar het leek hem verstandiger om niet tot de volgende ochtend te wachten. Daarom belde hij Jock Macdonald.

Moskou, juni 1988

Valeri Kruglov was alweer tien maanden terug in Moskou. Er bestond altijd het gevaar dat een spion die in het buitenland was gerekruteerd van gedachten zou veranderen als hij eenmaal thuis was – dat hij de codes, de inkt en de papieren zou vernietigen en nooit meer contact zou opnemen.

Daar viel weinig aan te doen, behalve de man aangeven, maar dat was onzinnig en nodeloos wreed. Er was nu eenmaal moed voor nodig om van binnenuit een dictatuur te bestrijden, en niet iedereen was zo dapper.

Net als zijn collega's zou Monk een Russische spion nooit vergelijken met een Amerikaanse verrader. Die laatste verried het hele Amerikaanse volk en zijn democratisch gekozen regering. Maar als hij werd gegrepen, kreeg hij een menselijke behandeling, een eerlijk proces en de beste advocaat die hij kon vinden.

Een Russische spion stond tegenover een meedogenloze tirannie die niet meer dan tien procent van de natie vertegenwoordigde en de andere negentig procent met geweld onderdrukte. Als hij werd ontdekt, werd hij gemarteld en zonder vorm van proces doodgeschoten of naar een strafkamp gestuurd.

Maar Kruglov hield woord. Hij had al drie keer contact opgenomen en waardevolle stukken van het Russische ministerie van Buitenlandse Zaken in een geheime bergplaats achtergelaten. Na enige redactie om de bron te beschermen, was de informatie doorgegeven aan Buitenlandse Zaken in Washington. Zo kenden de Amerikanen de onderhandelingspositie van de Russen al voordat ze aan het overleg begonnen. In de loop van 1987 en 1988 kwamen de Oosteuropese satellietstaten openlijk in verzet. Polen had zich al afgescheiden, en het gistte in Roemenië, Hongarije en Tsjechoslowakije. Daarom was het van vitaal belang om te weten hoe Moskou hierop zou reageren. Hoe zwak en gedemoraliseerd waren de Russen op dat moment? De informatie van Kruglov gaf het antwoord op die vraag.

In mei had agent Delphi laten weten dat hij een persoonlijke ontmoeting wilde. Hij had iets belangrijks te melden en wilde zijn vriend Jason spreken. Harry Gaunt voelde er weinig voor.

'Yalta was al riskant genoeg. We deden geen oog dicht, maar het is gelukkig goed afgelopen. Het had een valstrik kunnen zijn. Net als dit. Oké, de codes wijzen erop dat alles in orde is, maar misschien is hij gepakt en heeft hij ze alles verteld. En jij weet te veel, Jason.'

'Harry, er komen elk jaar zo'n honderdduizend Amerikaanse toeristen naar Moskou. Het is niet meer zoals vroeger. De KGB kan niet iedereen in de gaten houden. Als je een goede dekmantel hebt, val je niet op in die enorme massa. Zolang je maar niet op heterdaad wordt betrapt. En je dacht toch niet dat ze Amerikaanse burgers gingen martelen? In deze tijd? Ik zorg voor een goede dekmantel, ik zal heel voorzichtig zijn, en ik zal niet laten merken dat ik vloeiend Russisch spreek. Ik ben gewoon een onschuldige Amerikaanse jandoedel met een toeristengidsje. En die rol hou ik vol totdat ik zeker weet dat niemand me in het oog houdt. Geloof me nou maar.'

Amerika heeft heel wat culturele verenigingen. Een daarvan organiseerde juist een reis naar Moskou om een paar musea te bezoeken, met als hoogtepunt het beroemde Museum voor Oosterse Kunst in de Obukhastraat. Monk gaf zich op voor de reis.

De papieren van dr. Philip Peters waren niet alleen perfect, maar zelfs authentiek. Half juni landde de excursiegroep op het vliegveld van Moskou. Kruglov was al gewaarschuwd.

De onvermijdelijke Intourist-gids wachtte hen op en bracht hen naar het afschuwelijke Rossiya Hotel, ongeveer net zo groot als Alcatraz, maar minder comfortabel. Op de derde dag gingen ze naar het Museum voor Oosterse Kunst. Monk had thuis al de situatie bestudeerd. De vitrines stonden een heel eind van elkaar, zodat hij gemakkelijk zou kunnen zien of Kruglov werd geschaduwd.

Na twintig minuten kreeg hij zijn man in het oog. Plichtsgetrouw liep hij achter de gids aan, met Kruglov op enige afstand. Kruglov werd niet gevolgd, dat wist Monk absoluut zeker toen ze op weg gingen naar het restaurant.

Zoals de meeste musea in Moskou had het Museum voor Oosterse Kunst een grote kantine en natuurlijk ook toiletten. Ze dronken hun koffie aan verschillende tafeltjes. Monk keek nonchalant Kruglovs kant uit. Als Kruglov door de KGB in zijn kraag was gegrepen en nu met hen samenwerkte, zou Monk iets in zijn ogen moeten zien – angst, wanhoop, een waarschuwing. Maar Kruglov keek vrolijk terug. Of hij was de geniaalste dubbelagent die de wereld ooit had gekend, of alles was in orde. Monk stond op en liep naar het herentoilet. Kruglov slenterde achter hem aan. Er stond nog een man zijn handen te wassen. Toen hij was verdwenen, liepen ze op elkaar toe en omhelsden elkaar.

'Hoe gaat het, beste kerel?'

'Heel goed. Ik heb nu mijn eigen appartement. Het is heerlijk om op mezelf te wonen. Mijn kinderen kunnen nu blijven logeren als ze op bezoek komen.'

'Heeft niemand argwaan gekregen? Vanwege het geld, bedoel ik?'

'Nee. Ik was te lang uit Rusland weg geweest. Iedereen neemt tegenwoordig geld aan. Alle hoge diplomaten bestellen van alles in het buitenland. Ik was gewoon te naïef.'

'Dan begint het dus werkelijk te veranderen. En wij helpen daaraan mee,' zei Monk. 'Binnenkort is het afgelopen met die dictatuur en kun je als vrij man leven. Lang kan het niet meer duren.'

Er kwamen een paar schooljongens binnen, die luidruchtig plasten en weer vertrokken. De twee mannen wasten hun handen tot de jongens weg waren. Monk liet het water lopen. Dat was een oude truc. Als het microfoontje niet vlakbij was of er met stemverheffing werd gesproken, overstemde het geluid van stromend water elk gesprek.

Ze praatten nog tien minuten. Toen gaf Kruglov hem het pakje dat hij bij zich had. Echte documenten, geen microfilm. Het was een dossier uit het kantoor van minister Eduard Shevardnadze van Buitenlandse Zaken.

Ze omhelsden elkaar nog eens en vertrokken ieder apart. Monk liep terug naar zijn eigen groepje en vloog twee dagen later terug naar huis. Voordat hij vertrok, gaf hij het pakje bij het CIA-bureau op de ambassade af.

Uit de documenten bleek dat de Sovjetunie bijna alle hulpprogramma's aan de derde wereld had stopgezet, zelfs de hulp aan Cuba. De economie begon in te storten en het einde was in zicht. De derde wereld kon niet langer wor-

161

den gebruikt als middel om het Westen te chanteren. Washington vond het prachtig.

Het was Monks tweede 'illegale' missie naar de Sovjetunie geweest. Toen hij terugkwam, hoorde hij dat hij weer promotie had gemaakt. En dat Nikolai Turkin, codenaam Lysander, naar Oost-Berlijn zou worden overgeplaatst als commandant van Directoraat K bij de KGB-vestiging daar. Het was een hoge positie, de enige die toegang gaf tot de gegevens van alle Russische agenten in West-Duitsland.

De hotelmanager en de bureauchef van de Britse SIS kwamen vlak na elkaar bij het Botkin-ziekenhuis aan en werden naar een kleine zaal gebracht waar het lichaam van de dode op een tafel lag, met een laken eroverheen. Inspecteur Lopatin stelde zich voor. Macdonald zei dat hij van de ambassade kwam, verder niets.

Lopatins eerste zorg was de identificatie. Dat was geen probleem. Svenson had het paspoort van de dode man meegebracht en de foto klopte. Svenson bevestigde het nog eens met een korte blik op Jeffersons gezicht.

'Doodsoorzaak?' vroeg Macdonald.

'Een kogel door het hart,' zei Lopatin.

Macdonald bekeek het jasje. 'Er zitten twee kogelgaten in,' merkte hij vriendelijk op.

Het jasje werd aan een nieuwe inspectie onderworpen. Inderdaad, twee kogelgaten. Maar slechts één gat in het overhemd. Lopatin keek nog eens naar het lichaam. Ook maar één kogel in de borst.

'Die andere kogel moet door zijn portefeuille zijn tegengehouden,' zei hij met een grimmig lachje. In elk geval konden die klootzakken de creditcards van de Engelsman niet meer gebruiken.

'Ik moet weer terug naar het hotel,' zei Svenson. Hij was zichtbaar van streek. Had de man het aanbod van een auto maar aangenomen! Macdonald liep met hem mee naar de uitgang.

'Het moet een zware slag voor u zijn,' zei hij meelevend. De Zweed knikte.

'We zullen proberen alles zo snel mogelijk af te handelen. Ik neem aan dat hij een vrouw in Londen heeft. Zou u zijn persoonlijke bezittingen willen inpakken? Dan stuur ik morgen een auto om zijn bagage op te halen. Alvast bedankt.'

Terug in de zaal overlegde Macdonald met Lopatin.

'We hebben een probleem, beste kerel. Dit is een vervelende zaak. De dode was een bekende journalist. Er komt dus publiciteit. Zijn krant heeft een kantoor hier in Moskou. Ze zullen er een groot verhaal van maken, ook voor het buitenland. Zal de ambassade die kant van de zaak maar regelen? De feiten zijn wel duidelijk. Een beroving die uit de hand is gelopen. Waar-

162

schijnlijk hebben de overvallers iets in het Russisch tegen hem geroepen dat hij niet begreep. Ze dachten dat hij zich verzette en hebben hem neergeschoten. Heel tragisch, maar zo zal het wel zijn gegaan. Denkt u ook niet?'

Lopatin was allang blij. 'Natuurlijk. Een beroving die uit de hand is gelopen.'

'U probeert natuurlijk de daders op te sporen, maar dat zal niet meevallen, dat weten we allebei. Het consulaat zal er wel voor zorgen dat het lichaam naar Engeland word teruggestuurd. Dat kunt u rustig aan ons overlaten. Net als de Britse pers. Akkoord?'

'Ja, dat lijkt me heel verstandig.'

'Dan heb ik alleen nog zijn persoonlijke bezittingen nodig. Die hebben niets met de zaak te maken. Zijn portefeuille, daar gaat het om, als die ooit teruggevonden wordt. En zijn creditcards, als iemand probeert daar gebruik van te maken, wat ik betwijfel.'

Lopatin keek naar de niervormige schaal met de schaarse inhoud.

'U moet wel een ontvangstbewijs tekenen,' zei hij.

'Natuurlijk. Stelt u het formulier maar op.'

Het ziekenhuis kwam met een grote envelop voor de zegelring, het gouden horloge met het krokodilleleren bandje, de opgevouwen zakdoek en het kleine foliezakje met inhoud. Macdonald tekende ervoor en nam alles mee naar de ambassade.

Wat de twee mannen niet wisten was dat de moordenaars hun instructies wel hadden uitgevoerd, maar twee fouten hadden gemaakt. Ze hadden de portefeuille met alle legitimatiebewijzen moeten stelen, plus Jeffersons identiteitskaart en de cassetterecorder.

Ze wisten niet dat Britten in Engeland geen identiteitskaart bij zich dragen en naar het buitenland hun paspoort meenemen. Het oude Britse paspoort was een stijf boekje met een hard blauw kaft, dat niet gemakkelijk in een zak paste. Daarom lieten veel Engelsen het in hun hotel achter. En de overvallers hadden de plastic sleutelkaart in het borstzakje over het hoofd gezien. Daardoor had de politie het lichaam binnen twee uur kunnen identificeren.

De tweede fout viel hun niet te verwijten. Een van de twee kogels had niet de portefeuille geraakt, maar de cassetterecorder in Jeffersons binnenzak. Daardoor was niet alleen het gevoelige mechaniek vernield, maar ook het kleine bandje, dat nooit meer afgespeeld zou kunnen worden.

Inspecteur Novikov had op 18 augustus, 's ochtends om tien uur, een afspraak met het hoofd personeelszaken van het partijbureau van de Unie van Patriottische Krachten. Hij was nogal nerveus en verwachtte geen vriendelijke ontvangst.

Personeelschef Zhilin droeg een driedelig grijs pak en maakte een nauwge-

163

zette indruk, die nog werd versterkt door zijn potloodsnorretje en zijn zie-kenfondsbrilletje. Hij leek op een ouderwetse ambtenaar, en dat was hij ook.

'Mijn tijd is beperkt, inspecteur. Wilt u het kort houden?'

'Zeker, meneer. Ik onderzoek de dood van een man die vermoedelijk een crimineel is geweest. Een inbreker. Een van onze getuigen denkt dat ze hem hier in de buurt heeft zien rondhangen. Daarom zijn we bang dat hij mis-schien dit gebouw in de gaten hield om te proberen 's avonds binnen te drin-gen.'

Zhilin glimlachte zuinig.

'Uitgesloten. Dit zijn gevaarlijke tijden, inspecteur, daarom wordt dit gebouw streng bewaakt.'

'Ik ben blij het te horen. Hebt u deze man ooit eerder gezien?'

Zhilin staarde nog geen seconde naar de foto.

'Lieve god, maar dat is Zaitsev.'

'Wie?'

'Zaitsev, de oude schoonmaker. Een inbreker, zei u? Onmogelijk.'

'Kunt u me wat meer over die Zaitsev vertellen?'

'Er valt niets te vertellen. We hebben hem ongeveer een jaar geleden in dienst genomen. Een ex-militair. Hij leek betrouwbaar. Kwam elke avond, van maandag tot zaterdag, om de kantoren schoon te maken.'

'Maar de laatste tijd niet meer?'

'Nee, we misten hem. Na twee avonden moest ik iemand anders aannemen. Een oorlogsweduwe. Heel grondig.'

'Sinds wanneer kwam hij niet meer opdagen?'

Zhilin liep naar een archiefkast en pakte een dossier. Hij leek een man die over alles een dossier aanlegde.

'Ja, daar heb ik het. Zijn werkstaten. Op 15 juli kwam hij op zijn vaste tijd. Deed zijn werk en vertrok tegen de ochtend, zoals gewoonlijk. De volgende avond is hij niet meer verschenen. Die getuige van u heeft hem 's ochtends vroeg zien weggaan. Dat is niets bijzonders. Hij was geen inbreker, maar een schoonmaker.'

'Dat verklaart alles,' zei Novikov.

'Niet helemaal,' snauwde Zhilin. 'U zei dat hij een inbreker was!'

'Twee avonden nadat hij hier verdween, was hij vermoedelijk betrokken bij een inbraak in een flat aan Kutuzovsky Prospekt. De bewoonster heeft hem geïdentificeerd. Een week later werd hij dood aangetroffen.'

'Schandelijk,' zei Zhilin. 'De criminaliteit rijst de pan uit! Waarom doet de politie er niets aan?'

Novikov haalde zijn schouders op. 'We doen ons best. Maar we hebben niet genoeg mensen. En we krijgen geen steun van hogerhand.'

'Dat gaat veranderen, inspecteur. Dat gaat veranderen,' zei Zhilin met een fanatieke schittering in zijn ogen. 'Over zes maanden zal meneer Komarov onze nieuwe president zijn. Dan worden er maatregelen genomen! Hebt u zijn toespraken gelezen? De misdaad moet bestreden worden, dat is zijn doel! Een geweldige man. Ik hoop dat we op uw stem kunnen rekenen.'

'Vanzelfsprekend. Eh, hebt u ook het adres van die schoonmaker?'

Zhilin krabbelde het op een velletje papier en gaf het hem.

De dochter was in tranen, maar apathisch. Ze keek naar de foto en knikte. Toen ging haar blik naar het bed tegen de muur van de woonkamer. In elk geval hadden ze nu meer ruimte. Novikov vertrok. Hij zou het tegen Volsky zeggen. Deze mensen hadden geen geld voor een begrafenis. De gemeente Moskou moest het maar betalen. Net als in deze flat kampte men ook in het mortuarium met ruimtegebrek.

Volsky kon het dossier nu sluiten. En bij Moordzaken kwam de zaak-Zaitsev op dezelfde stapel als die andere zevenennegentig procent.

Langley, september 1988

De lijst met de leden van de Russische delegatie werd door Buitenlandse Zaken aan de CIA doorgegeven. Dat was routine. Silicon Valley had een conferentie over theoretische fysica georganiseerd en een Sovjet-delegatie uitgenodigd: als Moskou akkoord ging, en die kans leek klein.

Maar eind 1987 begonnen de hervormingen van Gorbatsjov vrucht af te werpen en liet het Kremlin de teugels duidelijk vieren. Tot verbazing van de organisatoren kreeg een kleine groep Russische geleerden inderdaad toestemming om naar Amerika af te reizen.

De namen en gegevens gingen eerst naar de immigratiedienst, die Buitenlandse Zaken vroeg om een onderzoek in te stellen. De Sovjetunie had altijd zo geheimzinnig gedaan over haar wetenschappers, dat de namen en het werk van maar heel weinig Russische geleerden in het Westen bekend waren.

De lijst kwam in Langley aan, ging naar de SE-divisie en belandde op het bureau van Jason Monk, die toevallig even tijd had. Zijn twee spionnen in Moskou hielden regelmatig contact via de geheime bergplaatsen en kolonel Turkin deed vanuit Oost-Berlijn verslag over de totale ineenstorting van de KGB-operaties in West-Duitsland.

Monk controleerde de lijst met namen van de acht Russische geleerden die in november naar de conferentie in Californië zouden komen, maar kon niets bijzonders ontdekken. Niemand op de lijst was bekend bij de CIA, laat staan dat er ooit iemand door de Amerikaanse inlichtingendienst was benaderd of gerekruteerd.

Maar omdat Monk zich als een terriër vastbeet in elk probleem dat hij kreeg voorgeschoteld, deed hij nog één laatste poging. Hoewel de relatie tussen de CIA en haar binnenlandse zusterorganisatie, de contraspionagedienst van de FBI, altijd moeizaam en soms zelfs vijandig was – zeker sinds de affaire-Howard – besloot hij toch navraag te doen bij de Feds.

Het was een gok, maar hij wist dat de FBI een veel langere lijst had van Russen die ooit asiel hadden aangevraagd en gekregen in de Verenigde Staten. De gok was niet of de FBI zou helpen, maar of de Sovjets ooit een geleerde naar Amerika zouden laten vertrekken die daar familie had. Dat leek niet erg waarschijnlijk. Familie in Amerika stond voor de KGB gelijk aan een onaanvaardbaar veiligheidsrisico.

Van de acht namen op de lijst kwamen er twee ook in het FBI-register van asielzoekers voor. Bij controle bleek een van die namen toeval. De familie in Baltimore had niets te maken met de Russische wetenschapper die naar de conferentie zou komen.

Met de andere naam was iets vreemds aan de hand. Een Russisch-joodse vluchtelinge die asiel had aangevraagd via de Amerikaanse ambassade in Wenen toen ze in een doorgangskamp in Oostenrijk zat, was door Amerika geaccepteerd. Daar had ze een kind gekregen, maar ze had haar zoon onder een andere naam aangegeven.

Mevrouw Zhenya Rozina, die nu in New York woonde, had haar zoon laten inschrijven als Ivan Ivanovich Blinov: Ivan, de zoon van Ivan. Blijkbaar was de jongen dus een 'onecht' kind, geboren uit een relatie in Amerika zelf, in het doorgangskamp in Oostenrijk, of nog eerder? Een van de namen op de lijst van Russische geleerden was professor doctor Ivan Y. Blinov. Het was een ongebruikelijke naam, die Monk nog nooit eerder was tegengekomen. Daarom stapte hij op de Amtrak naar New York voor een bezoek aan mevrouw Rozina.

Inspecteur Novikov vond dat hij zijn collega het goede nieuws maar moest vertellen bij een biertje na het werk. Het werd weer de kantine, want daar was het bier goedkoop.

'Raad eens hoe ik mijn ochtend heb doorgebracht.'

'In bed met een nymfomane ballerina.'

'Was het maar zo. Nee, op het partijbureau van de UPK.'

'Wat? Die mesthoop in de Vissteeg?'

'Nee, dat is voor het publiek. Komarovs werkelijke hoofdkwartier is een peperdure villa bij de Ringboulevard. Trouwens, dit rondje is voor jou. Ik heb een zaak voor je opgelost.'

'Welke zaak?'

'Die ouwe vent die ze in de bossen langs de weg naar Minsk hebben gevonden. Hij was schoonmaker op het partijbureau van de UPK. Maar kennelijk heeft hij ook ingebroken om zijn salaris bij te spijkeren. Hier heb je de gegevens.'

Volsky's blik gleed over het velletje dat Novikov hem gaf.

'Ze hebben de laatste tijd niet veel geluk bij de UPK,' merkte hij op.

'Hoezo?'

'Komarovs privé-secretaris is vorige maand ook al verdronken.'

'Zelfmoord?'

'Nee hoor. Hij ging zwemmen en is nooit meer boven gekomen. Nou ja, nooit... Vorige week hebben ze hem een heel eind verderop uit de rivier gevist. We hebben een slimme patholoog, die zijn trouwring ontdekte, met een naam aan de binnenkant.'

'En wanneer is hij volgens die slimme patholoog verdronken?'

'Half juli.'

Novikov dacht na. Eigenlijk had hij dat rondje zelf moeten betalen. Tenslotte zou hij duizend pond krijgen van de Engelsman. Nu kon hij hem nog wat meer vertellen. Gratis en voor niets.

New York, september 1988

Ze was een jaar of veertig, donker, levendig en knap. Hij stond te wachten in de hal van haar flatgebouw toen ze thuiskwam nadat ze haar zoontje van school had gehaald. De jongen was een vrolijk kind van acht.

De lach verdween van haar gezicht toen hij zich voorstelde als een ambtenaar van de immigratiedienst. Alle nieuwe Amerikanen zijn een beetje bang voor de immigratiedienst, ook al hebben ze de juiste papieren en is alles in orde. Maar ze had geen andere keus dan hem binnen te laten.

Toen haar zoon zijn huiswerk zat te maken in de keuken van haar kleine, maar kraakheldere flat, gingen ze in de huiskamer zitten om te praten. Ze was defensief en op haar hoede.

Maar Monk was heel anders dan de abrupte, ernstige ambtenaren die ze acht jaar geleden had gesproken toen ze zoveel moeite had gedaan om tot de Verenigde Staten te worden toegelaten. Hij had charme en een leuke lach, en haar angst verdween.

'U weet hoe het is met ambtenaren, mevrouw Rozina. Dossiers, dossiers en nog eens dossiers. Pas als ze compleet zijn, is iedereen gelukkig. En wat gebeurt er dan mee? Helemaal niets. Dan mogen ze stof verzamelen in een of ander archief. Maar als ze niet kunnen worden afgelegd, is de chef niet tevreden. En dan stuurt hij een boodschappenjongen zoals ik om de gegevens te controleren.'

'Wat wilt u weten?' vroeg ze. 'Mijn papieren zijn in orde. Ik werk als econome en vertaalster. Ik verdien mijn eigen geld, ik betaal belasting, ik kost de regering niets.'

'Dat weten we, mevrouw. Het gaat ook niet om uw papieren. U bent een genaturaliseerd Amerikaans staatsburger. Geen probleem. Maar het viel ons alleen op dat u kleine Ivan daar onder een andere naam hebt aangegeven. Waarom, als ik vragen mag?'

'Ik heb hem de naam van zijn vader gegeven.'

'Natuurlijk. Hoor eens, dit is 1988. Het maakt ons niets uit of mensen getrouwd zijn als ze een kind krijgen. Maar dossiers zijn dossiers. Zou u ons de naam van zijn vader willen noemen?'

'Ivan Yevdokimovich Blinov,' zei ze.

Bingo. De naam op de lijst. Het was heel onwaarschijnlijk dat er daar twee van waren, zelfs in een groot land als de Sovjetunie.

'U hield zeker veel van hem?'

Er kwam een vreemde blik in haar ogen, als van iemand die een mooie herinnering opnieuw beleefde.

'Ja,' fluisterde ze.

'Vertelt u me eens wat meer over hem.'

Naast zijn andere talenten bezat Jason Monk ook de gave om mensen uit te horen. Ze zat twee uur te praten, totdat de jongen klaar was met zijn huiswerk rekenen – alle sommen keurig af. Zhenya Rozina vertelde Monk over de vader van haar zoon.

Hij was in 1938 in Leningrad geboren als zoon van een natuurkundeprofessor aan de universiteit. Zijn moeder was wiskundelerares geweest. Door een wonder had de vader de stalinistische zuiveringen van voor de oorlog overleefd, maar hij was gestorven tijdens de Duitse omsingeling in 1942. De moeder, met de vijf jaar oude Vanya in haar armen, was gered door een konvooi vrachtwagens dat in de winter van 1942 over het ijs van het Ladogameer de stad was ontvlucht. Ze kwamen terecht in een kleine stad in de Oeral, waar de jongen was opgegroeid. Zijn moeder was er vast van overtuigd dat hij ooit net zo briljant zou worden als zijn vader.

Toen hij achttien was, ging hij naar Moskou om zich in te schrijven aan de beste technische universiteit van de Sovjetunie, het Natuurkundig-Technologisch Instituut. Tot zijn verbazing werd hij toegelaten. Ondanks zijn eenvoudige omstandigheden waren de reputatie van zijn vader, de inzet van zijn moeder, misschien zijn genen en zeker zijn eigen prestaties, voldoende reden voor een plaats aan de universiteit. Achter de simpele naam vormde het instituut een kweekvijver voor de beste ontwerpers uit de kernwapenindustrie.

Zes jaar later, nog altijd erg jong, kreeg Blinov een baan aangeboden in een wetenschappelijke stad die zo geheim was dat het nog jaren zou duren voordat het Westen ervan hoorde. Arzamas-16 werd voor de jonge, briljante geleerde zowel een luxe thuis als een gevangenis.

Naar Russische maatstaven was het er heel comfortabel. Hij had een eigen appartement, hoe klein ook, er waren betere winkels dan ergens anders in de Sovjetunie, en in zijn werk kreeg hij alle faciliteiten die hij maar kon wensen. Het enige wat hij niet had, was het recht om te vertrekken.

Eenmaal per jaar kreeg hij vakantie in een goedgekeurde vakantieplaats, tegen een fractie van de normale prijs. Daarna moest hij weer terug achter het prikkeldraad, waar zijn post werd onderschept, zijn telefoon afgeluisterd en zijn privé-leven geobserveerd.

Nog voordat hij dertig was, trouwde hij met Valya, een jonge bibliothecaresse en lerares Engels. Zij leerde hem de taal, zodat hij de oogst aan technische publicaties uit het Westen in het Engels kon lezen. In het begin waren ze heel gelukkig samen, maar na een tijdje begon het huwelijk te lijden onder een groot verdriet: ze wilden dolgraag kinderen, maar het lukte niet.

In de herfst van 1977 hield Ivan Blinov vakantie in het kuuroord Kislovodsk in het noorden van de Kaukasus toen hij Zhenya Rozina ontmoette. Zoals zo vaak in hun vergulde kooi had Blinovs vrouw haar vakantie op een ander tijdstip moeten plannen.

Zhenya was negenentwintig, tien jaar jonger dan hij, een gescheiden vrouw uit Minsk, ook zonder kinderen. Ze was spontaan, brutaal, luisterde regelmatig naar de Voice of America en naar de BBC en las gewaagde tijdschriften zoals *Poland*, dat in Warschau werd gedrukt en veel liberaler en veelzijdiger was dan de saaie, dogmatische sovjetbladen. De geïsoleerde wetenschapper viel als een blok voor haar.

Ze spraken af om elkaar te schrijven, maar omdat Blinov wist dat zijn post werd opengemaakt (hij kende te veel staatsgeheimen), vroeg hij haar om haar brieven te richten aan een vriend in Arzamas-16 die niet onder de censuur viel.

In 1978 ontmoetten ze elkaar opnieuw, nu in de vakantieplaats Sochi aan de Zwarte Zee. Blinovs huwelijk bestond alleen nog in naam. Zijn vriendschap met Zhenya werd een hartstochtelijke affaire. Ze zagen elkaar voor de derde en laatste keer in 1979 in Yalta, toen ze beseften dat ze nog steeds verliefd waren, maar dat hun relatie geen kans had.

Blinov vond dat hij niet kon scheiden. Als zijn vrouw ook een affaire had gehad, was het een andere zaak geweest. Maar dat was niet zo. Ze was geen aantrekkelijke vrouw. Maar ze was hem vijftien jaar trouw gebleven. En dat hun liefde was gestorven, ach, zo ging het nu eenmaal. Ze waren nog altijd vrienden en hij wilde haar niet te schande maken door van haar te scheiden, in die kleine gemeenschap waar ze woonden.

Zhenya sprak hem niet tegen, maar om een andere reden. Ze vertelde hem iets wat ze hem nog nooit eerder had verteld. Als ze zouden trouwen, zou dat zijn carrière schaden. Ze was joods, en dat was voldoende reden. Ze had bij het OVIR, het Bureau voor Visa en Vergunningen, al een verzoek ingediend om naar Israël te mogen emigreren. Onder Brezjnev was er een nieuwe dispensatie ingevoerd. Ze omhelsden elkaar en gingen met elkaar naar bed. Daarna hadden ze elkaar nooit meer gezien.

'En de rest weet u,' besloot ze.

'Het doorgangskamp in Oostenrijk, het verzoek aan onze ambassade?'

'Ja.'

'En Ivan Ivanovich?'

'Zes weken na die vakantie in Yalta merkte ik dat ik zwanger was van hem. Ivan is hier geboren, hij is een Amerikaans burger. In elk geval zal hij in vrijheid kunnen opgroeien.'

'Hebt u hem nog ooit geschreven om het te vertellen?'

'Wat had het voor zin?' vroeg ze bitter. 'Hij is getrouwd. Hij leeft in een gouden kooi, achter tralies, net als de zek in de kampen. Wat moest ik doen? Hem weer overal aan herinneren? Zodat hij zou verlangen naar wat hij niet kon krijgen?'

'Hebt u uw zoon over zijn vader verteld?'

'Ja. Ik heb hem gezegd dat zijn vader een groot geleerde is, en een lieve man. Maar dat hij heel ver weg woont.'

'De dingen veranderen,' zei Monk vriendelijk. 'Tegenwoordig kan hij waarschijnlijk wel naar Moskou komen. Ik heb een vriend die vaak in Moskou moet zijn. Een zakenman. U zou kunnen schrijven naar de man in Arzamas-16 die niet onder de censuur valt. Om te vragen of de vader naar Moskou kan komen.'

'Waarom? Wat moet ik hem dan zeggen?'

'Hij hoort te weten dat hij een zoon heeft,' zei Monk. 'Laat de jongen zelf een brief schrijven. Dan zorg ik ervoor dat zijn vader die krijgt.'

Voordat hij die avond naar bed ging, schreef de kleine jongen in begrijpelijk maar roerend krom Russisch een brief van twee kantjes, die begon met: 'Lieve papa...'

'Gracie' Fields kwam op 11 augustus tegen het middaguur op de ambassade terug. Hij klopte op de deur van Macdonalds kantoor en vond zijn chef in somber gepeins verzonken.

'De Bubble?' zei de oudere man ten slotte. Fields knikte.

Toen ze zich in vergaderkamer A hadden teruggetrokken, gooide Fields de foto van het dode gezicht van een oude man op de tafel.

Het was er een uit de reeks die in het bos was genomen, identiek aan de foto die rechercheur Chernov naar de ambassade had gebracht.

'Heb je je tipgever gesproken?' vroeg Macdonald.

'Ja. En je wordt er niet vrolijk van. Die oude man was schoonmaker op het partijbureau van de UPK.'

'Schoonmaker?'

'Precies. Net als Chestertons "Onzichtbare Man". Hij was er elke avond, van maandag tot zaterdag, maar hij viel niemand op. Hij kwam om tien uur, maakte de kantoren schoon en vertrok tegen de ochtend. Daarom zag hij er zo armoedig uit en woonde hij in een sloppenwijk. Hij verdiende het zout in de pap niet. Maar er is meer.'

Fields vertelde het verhaal over wijlen N.I. Akopov, de privé-secretaris van Igor Komarov, die half juli zo onverstandig was geweest om in de rivier te gaan zwemmen en was verdronken.

Macdonald stond op en begon te ijsberen.

'In ons vak horen we af te gaan op feiten, feiten, niets anders dan feiten,' zei hij. 'Maar laten we ons eens te buiten gaan aan gissingen. Stel dat Akopov dat dossier op zijn bureau had laten liggen. Die oude schoonmaker zag het, bladerde het door, schrok van wat hij las en nam het mee. Logisch?'

'Ja, dat klinkt redelijk, Jock. De volgende dag wordt dat dossier vermist en Akopov ontslagen. Maar omdat hij het heeft gezien, vormt hij een risico en dus wordt hij uit zwemmen gestuurd met twee zware jongens om hem kopje onder te houden.'

'Waarschijnlijk in een emmer water. Daarna hebben ze hem in de rivier gegooid,' mompelde Macdonald. 'Die schoonmaker kwam niet opdagen, dus begrijpen ze wat er is gebeurd. De jacht wordt geopend, maar hij heeft het dossier al bij Celia Stone in de auto gegooid.'

'Waarom, Jock? Waarom?'

'Dat zullen we nooit te weten komen. Blijkbaar wist hij dat ze op de ambassade werkte. Hij zei dat ze het aan de ambassadeur moest geven als dank voor het bier, of zoiets. Welk bier, verdomme?'

'Hoe het ook zij, ze krijgen die schoonmaker eindelijk te pakken, tuigen hem af en hij vertelt ze alles. Daarna slaan ze hem dood en gooien hem in het bos. Maar hoe hebben ze Celia's flat gevonden?'

'Ze hebben haar auto gevolgd, denk ik. Vanaf de ambassade. Dat zou ze toch niet hebben gemerkt. Toen ze wisten waar ze woonde, hebben ze de bewakers bij het hek omgekocht en haar auto doorzocht. Daar lag het dossier niet meer, dus zijn ze naar haar flat gegaan. Toevallig kwam ze eerder thuis.'

'Dus Komarov weet dat zijn kostbare dossier verdwenen is,' zei Fields. 'En hij weet wie het gestolen heeft en wat de dief ermee heeft gedaan. Maar hij weet niet of iemand het ook gelezen heeft. Misschien heeft Celia het wel weggegooid. Iedere gek in Rusland stuurt verzoeken aan de machthebbers.

Stapels en stapels. Misschien beseft hij niet wat voor effect het heeft gehad.'
'Nu wel,' zei Macdonald.

Hij haalde een kleine cassetterecorder uit zijn zak, geleend van een van de secretaressen die er muziekbandjes op afspeelde. Hij stak er een kleine cassette in.

'Wat is dat?' vroeg Fields.

'Dat, beste vriend, is het bandje van het hele interview met Igor Komarov. Eén uur aan elke kant.'

'Maar ik dacht dat de moordenaars de recorder hadden gestolen.'

'Dat is ook zo. Ze hebben er zelfs een kogel doorheen gejaagd. Onder in Jeffersons rechter binnenzak heb ik stukjes plastic en metaal gevonden. Ze hadden zijn portefeuille niet geraakt, maar zijn recorder. Het bandje is dus niet meer af te spelen.'

'Maar...'

'Maar Jefferson, die efficiënte klootzak, is blijkbaar op straat blijven staan om zijn kostbare interview uit de recorder te halen en een nieuw bandje erin te doen. Het oude bandje zat in een foliezakje in zijn broekzak. En ik denk dat we daarop het motief kunnen vinden waarom hij is vermoord. Luister maar.'

Hij schakelde de recorder in. De stem van de dode journalist vulde de kamer.

'Meneer de president, hoe denkt u in de internationale politiek, met name in de relatie met de andere republieken van de voormalige Sovjetunie, de glorie van Rusland te laten herleven?'

Er viel een korte pauze, voordat Kuznetsov met zijn vertaling begon. Toen hij uitgesproken was, viel er een nog langere stilte, gevolgd door het geluid van voetstappen over het tapijt. De recorder klikte.

'Iemand is opgestaan en weggelopen,' zei Macdonald.

De recorder werd weer aangezet en ze hoorden Komarov antwoord geven. Hoe lang de partijleider was weggebleven, wisten ze niet, maar vlak voordat de recorder werd uitgeschakeld, hoorden ze Kuznetsov nog zeggen dat hij zeker wist dat de president niet lang...

'Ik begrijp er niets van,' zei Fields.

'Het is gruwelijk eenvoudig, Gracie. Ik heb dat Zwarte Manifest zelf vertaald. Ik ben er een hele nacht mee bezig geweest, op Vauxhall Cross. En ik heb het zinnetje "*Vozrozhdeniye vo slavu russkogo naroda*" vertaald als "de glorie van het moederland te laten herleven". Want dat betekent het.

Marchbanks heeft de hele vertaling gelezen en blijkbaar dat citaat tegenover de hoofdredacteur gebruikt, die het weer aan Jefferson heeft doorgegeven. Die vond het een mooi zinnetje, dus heeft hij het gisteren herhaald, tegenover Komarov. Die klootzak hoorde dus zijn eigen tekst terug. En het is een heel aparte formulering, die ik nooit eerder heb gehoord.'

Fields boog zich naar voren en speelde het fragment nog eens af. Toen Jefferson uitgesproken was, vertaalde Kuznetsov de vraag in het Russisch. Voor het 'laten herleven van de glorie' gebruikte hij de Russische woorden *vozrozhdeniye vo slavu.*

'Jezus Christus,' mompelde Fields, 'Komarov dacht dus dat Jefferson het hele dossier gelezen had, in het Russisch. Hij concludeerde dat Jefferson voor ons werkte en was gekomen om hem uit te horen. Wie heeft hem vermoord? De Zwarte Garde?'

'Nee, waarschijnlijk heeft Grishin zijn contacten in de onderwereld gebruikt. Het moest snel gebeuren. Als ze meer tijd hadden gehad, zouden ze hem op straat hebben opgepikt en hem op hun gemak hebben ondervraagd. Maar ze hadden alleen opdracht om hem het zwijgen op te leggen en dat bandje terug te krijgen.'

'Wat ben je nu van plan, Jock?'

'Ik ga terug naar Londen. Het wordt nu een gevecht zonder handschoenen. Wij weten wat we kunnen verwachten, en Komarov weet dat wij het weten. De Chef zei dat hij bewijzen wilde dat het dossier geen vervalsing was. Er zijn al drie mensen gedood om dat vervloekte manifest. Meer bewijs heeft hij toch niet nodig, zou ik denken.'

San José, november 1988

Silicon Valley is werkelijk een vallei, tussen de bergen van Santa Cruz in het westen en de Hamilton-heuvels in het oosten. Het dal strekt zich uit van Santa Clara tot aan Menlo Park. In 1988 lag daar nog de grens. Die is daarna steeds verder opgeschoven.

De bijnaam slaat op de geweldige concentratie van fabrieken en laboratoria die zich bezighouden met de modernste technologie, oorspronkelijk gebaseerd op de siliciumchip. Tussen de duizend en de tweeduizend bedrijven op dat terrein zijn hier gevestigd.

De internationale conferentie van november 1988 werd gehouden in de grootste stad van de vallei, San José, ooit een klein Spaans missiestadje, tegenwoordig een groeistad met glinsterende wolkenkrabbers. De acht leden van de Russische delegatie werden ondergebracht in het San José Fairmont. Jason Monk zat in de lobby toen ze arriveerden.

De acht wetenschappers hadden een groot gevolg bij zich: mensen van de Russische ambassade in New York, iemand van het consulaat in San Francisco, en vier mannen uit Moskou zelf. Monk dronk een kop ijsthee, droeg een tweedjasje en had een nummer van de *New Scientist* naast zich liggen.

Hij keek of hij de bewakers kon identificeren. Hij telde er vijf – vier KGB-agenten en iemand van de GRU.

Voordat hij naar San José was vertrokken, had Monk een lang gesprek gehad met een vooraanstaande kernfysicus van Lawrence Livermore Laboratories. De man was in de wolken omdat hij eindelijk de Russische fysicus professor Blinov kon ontmoeten.

'U moet niet vergeten dat die man een groot mysterie is. Hij is tien jaar geleden als een komeet uit het niets gekomen,' zei de knappe kop van Livermore. 'Dat was het moment waarop we voor het eerst van hem hoorden in wetenschappelijke kring. Hij was al een ster in de Sovjetunie, maar er mocht niets over zijn werk in het buitenland worden gepubliceerd.

We weten dat hij de Lenin-prijs heeft gekregen en nog een hele reeks andere prijzen. Hij moet heel wat uitnodigingen hebben gehad om lezingen te houden in het buitenland. Verdomme, wij hebben hem ook twee keer gevraagd, maar daarvoor moesten we het presidium van de Academie van Wetenschappen aanschrijven, en dat lag steeds dwars.

Hij heeft een belangrijke bijdrage geleverd en natuurlijk wilde hij graag internationale erkenning. Dat willen we allemaal, dat is menselijk. Het was steeds de Academie die de boot afhield. Maar nu komt hij dus eindelijk naar Amerika. Hij zal lezingen houden over geavanceerde deeltjesfysica, en reken maar dat ik erbij zal zijn.'

Ik ook, dacht Monk.

Hij wachtte tot de geleerde zijn eerste voordracht had gehouden. Hij kreeg een warm applaus. Monk zat in de zaal te luisteren en slenterde in de koffiepauze door de gangen. Hier en daar ving hij wat op. Wat hem betrof hadden ze net zo goed Martiaans kunnen praten. Hij begreep er geen woord van.

In de lobby van het hotel werd hij langzamerhand een vertrouwde verschijning in zijn tweedjasje, met zijn bril aan een koordje om zijn hals en een paar hypertechnische tijdschriften onder zijn arm. Zelfs de vijf KGB-mensen en die ene GRU-agent letten niet meer op hem.

De laatste avond voordat de Russische delegatie terug zou reizen wachtte Monk totdat professor Blinov naar zijn kamer was verdwenen. Toen ging hij naar boven en klopte aan.

'Ja?' zei een stem in het Engels.

'Room service,' zei Monk.

De deur ging open, maar op de ketting. Professor Blinov keek door de kier. Hij zag een man in een pak, die een schaal fruit in zijn handen had, met een roze strik eromheen.

'Ik heb niets besteld.'

'Nee, meneer. Ik ben de nacht-manager. Dit is een attentie van het huis.'

174

Na vijf dagen in Amerika stond professor Blinov nog steeds versteld over die vreemde, onbegrensde consumptiemaatschappij. Het enige wat hij herkende waren de wetenschappelijke gesprekken en de strenge bewaking. Maar een gratis schaal fruit was totaal nieuw voor hem. Hij wilde niet onbeleefd lijken en maakte de ketting los, hoewel de KGB hem dat uitdrukkelijk verboden had. Die wist maar al te goed wat het kon betekenen als er om middernacht op je deur werd geklopt.

Monk stapte naar binnen, zette de schaal neer en deed de deur achter zich dicht. Hij zag de schrik in de ogen van de geleerde.

'Ik weet wie u bent. Ga weg, of ik bel mijn eigen mensen.'

Monk glimlachte en ging over in het Russisch: 'Natuurlijk professor, wanneer u maar wilt. Maar eerst heb ik nog iets voor u. Lees dit maar, dan kunt u altijd nog bellen.'

Verbijsterd nam de wetenschapper de brief van de jongen aan en las de eerste regel.

'Wat is dit voor onzin?' protesteerde hij. 'U dringt mijn kamer binnen en...'

'Geef me vijf minuten van uw tijd. Dan vertrek ik weer. Heel rustig, zonder problemen. Maar luister eerst naar wat ik te zeggen heb.'

'Ik wil helemaal niet horen wat u te zeggen hebt! Ik ben gewaarschuwd voor uw soort mensen...'

'Zhenya is in New York,' zei Monk. De professor zweeg abrupt en zijn mond viel open. Hij was vijftig, een man met grijs haar, die ouder leek dan hij was. Hij liep krom en hij had een leesbril nodig, die nu op het puntje van zijn neus stond. Hij keek Monk over het montuur scherp aan en ging toen langzaam op het bed zitten.

'Zhenya? Hier? In Amerika?'

'Na uw laatste vakantie samen in Yalta heeft ze toestemming gekregen om naar Israël te emigreren. Maar in het doorgangskamp in Oostenrijk besloot ze om naar Amerika te gaan. Ze heeft onze ambassade benaderd en een visum gekregen. In het kamp merkte ze dat ze zwanger was van u. Wilt u nu de brief lezen?'

De professor las langzaam, nog steeds ontdaan. Toen hij klaar was, hield hij de twee velletjes crèmekleurig briefpapier in zijn hand en staarde naar de muur. Hij zette zijn bril af en wreef in zijn ogen. Langzaam druppelden er twee tranen over zijn wangen.

'Ik heb een zoon,' fluisterde hij. 'Lieve god, ik heb een zoon.'

Monk haalde een foto uit zijn zak en gaf hem die. De jongen droeg een honkbalpetje en grijnsde breed. Hij had sproeten en een gebroken voortand.

'Ivan Ivanovich Blinov,' zei Monk. 'Hij heeft u nog nooit gezien, behalve op een verbleekt kiekje uit Sochi, maar hij houdt van u.'

'Ik heb een zoon,' herhaalde de man die waterstofbommen kon ontwerpen.

'Maar u hebt ook een vrouw,' mompelde Monk.

Blinov schudde zijn hoofd. 'Valya is vorig jaar aan kanker overleden.'

Daar had Monk niet op gerekend. Blinov was dus een vrij man. Hij zou in Amerika kunnen blijven als hij wilde. Maar dat was niet het plan.

Blinov was hem voor. 'Wat wilt u van me?'

'Over twee jaar accepteert u een uitnodiging voor een lezing in het Westen en keert u niet meer terug. Wij zullen u naar Amerika vliegen, waar u ook bent. U hebt een goede toekomst hier – een leerstoel aan een goede universiteit, een groot huis in de bossen, twee auto's. En Zhenya en Ivan, natuurlijk. Voorgoed. Ze houden heel veel van u en dat is wederzijds, geloof ik.'

'Twee jaar...'

'Ja. Nog twee jaar in Arzamas-16. We willen alles weten. Begrijpt u?'

Blinov knikte. Voordat het ochtend was, had de professor het adres in Oost-Berlijn in zijn geheugen geprent en een busje scheerschuim aangenomen waarin een capsule met onzichtbare inkt zat voor die ene brief. Het was onmogelijk om tot Arzamas-16 door te dringen. Eén ontmoeting om het materiaal over te dragen, dat was alles. En een jaar later moest hij ontsnappen met alles wat hij mee kon nemen.

Toen hij weer door de lobby liep, zei een stemmetje in Jasons achterhoofd: je bent een gore klootzak. Hij had hier gewoon kunnen blijven. Maar een ander stemmetje zei: je bent geen liefdadige instelling. Je bent geheim agent. Dat is je werk, meer niet.

Maar de echte Jason Monk zwoer dat Ivan Yevdokimovich Blinov ooit in Amerika zou wonen met zijn vrouw en zijn zoon, en dat Uncle Sam het allemaal goed zou maken – elke minuut van die twee jaar.

De bespreking werd twee dagen later gehouden in het kantoor van Sir Henry Coombs op de bovenste verdieping van Vauxhall Cross, dat ook wel spottend het 'Paleis van Licht en Cultuur' werd genoemd. Die naam was afkomstig van een oude ijzervreter, Ronnie Bloom, die allang overleden was. Bloom, een kenner van het Verre Oosten, was ooit in Peking een gebouw met die naam tegengekomen. Hij had er weinig licht en al helemaal geen cultuur kunnen ontdekken. Onwillekeurig had hij gedacht aan Century House, het hoofdkwartier van zijn eigen SIS. En die naam was blijven hangen.

Bij het gesprek waren ook de chefs van de divisies Oostelijk en Westelijk Halfrond aanwezig, Marchbanks als hoofd van de Russische sectie, en natuurlijk Jock Macdonald. Macdonald was bijna een uur aan het woord, zo nu en dan onderbroken door een vraag van zijn superieuren.

'Nou, heren?' vroeg de chef ten slotte. Iedereen gaf zijn mening. Ze waren het eens. Het Zwarte Manifest moest inderdaad gestolen zijn en was een authentieke blauwdruk voor de plannen van Komarov als hij aan de macht

176

zou komen. De man wilde een éénpartijstaat creëren, een dictatuur. De etnische minderheden in Rusland zouden worden uitgemoord en Moskou zou weer een agressieve politiek gaan voeren tegenover het buitenland.

'Wil je alles nog eens opschrijven, Jock? Vandaag nog? Dan kan ik het met hogerhand opnemen. En we moeten met onze collega's in Langley overleggen. Sean, regel jij dat?'

Het hoofd van de divisie Westelijk Halfrond knikte. De chef stond op.

'Een verdomd vervelende zaak. We moeten er iets aan doen, dat is duidelijk. De politici moeten ons groen licht geven om die man ten val te brengen.'

Maar zo ging het niet. Nog voor eind augustus werd Sir Henry Coombs uitgenodigd door de hoogste ambtenaar van Buitenlandse Zaken in King Charles Street.

Als permanent onderminister van Buitenlandse Zaken was sir Reginald Parfitt niet alleen een collega van de directeur van de SIS, maar ook een van de zogenaamde Vijf Wijze Mannen, die met zijn collega's van Financiën, Defensie, Algemene Zaken en Binnenlandse Zaken de premier moest adviseren over een geschikte opvolger voor sir Henry Coombs. De twee mannen kenden elkaar al lang en waren goed bevriend, maar ze wisten ook dat ze totaal andere belangen vertegenwoordigden.

'Dat verdomde dossier dat jullie uit Rusland hebben meegebracht...' begon Parfitt.

'Het Zwarte Manifest.'

'Precies. Een mooie titel. Zelf bedacht, Henry?'

'Nee. Mijn bureauchef in Moskou. Ik vond het goed getroffen.'

'Absoluut. Zwart als de nacht. Nou, we hebben met de Amerikanen overlegd, maar verder met niemand. Het is op het allerhoogste niveau besproken. Onze eigen heer en meester' – hij bedoelde de Britse minister van Buitenlandse Zaken – 'heeft het gelezen voordat hij met vakantie ging naar Toscane. Zijn Amerikaanse collega heeft het ook gezien. Ze waren geschokt, dat zal je niet verbazen.'

'Maar dóen we er ook iets aan, Reggie?'

'Of we er iets aan doen? Tsja, dat is het probleem. Kijk, een regering kan alleen stappen ondernemen tegen een andere regering, niet tegen een buitenlandse oppositiepartij. En dit document' – hij tikte op zijn eigen kopie van het Zwart Manifest op zijn vloeiblad – 'bestaat officieel niet eens. Ook al weten wij allebei dat het wel degelijk bestaat. Maar wij kunnen moeilijk toegeven dat we het in ons bezit hebben, omdat het gestolen is. De Britse en Amerikaanse regering kunnen dus officieel niets ondernemen.'

'Officieel, nee,' mompelde sir Henry Coombs. 'Maar in haar oneindige wijsheid heeft onze regering ooit de SIS opgericht om... officieus iets te kunnen doen als de situatie daarom vraagt.'

'Zeker, Henry. Zeker. Je denkt aan een geheime operatie, neem ik aan?'
Sir Reginald zei het met een gezicht alsof iemand het raam had opengezet om de stank van de gasfabriek binnen te laten.
'We hebben weleens eerder een gevaarlijke maniak uitgeschakeld, Reggie. Zonder dat er een haan naar kraaide. Dat is ons werk, dat weet je.'
'Maar vaak loopt het verkeerd af, Henry. En dat is het probleem. Onze politieke broodheren aan beide kanten van de oceaan schijnen ervan overtuigd te zijn dat iedere geheime actie vroeg of laat toch uitlekt. En dan heb je de poppen aan het dansen. Onze Amerikaanse vrienden hebben nachtmerries gehad over al die "gates" van de afgelopen tijd: Watergate, Irangate, Contragate. En onze eigen mensen herinneren zich nog een paar vervelende lekken en de vernietigende rapporten van al die onderzoekscommissies. Corruptie in het parlement, wapenleveranties aan Irak... Begrijp je, Henry?'
'Ze hebben gewoon het lef niet, bedoel je?'
'Grof gezegd, maar daar komt het wel op neer. Je weet je altijd zo subtiel uit te drukken. Ik denk niet dat onze regering of de Amerikanen die man veel hulp of krediet zullen geven als hij aan de macht komt, maar daar blijft het bij. En wat die geheime operaties betreft, is het antwoord duidelijk nee.'
De permanente onderminister bracht Sir Henry naar de deur. Met twinkelende oogjes keek hij de spionagechef aan, maar zonder een spoor van humor.
'En ik bedoel echt *nee*, Henry.'
De limousine met chauffeur stond al te wachten. Toen hij over de kades van de slaperige Theems terugreed naar Vauxhall Cross, had sir Henry Coombs geen andere keus dan de harde realiteit van de politiek te accepteren. Ooit was een handdruk genoeg geweest om een discrete operatie te bezegelen. Maar de afgelopen tien jaar schenen officiële 'lekken' een nieuwe groeisector te zijn geworden. Onder iedere order moest nu een handtekening staan. Dus was er iemand verantwoordelijk. En niemand in Londen of Washington was bereid zijn handtekening te zetten onder een geheime order voor een 'actieve maatregel' om de opmars van Igor Viktorovich Komarov te stuiten.

Vladimir, juli 1989

De Amerikaanse academicus dr. Philip Peters was al eens eerder in de Sovjetunie geweest, zogenaamd uit belangstelling voor oosterse kunst en Russische oudheden. Niemand had toen achterdocht gekregen.
Twaalf maanden later kreeg Moskou nog meer toeristen te verwerken en werd de controle steeds oppervlakkiger. Monk vroeg zich af of hij de identiteit van dr. Peters nog eens kon gebruiken. Hij besloot van wel.

De brief van professor Blinov was duidelijk genoeg geweest. Hij had de antwoorden op alle wetenschappelijke vragen die de Amerikanen bezighielden. Die lijst was opgesteld na intensieve discussies op het hoogste academische niveau, nog voordat Monk die avond in San José bij de professor had aangeklopt. Ivan Blinov had de lijst meegenomen en nu had hij de antwoorden. Het zou alleen lastig voor hem zijn om naar Moskou te komen. En verdacht.

Maar Gorki, ook een stad met veel wetenschappelijke instituten, lag op anderhalf uur reizen met de trein vanuit Arzamas-16. Dat moest lukken. Na dringende protesten van Blinov was de KGB opgehouden hem voortdurend te schaduwen als hij Arzamas verliet. Tenslotte was hij helemaal naar Californië geweest. Waarom dan niet naar Gorki? De politieke *kommissar* had hem gesteund. En nu hij niet langer werd gevolgd, kon hij in Gorki ook op de trein stappen naar Vladimir, de stad van kathedralen. Verder kon niet, want hij moest tegen de avond weer terug zijn. Hij noemde 19 juli als datum voor de ontmoeting – 's middags om twaalf uur, onder de westelijke galerij van de kathedraal van Maria-Hemelvaart.

Twee weken lang verdiepte Monk zich in de gegevens over Vladimir. Het was een middeleeuwse stad, beroemd om haar twee prachtige kathedralen. De kathedraal van Maria-Hemelvaart was de grootste, met veel werk van Rublev, de 15e-eeuwse icoonschilder. De Demetriuskathedraal was wat kleiner.

De research-afdeling van Langley had geen toeristische excursies naar Vladimir kunnen vinden omstreeks die tijd. En het was te riskant om als eenzame toerist te gaan. Een groep bood veel meer bescherming. Ten slotte ontdekten ze een groep liefhebbers van oude Russische kerkarchitectuur die half juli een bezoek aan Moskou zou brengen, met een busreis naar het beroemde Troitsje-Sergijeva klooster in Zagorsk op de 19e. Dr. Peters sloot zich erbij aan.

Met zijn grijze krullen en zijn neus in de toeristengidsjes liet dr. Peters zich drie dagen rondleiden door de prachtige kathedralen van het Kremlin. Aan het einde van de derde dag vroeg hun Intourist-gids of ze de volgende dag om half acht in de lobby van het hotel wilden wachten om op de bus naar Zagorsk te stappen.

Om kwart over zeven stuurde dr. Peters een briefje met het bericht dat hij last had van zijn maag en die dag liever in bed bleef met een paar pillen. Om acht uur sloop hij het Metropol Hotel uit en liep naar het station Kazan, waar hij op de trein naar Vladimir stapte. Een paar minuten voor elf arriveerde hij in de stad van de kathedralen.

Zoals hij al had verwacht, liepen er veel toeristen rond, want Vladimir verborg geen staatsgeheimen. De bezoekers werden dan ook nauwelijks in de

179

gaten gehouden. Hij kocht een stadsplattegrond, slenterde door de Demetri-uskathedraal en bewonderde de muren met hun dertienhonderd bas-reliëfs van zoogdieren, vogels, bloemen, griffioenen, heiligen en profeten. Om tien voor twaalf liep hij naar de Kathedraal van Maria-Hemelvaart, driehonderd meter verder, en wandelde ongehinderd naar de fresco's van Rublev onder de westelijke galerij, totdat hij iemand hoorde kuchen. Als ik ben gescha-duwd, is het afgelopen, dacht hij.

'Hallo, professor, hoe gaat het?' vroeg hij, zonder zijn blik van de stralende schilderingen af te wenden.

'Heel goed. Alleen een beetje nerveus,' antwoordde Blinov.

'Wie niet?'

'Ik heb iets voor u.'

'Ik heb ook iets voor u. Een lange brief van Zhenya, en eentje van kleine Ivan, met een paar tekeningen die hij op school heeft gemaakt. Tussen haak-jes, hij moet uw verstand hebben geërfd. Volgens zijn lerares is hij in reke-nen de rest van zijn klas ver vooruit.'

Hoe bang hij ook was – het zweet stond op zijn voorhoofd – toch straalde de wetenschapper van plezier.

'Kom langzaam achter me aan,' zei Monk, 'en blijf naar de schilderingen kijken.'

Hij liep onder het gewelf door en keek onopvallend om zich heen. Hij zag een groep Franse toeristen vertrekken, en het volgende moment waren ze helemaal alleen. Hij gaf de professor de brieven uit Amerika en nog een lijst met vragen die door de kerngeleerden was opgesteld. Blinov stak ze in de zak van zijn jasje en gaf Monk een veel dikker pakje, met alle documenten die hij in Arzamas-16 had gekopieerd.

Dat beviel Monk niet erg, maar er was niets aan te doen. Hij propte het pakje onder zijn overhemd en schoof het naar zijn rug toe. Toen gaf hij de professor een hand en glimlachte.

'Houd moed, Ivan Yevdokimovich,' zei hij. 'Het duurt niet lang meer. Nog maar één jaar.'

De twee mannen namen afscheid. Blinov nam weer de trein naar Gorki en van daar naar zijn gouden kooi. Monk stapte op de trein terug naar Moskou. Nog voordat zijn groep uit Zagorsk terugkwam, had hij zijn pakketje al bij de Amerikaanse ambassade afgegeven en lag hij weer in bed. Iedereen was heel meelevend. Hij had een unieke ervaring gemist, zeiden ze.

Op 29 juli vloog de groep naar New York terug, over de noordpool. Die-zelfde nacht landde er op Kennedy Airport een vliegtuig uit Rome. Aan boord was Aldrich Ames, die na drie jaar uit Italië was teruggekomen om in Langley voor de KGB te spioneren. Hij had inmiddels twee miljoen dollar verdiend.

180

Toen hij uit Rome vertrok, had hij negen vellen met instructies uit Moskou uit zijn hoofd geleerd voordat hij ze had verbrand. Een van zijn belangrijkste opdrachten was uit te vinden of de CIA nog meer spionnen in de Sovjetunie had – vooral bij de KGB, de GRU, op hoge posten bij de ministeries of in de wetenschap. Er stond ook een P.S. bij: Concentreer je op de man die wij kennen als Jason Monk.

9

Augustus is geen goede maand voor de gentlemen's clubs in St. James, Piccadilly en Pall Mall. Het grootste deel van het personeel is met de familie op vakantie en de meeste leden zijn naar het buitenland afgereisd of hebben zich in hun buitenhuizen teruggetrokken.

Veel clubs gaan daarom dicht. De leden die om een of andere reden toch in de hoofdstad achterblijven, moeten daarom hun intrek nemen in een vreemde omgeving. Dankzij onderlinge overeenkomsten kunnen ze terecht bij de paar clubs die in het hoogseizoen nog wel open zijn.

Maar op de laatste dag van de maand had White de deuren weer geopend, en dus kon sir Henry Coombs daar een tafeltje reserveren voor een lunch met een man die vijftien jaar ouder was dan hij, een van zijn voorgangers als hoofd van de Secret Intelligence Service.

Sir Nigel Irvine was inmiddels zeventig en had al vijftien jaar geleden afscheid genomen. De eerste tien jaar van zijn pensionering had hij, net als anderen vóór en na hem, zijn ervaring en zijn contacten aangewend in een reeks commissariaten in de City, waarmee hij zijn inkomen voor de oude dag aardig had bijgespijkerd.

Vier jaar geleden had hij zich definitief teruggetrokken in zijn huis bij Swanage op het eiland Purbeck in Dorset, waar hij zijn tijd doorbracht met schrijven, lezen en wandelen over het strand langs het Kanaal. Zo nu en dan kwam hij naar Londen om oude vrienden te ontmoeten. Die vrienden, oud en jong, vonden hem nog steeds een actieve, energieke man, die achter zijn vriendelijke blauwe ogen een vlijmscherp verstand verborg.

De mensen die hem het beste kenden, wisten dat er onder zijn ouderwetse, hoffelijke houding een onverzettelijke wilskracht schuilging, die soms meedogenloze kantjes had. Ondanks het leeftijdsverschil was Henry Coombs een van zijn beste vrienden.

Ze kwamen allebei uit de traditie van de Rusland-kenners. Na Irvines pensionering was de leiding van de SIS achtereenvolgens terechtgekomen bij twee Oriëntalisten en één Arabist, voordat Henry Coombs de macht had overgenomen en er weer iemand aan het roer stond die zijn sporen had verdiend in de titanenstrijd met de Sovjetunie. In Irvines tijd had Coombs zichzelf bewezen als een briljant agent in Berlijn, waar hij de degens had gekruist met de Oostduitse sectie van de KGB en de Oostduitse spionagechef Marcus Wolf.

Beneden in de drukke bar beperkten ze het gesprek tot koetjes en kalfjes, maar natuurlijk vroeg Irvine zich af waarom zijn voormalige protégé hem had gevraagd die lange treinreis vanuit Dorset naar een snikheet Londen te maken voor één enkele lunch. Pas toen ze naar boven waren gegaan en aan een tafeltje bij het raam zaten, met uitzicht op St. James Street, kwam Coombs ter zake.

'Er is iets aan de hand in Rusland,' zei hij.

'Een heleboel zelfs, als ik de kranten goed lees,' zei Irvine. Coombs glimlachte. Hij wist dat zijn oude chef heel wat betere bronnen had dan de ochtendkranten.

'Ik kan geen bijzonderheden noemen,' zei hij. 'Niet hier, en niet nu. Maar ik zal je de grote lijnen schetsen.'

'Natuurlijk,' zei Irvine.

Coombs vertelde hem in grote trekken wat zich de afgelopen zes weken in Moskou en Londen had afgespeeld. Vooral in Londen.

'Ze zijn niet van plan om iets te doen. Punt uit,' zei hij. 'Ze zien wel wat er gebeurt, hoe vervelend het ook is. Tenminste, dat hoorde ik een paar dagen geleden van onze geachte minister van Buitenlandse Zaken.'

'Ik vrees dat je mijn invloed schromelijk overschat als je denkt dat ik de mandarijnen van King Charles Street wat peper in hun kont kan steken,' zei sir Nigel. 'Ik ben oud en met pensioen. Mijn race is wel gelopen, mijn passie is gedoofd, zoals de dichter zei.'

'Ik heb twee documenten die ik je wil laten lezen,' zei Coombs. 'Een ervan is het volledige rapport over alles wat er is gebeurd, voor zover wij kunnen nagaan, vanaf het moment dat een dappere maar domme oude man een dossier van het bureau van Komarovs privé-secretaris heeft gestolen. Je moet zelf maar uitmaken of het Zwarte Manifest authentiek is, zoals wij denken.'

'En het andere document?'

'Het Zwarte Manifest zelf.'

'Dank je voor het vertrouwen. Maar wat moet ik ermee?'

'Neem ze mee naar huis, lees ze door en zeg wat je ervan denkt.'

Toen de lege rijstschaaltjes met de restjes jam waren afgeruimd, bestelde sir Henry Coombs koffie met twee glazen oude port. De club schonk een uitstekende Fonseca.

'Maar zelfs als ik het met je eens ben dat het een authentiek dossier is, met een onheilspellende inhoud – wat dan?'

'Ik vroeg me af, Nigel... die mensen met wie je volgende week in Amerika gaat praten, als ik goed ben ingelicht...'

'Beste Henry, dat hoor jij helemaal niet te weten.'

Coombs haalde zijn schouders op, maar hij was blij dat zijn intuïtie klopte. De Raad zou de volgende week bijeenkomen en Irvine was ook uitgenodigd.

'Je kent het cliché. Ik heb overal mijn spionnen.'

'Nou, ik ben blij dat er niet veel is veranderd sinds mijn tijd,' zei Irvine.

'Goed. Stel dat ik een paar mensen in Amerika spreek. Wat dan?'

'Dat laat ik aan jou over. Aan je eigen oordeel. Je mag die documenten verbranden en de as in de vuilnisbak gooien. Maar als je ze wilt meenemen naar de overkant van de oceaan, mij best.'

'Lieve hemel, wat spannend allemaal.'

Coombs haalde een plat verzegeld pakje uit zijn koffertje en gaf het aan Irvine, die het in zijn eigen tas borg, samen met de aankopen die hij zojuist bij John Lewis had gedaan: wat borduurlappen voor lady Irvine, die in de lange winteravonden graag kussenovertrekken maakte.

Ze namen afscheid in de lobby en sir Nigel Irvine nam een taxi naar het station om zijn trein naar Dorset te halen.

Langley, september 1989

Toen Aldrich Ames naar Washington terugkwam, had hij verbazend genoeg nog de helft van zijn negenjarige loopbaan als KGB-spion voor de boeg.

Hij zwom nu in het geld en begon zijn nieuwe leven door een huis te kopen voor een half miljoen dollar in contanten en in een splinternieuwe Jaguar de parkeerplaats van de CIA op te rijden. En dat met een salaris van vijftigduizend dollar per jaar. Maar niemand zag er iets vreemds in.

Omdat hij in Rome hoofd van de Russische sectie was geweest, bleef hij deel uitmaken van de belangrijke SE-divisie, hoewel Rome natuurlijk onder West-Europa viel. Voor de KGB was het van vitaal belang dat hij bleef waar hij was, met de kans om nog een blik te werpen in de 301-dossiers.

Maar dat was niet zo eenvoudig. Milton Bearden was ook teruggekomen naar Langley, nadat hij de geheime oorlog tegen de Sovjets in Afghanistan had geleid.

Bearden, de nieuwe chef van de SE-divisie, probeerde zo snel mogelijk van Aldrich Ames af te komen, maar dat lukte hem niet, evenmin als zijn voorgangers.

Ken Mulgrew, de aartsbureaucraat, was via de administratieve ladder opgeklommen tot personeelschef. En als zodanig had hij grote invloed op de functies en posities binnen de CIA.

Mulgrew en Ames hervatten al snel hun alcoholische vriendschap, vooral omdat Ames nu niet meer op een stuiver hoefde te kijken. Het was Mulgrew die Bearden de voet dwars zette toen hij Ames bij de SE-divisie probeerde weg te krijgen.

Ondertussen had de CIA de meeste dossiers in de computer opgeslagen en haar gevoeligste geheimen toevertrouwd aan de onveiligste uitvinding die de mensheid ooit had gedaan. In Rome had Ames een paar computercursussen gevolgd, en alles wat hij nog nodig had om van achter zijn eigen bureau tot de 301-dossiers door te dringen was de toegangscode. Voorbij was de tijd dat hij plastic draagtassen vol dossiers naar buiten moest slepen – dossiers waarvoor hij zijn handtekening moest zetten als hij ze opvroeg.

Het eerste baantje dat Mulgrew voor zijn compaan wist te regelen was de functie van chef Externe Operaties van de Russische sectie.

Maar Externe Operaties ging alleen over Russische spionnen die buiten de Sovjetunie of het Oostblok actief waren.

Dat gold dus niet voor Lysander, de Spartaanse krijger die in Oost-Berlijn de leiding had over het Directoraat K van de KGB. Of voor Orion, de jager binnen het ministerie van Defensie in Moskou. Of voor Delphi, het orakel in het hart van het Russische ministerie van Buitenlandse Zaken. Of voor Pegasus, die zo graag over de Atlantische Oceaan wilde vliegen maar nu nog in een geheim nucleair centrum tussen Moskou en de Oeral zat opgesloten.

Toen Ames zijn positie gebruikte om snel een onderzoek in te stellen naar Jason Monk, die als GS-15 inmiddels hoger in rang was dan hijzelf (Ames was nog niet verder gekomen dan GS-14), leverde dat niets op. Maar het feit dat Monk niet in de dossiers van Externe Operaties voorkwam, betekende wel dat Monks spionnen in het Oostblok of in de Sovjetunie zelf moesten zitten. De geruchten en Mulgrew vertelden hem de rest.

Volgens die geruchten was Jason Monk de beste CIA-officier van dat moment. Maar hij was ook een eenling, een buitenstaander, die zijn eigen methoden had, zijn eigen risico's nam en allang zou zijn ontslagen als hij niet zulke goede resultaten oogstte in een organisatie die steeds minder succes boekte.

Zoals iedere bureaucraat had Mulgrew de pest aan Monk, aan zijn onafhankelijkheid, zijn onwil om formulieren in drievoud in te vullen en vooral zijn ogenschijnlijke onkwetsbaarheid voor klachten van mensen zoals Mulgrew.

Ames maakte gebruik van Mulgrews antipathie. Van de twee mannen kon Ames het best tegen drank. Hij bleef nadenken, ondanks de alcoholnevel, terwijl Mulgrew begon te pochen en te lallen.

Op een late avond in september 1989, toen het gesprek weer eens op de eenzame man uit Virginia kwam, riep Mulgrew dat hij had gehoord dat Monk een spion had die hij een paar jaar eerder in Argentinië had gerekruteerd. Een hoge diplomaat.

Ames wist geen naam, zelfs geen codenaam, maar de KGB kon het nu zelf wel uitzoeken. Een hoge diplomaat betekende iemand met de rang van tweede secretaris of hoger. Een 'paar jaar geleden' interpreteerden ze als achttien maanden tot drie jaar.

Buitenlandse Zaken leverde een lijst met de diplomaten die in die tijd in Buenos Aires hadden gezeten. Daar kwamen zeventien kandidaten uit. Ames zei erbij dat de man na Argentinië geen buitenlandse post meer had gekregen. Dat maakte de lijst nog korter.

Anders dan de CIA had de KGB geen scrupules om mogelijke verraders in eigen kring hard aan te pakken. Ze stelden meteen een onderzoek in naar mensen die plotseling meer geld hadden gekregen, een luxer leven waren gaan leiden, een klein appartementje hadden gekocht...

Het was een mooie dag, die eerste september, met een briesje vanaf het Kanaal en niets anders tussen de Engelse rotsen en de verre kust van Normandië dan de witte schuimkoppen van de golven.

Sir Nigel wandelde op het pad over de rotsen tussen Durlston Head en St. Alban's Head en zoog de zilte lucht diep in zijn longen. Het was zijn favoriete wandeling, al jarenlang – een heerlijke verfrissing na een dag in een rokerige directiekamer of een nacht waarin hij zich in geheime documenten had verdiept.

De zeelucht gaf hem een frisse kijk op de problemen en blies de onbelangrijke en misleidende franje weg, zodat alleen de kern van de zaak nog overbleef.

Hij had de hele nacht over de twee documenten van Henry Coombs gebogen gezeten en was geschokt geweest door wat hij las. Hij had waardering voor het speurwerk vanaf het moment dat die zwerver het dossier in de auto van Celia Stone had geworpen. Zo zou hij het zelf ook hebben aangepakt.

Hij kon zich Jock Macdonald nog vaag herinneren van vroeger – een jonge hond die allerlei klusjes opknapte in Century House. Blijkbaar had hij carrière gemaakt. En sir Nigel was het eens met zijn conclusie dat het Zwarte Manifest geen vervalsing of wrange grap kon zijn.

Dat bracht hem bij het manifest zelf. Als die Russische volksmenner werkelijk dat programma wilde uitvoeren, zouden de afschuwelijke tijden uit zijn eigen jeugd weer terugkomen.

Nigel Irvine was achttien toen hij in 1943 eindelijk dienst mocht nemen in het Britse leger en naar Italië werd gestuurd. Hij raakte gewond bij de slag om Monte Cassino en was naar Engeland teruggestuurd om te herstellen. Toen hij weer op de been was, werd hij ondanks zijn smeekbeden niet meer bij een gevechtseenheid ingedeeld, maar bij de militaire inlichtingendienst.

Als luitenant, nauwelijks twintig jaar oud, was hij met het Achtste Leger de Rijn overgestoken en getuige geweest van iets wat niemand van die leeftijd – of welke leeftijd ook – ooit zou moeten zien. Een geschokte majoor van de infanterie had hem gevraagd om te komen kijken in een kamp waarop ze bij hun opmars waren gestuit.

Het concentratiekamp Bergen-Belsen had ook oudere kerels dan Irvine nachtmerries bezorgd die ze nooit meer zouden kwijtraken.

Bij St. Alban's Head slingerde het pad zich weer landinwaarts. Sir Nigel liep terug naar het gehucht Acton, waar hij het laantje naar Langton Matravers nam. Wat moest hij doen? En zou het iets uithalen? Waarom verbrandde hij die papieren niet? Een heel verleidelijke gedachte. Als hij ze mee naar Amerika nam, zou hij zich misschien de hoon op de hals halen van de hoge heren met wie hij een hele week moest vergaderen. Geen prettige gedachte.

Hij maakte het tuinhek open en liep door de kleine moestuin waar Penny 's zomers fruit en groente teelde. Er brandde een vuurtje van wat snoeihout dat moest worden opgeruimd. In het midden waren de vlammen nog rood en heet. Wat was eenvoudiger dan die dossiers nu in het vuur te gooien? Dan was hij ervanaf.

Hij wist dat Henry Coombs de zaak nooit meer ter sprake zou brengen, wat hij ook deed. Niemand zou ooit weten waar de documenten vandaan waren gekomen en geen van beide mannen zou er nog een woord over zeggen. Dat hoorde bij de code.

Zijn vrouw riep hem vanuit het keukenraam. 'O, ben je daar? Ik heb thee in de zitkamer. Ik ben het dorp in geweest om muffins en jam te halen.'

'Fijn. Ik hou van muffins.'

'Ja, dat weet ik wel, na al die jaren.'

Penelope, vijf jaar jonger dan hij, was ooit een oogverblindende schoonheid geweest, die minstens tien andere en veel rijkere mannen had kunnen krijgen. Maar om haar eigen redenen had ze voor de arme, jonge inlichtingenofficier gekozen, die gedichten voor haar las en achter zijn verlegen uiterlijk een brein als een computer verborg.

Ze hadden een zoon gekregen, hun enige kind, die in 1982 in de Falklandsoorlog was gesneuveld. Ze probeerden er niet te veel aan te denken, behalve op zijn verjaardag en de dag van zijn dood.

Al die dertig jaar dat Irvine bij de Secret Intelligence Service had gewerkt had Penelope geduldig op hem gewacht als hij zijn agenten diep de Sovjetunie in stuurde of in de bittere kou onder de Berlijnse muur een dappere maar angstige man opwachtte die via het checkpoint de lichten van West-Berlijn probeerde te bereiken. Als hij thuiskwam, brandde er altijd een haardvuur en kreeg hij muffins bij de thee. Ze was nu vijfenzestig, maar hij vond haar nog steeds een schoonheid en hield zielsveel van haar.

Hij ging zitten, at een muffin en staarde in het vuur.

'Je gaat weer weg,' zei ze rustig.

'Ik kan niet anders.'

'Hoe lang?'

'O, eerst een paar dagen naar Londen, als voorbereiding. Dan een week in

187

Amerika. Daarna weet ik het niet. Waarschijnlijk kom ik dan terug.'

'Nou, ik red me wel. Er is nog genoeg te doen in de tuin. Bel je me als het kan?'

'Ja.' Toen zei hij: 'Het mag nooit meer gebeuren, weet je.'

'Natuurlijk niet. Drink je thee maar op.'

Langley, maart 1990

Het was het CIA-bureau in Moskou dat het eerst alarm sloeg. Agent Delphi had al sinds december niets meer van zich laten horen. Jason Monk zat achter zijn bureau en las de telegrammen toen ze waren gedecodeerd. Zijn ongerustheid ging snel over in paniek.

Als Kruglov nog functioneerde, overtrad hij alle regels. Waarom? Twee keer had de CIA in Moskou de afgesproken krijtstrepen op de afgesproken plaatsen gezet om aan te geven dat er in de geheime bergplaats een bericht voor Delphi lag. Beide keren was er niet gereageerd. Was Kruglov de stad uit? Was hij plotseling naar het buitenland overgeplaatst?

Als dat zo was, had hij dat moeten melden. Ze lazen de tijdschriften door, speurend naar de kleine advertentie die betekende dat met Kruglov alles in orde was – of het tegendeel, een kreet om hulp. Maar ze vonden helemaal niets.

In maart begon het ernaar uit te zien dat Delphi een ongeluk had gehad of met een hartaanval of een andere ernstige ziekte in het ziekenhuis lag. Tenzij hij dood was. Of opgepakt.

Voor Monk, met zijn achterdochtige karakter, bleef er één raadsel over. Als Kruglov was opgepakt en ondervraagd, zou hij alles hebben verteld. Verzet was zinloos, dat verlengde alleen de pijn.

Dan had hij dus ook hun geheime tekens – de krijtstrepen – en de bergplaatsen moeten verraden waar de CIA berichten voor hem achterliet of omgekeerd.

Waarom had de KGB die krijtstrepen niet gebruikt om een Amerikaanse diplomaat op heterdaad te betrappen? Dat lag voor de hand. Het zou een triomf zijn voor Moskou, op een moment dat ze een succesje goed konden gebruiken, want verder ging alles mis.

Het hele Sovjet-imperium in Oost-Europa stortte in. Roemenië had de dictator Ceaucescu vermoord, Polen had het communistische bewind afgeschud, Tsjechoslowakije en Hongarije waren openlijk in verzet en in november was de Berlijnse muur gesloopt. Na al die vernederingen zou het een kleine genoegdoening zijn voor de KGB om een Amerikaanse CIA-agent in hartje Moskou te betrappen. Maar er gebeurde niets.

Voor Monk kon dat maar twee dingen betekenen: Kruglovs verdwijning was een ongeluk dat later nog verklaard zou worden, of de KGB wilde haar bron beschermen.

De Verenigde Staten is rijk aan heel veel dingen, niet in het minst aan niet-gouvernementele organisaties, afgekort als NGO's. Daar zijn er duizenden van, variërend van trusts tot fondsen voor wetenschappelijk onderzoek op allerlei gebied, hoe obscuur ook. Er zijn centra voor politieke studie, denktanks, werkgroepen ter bevordering van het één, instellingen ter verbreiding van het ander, en god-mag-weten hoeveel stichtingen nog meer.

Sommige houden zich bezig met research, andere met liefdadigheid, of discussies, weer andere met propaganda, lobbyen, publiciteit, het stimuleren van dit, het afschaffen van dat.

Alleen al in Washington zijn zo'n twaalfhonderd NGO's gevestigd, en in New York nog duizend meer. En allemaal hebben ze geld nodig. Sommige worden gedeeltelijk gefinancierd uit belastinginkomsten, andere uit erfenissen van lang geleden, weer andere door het bedrijfsleven en de handel, of door grillige, filantropische of geschifte miljonairs.

Ze vormen een kader voor academici, politici, ex-ambassadeurs, weldoeners, bemoeials en zo nu en dan een maniak. Maar ze hebben allemaal twee dingen gemeen. Ze geven toe dat ze bestaan en ze hebben ergens een kantoor. Behalve één.

Misschien vanwege het beperkte en besloten lidmaatschap, de kwaliteit van de leden en de volslagen onzichtbaarheid van hun organisatie was de Lincoln Raad die zomer van 1999 waarschijnlijk de invloedrijkste NGO die er bestond.

In een democratie staat invloed gelijk aan macht. Alleen in een dictatuur kan rauwe macht – macht om mensen te arresteren, op te sluiten, te martelen, te veroordelen en in het geheim gevangen te houden – binnen de wet blijven bestaan.

Niet-gekozen macht in een democratie berust op het vermogen om de gekozen macht te beïnvloeden. Dat is mogelijk door de publieke opinie te mobiliseren, campagne te voeren in de media, langdurig te lobbyen of geld ergens in te steken. Maar in haar zuiverste vorm is die invloed vaak niets anders dan een discreet advies aan de gekozen machthebbers, advies uit onverwachte hoek, van mensen met een lange ervaring, veel wijsheid en een grote integriteit. Kortom, goede raad.

De Lincoln Raad, die niet eens toegaf dat ze bestond en zo klein was dat niemand ervan wist, was een onafhankelijke groep die zich bezighield met de analyse van belangrijke problemen en het zoeken naar oplossingen daarvoor. Gezien de kwaliteit van de leden en hun contacten met de hoogste regeringskringen, had de Raad waarschijnlijk meer reële invloed dan enige andere NGO of zelfs een hele groep van NGO's.

Het was van oorsprong een Anglo-Amerikaanse organisatie, ontstaan uit dat diepgewortelde gevoel van verwantschap dat nog teruggaat tot de Eerste Wereldoorlog, hoewel de Raad zelf pas in het begin van de jaren tachtig was opgericht na een etentje in een exclusieve club in Washington, vlak na de Falklands-oorlog.

Nieuwe leden werden uitgenodigd door bestaande leden, op grond van bepaalde kwaliteiten, zoals een lange ervaring, rechtschapenheid, wijsheid, uiterste discretie en bewezen vaderlandsliefde.

Afgezien daarvan moest iedereen die een publieke functie had bekleed die functie inmiddels hebben neergelegd, zodat er geen sprake kon zijn van belangenverstrengeling. Wie uit het bedrijfsleven kwam, mocht wel aan het roer van zijn of haar organisatie blijven staan. Niet alle leden waren rijk, maar minstens twee mensen uit de particuliere sector werden op een vermogen van een miljard dollar geschat.

De particuliere sector vertegenwoordigde een grote ervaring op het gebied van handel, industrie, het bankwezen, de financiën en de wetenschap, terwijl de leden uit de publieke sector hun sporen hadden verdiend in de politiek, de diplomatie en het bestuur.

In de zomer van 1999 telde de Raad zes Britse leden, onder wie één vrouw, en vierendertig Amerikanen, van wie vijf vrouwen.

Vanwege de vereiste ervaring en de aard van de onderwerpen die ter sprake kwamen, waren ze allemaal van middelbare leeftijd tot bejaard. Weinig leden waren jonger dan zestig en de oudste was eenentachtig, maar nog kerngezond en fit.

De Raad was niet naar de gelijknamige Britse stad genoemd, maar naar de grootste Amerikaanse president, en het motto van de Raad lag besloten in Lincolns woorden dat 'het bestuur van het volk, door het volk en voor het volk, nooit van deze aarde mag verdwijnen'.

De Raad kwam eens per jaar bijeen, na een reeks onschuldige telefoontjes, op een zeer beschutte plaats. In alle gevallen werd een van de rijkere leden als gastheer gevraagd. Wie die eer te beurt viel, weigerde nooit. De leden betaalden hun eigen reiskosten, verder waren ze te gast.

In het noordwesten van de Amerikaanse staat Wyoming ligt een vallei die prozaïsch bekend staat als Jackson Hole, genoemd naar de eerste kolonist die ooit het lef had daar te overwinteren. Het dal wordt in het westen afgegrendeld door de hoge Tetons, in het oosten door de Gros Ventre en in het noorden door het Yellowstone Park. In het zuiden komen de bergen samen bij de Snake River, die daar een kloof van wit, bruisend water vormt.

Ten noorden van het wintersportplaatsje Jackson slingert Highway 191 zich omhoog naar Moran Junction, langs het vliegveld, en van daar naar Yellowstone. Even voorbij het vliegveld ligt het dorpje Moose, waar een kleinere weg zich afsplitst naar Jenny Lake.

Ten westen van die weg, in de uitlopers van de Tetons, liggen nog twee meren: Bradley Lake, gevoed door de Garnet Canyon, en Taggart Lake, waar de Avalanche Canyon in uitmondt. Behalve voor stugge wandelaars en klimmers zijn de meren onbereikbaar. In het gebied tussen de twee meren, onder de steile wand van de South Teton, had Saul Nathanson, een financier uit Washington, een ranch gebouwd op een terrein van zo'n veertig hectaren groot.

Het grote vakantiehuis garandeerde de eigenaar en zijn gasten volledige privacy. Het land strekte zich aan weerskanten tot aan de meren uit, met de steile bergwand erachter. De smalle openbare weg aan de voorkant lag veel lager dan de ranch, die op een plateau was gebouwd.

Op 7 september arriveerden de eerste gasten in Denver, Colorado, waar ze werden opgehaald door Nathansons eigen Grumman, die hen over de bergen naar het vliegveld van Jackson bracht. Op grote afstand van de aankomsthal stapten ze in Nathanson helikopter, die vijf minuten later bij de ranch landde. De Britse gasten waren al aan de Amerikaanse oostkust de douane gepasseerd en hoefden in Denver dus niet in de buurt van de aankomsthal te komen. Veilig voor nieuwsgierige blikken konden ze overstappen.

De ranch had twintig gastenverblijven, elk met twee slaapkamers en een gemeenschappelijke zitkamer. Tegen de avond koelde het af, maar overdag was het nog zonnig en warm. De meeste gasten zaten daarom op de veranda's voor de blokhutten.

De uitstekende maaltijden werden geserveerd in de grootste blokhut, die het centrum van het complex vormde. Na het eten werden de tafels afgeruimd en anders neergezet voor de vergadering.

De gasten werden bediend door Nathansons discrete personeel, dat voor deze gelegenheid speciaal uit Washington was overgevlogen. Voor alle zekerheid werd het terrein beschermd door bewakers die vermomd als kampeerders over de lagere hellingen rondom de ranch patrouilleerden en verdwaalde trekkers terugstuurden.

De conferentie van 1999 duurde vijf dagen. Niemand zag de gasten komen en gaan.

De eerste middag pakte sir Nigel Irvine zijn koffers uit, nam een douche, trok een linnen broek en een katoenen overhemd aan en installeerde zich op de houten veranda voor de hut die hij deelde met een voormalige Amerikaanse minister van Buitenlandse Zaken.

Vanaf de veranda zag hij een paar andere gasten die alvast de benen strekten. Er lagen mooie wandelpaden tussen de dennen, berken en hoge pijnbomen, en er liep een weggetje naar de oevers van de twee meren.

Hij zag de Britse ex-minister van Buitenlandse Zaken en voormalig secretaris-generaal van de NAVO, Lord Carrington – dun en spichtig als een vogel – in het gezelschap van de bankier Charles Price, een van de beste en populairste Amerikaanse ambassadeurs die ooit in Londen was gestationeerd. Irvine was nog hoofd van de Secret Intelligence Service geweest toen Peter Carrington minister van Buitenlandse Zaken was – en dus zijn baas. De een meter negentig lange Amerikaan torende boven de Britse diplomaat uit. Wat verderop zat Saul Nathanson op een bankje in de zon met de Amerikaanse bankier en ex-minister van Justitie Elliot Richardson.

Toen hij opzij keek, zag hij dat Lord Armstrong, voormalig kabinetssecretaris en hoofd van het Britse ambtenarenapparaat, op de deur klopte van de blokhut waar lady Thatcher bezig was haar koffers uit te pakken.

Een andere helikopter landde met veel geraas op het grasveldje. Even later verscheen de gestalte van ex-president George Bush, die werd opgewacht door Henry Kissinger, de vroegere minister van Buitenlandse Zaken. Aan een van de tafeltjes dicht bij de grootste blokhut had een dienster in een schortje een pot thee gebracht aan een andere voormalige ambassadeur, de Britse sir Nicholas Henderson, die zijn tafeltje en zijn thee deelde met de Londense financier en bankier sir Evelyn de Rothschild.

Nigel Irvine bekeek het rooster voor de vijfdaagse conferentie. Voor die avond stond er nog niets op het programma. De volgende dag zou de groep zoals gewoonlijk worden verdeeld in drie commissies: geo-politiek, strategie en economie. Die zouden twee dagen lang apart vergaderen. De derde dag zouden de uitkomsten van hun discussies in de grote groep worden besproken. De vierde dag was bestemd voor de plenaire vergadering. Tegen het einde van die dag had hij een uur spreektijd aangevraagd. De laatste dag werd besteed aan 'Verdere actie en aanbevelingen'.

In de dichte bossen langs de hellingen van de Tetons brulde een eenzame eland luid om een wijfje. De bronsttijd naderde. Een visarend zweefde met donkergekleurde vleugeltoppen over de Snake en krijste nijdig toen een zeearend zijn visgebied binnendrong. Het was een idyllisch plekje, dacht de oude spionagechef. De idylle werd alleen verstoord door dat onheilspellende dossier dat iemand had gestolen van een bureau in een kantoor in Rusland.

Wenen, juni 1990

In december was Ames' functie als hoofd Externe Operaties van de Russische sectie weggesaneerd, zodat hij weer moest afwachten. Voorlopig had hij geen enkele kans meer om tot de 301-dossiers door te dringen.

Niet veel later kreeg hij zijn derde baantje sinds zijn terugkeer uit Rome. Hij werd benoemd tot hoofd Tsjechische Operaties. Helaas gaf hem dat geen toegang tot het computerbestand van de 301-dossiers met de beschrijvingen van de CIA-spionnen in de Sovjetunie zelf.

Ames protesteerde bij Mulgrew. Hij vond het niet redelijk. Vroeger was hij hoofd geweest van de hele contraspionagedienst van die sectie. Bovendien had hij gegevens nodig over spionnen die misschien wel Russisch waren maar ooit ook in Tsjechoslowakije hadden gewerkt. Mulgrew beloofde dat hij zijn best zou doen.

In mei kreeg Ames de toegangscode van Mulgrew. Vanaf dat moment kon Ames vanachter zijn bureau in de Tsjechische sectie het hele register door-werken totdat hij eindelijk het dossier te pakken had met de titel: 'Monk – spionnen'.

In juni 1990 vloog Ames naar Wenen voor een volgende ontmoeting met 'Vlad', kolonel Vladimir Mechulayev. Sinds zijn terugkeer in Washington vonden de Russen het te riskant dat hij nog contact had met Russische diplomaten, voor het geval ze door de FBI in de gaten werden gehouden. Daarom werd Wenen gekozen als plaats voor een gesprek.

Tijdens die ontmoeting werd hij stomdronken. Er werd een nieuwe afspraak geregeld voor oktober, ook in Wenen, maar Ames haalde de steden door elkaar en vloog naar Zürich.

Maar in juni bleef hij lang genoeg nuchter om een flink bedrag aan contant geld in ontvangst te nemen, in ruil voor drie signalementen waar Mechu-layev al heel lang op had gewacht.

De eerste spion was een kolonel bij het leger, waarschijnlijk de GRU. Hij werkte nu op het ministerie van Defensie in Moskou, maar eind 1985 was hij in het Midden-Oosten gerekruteerd. De tweede was een wetenschapper die in een afgesloten stad woonde, maar in Californië door de CIA was inge-lijfd. De derde was een kolonel van de KGB, zes jaar geleden buiten de Sov-jetunie gerekruteerd, inmiddels weer terug in het Oostblok maar niet in Rus-land. En hij sprak Spaans.

Drie dagen later, toen Mechulayev weer terug was op het kantoor van het Eerste Hoofddirectoraat in Yazenevo, begon de jacht pas goed.

'Horen jullie niet haar stem in de avondwind, broeders en zusters? Horen jullie niet hoe ze roept? Kunnen jullie, haar kinderen, de stem van ons geliefde Moedertje Rusland niet verstaan?

Ik wel, mijn vrienden. Ik hoor haar zuchten in de bossen, ik hoor haar snik-ken in de sneeuw. Waarom doen jullie me dit aan? vraagt ze ons. Ben ik al niet genoeg verraden? Heb ik niet genoeg gebloed voor jullie? Heb ik niet genoeg geleden, dat jullie me zo behandelen?

Waarom verkopen jullie me als een hoer aan buitenlanders en vreemdelingen, die zich als aaseters aan mijn pijnlijke lichaam te goed doen?'

Het scherm aan het eind van de centrale blokhut die als vergaderruimte diende, was het grootste dat ze hadden kunnen vinden. Tegen de andere muur stond de projector.

Veertig paar ogen staarden naar het beeld van de man die in de zomer van dat jaar een massabijeenkomst in Tukhovo had toegesproken. Zijn sonore Russische stemgeluid rees en daalde, in schril contrast met de rustige stem van de tolk die later aan de geluidsband was toegevoegd.

'Ja, mijn broeders, ja, mijn zusters, wij kunnen haar horen. Maar de mannen uit Moskou met hun bontmantels en bontmutsen zijn doof voor haar stem. Het criminele tuig en de buitenlanders die haar verkrachten, horen haar niet als zij huilt. Maar wij horen onze moeder roepen in haar diepe ellende, want wij zijn het volk van het Grote Land!'

De jonge filmregisseur Litvinov had een meesterwerkje afgeleverd. Handig had hij allerlei beelden door de film heen gesneden: een jonge blonde moeder met haar baby aan de borst, die in aanbidding opkeek naar het podium; een knappe soldaat met tranen op zijn wangen; een landarbeider met een gerimpelde kop en een zeis over zijn schouder, zijn gezicht gegroefd door de inspanningen van vele jaren.

Niemand wist dat die opnamen ergens anders waren gemaakt, met behulp van acteurs. O, de menigte was echt. Vanaf een hoog standpunt toonden de camera's de tienduizend aanhangers, rijen en rijen, geflankeerd door geüniformeerde cheerleaders van de Jonge Strijders.

Igor Komarov liet zijn stem opeens dalen tot een gefluister, maar de geluidsinstallatie droeg zijn woorden over heel het stadion.

'Zal er dan niemand komen? Zal er dan niemand naar voren stappen en zeggen: "Genoeg, dit kan niet zo doorgaan." Geduld, broeders van Rusland, nog even geduld, dochters van de Rodina...'

De stem schoot weer uit, in heftige emotie. 'Want *ik* zal komen, lief Moedertje! Ja, *ik*, Igor, je zoon, zal komen...'

Het laatste woord ging bijna verloren in het tumult van de menigte, die op aangeven van de cheerleaders de naam van de spreker begon te scanderen: 'KO-MA-ROV, KO-MA-ROV!'

De projector doofde en het beeld verdween. Het bleef even stil, voordat de zaal een collectieve zucht slaakte.

Toen de lichten aangingen, liep Nigel Irvine naar het hoofd van de lange, rechthoekige kloostertafel van grenehout.

'Ik neem aan dat u weet wat u zojuist hebt gezien,' zei hij rustig. 'Dat was Igor Viktorovich Komarov, de leider van de Unie van Patriottische Krachten, de partij die waarschijnlijk de verkiezingen in januari zal winnen en Komarov als president zal aanwijzen.

Zoals u zag, is hij een begaafd redenaar, met een grote hartstocht en een enorm charisma.

U weet ook dat in Rusland tachtig procent van de werkelijke macht al bij de president berust. Na Jeltsins tijd is de controle op die macht, zoals wij die kennen, geheel afgeschaft. Een Russische president kan op dit moment praktisch doen en laten wat hij wil en bij decreet elke wet afkondigen die hem goeddunkt. Bijvoorbeeld het herstel van een éénpartijstaat.'

'Zou dat zo'n slecht idee zijn, in de situatie waarin het land nu verkeert?' vroeg een voormalige Amerikaanse ambassadeur bij de Verenigde Naties.

'Misschien niet, mevrouw,' zei Irvine, 'maar ik heb deze presentatie niet aangevraagd om te speculeren over Komarovs bedoelingen als hij eenmaal is gekozen, maar om harde bewijzen te overleggen van wat hij van plan is. Uit Engeland heb ik twee rapporten meegenomen, waarvan ik hier in Wyoming negenendertig fotokopieën heb gemaakt.'

'Ik vroeg me al af waarom ik zoveel papier in huis moest halen,' merkte hun gastheer, Saul Nathanson, grijnzend op.

'Het spijt me dat ik je apparaat heb versleten, Saul, maar ik had geen zin om kopieën van die twee dossiers over de oceaan mee te slepen. Ik zal u niet vragen om ze nu meteen te lezen, maar als u de kopieën meeneemt, kunt u ze in alle rust in uw blokhut doornemen. Lees dan eerst het rapport met de titel "Verificatie" en daarna het Zwarte Manifest.

Ten slotte moet ik u vertellen dat er al drie mannen zijn gedood vanwege de dossiers die u vanavond zult lezen. Beide documenten zijn zo geheim dat ik moet vragen om ze allemaal weer in te leveren, zodat ik ze kan verbranden voordat ik hier weer vertrek.'

De luchthartige sfeer was totaal verdwenen toen de leden van de Lincoln Raad zich met hun kopieën naar hun kamers terugtrokken. Tot verbazing van de catering kwam er niemand opdagen voor het avondeten. Iedereen at op zijn of haar kamer.

Langley, augustus 1990

De berichten van de CIA-bureaus binnen het Oostblok waren slecht en werden steeds slechter. Omstreeks juli was het duidelijk dat ook Orion, de jager, iets overkomen moest zijn.

De week daarvoor had hij niet gereageerd op een verzoek om een 'vluggertje'. Dat was nog nooit eerder gebeurd.

Een 'vluggertje' is een snelle, simpele ontmoeting die weinig risico met zich meebrengt. Op een afgesproken tijdstip wandelt de spion een straat door. Of hij wordt geschaduwd, is van geen belang. Zonder enige waarschuwing stapt hij opeens een café of restaurant binnen. Elke zaak is goed, als het er maar druk is. Kort voordat hij naar binnen gaat, heeft de contactman – die in het restaurant zit – zijn rekening betaald en loopt naar de deur. Zonder oogcontact te maken lopen ze vlak langs elkaar heen en wordt er een pakje ter grootte van een lucifersdoosje doorgegeven. De één loopt naar binnen, de ander naar buiten. Tegen de tijd dat eventuele achtervolgers binnenkomen, is alles al achter de rug.

Afgezien van deze ontmoeting had kolonel Solomin ook zijn geheime bergplaatsen niet leeggehaald, ondanks een duidelijke krijtstreep als teken dat er berichten voor hem waren.

De enig mogelijke conclusie was dat Orion vrijwillig of gedwongen met zijn werk was gestopt. Maar ook deze keer had de CIA geen teken van leven ontvangen. Het contact was abrupt verbroken. Een hartaanval, een verkeersongeluk? Of was Solomin gearresteerd?

Uit West-Berlijn kwam het bericht dat de vaste maandelijkse brief van Pegasus aan het Oostduitse onderduikadres niet was aangekomen. En ook had er geen kleine advertentie gestaan in het blad voor Russische hondenfokkers.

Toen professor Blinov steeds meer vrijheid kreeg om in de omgeving van Arzamas-16 te reizen, had Monk voorgesteld dat hij een keer per maand een heel onschuldige brief naar een veilig postadres in Oost-Berlijn zou sturen. Hij hoefde niet eens onzichtbare inkt te gebruiken. Zolang hij maar ondertekende met Yuri. Hij kon de brief ergens buiten de afgesloten stad op de post doen, zodat niemand de afzender ooit zou kunnen traceren als hij werd onderschept.

Nu de Berlijnse muur was gevallen, was de oude smokkelroute niet meer nodig. Blinov had ook het advies gekregen om twee spaniëls te nemen. Zo'n hobby had de instemming van de autoriteiten in Arzamas-16. Wat was er nu onschuldiger voor een weduwnaar dan spaniëls te fokken? En zo kon hij elke maand zonder enige verdenking een kleine advertentie in het blad van de hondenfokkers in Moskou plaatsen om jonge pups aan te bieden: gespeend, pasgeboren of onderweg. Maar de gebruikelijke advertentie was deze keer uitgebleven.

Monk was ten einde raad. Hij klaagde bij de hoogste instanties dat er iets mis was, maar kreeg te horen dat het nog te vroeg was om in paniek te raken. Hij moest geduld hebben, dan zou het contact wel weer worden hersteld. Maar Monk had geen geduld. Hij begon memo's rond te sturen met de suggestie dat er een lek moest zitten in het hart van de CIA.

De mannen die misschien naar hem hadden willen luisteren, Carey Jordan en Gus Hathaway, waren met pensioen. De nieuwe leiding, die grotendeels van na 1985 dateerde, kreeg er al gauw genoeg van. Toch sleepte de spionnenjacht, die in het voorjaar van 1986 was begonnen, zich officieel nog altijd voort.

'Ik vind het moeilijk te geloven,' zei een voormalige Amerikaanse minister van Justitie toen ze hadden ontbeten en de plenaire vergadering was begonnen.
'Ik vind het juist moeilijk om het níet te geloven,' antwoordde ex-minister James Baker van Buitenlandse Zaken. 'Deze stukken zijn inmiddels bekend bij onze regeringen, Nigel?'
'Ja.'
'Doen ze er niets aan?'
De andere negenendertig leden rond de conferentietafel staarden de voormalige spionagechef aan alsof ze een bevestiging zochten dat het allemaal een nachtmerrie was, een schaduw in het donker, die weer zou verdwijnen.
'Hun standpunt is,' zei Irvine, 'dat ze er niets aan kùnnen doen. Een groot deel van het Russische volk is het waarschijnlijk eens met de helft van wat er in dat manifest staat. En bovendien horen wij dat dossier niet eens in ons bezit te hebben. Komarov zou het onmiddellijk als een vervalsing bestempelen. Dat zou zijn positie nog sterker maken.'
Er viel een sombere stilte.
'Mag ik wat zeggen?' vroeg Saul Nathanson. 'Niet als gastheer, maar als gewoon lid... Acht jaar geleden is mijn zoon in de Golfoorlog gesneuveld.'
De anderen knikten verdrietig. Twaalf van de aanwezigen hadden een belangrijke rol gespeeld bij de vorming van de internationale coalitie die in de Golfoorlog tegen Irak had gevochten. Aan het andere eind van de tafel keek generaal Colin Powell de bankier doordringend aan. Vanwege de hoge positie van de vader, had Powell persoonlijk het bericht gekregen dat luitenant Tim Nathanson van de Amerikaanse luchtmacht tijdens de laatste uren van de oorlog was neergeschoten.
'Als ik enige troost zou kunnen putten uit dat verlies,' zei Nathanson, 'is het dat hij is gestorven in de strijd tegen het kwaad.'
Hij zweeg, zoekend naar woorden. 'Ik ben oud genoeg om nog te geloven in het concept van het kwaad. En in de gedachte dat het kwaad soms wordt belichaamd door een persoon. Ik ben niet oud genoeg om in de Tweede Wereldoorlog te hebben gevochten – ik was pas acht toen die eindigde. Ik weet dat sommigen van jullie die oorlog wel hebben meegemaakt. Maar natuurlijk heb ik er later veel over gehoord. Ik geloof dat Adolf Hitler en zijn misdaden de belichaming waren van het kwaad.'
Het was doodstil. Regeringsleiders, politici, industriëlen, bankiers, finan-

ciers, diplomaten en bestuurders zijn gewend om praktische problemen op te lossen. Nu zaten ze te luisteren naar een zeer persoonlijke verklaring.

Saul Nathanson boog zich naar voren en tikte op het Zwarte Manifest. 'Dit document is boosaardig. De man die het heeft geschreven is verdorven. We kunnen dit onmogelijk negeren. Dan gebeurt het allemaal opnieuw.'

Niets en niemand verbrak de stilte. Iedereen begreep dat hij doelde op een tweede holocaust, niet alleen gericht tegen de Russische joden, maar tegen alle andere etnische minderheden.

Het was ten slotte de enige voormalige Britse premier in het gezelschap die het woord nam: 'Nee, dat vind ik ook. Dit is niet het moment voor knikkende knieën.'

Drie van de aanwezigen verborgen een grijns achter hun hand. De laatste keer dat ze die woorden had gebruikt was in een appartement in Aspen, Colorado, de dag nadat Saddam Hoessein Koeweit was binnengevallen. George Bush, James Baker en Colin Powell waren erbij geweest. De dame was nu drieënzeventig, maar ze kon haar mening nog steeds bijzonder duidelijk formuleren.

Ralph Brooke, hoofd van de reusachtige Intercontinental Tele-Communications Corporation, op alle beurzen ter wereld bekend als InTelCor, boog zich naar voren. 'Oké, wat doen we?' vroeg hij.

'Diplomatiek gesproken? Alle NAVO-regeringen benaderen en ze tot protest aanzetten,' zei een voormalige diplomaat.

'Dan beweert Komarov dat het manifest een onnozele vervalsing is, en waarschijnlijk geloven de Russen hem op zijn woord. Buitenlanders zijn toch niet te vertrouwen. Zo denken ze al eeuwen,' zei iemand anders.

James Baker boog zich naar Nigel Irvine toe. 'Jij hebt dat afschuwelijke manifest meegebracht,' zei hij. 'Wat vind je zelf dat we moeten doen?'

'Ik vind niks,' zei Irvine, 'maar ik wil wel een voorbehoud maken. Laten we zeggen dat de Raad... in bedekte termen... toestemming zou geven voor een... maatregel. Dan zou die operatie zo geheim moeten zijn dat er nooit enig verband kan worden gelegd met de mensen in deze zaal.'

De andere negenendertig leden van de Raad wisten precies wat hij bedoelde. Ze hadden allemaal weleens meegemaakt, soms zelfs aan den lijve, dat een zogenaamd geheime actie op een gruwelijke wijze was misgelopen, met alle consequenties voor de politieke leiding.

Vanaf de andere kant van de tafel klonk een hese stem met een Duits accent. 'Zou Nigel zo'n geheime operatie kunnen uitvoeren?' vroeg de Amerikaanse ex-minister van Buitenlandse Zaken.

'Ja,' zei iedereen in koor. Toen hij nog hoofd van de Britse SIS was geweest, had hij zowel voor Margaret Thatcher als haar minister van Buitenlandse Zaken, lord Carrington, gewerkt.

De Lincoln Raad nam nooit formele, schriftelijke besluiten, maar gaf slechts richtlijnen aan. Vervolgens wendden alle individuele leden hun invloed aan om die richtlijnen door te voeren in de hoogste kringen van hun eigen land.

In de kwestie van het Zwarte Manifest werd besloten om een kleinere werkgroep in te stellen om het probleem verder uit te werken. De Raad als geheel deed geen uitspraak voor of tegen, en sloot haar ogen voor de eventuele maatregelen van die werkgroep.

Moskou, september 1990

Kolonel Anatoli Grishin zat aan zijn bureau in zijn kantoor in de Lefortovogevangenis en bekeek de drie documenten die hij zojuist had ontvangen. Hij werd bestormd door tegenstrijdige gevoelens.

Het belangrijkste was triomf. In de loop van de zomer had de contraspionagedienst van het Eerste en Tweede Hoofddirectoraat hem snel na elkaar die drie verraders uitgeleverd.

De eerste was de diplomaat, Kruglov, die ze hadden gevonden door de combinatie van zijn functie als eerste secretaris op de ambassade in Buenos Aires en de aankoop van een appartement voor twintigduizend roebel, kort na zijn terugkeer in Moskou.

Hij had meteen bekend. Alles. Struikelend over zijn woorden tegen de commissie van officieren achter de tafel, en de draaiende spoelen van de bandrecorder. Na zes weken wist hij niets nieuws meer te vertellen en hadden ze hem in een van de diepste cellen gesmeten, waar de temperatuur zelfs in de zomer zelden boven één graad Celsius uitkwam. Daar zat hij nu te rillen, in afwachting van zijn lot. Dat lot stond beschreven in een van de papieren op het bureau van de kolonel.

In juli hadden ze die professor in de kernfysica in zijn kraag gegrepen. Er waren maar heel weinig wetenschappers op zijn gebied die ooit een lezing in Californië hadden gegeven. Het aantal kandidaten was al snel beperkt tot vier. Een onverwachte huiszoeking in Blinovs appartement in Arzamas-16 had een ampul met onzichtbare inkt aan het licht gebracht, knullig verborgen in een paar opgerolde sokken in een kast.

Ook hij had vlot bekend. Alleen al de aanblik van Grishin en zijn mensen – en hun martelwerktuigen – was voldoende geweest om zijn tong los te maken. Hij had zelfs het adres in Oost-Berlijn genoemd waar hij zijn geheime brieven naartoe had gestuurd.

Een kolonel van het Directoraat K in Oost-Berlijn had opdracht gekregen een inval te doen op dat adres, maar vreemd genoeg was de bewoner een uur van tevoren naar het nu vrij toegankelijke Westen gevlucht.

Ten slotte, eind juli, hadden ze die Siberische militair geïdentificeerd, op grond van zijn rang bij de GRU, zijn functie bij het ministerie van Defensie, zijn verblijf in Aden, een intensieve surveillance en een huiszoeking waarbij ze hadden ontdekt dat een van zijn kinderen, op zoek naar kerstcadeautjes, ook papa's miniatuurcamera had gevonden.

Pyotr Solomin had zich niet zo snel gewonnen gegeven. Hij had verbazend veel pijn verdragen en zich woedend verzet. Maar natuurlijk had Grishin hem toch klein gekregen. Het was het dreigement om zijn vrouw en kinderen naar het zwaarste strafkamp te sturen dat ten slotte Solomins verzet had gebroken.

Ze hadden allemaal beschreven hoe ze waren benaderd door de glimlachende Amerikaan, die zo goed naar hun problemen had geluisterd en zulke redelijke voorstellen had gedaan. Dat was de andere emotie die Grishin parten speelde: blinde woede tegen de ongrijpbare CIA-officier van wie Grishin nu wist dat hij Jason Monk heette.

Niet één keer, niet twee keer, maar drie keer was die brutale klootzak gewoon de Sovjetunie binnengedrongen, had met zijn spionnen gesproken en was weer vrolijk vertrokken, onder de neus van de KGB! Hoe meer hij over de man te weten kwam, des te meer hij hem ging haten.

Natuurlijk hadden ze alles gecontroleerd. Ze hadden de passagierslijst van die cruise bestudeerd, maar geen verdacht pseudoniem gevonden. De bemanning herinnerde zich vaag een Amerikaan uit Texas in cowboykleren, zoals Solomin die had beschreven van zijn ontmoeting in de Botanische Tuinen. Vermoedelijk was Monk dus meegereisd als Norman Kelson, maar zeker was dat niet.

In Moskou had hun onderzoek meer opgeleverd. Alle Amerikaanse toeristen die op de bewuste dag in de hoofdstad waren geweest, konden worden teruggevonden aan de hand van de visumaanvragen en de excursielijsten van Intourist. Ten slotte hadden ze iemand in het Metropol ontdekt die zich ziek had gemeld, waardoor hij de excursie naar het klooster van Zagorsk had moeten missen. Dezelfde dag had Monk een ontmoeting gehad met professor Blinov in de kathedraal van Vladimir. Dr. Philip Peters, een naam die Grishin zou onthouden.

Toen de verraders hun bekentenis hadden afgelegd tegenover het team van ondervragers, was pas goed duidelijk geworden hoeveel informatie die ene Amerikaan van zijn drie spionnen had gekregen. De KGB-officieren trokken wit weg toen ze het hoorden.

Grishin verzamelde de documenten en belde een nummer. Hij schepte altijd genoegen in de laatste afrekening.

Generaal Vladimir Kryuchkov, de voormalige chef van het Eerste Hoofddirectoraat, was inmiddels tot voorzitter van de hele KGB bevorderd. Hij had die ochtend de drie doodvonnissen ter ondertekening op het bureau van Mikhail Gorbatsjov gelegd, in het presidentiële kantoor op de bovenste verdieping van het gebouw van het Centrale Comité aan het Nobaya Ploshchad. Daarna had Kryuchkov de papieren, voorzien van de vereiste handtekeningen, naar de Lefortovo-gevangenis gestuurd met de opdracht 'dringend'.

De kolonel liet de veroordeelde verraders dertig minuten wachten op de binnenplaats achter het gebouw, zodat ze goed beseften wat er ging gebeuren. Als je het te snel deed, hadden ze niet de tijd om bang te worden, zoals hij zijn leerlingen vaak had verteld. Toen hij de trap af kwam, zaten de drie mannen op hun knieën in het grind van de hoog ommuurde binnenplaats, waar de zon nooit doordrong.

De diplomaat was het eerst aan de beurt. Hij was volkomen in de war en mompelde steeds '*njet, njet*' toen de sergeant de 9-mm Makarov tegen zijn achterhoofd drukte. Op een knikje van Grishin haalde de sergeant de trekker over. Een lichtflits, een fontein van bloed en botsplinters, en Valeri Kruglov stortte voorover op de restanten van zijn gezicht.

De wetenschapper, die als atheïst was opgevoed, zat te bidden en vroeg de almachtige God om zijn ziel te bewaren. Hij scheen nauwelijks te beseffen wat er twee meter bij hem vandaan gebeurde. Even later sloeg ook hij voorover, net als de diplomaat.

Kolonel Pyotr Solomin was de laatste. Hij staarde naar de lucht, zag misschien nog één keer de bossen en rivieren van zijn geboorteland, zo rijk aan wild en vis. Toen hij het koude staal in zijn nek voelde, stak hij zijn linkerhand op naar kolonel Grishin bij de muur, met zijn middelvinger recht omhoog.

'Vuur!' schreeuwde Grishin, en het was voorbij. Hij beval de lijken die avond te begraven in een gat in de bossen buiten Moskou. Zelfs in de dood kende hij geen genade. De families zouden nooit een plek hebben om bloemen neer te leggen.

Kolonel Grishin liep naar het lichaam van de Siberische militair, boog zich even over hem heen, richtte zich toen op en verdween.

Terug op zijn kantoor wilde hij aan zijn rapport beginnen toen hij het rode lampje op zijn telefoon zag knipperen. De beller was een collega bij de recherchegroep van het Tweede Hoofddirectoraat.

'Het net sluit zich steeds dichter om die vierde man,' zei de rechercheur. 'We hebben nog maar twee kandidaten over, twee kolonels, allebei bij de contraspionage in Oost-Berlijn. Ze worden dag en nacht geschaduwd. Vroeg of laat maakt die spion een fout. Wil je erbij zijn als we hem arresteren?'

'Geef me twaalf uur,' zei Grishin. 'Twaalf uur, dan ben ik bij je. Deze vent wil ik zelf te pakken nemen. Dit is een persoonlijke zaak.'

Zowel Grishin als de rechercheur wist dat een ervaren officier van de contraspionagedienst een harde noot was om te kraken. Met zijn jarenlange ervaring bij het Directoraat к zou hij onmiddellijk argwaan krijgen als hij werd gevolgd. En hij zou zeker geen duur appartement kopen of onzichtbare inkt in een paar opgerolde sokken verbergen.

Vroeger was het veel eenvoudiger geweest. Als je iemand verdacht, kon je hem oppakken en hem net zo lang martelen totdat hij bekende of zich versprak. Maar het was nu 1990, en de autoriteiten wilden harde bewijzen voordat een derdegraadsverhoor was toegestaan. En Lysander zou geen sporen achterlaten. Dus moest hij op heterdaad worden betrapt. Daar was tijd voor nodig, en een subtiele aanpak.

Bovendien was Berlijn nu een open stad. Oost-Berlijn was officieel nog wel Sovjet-gebied, maar de muur was verdwenen. Als Lysander argwaan kreeg, zou hij gemakkelijk kunnen vluchten – een kort ritje naar de lichtjes van het veilige Westen. En dan waren ze te laat.

– 10 –

De werkgroep was beperkt tot vijf mensen: de voorzitter van de geo-politieke groep, zijn collega van de strategische commissie en de voorzitter van de werkgroep economie. Plus Saul Nathanson, op eigen verzoek, en natuurlijk Nigel Irvine. Hij leidde de discussie, de anderen stelden vragen.

'Laten we één ding vaststellen,' begon Ralph Brooke van de economische commissie. 'Denk je erover om die Komarov te elimineren?'

'Nee.'

'Waarom niet?'

'Omdat dat zelden lukt. En àls het lukt, is het geen oplossing van het probleem.'

Beter dan een van de anderen in de blokhut herinnerde Irvine zich de verschillende pogingen van de CIA, met al haar fondsen en technologie, om Fidel Castro uit te schakelen: exploderende sigaren die niet wilden branden, een vergiftigd wet-suit dat hij niet wilde aantrekken, en schoensmeer met giftige dampen om zijn baard te laten uitvallen. Het was een belachelijke vertoning geworden. Ten slotte had de CIA de mafia ingehuurd, maar die maakte er helemaal een klucht van. De huurmoordenaar van de Cosa Nostra, John Roselli, was in een blok beton in de Baai van Florida terechtgekomen en Castro ging rustig door met zijn toespraken van zeven uur – op zich al reden genoeg om hem te vermoorden.

Charles de Gaulle had zes moordaanslagen overleefd die waren beraamd door de OAS, de Franse elite-commando's. Koning Hoessein van Jordanië was nog vaker het doelwit geweest, om over Saddam Hoessein maar te zwijgen.

'Waarom is dat onmogelijk, Nigel?'

'Ik zeg niet dat het onmogelijk is. Moeilijk, dat wel. De man wordt scherp bewaakt. Zijn persoonlijke lijfwacht, het hoofd van zijn veiligheidsdienst, is bepaald niet achterlijk.'

'Maar zelfs als het zou lukken, is dat niet de oplossing?'

'Nee, want je maakt een martelaar van hem. Dan komt er gewoon iemand anders die de verkiezingen wint en hetzelfde programma uitvoert – de erfenis van de betreurde leider.'

'Wat moeten we dan?'

'Alle politici zijn gevoelig voor destabilisatie, als ik die Amerikaanse term mag gebruiken.'

Er werd zuur gelachen. Het Amerikaanse ministerie van Buitenlandse Zaken en de CIA hadden diverse pogingen gedaan om linkse leiders in het buitenland te 'destabiliseren'.

'Wat is daarvoor nodig?'

'Geld.'

'Geen probleem,' zei Saul Nathanson. 'Noem maar een bedrag.'

'Dank je. Later.'

'En wat nog meer?'

'Technische ondersteuning. Daar is wel aan te komen. En een man.'

'Wat voor een man?'

'Iemand die bereid is naar Rusland te gaan om een opdracht uit te voeren. Iemand die zijn vak verstaat.'

'Dat is jouw terrein. Maar als, en ik zeg àls, we die Komarov in diskrediet kunnen brengen bij zijn aanhang, wat dan?'

'Precies,' zei Irvine. 'Dat is het grote probleem. Komarov is geen charlatan. Hij is een handig, gemotiveerd en charismatisch politicus. Hij weet wat het Russische volk beweegt. Hij is een icoon.'

'Een wàt?'

'Een icoon. En ik bedoel niet een religieus schilderij, maar een symbool. Elk land heeft zoiets of zo iemand nodig. Een symbool dat de mensen verenigt, iemand die een bonte massa een eigen identiteit, een gevoel van eenheid, kan geven. Als dat ontbreekt, valt die massa uit elkaar en krijg je onderlinge oorlogen. Rusland is een enorm groot land, met heel veel etnische groeperingen. Het communisme was hard en primitief, maar het zorgde wel voor eenheid. Onder dwang. Net als in Joegoslavië. Toen het communisme verdween, zag je wat er gebeurde. Als je het volk zonder dwang wilt verenigen, heb je een symbool nodig. Jullie hebben je "Old Glory", wij hebben de monarchie. Op dit moment is Igor Komarov de bindende factor voor de Russen, hun icoon. En alleen wij weten dat die man niet deugt.'

'Maar wat is zijn tactiek?'

'Zoals alle volksmenners speelt hij handig in op hun hoop, hun dromen, hun voorkeur en hun afkeur, maar vooral op hun angsten. Zo zal hij hun hart voor zich winnen. En hun stem, bij de verkiezingen. En zodra hij aan de macht is, zal hij het apparaat opbouwen dat hij nodig heeft om zijn Zwarte Manifest uit te voeren.'

'Maar als wij hem onderuithalen? Dan breekt de chaos uit. Misschien wel een burgeroorlog.'

'Die kans is groot, ja. Tenzij we een andere, betere man naar voren kunnen schuiven als symbool. Als icoon. Iemand die de trouw en de liefde van het Russische volk waard is.'

204

'Zo iemand bestaat niet. Heeft ook nooit bestaan.'

'O jawel,' zei Nigel Irvine. 'Heel lang geleden. Ze noemden hem de tsaar van heel Rusland.'

Langley, september 1990

Kolonel Turkin, alias Lysander, stuurde één dringend bericht. Het was een persoonlijke boodschap aan Jason Monk, op een ansichtkaart van het terras van het Opera Café in Oost-Berlijn. Het bericht was eenvoudig en onschuldig: 'Ik hoop je weer te zien. Beste wensen, José-Maria.' De kaart was geadresseerd aan een geheime CIA-postbus in Bonn en volgens de afstempeling was hij in West-Berlijn op de bus gedaan.

Het CIA-bureau in Bonn wist niet wie de kaart had verstuurd, alleen dat hij bestemd was voor Jason Monk in Langley. En dus stuurden ze hem door. Dat hij in West-Berlijn was gepost, betekende niets. Turkin had de kaart door het open raampje van een auto met een Westberlijns nummerbord gegooid, die juist wilde terugrijden naar het Westen. '*Bitte,*' had hij tegen de stomverbaasde bestuurder gezegd. Toen liep hij weer door, voordat zijn schaduw de hoek om kwam. De vriendelijke Westberlijner had de kaart op de post gedaan.

Zulke noodmaatregelen werden niet aanbevolen, maar er gebeurden wel vreemdere dingen.

De datum boven de boodschap klopte niet. De kaart was gepost op 8 september. Een Duitser of een andere Westeuropeaan zou dat hebben geschreven als: 8/9/90, dus te beginnen met de dag, dan de maand en ten slotte het jaar. Maar de datum op de kaart leek in Amerikaanse stijl geschreven: 9/23/90. Het was een code, die achterstevoren moest worden gelezen. Jason Monk wist nu dat Lysander een ontmoeting met hem wilde op 23 september om negen uur. De ondertekening met een Spaanse naam betekende dat de situatie ernstig en dringend was.

De plaats voor de ontmoeting was duidelijk: het terras van het Opera Café in Oost-Berlijn.

Op 3 oktober zou de officiële hereniging van Duitsland plaatsvinden, en dus ook van Oost- en West-Berlijn. Dan was het definitief afgelopen met de macht van de Sovjetunie in Oost-Duitsland. De Westberlijnse politie zou het gezag in de stad overnemen. De KGB zou zich moeten terugtrekken naar een veel kleiner bureau op de Russische ambassade aan Unter den Linden. Een deel van het personeel moest naar Moskou terug. Turkin misschien ook. Als hij wilde vluchten, was dit het moment, maar hij had nog een vrouw en een zoon in Moskou, en het schooljaar was juist begonnen.

Hij had een persoonlijke boodschap voor zijn vriend, een dringende waarschuwing. Maar Turkin wist niets over de verdwijning van Delphi, Orion en Pegasus. Monk wel. En naarmate de dagen verstreken, nam zijn ongerustheid toe.

Toen de laatste gast was vertrokken, op één na, waren alle kopieën van de documenten, behalve sir Nigels eigen exemplaren, onder toezicht verbrand. De as werd in de wind verspreid.

Irvine vertrok samen met zijn gastheer, blij met de lift in de Grumman terug naar de oostkust. Via de beveiligde telefoon aan boord van het vliegtuig belde hij met Washington en regelde een lunch met een oude vriend.

Toen installeerde hij zich in de diepe leren stoel tegenover zijn gastheer.

'Ik weet dat we niet verder mogen vragen,' zei Saul Nathanson terwijl hij twee glazen uitstekende chardonnay inschonk, 'maar mag ik je toch een persoonlijke vraag stellen?'

'Natuurlijk, beste kerel. Ik zal zien of je antwoord krijgt.'

'Ik waag het erop. Je bent naar Wyoming gekomen in de hoop dat de Raad toestemming zou geven voor maatregelen, is het niet?'

'Ja, dat is zo. Maar jij hebt het allemaal al gezegd, veel beter dan ik het zelf had kunnen formuleren.'

'We waren allemaal geschokt. Diep geschokt. Maar er zaten zeven joden rond die tafel. Waarom heb jij dan het initiatief genomen?'

Nigel Irvine zag de wolken beneden hen voorbij glijden. Daaronder lagen de uitgestrekte korenvelden, waar nu de oogst werd binnengehaald. Al dat voedsel. In gedachten zag hij weer een andere plek, ver weg en lang geleden. Britse soldaten die stonden te kotsen in de zon. Bulldozer-chauffeurs met een masker voor hun gezicht tegen de stank toen ze de stapels lijken in gapende kuilen schoven. Levende skeletten die zwijgend hun arm uit hun stinkende kooi staken en met hun menselijke klauw om eten vroegen.

'Ik weet het eigenlijk niet. Ik heb het één keer meegemaakt. Ik wil niet dat het nog een keer gebeurt. Ouderwets, misschien.'

Nathanson lachte. 'Oké, ouderwets. Daar drink ik op. Ga je zelf naar Rusland, denk je?'

'Dat lijkt me niet te vermijden.'

'Als je maar voorzichtig bent, kerel.'

'Saul, vroeger hadden we een gezegde bij de SIS: Je hebt oude agenten en onbesuisde agenten, maar geen oude, onbesuisde agenten. Ik kijk wel uit, geloof me.'

Omdat hij in een hotel in Georgetown logeerde, had zijn vriend een gezellige bistro voorgesteld die La Chaumière heette, nog geen honderd meter van de Four Seasons.

Irvine was er het eerst. Hij vond een bankje tegenover de bistro en bleef daar zitten wachten, een oude man met zilvergrijs haar. De jongelui rolschaatsten om hem heen.

Het hoofd van de SIS was veel meer betrokken geweest bij de dagelijkse gang van zaken dan zijn collega van de CIA. Als hij naar Langley kwam, overlegde hij meestal met de mensen van de praktijk, de adjunct-directeuren Operaties en Inlichtingen, met wie hij zich meer verwant voelde dan met de directeur zelf. Zij hadden een onderlinge band die niet altijd mogelijk was met de politieke topman die door het Witte Huis was benoemd.

Er stopte een taxi. Een Amerikaan met wit haar, ongeveer even oud als Irvine, stapte uit en betaalde de chauffeur. Irvine stak de straat over en tikte hem op de schouder. 'Dat is lang geleden. Hoe gaat het, Carey?'

Carey Jordan grijnsde breed. 'Nigel, wat doe jij in godsnaam hier? En waarom krijg ik een lunch van je?'

'Had je klachten?'

'Natuurlijk niet. Leuk om je weer te zien.'

'Ik vertel het je binnen wel.'

Ze waren aan de vroege kant voor de lunch en het was nog niet druk. De ober vroeg of ze wilden roken. Jordan knikte. Irvine trok een wenkbrauw op. Ze rookten geen van beiden.

Maar Jordan wist wat hij deed. In het 'politiek correcte' Georgetown werden ze meteen naar een afgelegen tafeltje achterin gebracht, waar ze ongehinderd konden praten.

De ober bracht het menu en de wijnkaart. De twee mannen bestelden een voorgerecht en daarna vlees voor Irvine en vis voor Jordan. Irvine bekeek de lijst met bordeaux-wijnen en ontdekte een uitstekende Beychevelle. De ober straalde. Het was geen goedkope wijn en ze hadden hem al een tijdje in huis. Binnen een paar minuten was hij terug en liet het etiket zien. Irvine knikte en wachtte tot de ober de fles had ontkurkt en de wijn had ingeschonken.

'Nou,' zei Carey Jordan, toen ze weer alleen waren, 'wat brengt jou naar deze contreien? Heimwee?'

'Nee, niet echt. We hebben een probleem.'

'Heeft dat iets te maken met die belangrijke mensen met wie je in Wyoming hebt vergaderd?'

'Aha. Ze hadden je nooit moeten ontslaan, Carey.'

'Dat weet ik. Wat is het probleem?'

'Er is iets aan de hand in Rusland, iets waar we ons grote zorgen over maken.'

'Vertel me wat nieuws.'

'Dit is nieuws. En slechter nieuws dan gewoonlijk. Maar de officiële dien-

207

sten van onze twee landen hebben geen toestemming gekregen om in te grijpen.'

'Waarom niet?'

'Koudwatervrees, denk ik.'

Jordan snoof. 'Zoals ik al zei, vertel me wat nieuws.'

'Ja. Maar goed, wij zijn vorige week tot de conclusie gekomen dat het misschien beter was als iemand een kijkje ging nemen.'

'O ja? Ondanks dat verbod van hogerhand?'

'Ja.'

'Maar waarom kom je dan bij mij? Ik ben daar al twaalf jaar weg.'

'Heb je nog contact met Langley?'

'Niemand heeft nog contact met Langley.'

'Daarom kom ik dus bij jou. Het punt is, Carey, dat ik een goede vent zoek die naar Rusland kan afreizen zonder op te vallen.'

'Illegaal?'

'Ik ben bang van wel.'

'Tegen de FSB?'

Toen Gorbatsjov, vlak voor zijn val, de KGB had ontbonden, was het Eerste Hoofddirectoraat omgedoopt tot SVR, hoewel de dienst gewoon was doorgegaan met haar werk vanuit het oude hoofdkwartier in Yazenevo. Het Tweede Hoofddirectoraat, verantwoordelijk voor de binnenlandse veiligheid, stond tegenwoordig bekend als de FSB.

'De oppositie is misschien nog gevaarlijker dan de FSB.'

Carey Jordan kauwde op zijn forel, dacht even na en schudde toen zijn hoofd. 'Nee, dat doet hij nooit. Niet nog een keer.'

'Wat doet hij nooit? En wie?'

'Een vent aan wie ik zat te denken. Hij is ook weg bij de CIA, net als ik, maar hij is jonger. Een verdomd goeie kerel. Koelbloedig, intelligent, een natuurtalent. Zo vind je ze niet vaak. Vijf jaar geleden hebben ze hem ontslagen.'

'Leeft hij nog?'

'Voor zover ik weet wel. Hé, dit is een uitstekende wijn. Zo drink ik hem maar zelden.'

Irvine schonk hem nog eens bij.

'Hoe heet hij, die man die nooit meer naar Rusland zal gaan, volgens jou?'

'Monk. Jason Monk. Hij spreekt Russisch als een Rus. De beste agent die ik ooit heb gehad.'

'Oké, vertel me eens wat meer over hem, ook al denk jij dat hij niet zal gaan.'

Dat deed de voormalige DDO.

Oost-Berlijn, september 1990

Het was een warme herfstavond en het café-terras zat vol. Kolonel Turkin droeg een lichtgewicht pak van Duitse stof en snit, en viel totaal niet op toen hij aan een tafeltje dicht bij de stoep ging zitten zodra dat was vrijgemaakt door een verliefd jong stel.

De ober haalde de glazen weg en Turkin bestelde koffie. Hij sloeg een Duitse krant open en begon te lezen.

Juist omdat hij al zo lang bij de contraspionage werkte, waar het schaduwen van mensen zo belangrijk was, werd hij als een expert op dat gebied beschouwd. Dus bleven de KGB-agenten op grote afstand. Maar ze waren er wel, een jonge man en vrouw aan de overkant van het Operaplein. Ze zaten ontspannen op een bankje en luisterden naar een walkman.

Zo konden ze contact houden met twee auto's die om de hoek stonden geparkeerd. In de twee auto's zaten de arrestatieteams, want het bevel was nu eindelijk gegeven.

Twee laatste details hadden Turkin de das omgedaan. In zijn beschrijving had Ames gezegd dat Lysander buiten de Sovjetunie was gerekruteerd en Spaans sprak. Dat had de speurtocht beperkt tot Latijns-Amerika en Spanje. De andere kandidaat, bleek nu, was pas vijf jaar geleden op zijn eerste Zuid-amerikaanse post in Ecuador aangekomen. Volgens Ames was Lysander al zes jaar geleden gerekruteerd.

Het andere, doorslaggevende bewijs kwam boven water toen iemand zo slim was om alle telefoongesprekken vanuit het Oostberlijnse KGB-kantoor na te gaan op de avond van de inval bij het postadres van de CIA – de inval die was mislukt omdat de bewoner van de flat een uur van tevoren de benen had genomen.

In het register met telefoongesprekken vanuit de openbare cel in de lobby was het nummer van de flat teruggevonden. De andere verdachte was die avond in Potsdam geweest. De mislukte inval was uitgevoerd door kolonel Turkin.

De kolonel zou al eerder zijn aangehouden als de plaatselijke KGB niet op een hoge officier uit Moskou had moeten wachten. Hij wilde absoluut bij de arrestatie aanwezig zijn en de verdachte persoonlijk naar Moskou escorteren. Maar opeens was Turkin vertrokken, te voet. Ze hadden geen andere keus gehad dan hem te volgen.

Een Spaans-Marokkaanse schoenpoetser schuifelde over de stoep langs het terras en vroeg de mensen aan de voorste tafeltjes of ze hun schoenen wilden laten poetsen. Er werd nee geschud. De Oostberlijners waren niet gewend aan dat soort fratsen en de Westberlijners vonden dat er al te veel immigranten uit de derde wereld in hun rijke stad rondliepen.

Maar ten slotte was er toch iemand die knikte. De schoenpoetser schoof bliksemsnel zijn krukje onder zijn achterwerk, ging voor zijn klant zitten en smeerde een dikke laag zwarte schoenpoets op de brogues. Een ober kwam naar buiten om hem weg te jagen.

'Hij is al begonnen, laat hem nou maar doorgaan,' zei de klant in het Duits, met een accent. De ober haalde zijn schouders op en verdween.

'Dat is lang geleden, Kolya,' mompelde de schoenpoetser in het Spaans. 'Hoe gaat het?'

De Rus boog zich naar voren om aan te wijzen waar hij nog meer glans wilde.

'Niet zo best. Er is iets mis.'

'Wat dan?'

'Twee maanden geleden moest ik een inval doen in een flat hier, die was ontdekt als postadres van de CIA. Ik kon de bewoner nog net op tijd waarschuwen. Maar hoe wisten ze dat? Is er iemand gepakt? Heeft er iemand gepraat?'

'Mogelijk. Waarom denk je dat?'

'Er is nog meer. En dat is ernstiger. Twee weken geleden, vlak voordat ik je die kaart stuurde, kwam er een officier uit Moskou. Ik weet dat hij op de afdeling Analyse werkt. Hij is met een Oostduitse getrouwd. Ze waren hier op bezoek. Er werd een feestje gegeven en hij dronk te veel. Hij beweerde dat er belangrijke arrestaties waren verricht in Moskou. Iemand op het ministerie van Defensie, iemand bij Buitenlandse Zaken...'

Monk had het gevoel of hij een schop in zijn gezicht kreeg van de brogues die hij zat te poetsen.

'Iemand aan ons tafeltje zei zoiets als: Jullie hebben zeker een goede spion in het vijandelijke kamp. Die andere vent tikte tegen de zijkant van zijn neus en grijnsde.'

'Je moet hier vandaan, Kolya. Vanavond nog. Je moet vluchten.'

'Dat gaat niet. Ik kan Ludmila en Yuri niet achterlaten. Die zitten nog in Moskou.'

'Haal ze dan hierheen, mijn vriend. Verzin maar een excuus, het doet er niet toe wat. Dit is nog tien dagen Russisch territorium. Daarna is het Duitsland, het Westen. Dan mogen ze hier niet meer naartoe.'

'Je hebt gelijk. Goed, binnen tien dagen komen we naar de andere kant. Met het hele gezin. Regel jij de rest?'

'Ik zal er persoonlijk voor zorgen. Wacht niet te lang.'

De Rus gaf de Marokkaan een handvol Oostduitse marken, die over tien dagen voor waardevol Westduits geld konden worden ingewisseld. De schoenpoetser kwam overeind, knikte beleefd en schuifelde weg.

Het tweetal aan de overkant hoorde een stem in hun oren.

'Wij zijn klaar. De arrestatie gaat beginnen. Nu, nu, nu!'
De twee Tsjechische Tatra's kwamen de hoek om, stormden het Operaplein over en stopten langs de stoep voor het café. Uit de voorste auto sprongen drie mannen, die twee voorbijgangers ruw opzij duwden en de man aan het tafeltje vastgrepen. Uit de volgende auto kwamen nog twee agenten, die het achterportier open hielden en scherp om zich heen keken.
Er klonken verschrikte kreten vanaf het terras toen de man in het lichte pak werd meegesleurd en achter in de tweede auto werd gesmeten. Het portier sloeg dicht en de auto vertrok met piepende banden. De agenten van het arrestatieteam doken weer in de voorste auto, die ook verdween. De hele operatie had zeven seconden geduurd.
Op de hoek van het plein, honderd meter verderop, keek Jason Monk hulpeloos toe.

'En wat gebeurde er na Berlijn?' vroeg sir Nigel Irvine.
Een paar gasten borgen hun creditcards weer op en vertrokken, naar werk of naar huis. De Engelsman pakte de fles Beychevelle, zag dat hij leeg was en vroeg de ober om een nieuwe.
'Probeer je me dronken te voeren, Nigel?' vroeg Jordan met een zuur lachje.
'Toe nou. Ik ben bang dat we allebei oud en lelijk genoeg zijn om tegen drank te kunnen.'
'Dat zal wel. Bovendien krijg ik tegenwoordig niet vaak meer een Château Beychevelle aangeboden.'
De ober bracht de fles, kreeg een knikje van sir Nigel en schonk de glazen in.
'Waar zullen we op drinken?' vroeg Jordan. 'Op het grote spel? Of op de grote mislukking?'
'Nee, op de goeie ouwe tijd. En op helderheid. Dat mis ik het meest in die jongelui van tegenwoordig. Een duidelijke, heldere moraal.'
'Goed, daar drink ik op. Je vroeg wat er gebeurde na Berlijn. Nou, Monk kwam terug, ziedend van woede. Ik was er toen niet meer, maar ik sprak nog weleens met mensen als Milt Bearden. Die kende ik al heel lang. Dus ik hoorde hoe het ging.
Monk riep tegen iedereen die maar wilde luisteren dat er een spion in het hart van de SE-divisie moest schuilen. Natuurlijk was de leiding daar niet blij mee. Schrijf maar een rapport, zeiden ze. Dat deed Monk. Het werd geen vriendelijk stuk. Hij beschuldigde bijna iedereen van incompetentie.
Het was Milt Bearden eindelijk gelukt om Ames uit de SE-divisie weg te krijgen. Maar de vent was een bloedzuiger. In de tussentijd had de directeur een nieuwe contraspionage-afdeling opgezet. Die omvatte ook een analysegroep, met een Russische tak. Daarvoor zochten ze een voormalige officier

211

van het Operationele directoraat. Mulgrew stelde Ames voor, en verdomd, hij kreeg de baan. Je kunt dus raden bij wie Monk zich met zijn klachten moest melden: bij Ames zelf.'

'Dat moet een behoorlijke schok zijn geweest voor het systeem,' mompelde Irvine.

'Ze zeggen weleens dat de duivel goed op zijn eigen soort past, Nigel. Voor Ames was het een uitgelezen kans. Hij kon dat rapport van Jason Monk gewoon in de vuilnisbak gooien, en dat deed hij ook. Hij ging zelfs nog verder en beschuldigde Monk van paniekzaaierij. Monk had immers geen harde bewijzen.

Ten slotte werd er een intern onderzoek ingesteld. Niet naar een eventuele spion, maar naar het optreden van Monk.'

'Een soort krijgsraad?'

Carey Jordan knikte. 'Ja,' zei hij bitter, 'zoiets. Ik had graag een goed woordje voor Jason gedaan, maar ik was zelf ook niet populair. Nou ja, Ken Mulgrew was voorzitter van de onderzoekscommissie, en de uitspraak was dat Monk die hele toestand in Berlijn had verzonnen om zijn carrière te redden die in het slop was geraakt.'

'O, leuk.'

'Heel leuk. Maar tegen die tijd bestond het hele Directoraat Operaties alleen nog uit bureaucraten, afgezien van een paar oude ijzervreters die moedeloos hun tijd uitdienden. Na veertig jaar hadden we eindelijk de koude oorlog gewonnen en was het Sovjet-imperium ineengestort. Het had een mooie tijd kunnen zijn. Ze hadden kunnen genieten van hun succes. Maar het enige dat ze deden was ruziemaken en rapporten schrijven.'

'En Monk? Hoe is het met hem afgelopen?'

'Ze hadden hem bijna ontslagen, maar uiteindelijk werd hij gedegradeerd. Hij kreeg een onnozel baantje bij het archief. Afgevoerd naar een plek waar hij geen kwaad kon doen. Hij had natuurlijk zelf ontslag moeten nemen en zijn pensioen incasseren, maar hij gaf het niet zo gemakkelijk op. Hij hield vol, omdat hij zeker wist dat hij ooit gelijk zou krijgen. Drie lange jaren zat hij weg te kwijnen achter een bureau. Maar toen was het eindelijk zo ver.'

'Hij kreeg gelijk?'

'Natuurlijk. Alleen te laat.'

Moskou, januari 1991

Kolonel Anatoli Grishin stapte woedend de verhoorkamer uit en liep naar zijn eigen kantoor.

Het team van officieren dat de verdachte had ondervraagd, wist zeker dat ze alle antwoorden hadden. Het Monakh-comité kon worden ontbonden. Alles stond op de band, het hele verhaal, vanaf die kleine jongen die in 1983 ziek was geworden in Nairobi, tot aan de arrestatie van kolonel Turkin op het terras van het Opera Café, in september vorig jaar.

Op de een of andere manier wist het Eerste Hoofddirectoraat dat Monk in ongenade was gevallen bij zijn eigen mensen. Hij was uitgerangeerd. Dat moest betekenen dat hij geen spionnen meer over had. Het waren er dus vier geweest, meer niet. Maar wat voor een viertal! Nu was er nog één in leven, maar niet lang meer, daar was Grishin van overtuigd.

Het Monakh-comité werd opgeheven. Het had zijn werk gedaan. Grishin had tevreden moeten zijn, maar bij de laatste ondervraging had hij iets ontdekt waarbij hij zich de haren uit het hoofd getrokken had.

Honderd meter! Honderd ellendige meters maar... Het rapport van het schaduwteam was duidelijk geweest. Op zijn laatste dag als vrij man had Nikolai Turkin geen contact meer gehad met vijandelijke agenten. Hij was de hele dag op kantoor gebleven, had in de kantine gegeten en was alleen even naar een terrasje gegaan om koffie te drinken en zijn schoenen te laten poetsen.

Turkin zelf had zich versproken. De twee KGB-agenten aan de overkant van het plein hadden de schoenpoetser wel gezien, vlak voordat de twee auto's – met Grishin zelf naast de bestuurder van de voorste wagen – de hoek om waren gekomen om de kolonel te arresteren. Op dat moment was Grishin maar honderd meter van Jason Monk vandaan geweest. Op Russisch grondgebied.

Alle hoofden in de verhoorkamer hadden zich naar Grishin toe gedraaid. Iedereen staarde hem aan. Hij had de leiding gehad over het arrestatieteam, las hij in hun beschuldigende blikken. Waarom had hij de grootste vangst dan laten lopen?

Turkin zou nog pijn moeten lijden, natuurlijk. Niet om hem tot een bekentenis te dwingen, maar als straf. Dat nam Grishin zich heilig voor. Maar hij kreeg de kans niet. Generaal Boyarov zei dat de voorzitter van de KGB tot een snelle executie had besloten. Hij was bang dat de doodstraf anders in gevangenisstraf zou worden omgezet. De tijden veranderden snel. De voorzitter zou het executiebevel nog dezelfde dag aan de president voorleggen, zodat Turkin de volgende morgen kon worden terechtgesteld.

De tijden veranderden inderdaad, en met ontzagwekkende snelheid. Van alle kanten werd de KGB beschuldigd door dat tuig van de liberale pers. Vroeger zou Grishin wel hebben geweten hoe hij met zulke figuren moest afrekenen...

Wat hij niet kon voorzien was dat zijn eigen voorzitter, generaal Kryuchkov, in augustus een mislukte staatsgreep zou plegen tegen Gorbatsjov. Uit wraak zou Gorbatsjov de KGB in verschillende onderdelen ontbinden. En in december zou de hele Sovjetunie ophouden te bestaan.

Terwijl Grishin die dag in januari op kantoor zat te broeden, legde generaal Kryuchkov het executiebevel op het bureau van de president. Gorbatsjov pakte zijn pen, aarzelde en legde hem weer neer.

Vorig jaar augustus had Saddam Hoessein een inval gedaan in Koeweit. Amerikaanse gevechtsvliegtuigen waren nu bezig Irak te bestoken. De grondoorlog kon ieder moment beginnen. Verschillende politieke leiders deden nog een poging om te bemiddelen als internationale vredestichters. Het was een aantrekkelijke rol. Een van die bemiddelaars was Mikhail Gorbatsjov.

'Ik begrijp wat die man heeft gedaan en dat hij de doodstraf verdient,' zei de Russische president.

'Zo luidt de wet,' zei Kryuchkov.

'Jawel, maar op dit moment lijkt me dat... onverstandig.' Gorbatsjov nam een besluit en gaf het executiebevel ongetekend terug.

'Ik heb ook het recht clementie te verlenen, en dat doe ik nu. Zeven jaar dwangarbeid.'

Generaal Kryuchkov stampte woedend het kantoor uit. Dit kon zo niet langer doorgaan. Deze slappe houding hielp het land naar de knoppen. Vroeg of laat zouden hij en anderen een daad moeten stellen.

Voor Grishin betekende het nieuws de laatste teleurstelling van een toch al ellendige dag. Het enige wat hij nog kon doen was Turkin naar het zwaarste strafkamp in de Sovjetunie sturen, zodat de verrader het niet zou overleven.

In het begin van de jaren tachtig waren de kampen voor politieke gevangenen verplaatst vanuit het te toegankelijke Mordavia naar de omgeving van de noordelijke stad Perm, waar Grishin zelf vandaan kwam. Een stuk of tien kampen lagen nu verspreid rondom de stad Vsesvyatskoye. De bekendste waren de knekelhuizen Perm-35 en Perm-37.

Maar er was één speciaal kamp voor verraders, Nizhni Tagil, een plek die zelfs KGB-officieren de rillingen over de rug deed lopen.

Hoe bruut de bewakers ook waren, ze woonden altijd buiten het kamp en beperkten hun wreedheden tot zakelijke, onpersoonlijke maatregelen als het verkleinen van het voedselrantsoen of het verzwaren van de arbeid. Maar in Nizhni Tagil zaten de 'ontwikkelde' gevangenen samen met de wreedste en gewelddadigste criminelen uit alle andere kampen, zodat ze zich voortdurend bewust bleven van hun ellende.

Grishin gaf opdracht om Turkin naar Nizhni Tagil te sturen. Onder de rubriek 'Behandeling' op het strafformulier noteerde hij: 'Extra streng'.

'Hoe dan ook,' zei Carey Jordan, 'je weet hoe die vervelende geschiedenis is afgelopen, neem ik aan?'

'In grote lijnen. Maar vertel het nog maar eens.' Irvine stak zijn hand op naar de ober op de achtergrond en zei: 'Twee espresso's graag.'

'Het laatste jaar, 1993, nam de FBI eindelijk de spionnenjacht over. Ze beweerden later dat ze de zaak binnen achttien maanden hadden opgelost, maar het voorwerk was natuurlijk al gedaan – veel te traag, helaas.

Toch moet je de Feds nageven dat ze hun uiterste best hebben gedaan. Ze hebben zich niets van de wet op de privacy aangetrokken en in het geheim een rechterlijk bevel gevraagd om de bankrekeningen van de overgebleven verdachten te kunnen controleren. De banken moesten meewerken, of ze wilden of niet. En toen kwamen de feiten boven tafel. Aldrich Ames bleek miljonair te zijn, zelfs zonder de Zwitserse bankrekening die later nog werd ontdekt. Hij beweerde dat zijn Colombiaanse vrouw uit een rijke familie kwam, maar dat was een fabeltje. Vanaf dat moment werd Ames dag en nacht geschaduwd.

Ze doorzochten zijn huisvuil, drongen in zijn appartement binnen toen hij weg was, en braken in zijn computer in. Daar vonden ze genoeg bewijzen om hem te kunnen aanhouden: brieven aan en van de KGB en gegevens over geheime bergplaatsen in en om Washington.

Op 21 februari 1994... Jezus, Nigel, ik zal die datum nooit vergeten... werd hij opgepakt, een paar straten van zijn dure huis in Arlington. Toen pas kwam alles aan het licht.'

'Was jij van tevoren op de hoogte?'

'Nee. Heel verstandig van de FBI om niets te zeggen. Als ik toen had geweten wat ik nu weet, zou ik ze vóór zijn geweest en die klootzak zelf hebben vermoord. Geloof me, dan was ik als een gelukkig mens naar de elektrische stoel gegaan.'

De voormalige DDO staarde voor zich uit. In gedachten zag hij al die namen en gezichten die er niet meer waren.

'Vijfenveertig operaties gesaboteerd, tweeëntwintig mensen verraden, achttien Russen en vier met hun satellieten. Ze hebben er veertien geëxecuteerd. En dat alleen omdat die verknipte seriemoordenaar-op-afstand een groot huis en een Jaguar wilde.'

Nigel Irvine wilde Jordan niet storen in zijn verdriet, maar toch mompelde hij: 'Jullie hadden het zelf moeten oplossen. Intern.'

'Dat weet ik, dat weet ik. Iedereen begrijpt dat nu. We hadden gewoon de bankrekeningen moeten opvragen, zonder ons te storen aan de wet op de privacy. Zelfs in de lente van 1986 had Ames al meer dan een kwart miljoen dollar ontvangen en op een Amerikaanse bank gezet. We hadden die eenenveertig mensen met toegang tot de 301-dossiers een vijandige leugendetectortest moeten afnemen. Niet prettig voor al die onschuldigen, maar dan hadden we Ames wel te pakken gekregen.'

'En Monk?' vroeg de Engelsman.

Carey Jordan lachte kort. De ober, die graag het laatste tafeltje in het lege restaurant wilde afruimen, kwam voorbij, wapperend met de rekening en Irvine knikte. De jongeman bleef op een afstandje staan terwijl Irvine zijn creditcard op het schoteltje legde, en liep ermee naar de kassa.

'Ja, Monk... Die wist het ook niet. Het was toen President's Day, een vrije dag. Dus was hij thuis. En het kwam pas de volgende ochtend in het nieuws. Op hetzelfde moment dat hij die ellendige brief kreeg.'

Washington, februari 1994

De brief kwam op de 22e, de dag na President's Day, met de eerste post.

Het was een helderwitte envelop, en aan het stempel zag Monk dat hij uit de postkamer van Langley kwam. Maar hij was gericht aan zijn thuisadres, niet aan zijn kantoor.

In de envelop zat een tweede, met het wapen van de Amerikaanse ambassade. Het adres was getypt: 'Dhr. Jason Monk, t.a.v. postkamer CIA-hoofd-kwartier, Langley, Virginia.' Iemand had eronder geschreven: 'Zie omme-zijde.' Monk draaide de envelop om. Op de achterkant stond in hetzelfde handschrift: 'Met de hand afgeleverd bij onze ambassade in Vilnjoes, Litou-wen. U kent de man, nemen wij aan?' Er zat geen postzegel op, dus moest de brief met de diplomatieke post in Amerika zijn aangekomen.

Er zat een derde envelop in, veel goedkoper, met zichtbare houtsnippers in het papier. Hij was geadresseerd in krom Engels: 'Alsjeblieft [drie keer onderstreept] verdergeven aan meneer Jason Monk van het CIA. Van een vriend.'

In deze envelop vond Monk eindelijk de brief. Het papier was zo dun dat het bijna uit elkaar viel als je het aanraakte. Toiletpapier? De schutbladen van een oud, goedkoop pocketboek? Misschien.

De brief was in het Russisch, het handschrift beverig, in zwarte inkt met een gebrekkige pen. Bovenaan stond: 'Nizhni Tagil, september 1994.'

De tekst luidde:

'Beste vriend Jason. Als je dit ooit ontvangt, zal ik al dood zijn. Door de tyfus, weet je. Die wordt overgebracht door de vlooien en de luizen. Ze gaan dit kamp nu sluiten. Ze breken het af om het van de aarde te laten verdwij-nen alsof het nooit heeft bestaan. Het hàd ook nooit mogen bestaan.

Een stuk of twaalf politieke gevangenen hebben amnestie gekregen. Er zit nu iemand in Moskou die Jeltsin heet. Een van die politieke gevangenen is mijn vriend, een Litouwer, een schrijver en een intellectueel. Ik denk dat ik hem kan vertrouwen. Hij heeft me beloofd dat hij de brief zal verbergen en zal doorsturen als hij thuiskomt.

216

Ik word op een andere trein gezet, in een andere veewagon, naar een andere plaats. Maar ik zal er nooit aankomen. Daarom schrijf ik je deze afscheidsgroet, en nog wat nieuws.'

De brief beschreef wat er na de arrestatie in Oost-Berlijn, nu drieëneenhalf jaar geleden, was gebeurd. Nikolai Turkin vertelde over de afranselingen in de cel onder de Lefortovo. Toch had hij niet alles verteld wat hij wist. Hij beschreef de stinkende, met uitwerpselen besmeurde cel, de natte muren, de doordringende kou, het verblindende licht, het geschreeuw van de bewakers bij de ondervraging, de blauwe ogen en gebroken tanden als het antwoord te lang uitbleef.

Hij schreef over kolonel Anatoli Grishin. De kolonel was ervan overtuigd geweest dat Turkin zou sterven, dus had hij gepocht op zijn successen. Turkin had hem uitvoerig verteld over de mannen die hij nooit had gekend: Kruglov, Blinov en Solomin. Hij kreeg te horen wat Grishin met de Siberische militair had gedaan om hem tot praten te dwingen.

'Toen het achter de rug was, bad ik om de dood, zoals ik dat later zo vaak nog heb gedaan. Veel mensen plegen zelfmoord in dit kamp, maar ik heb altijd gehoopt dat ik het zou volhouden, dat ik ooit nog vrij zou komen. Niet dat je me nog zou herkennen, evenmin als mijn Ludmila of mijn zoon Yuri dat zouden doen. Ik heb geen haar meer, geen tanden, mijn lichaam is uitgeteerd en koortsig en zit vol met zweren.'

Hij vertelde over de lange reis in een veewagon vanuit Moskou naar het kamp, opgesloten met zware criminelen die hem bewusteloos sloegen, hem in het gezicht spuwden en hem infecteerden met hun tbc. Hij beschreef het kamp zelf, waar hij nog minder te eten kreeg dan de anderen en nog harder moest werken. Na zes maanden brak hij zijn sleutelbeen bij het sjouwen van boomstammen, maar hij kreeg geen medische behandeling. De bewakers dwongen hem zelfs om daarna de houtblokken op zijn gebroken schouder te tillen. Aan het eind schreef hij: 'Ik heb geen spijt van wat ik heb gedaan, want dit was een smerig regime. Misschien komt er nu vrijheid voor mijn volk. Mijn vrouw leeft nog ergens. Ik hoop dat ze gelukkig is. En mijn zoon Yuri, die zijn leven aan jou te danken heeft. Daar ben ik je dankbaar voor. Vaarwel, mijn vriend. Je Nikolai Ilyich.'

Jason Monk vouwde de brief op, legde hem op een tafeltje, steunde zijn hoofd in zijn handen en huilde als een kind. Hij ging die dag niet naar zijn werk. Hij belde zelfs niet op om te zeggen waarom, en hij nam de telefoon niet op. Om zes uur 's avonds, toen het donker was, keek hij in het telefoonboek, stapte in zijn auto en reed naar Arlington.

Hij klopte beleefd op de deur van het huis dat hij zocht. Toen er werd opengedaan, knikte hij tegen de vrouw. 'Goedenavond, mevrouw Mulgrew,' zei hij, en hij liep langs haar heen. Ze bleef sprakeloos in de deuropening staan.

217

Ken Mulgrew zat in de woonkamer, met zijn jasje uit en een groot glas whisky in zijn hand. Hij draaide zich om, zag de indringer en zei: 'Hé! Wat krijgen we nou? Je kunt niet zomaar...'

Het was het laatste wat hij voorlopig zou kunnen zeggen zonder erbij te fluiten. Monk haalde uit en raakte hem vol op zijn kaak.

Mulgrew was groter dan Monk, maar in slechte conditie. Bovendien had hij bij de lunch te veel gedronken. Hij was wel op kantoor geweest, maar niemand had die dag iets uitgevoerd. Ze hadden alleen maar zitten fluisteren over het nieuws dat als een bosbrand door het gebouw joeg.

Monk raakte hem vier keer, één keer voor ieder van zijn vermoorde agenten. Hij brak niet alleen Mulgrews kaak, maar ook zijn neus, en hij sloeg hem twee blauwe ogen. Toen liep hij weer naar buiten.

'Een duidelijk voorbeeld van een "actieve maatregel",' merkte Nigel Irvine op.

'Actiever kan haast niet,' beaamde Jordan.

'En toen?'

'Gelukkig belde mevrouw Mulgrew niet de politie, maar de CIA. Die stuurden een paar mensen, nog net op tijd om te zien dat Mulgrew in de ziekenwagen werd getild, op weg naar de eerstehulp. Ze kalmeerden zijn vrouw en zij gaf hun de naam van Monk. Daarna reden ze naar zijn adres.

Hij was thuis en ze vroegen hem wat hem in godsnaam had bezield. Monk wees naar de brief op het tafeltje. Natuurlijk konden ze hem niet lezen, maar ze namen hem mee.'

'Werd hij eruit getrapt? Monk?' vroeg de Engelsman.

'Ja. Hij was te ver gegaan. Er was veel begrip, natuurlijk, toen de vertaling van de brief tijdens de zitting werd voorgelezen. Hij mocht zelfs zijn zegje doen, maar dat hielp niet veel. De uitkomst stond al vast. Zelfs na de aanhouding van Ames konden ze niet tolereren dat CIA-officieren hun superieuren in elkaar sloegen. Hij werd op staande voet ontslagen.'

De ober kwam weer terug, met een smekende uitdrukking op zijn gezicht. De twee mannen stonden op en liepen naar de deur. De ober knikte opgelucht en lachte.

'En Mulgrew?'

'Ironisch genoeg kreeg hij een jaar later oneervol ontslag, toen de volle omvang van Ames' verraad duidelijk werd.'

'En Monk?'

'Die verdween. Hij woonde toen samen met een meisje, maar zij was de stad uit naar een cursus. Toen ze terugkwam, gingen ze uit elkaar. Ik heb gehoord dat Monk zijn pensioen in één bedrag heeft opgenomen en uit Washington is vertrokken.'

'Enig idee waarheen?'

'Jullie kant op.'

'Engeland? Londen?'

'Nou, nee. Een van Hare Majesteits koloniën.'

'Overzeese gebiedsdelen. We noemen ze geen koloniën meer. Waar?'

'De Turks en Caicos Eilanden. Ik had je toch verteld dat hij graag ging zee-vissen? Het laatste wat ik hoorde was dat hij daar een boot had gekocht die hij verhuurde.'

Het was een zonnige herfstdag en Georgetown zag er prachtig uit toen ze op de stoep voor La Chaumière op een taxi voor Jordan stonden te wachten.

'Dus je wilt hem vragen of hij weer naar Rusland gaat, Nigel?'

'Dat is de bedoeling, ja.'

'Vergeet het maar. Hij heeft gezworen dat hij nooit terug zou gaan. Bedankt voor de lunch en de wijn, maar je had je de moeite kunnen besparen. Hij doet het niet. Niet voor geld, niet voor dreigementen of wat dan ook.'

De taxi stopte. Ze gaven elkaar een hand, Jordan stapte in en de taxi vertrok. Sir Nigel Irvine stak de straat over en liep terug naar de Four Seasons. Hij moest dringend telefoneren.

11

De *Foxy Lady* lag afgemeerd en toegedekt voor de nacht. Jason Monk had afscheid genomen van zijn drie Italiaanse cliënten, die niet veel hadden gevangen maar toch hadden genoten van de dag – en van de wijn die ze hadden meegenomen.

Julius stond aan de fileertafel bij de steiger en sneed de koppen en de oneetbare delen van twee redelijk grote doraden. In zijn achterzak zat zijn loon voor die dag plus zijn aandeel in de fooi die de Italianen hadden achtergelaten.

Monk slenterde langs de Tiki Hut naar de Banana Boat. Het houten terras zat al vol met vroege drinkers. Hij liep naar de bar en knikte tegen Rocky.

'Vaste recept?' vroeg de barman.

'Doe maar. Ik ben een man van vaste gewoonten.'

Hij kwam er al jaren en de Banana Boat nam zijn telefoontjes aan als hij op zee zat. Het telefoonnummer van het restaurant stond zelfs op de kaartjes die hij bij alle hotels op het eiland had opgehangen om klanten te werven voor zijn vistochtjes.

'De Grace Bay Club heeft gebeld,' riep Mabel, Rocky's vrouw.

'O. Wat zeiden ze?'

'Niks. Alleen of je wilde terugbellen.'

Ze duwde de telefoon naar hem toe van achter de kassa. Monk belde het nummer en kreeg de receptioniste. Ze herkende zijn stem.

'Hallo, Jason, goeie dag gehad?'

'Niet slecht, Lucy. Ik heb slechtere meegemaakt. Je had gebeld?'

'Ja. Wat doe je morgen?'

'Brutale meid! Wat had je in gedachten?'

Er klonk een schaterlach van de dikke, vrolijke dame achter de balie van het hotel, vijf kilometer verderop langs het strand.

Er woonden niet veel mensen op het eiland Provo, en binnen een gemeenschap die helemaal van het toerisme leefde, kende iedereen elkaar – eilander of import. De vrolijke plagerijen waren een manier om de tijd door te komen. Op de Turks en Caicos vond je nog de sfeer van een echte Engelse kolonie: vriendelijk, gemakkelijk en nooit gehaast.

'Pas op wat je zegt, Jason Monk. Kun je morgen een cliënt meenemen?'

Hij dacht even na. Eigenlijk had hij aan de boot willen werken, een verplichting die nooit ophoudt voor een booteigenaar. Maar een vrachtje was een vrachtje en de financieringsmaatschappij in Miami die nog steeds de helft van de *Foxy Lady* bezat, herinnerde hem regelmatig aan de aflossing.

'Ja, dat kan wel. Een hele of een halve dag?'

'Alleen de ochtend. Negen uur, oké?'

'Goed. Wijs jij die mensen de weg maar. Dan wacht ik op de steiger.'

'Het is geen groep, Jason. Eén man maar. Een meneer Irvine. Ik zal het hem zeggen. Dag.'

Jason hing op. Het kwam niet vaak voor dat hij maar één klant had. Meestal waren het er twee of meer. Waarschijnlijk iemand die in zijn eentje kwam omdat zijn vrouw niet mee wilde. Dat was niet ongewoon. Hij dronk zijn daiquiri en liep terug naar de boot om Julius te vragen of hij om zeven uur present wilde zijn om te tanken en vers aas aan boord te nemen.

Toen de cliënt de volgende morgen om kwart voor negen arriveerde, bleek hij ouder te zijn dan de meeste vissers – bijna bejaard. Hij droeg een bruine linnen broek, een katoenen hemd en een witte panamahoed. 'Kapitein Monk?' riep hij vanaf de steiger naar boven.

Jason klom omlaag van de flying bridge. Aan zijn accent te horen was het een Engelsman. Julius hielp hem aan boord.

'Hebt u al eerder op zee gevist, meneer Irvine?' vroeg Jason.

'Nee, eigenlijk niet. Dit is de eerste keer. Ik moet nog wennen.'

'Geeft niet. Wij letten wel op u. Het is een kalme zee, maar als het lastig wordt, geeft u maar een seintje.'

Het bleef hem verbazen hoeveel toeristen aan boord gingen met het idee dat de oceaan net zo rustig was als het water achter het rif. In de folders kwam je nooit een schuimkop tegen, maar het kon behoorlijk spoken in de Cariben.

De *Foxy Lady* voer de haven van Turtle Cove uit en draaide half naar rechts, op weg naar Sellar's Cut. Voorbij North-West Point stond een stevige zee, waarschijnlijk te ruw voor de oude man, maar Monk wist een plek bij Pine Key, aan de andere kant, waar het water veel rustiger was. Volgens de laatste berichten zaten er ook doraden.

Veertig minuten lang hield hij een flink tempo aan, totdat hij een groot zeewierveld zag drijven, ideaal voor doraden om vlak onder het oppervlak in de schaduw te blijven hangen.

Julius maakte vier hengels klaar toen Monk gas terugnam. Langzaam voeren ze om het zeewier heen. Bij het derde rondje hadden ze beet.

Een van de hengels dook omlaag en de lijn begon af te rollen uit de Penn Senator. De Engelsman kwam onder de dektent vandaan en klom rustig in de vechtstoel. Julius gaf hem de hengel, zette de onderkant in de koker tussen de dijen van de cliënt en begon de andere drie lijnen in te halen.

Jason Monk draaide de neus van de *Foxy Lady* bij het zeewier vandaan, zette de gashendel iets boven de vrijloop en daalde af naar het achterdek. De vis nam geen extra lijn meer, maar de hengel stond nog krom.

'Trekken,' zei Monk rustig. 'Totdat de hengel overeind staat. Dan laten vieren en de lijn inhalen.'

De Engelsman probeerde het. Na tien minuten zei hij: 'Dit wordt me te zwaar, geloof ik. Ik wist niet dat die vissen zo sterk waren.'

'Oké, dan neem ik het wel over.'

'Heel graag.'

Monk nam zijn plaats in de vechtstoel over en de Engelsman liep terug naar de dektent. Het was half elf en bloedheet. De zon kwam van de achterkant en weerkaatste verblindend in het water.

Het kostte Monk tien minuten en aardig wat moeite om de vis dicht genoeg onder de achtersteven te krijgen. Toen zag het dier de boot en deed nog een laatste poging om weg te komen. Monk moest weer dertig meter toegeven.

'Wat is het?' riep de cliënt.

'Een grote dolfijn. Een mannetje,' zei Monk.

'O, verdorie. Ik vind dolfijnen wel leuke beesten.'

'Niet het zoogdier met die stompe neus. Dit is een vis, met dezelfde naam. Hij wordt ook wel dorade genoemd. Er wordt veel op gevist en hij smaakt lekker.'

Julius had de gaffelstok al klaar toen de dorade langszij kwam, en met een handige zwaai sleurde hij de veertigponder over de rand.

'Mooie vis, meneer,' zei hij.

'Ja, maar kapitein Monk heeft hem gevangen, ik niet.'

Monk stapte uit de stoel, haalde de haak uit de bek van de dorade en haakte de stalen drijver van de lijn. Julius, die de vangst in de bun wilde gooien, keek verbaasd op. Met de dorade aan boord dacht hij dat ze de vier hengels weer gereed zouden maken voor de volgende ronde. Maar Monk borg de spullen op.

'Ga jij maar naar boven en neem het roer,' zei Monk rustig. 'Terug naar huis, kruissnelheid.'

Julius knikte, hoewel hij er niets van begreep. Zijn lange zwarte gestalte verdween langs de ladder naar boven. Monk boog zich naar de koelbox. Hij haalde er twee blikjes bier uit, trok ze open en gaf er een aan zijn cliënt. Toen ging hij op de bank boven de koelbox zitten en keek naar de bejaarde Engelsman onder de dektent.

'U kwam niet om te vissen, meneer Irvine.' Het was geen vraag maar een constatering.

'Het is niet echt mijn sport.'

'Nee. En het is niet *meneer* Irvine, is het wel? Ik heb er de hele ochtend over nagedacht, en opeens wist ik het weer. Hoog bezoek in Langley, jaren geleden, de grote baas van de Britse inlichtingendienst.'

'Een goed geheugen, meneer Monk.'

'Dus het is sir Nigel. Goed, sir Nigel Irvine, dan kunnen we stoppen met die komedie. Wat is de bedoeling?'

'Sorry voor de geheimzinnigheid. Ik wilde gewoon eens kijken. Een praatje maken. Onder vier ogen. En weinig plaatsen zijn zo privé als de volle zee.'

'Oké, dan praten we. Maar waarover?'

'Rusland, ben ik bang.'

'Hm. Een heel groot land. Ik ben er niet dol op. Wie heeft u gestuurd?'

'Niemand. Carey Jordan had me over u verteld. Een paar dagen geleden hebben we samen geluncht, in Georgetown. U moet de groeten hebben.'

'Bedankt. De groeten terug, als u hem ziet. Maar u weet dat hij al jaren niet meer actief is. Ik ook niet, trouwens. Dus waar u ook voor komt, het is zonde van uw tijd.'

'Ja, dat zei Carey ook al. Doe geen moeite, zei hij. Maar ik heb het toch gewaagd. Het is een lange reis. Dus geef me de kans om mijn verhaal te houden. Ik wil u een voorstel doen. Zo heet dat toch?'

'Ja. Oké, het is een warme, zonnige dag in het paradijs, en u hebt nog twee uur over van een charter van vier uur. U kunt praten wat u wilt, maar het antwoord blijft nee.'

'Hebt u ooit gehoord van Igor Komarov?'

'We krijgen hier ook kranten. Een paar dagen te laat, maar we lezen ze wel. En we luisteren naar de radio. Ik heb geen satellietschotel, dus ik kijk geen tv. Maar ik ken de naam. De komende man in Rusland, als ik me niet vergis?'

'Dat zeggen ze, ja. Wat hebt u over hem gehoord?'

'Hij is de leider van rechts. Een nationalist, die op allerlei vooroordelen inspeelt. Een echte volksmenner.'

'Hoe rechts schat u hem in?'

Monk haalde zijn schouders op. 'Geen idee. Behoorlijk extreem, denk ik. Zoals sommigen van die Amerikaanse senatoren uit de zuidelijke staten.'

'Nee, nog erger. Hij is zo rechts, dat hij bijna van de kaart dreigt te vallen.'

'Nou, sir Nigel, dat is heel vervelend. Maar mijn eerste zorg is of ik morgen weer een cliënt heb en of er op vijftien mijl vanaf North-West Point nog genoeg wahoo te vangen is. De politiek van onze onsympathieke vriend Komarov gaat mij niet aan.'

'Toch wel, ben ik bang. Ooit. Ik... wij... een paar vrienden en collega's, vinden dat die man moet worden tegengehouden. We hebben iemand nodig die naar Rusland gaat. Carey zei dat u een goede agent was. De beste, zelfs. Vroeger.'

'Ja, vroeger.' Monk keek Sir Nigel een paar seconden zwijgend aan. 'Dus dit is niet eens officieel. Geen opdracht van de regering in Londen of Washington.'

'Nee. Onze regeringen vinden dat ze niet kunnen ingrijpen. Officieel.'

'En u denkt dat ik zomaar het anker zal lichten en naar het andere eind van de wereld zal afreizen om die Komarov beentje te lichten op verzoek van een stel Don Quichotes die niet eens de steun van hun regering hebben?'

Hij stond op, verfrommelde het lege bierblikje in zijn vuist en gooide het in de afvalemmer. 'Het spijt me, sir Nigel. Het is inderdaad zonde van uw vliegticket. Laten we maar teruggaan naar de haven. Ik zal u niets in rekening brengen.'

Hij klom de ladder op naar de flying bridge, nam het roer van Julius over en voer terug naar de Cut. Tien minuten nadat ze de lagune waren binnengekomen, lag de *Foxy Lady* weer op haar vaste plaats aan de steiger.

'Ik wil u in elk geval betalen,' zei de Engelsman. 'Ik heb u onder valse voorwendsels ingehuurd, maar u hebt de charter in goed vertrouwen aangenomen. Wat ben ik u schuldig voor een ochtend?'

'Driehonderdvijftig dollar.'

'En wat extra's voor uw jonge vriend.' Irvine haalde vier honderd-dollarbiljetten van een stapeltje. 'O, hebt u vanmiddag nog een cliënt?'

'Nee.'

'Dus u gaat naar huis?'

'Ja.'

'Ik ook. Op mijn leeftijd ontkom ik niet aan een dutje na de lunch in deze hitte. Maar zou u iets voor me willen doen, als u toch in de schaduw zit te wachten tot de ergste hitte voorbij is?'

'Geen nieuwe poging, hoop ik?' waarschuwde Monk.

'Hemel, nee.' De oude man zocht in zijn schoudertas en haalde er een bruine envelop uit.

'Hier zit een dossier in. Het is geen grap. Lees het maar, als u wilt. Niemand anders mag het zien en u moet het niet laten slingeren. Het is nog veel geheimer dan alles wat u ooit van Lysander, Orion, Delphi of Pegasus hebt gekregen.'

Het had hetzelfde effect alsof hij Jason Monk in zijn middenrif had geslagen. Monk bleef met open mond achter toen de voormalige spionagechef over de steiger verdween om zijn gehuurde Buggy op te zoeken. Ten slotte schudde hij zijn hoofd, stak de envelop onder zijn shirt en liep naar de Tiki Hut voor een hamburger.

Aan de noordkant van de reeks van zes eilanden van de Caicos – West, Provo, Middle, North, East en South – ligt het rif dicht bij de kust, waardoor je snel op volle zee kunt komen. Aan de zuidkant ligt het rif op kilometers afstand rondom de Caicos Bank, een grote ondiepte van zo'n duizend vierkante mijl.

Toen Monk op de eilanden was aangekomen, had hij niet veel geld, en de huizen aan de noordkant, waar de hotels stonden en de toeristen kwamen, waren behoorlijk prijzig. Monk had een paar berekeningen gemaakt. Na zijn aflossing, het havengeld, de brandstof, het onderhoud en een charter- en visvergunning, was er niet veel geld overgebleven. Maar voor een redelijke prijs had hij een houten bungalow aan de minder dure Sapodillabaai kunnen huren, ten zuiden van het vliegveld en tegenover het glinsterende water van de Caicos Bank, waar alleen boten met een heel geringe diepgang konden komen. Dat huis en een oude Chevy pick-up vormden zijn wereldse bezittingen, afgezien van de *Foxy Lady*.

Hij zat op zijn houten veranda naar de ondergaande zon te kijken toen hij een auto hoorde stoppen op het zandpad achter zijn huis. Even later verscheen de magere gestalte van de oude Engelsman om de hoek. Hij had zijn witte panama gecompleteerd met een gekreukt tropenjasje van alpaca.

'Ze zei dat ik u hier kon vinden,' zei hij vrolijk.

'Wie?'

'Die aardige jonge meid van de Banana Boat.'

Mabel was dik in de veertig. Irvine kloste de trap op en wees naar de lege schommelstoel.

'Mag ik?'

Monk grinnikte. 'U doet maar. Een biertje?'

'Nu nog niet, dank u.'

'Ik schenk een goede daiquiri. Geen vruchten, alleen verse limoen.'

'Dat klinkt beter.'

Monk mixte twee limoen-daiquiri's en bracht ze naar de veranda.

Ze namen allebei waarderend een slok.

'Hebt u het al gelezen?'

'Ja.'

'En?'

'Je wordt er misselijk van. Het zal wel een vervalsing zijn.'

Irvine knikte begrijpend. De zon scheen nog net over de lage heuvel van West Caicos, aan de overkant van de zandbank. Het ondiepe water had een rode gloed.

'Dat dachten wij eerst ook. Het ligt voor de hand. Maar onze mensen in Moskou vonden het toch verstandig om een onderzoekje in te stellen. Voor alle zekerheid.'

Sir Nigel gaf hem niet het onderzoeksrapport, maar vertelde stap voor stap wat er was gebeurd. Monk luisterde, onwillekeurig toch geïnteresseerd.

Ten slotte zei hij: 'Drie man, alle drie dood?'

225

'Ik vrees van wel. Komarov wil blijkbaar niet dat het manifest bekend wordt. Dus het is geen vervalsing. Anders zou hij nooit van het bestaan hebben afgeweten. Hij heeft het zelf geschreven. Het is zijn politieke programma.'

'En denkt u dat het mogelijk is om hem uit te schakelen. Te elimineren? Discreet?'

'Nee, ik wil hem tegenhouden. Dat is niet hetzelfde. Een eliminatie, zoals jullie dat noemen, heeft geen zin.' En hij legde uit waarom.

'Maar u denkt dus wel dat hij kan worden tegengehouden – in diskrediet gebracht, van het toneel verwijderd?'

'Ja.' Irvine nam hem van ter zijde scherp op. 'Je raakt het nooit helemaal kwijt, is het wel? De spanning van de jacht? Je denkt dat je eroverheen komt, maar het blijft knagen.'

Monk zat in gepeins verzonken. In gedachten ging hij heel wat jaren terug, en heel wat kilometers naar het oosten. Met een schok kwam hij weer in de werkelijkheid terug. Hij stond op en vulde de glazen nog eens bij uit de kan.

'Leuk geprobeerd, sir Nigel. Misschien hebt u gelijk. Misschien kan iemand hem wel tegenhouden. Maar ik niet. Zoek maar een ander.'

'Mijn opdrachtgevers zijn niet gierig. Natuurlijk zit er een honorarium aan vast. Een redelijke vergoeding. Een half miljoen dollar. Een aardig bedrag, zelfs in deze tijd.'

Monk dacht even na. Met dat geld zou hij de *Foxy Lady* kunnen aflossen en de bungalow kopen, met een goede terreinwagen erbij. Dan hield hij nog de helft over. Als hij die verstandig investeerde, tegen tien procent per jaar... Maar hij schudde zijn hoofd.

'Ik ben ooit uit dat ellendige land ontsnapt. Door stom geluk. En ik heb gezworen dat ik nooit meer terug zou gaan. Het is verleidelijk, maar nee, dank u.'

'Hm, het spijt me, maar nood breekt wetten. Deze brieven lagen vandaag in mijn hotel op me te wachten.'

Hij stak zijn hand in zijn jasje en gaf Monk twee dunne witte enveloppen, die allebei één velletje papier bevatten.

Het eerste was een mededeling van zijn financieringsmaatschappij in Florida. Wegens nieuwe voorschriften werden langlopende leningen in bepaalde gebieden niet meer als een verantwoord risico beschouwd. Daarom moest de rest van de hypotheek op de *Foxy Lady* binnen één maand worden afgelost. Zo niet, dan zou de boot in beslag worden genomen. Het was heel omslachtig geformuleerd, zoals altijd, maar de bedoeling was zonneklaar.

De andere brief had het embleem van de Britse gouverneur van de Turks en Caicos Eilanden. Helaas, en om redenen die hij niet hoefde toe te lichten, zou de gouverneur de verblijfsvergunning en de charterlicentie van de heer

226

Jason Monk, Amerikaans staatsburger, binnen één maand na dagtekening moeten intrekken. De brief was ondertekend met 'uw bereidwillige dienaar'.

Monk vouwde de twee brieven weer op en legde ze op het tafeltje tussen de twee schommelstoelen.

'Dat is vuil spel,' zei hij rustig.

'Ja, helaas,' zei Nigel Irvine. Hij tuurde over het water. 'Maar zo ligt het.'

'Kunt u niet iemand anders vinden?' vroeg Monk.

'Ik wil niemand anders. Ik wil u.'

'Goed. Arresteer me dan maar. Dat is me al eerder overkomen. Toen heb ik het ook overleefd. Ik red me wel. Maar ik ga niet terug naar Rusland.'

Irvine zuchtte. Hij pakte het Zwarte Manifest.

'Dat zei Carey ook al. Monk is niet gevoelig voor geld of dreigementen, zei hij.'

'In elk geval is Carey niet seniel geworden op zijn oude dag.' Monk stond op. 'Ik kan niet zeggen dat het me een genoegen was. Volgens mij zijn we uitgepraat.'

Sir Nigel Irvine stond ook op. Hij keek teleurgesteld. 'Ja, helaas. Heel jammer. O ja, nog één ding. Als Komarov aan de macht komt, staat hij niet alleen. Hij wordt beschermd door zijn persoonlijke lijfwacht, de commandant van de Zwarte Gardisten. Als die volkerenmoord begint, zal hij de rol van nationale beul op zich nemen.'

Hij gaf Monk een foto. Monk staarde naar het kille gezicht van een man die ongeveer vijf jaar ouder was dan hijzelf. De Engelsman liep al naar het zandpad achter het huis, waar hij zijn Buggy had geparkeerd.

'Wie is die vent?' riep Monk hem achterna.

De stem van de oude spionagechef klonk door de avondschemer.

'Hij? O, dat is kolonel Anatoli Grishin.'

Het vliegveld van Providenciales is niet de grootste luchthaven ter wereld, maar geen onaardige plek om aan te komen of te vertrekken. En omdat het zo klein is, is er weinig oponthoud. De volgende morgen zette sir Nigel Irvine zijn tas op de balie, liet zijn paspoort zien en kon meteen doorlopen naar de vertrekhal. Het toestel van American Airlines naar Miami stond al te wachten in de zon.

Vanwege de hitte hebben de meeste gebouwen één open wand. Alleen een ijzeren hek scheidde de vertrekhal van het asfalt. Iemand was om de hal heen gelopen en keek door het hek naar binnen. Irvine slenterde naar hem toe op het moment dat de vlucht werd omgeroepen en de passagiers naar het toestel liepen.

'Goed dan,' zei Jason Monk door het hek. 'Waar en wanneer?'

227

Irvine haalde een vliegticket uit zijn borstzakje en stak het door het hek heen.

'Providenciales-Miami-Londen. Eersteklas, natuurlijk. Over vijf dagen. Dan kunt u hier nog alles regelen voor uw vertrek. Reken erop dat u drie maanden wegblijft. Vóór de verkiezingen van januari moet de hele zaak achter de rug zijn, anders is het te laat. Op Heathrow staat iemand om u op te halen.'

'U?'

'Dat denk ik niet. Iemand anders.'

'Hoe herkent hij mij?'

'O, hij herkent u wel.'

Een grondstewardess trok hem aan zijn mouw. 'Meneer Irvine, u moet aan boord.'

Sir Nigel draaide zich om. 'Tussen haakjes, dat honorarium krijgt u toch.'

Monk haalde de twee brieven te voorschijn en hield ze omhoog. 'Wat moet ik hiermee?'

'Verbrand ze maar, beste kerel. Dat dossier was geen vervalsing, maar die brieven wel. Ik wilde niet iemand die onder druk zou bezwijken, begrijp je?'

Hij was al halverwege het vliegtuig, de stewardess trippelend aan zijn zij, toen Monks hem nariep:

'U bent een sluwe ouwe klootzak, meneer.'

Het meisje keek geschokt opzij. Irvine glimlachte.

'Dat mag ik hopen,' zei hij.

Na zijn terugkeer in Londen had sir Nigel Irvine een bijzonder drukke week.

Jason Monk was precies de man die hij nodig had, daar was hij van overtuigd. Het verhaal van Jasons voormalige chef, Carey Jordan, had grote indruk op hem gemaakt. Maar tien jaar is een lange tijd om op non-actief te staan.

De wereld was veranderd. Rusland leek totaal niet meer op de oude Sovjetunie waar Monk een paar keer zo handig door alle controles was geglipt. De technologie was vooruitgegaan en bijna alle Russische steden hadden hun oorspronkelijke naam van vóór het communisme weer terug. Als hij zonder een uitvoerige briefing in Moskou werd losgelaten, zou Monk niet weten wat hem overkwam.

Het was uitgesloten dat hij zich tot de Britse of Amerikaanse ambassade kon wenden voor hulp. Ieder contact met de officiële instanties was taboe. Maar toch had hij een plek nodig om zich te kunnen verbergen, en een vriend in nood.

Sommige dingen in Rusland waren nog hetzelfde gebleven. Het land had nog altijd een uitgebreide binnenlandse veiligheidsdienst, de FSB, die de taak van het Tweede Hoofddirectoraat van de KGB had overgenomen. Anatoli Grishin was dan wel vertrokken, maar natuurlijk had hij nog contacten binnen de dienst.

Zelfs dat was nog niet het grootste gevaar. Veel gevaarlijker was de corruptie. Met hun bijna onbeperkte middelen, afkomstig van de criminele Dolgoruki, konden Komarov en Grishin bij hun greep naar de macht iedereen omkopen die ze maar nodig hadden.

De inflatie had in Rusland zulke dramatische vormen aangenomen dat er geen enkele ambtenaar meer was die niet voor de hoogste bieder werkte.

Met genoeg geld kon een complete staatsveiligheidsdienst of een leger van Speciale Eenheden worden ingehuurd.

En dan waren er nog Grishins eigen Zwarte Gardisten en de duizenden fanatieke Jonge Strijders, plus het schaduwleger van de mafia zelf. Komarovs waakhond beschikte over een ontzagwekkende krijgsmacht om jacht te maken op de man die was teruggekomen om hem uit te dagen.

Want één ding wist de oude spionagechef zeker: Anatoli Grishin zou niet lang in het ongewisse blijven over de terugkeer van Jason Monk op zijn eigen grondgebied. En dat zou hem niet bevallen.

Het eerste wat Irvine deed was een klein maar uiterst betrouwbaar en professioneel team samenstellen uit voormalige soldaten van de Britse Special Forces.

Na tientallen jaren strijd tegen de IRA-terroristen in Groot-Brittannië zelf, de officiële oorlogen op de Falklands en in de Golf, plus een hele reeks officieuze conflicten van Borneo tot in Oman, van Afrika tot in Colombia en infiltraties in een tiental andere verboden gebieden, beschikte Engeland over misschien wel de beste Speciale Eenheden ter wereld.

Heel wat van deze mensen hadden inmiddels het leger of de commando's verlaten en van hun specialiteit hun broodwinning gemaakt in de burgermaatschappij. Ze werkten als lijfwachten, bewakers en veiligheidsadviseurs voor bedrijven en particulieren.

Zoals beloofd had Saul Nathanson een groot bedrag gestort op een Britse bank in een van de belastingparadijzen, waar het geld niet te traceren viel. Via een bepaalde code in een onschuldig telefoongesprek kon Irvine elk gewenst bedrag naar het Londense filiaal van de bank laten overmaken.

Binnen achtenveertig uur had hij zes jonge kerels ingehuurd, van wie er twee vloeiend Russisch spraken.

Jordan had een bepaalde opmerking gemaakt die Irvine intrigeerde. Naar aanleiding daarvan vloog een van de Russisch sprekende militairen naar Moskou met een bundeltje harde valuta in contanten. Hij kwam pas twee weken later terug, maar zijn berichten waren bemoedigend.

Ook de andere vijf werden om een boodschap gestuurd. Een van hen vloog met een introductiebrief naar Amerika om te praten met Ralph Brooke, de president-directeur van InTelCor. De anderen gingen op zoek naar mensen met diverse clandestiene specialiteiten die Irvine dacht nodig te hebben. Toen iedereen voor hem aan het werk was, boog hij zich over een probleem dat hij persoonlijk wilde oplossen.

Vijfenvijftig jaar geleden, toen hij na zijn verwonding weer naar het Europese vasteland was teruggekeerd, was hij terechtgekomen bij de inlichtingenstaf van generaal Horrocks, de commandant van het xxx Corps dat oprukte naar Nijmegen in een wanhopige poging de Britse para's te ontzetten die het bruggehoofd bij Arnhem nog in handen hadden.

Een van de regimenten van het xxx Corps waren de Grenadier Guards. Tot de jeugdige officieren behoorde ook een zekere majoor Peter Carrington. Een andere officier met wie Irvine veel te maken had gehad was majoor Nigel Forbes.

Na de dood van zijn vader had majoor Forbes de titel van lord Forbes, 'premier lord of Scotland', geërfd. Na een paar telefoontjes naar Schotland kreeg Irvine hem eindelijk te pakken in de Army and Navy Club aan Pall Mall in Londen.

'Ik weet dat het niet eenvoudig is,' zei hij, toen hij zijn naam had genoemd, 'maar ik wilde een kleine bijeenkomst houden. Zeer privé.'

'Aha! Zo'n bijeenkomst.'

'Precies. We zoeken een afgelegen plek met ruimte voor ongeveer twaalf mensen. Jij kent de Hooglanden. Enig idee waar...?'

'Wanneer had je in gedachten?' vroeg de Schotse edelman.

'Morgen.'

'Juist, ik begrijp het. Mijn eigen huis is te klein. Ik heb het kasteel al een tijd geleden aan mijn zoon overgedaan, maar ik geloof dat hij niet thuis is. Ik zal het navragen.'

Een uur later belde hij terug. Zijn zoon en erfgenaam Malcolm, die de voorlopige titel Master of Forbes droeg, was inmiddels al drieënvijftig. Toevallig zou hij de volgende morgen naar de Griekse eilanden vertrekken voor een maand vakantie.

'Je kunt het kasteel wel lenen,' zei lord Forbes. 'Als je het maar heel laat.'

'Absoluut,' zei Irvine. 'We hebben het alleen nodig voor lezingen, diapresentaties, dat soort dingen. Uiteraard betalen we alle kosten, plus een extra bedrag.'

'Akkoord. Ik zal mevrouw McGillivray bellen om haar te zeggen dat jullie komen. Zij zal voor jullie zorgen.'

Lord Forbes hing weer op en ging verder met zijn lunch.

In de vroege ochtend van de zesde dag landde de nachtvlucht van British Airways uit Miami op Heathrow. Jason Monk en vierhonderd andere passagiers stapten uit bij Terminal Vier van het drukste vliegveld ter wereld. Zelfs op dat uur arriveerden er nog duizenden passagiers uit alle delen van de wereld en gingen op weg naar de paspoortcontrole. Monk vloog eerste klas en was een van de eersten die bij de balie kwam.

'Zaken of vakantie, meneer?' vroeg de douaneman.

'Vakantie,' zei Monk.

'Veel plezier.'

Monk stak zijn paspoort weer in zijn zak en liep naar de lopende band met de koffers. Het duurde tien minuten voordat de bagage verscheen. Zijn eigen tas zat bij de eerste twintig. Hij liep door de groene sluis en werd niet tegengehouden. Toen hij in de hal kwam, gleed zijn blik over de wachtende menigte. Heel wat chauffeurs hielden kaartjes omhoog met namen van bedrijven of personen. Maar geen 'Monk'.

Er kwamen mensen achter hem aan, dus hij liep door. Nog steeds niemand. Pas toen hij door de hekken in de grote hal kwam, hoorde hij een stem in zijn oor: 'Meneer Monk?'

De man was een jaar of dertig. Hij droeg jeans en een bruin leren jack. Hij had kort haar en leek in uitstekende conditie.

'Ja.'

'Uw paspoort, meneer. Als u het niet erg vindt.'

Monk haalde het te voorschijn en de man bestudeerde het. Een ex-militair, dat kon niet missen. Monk keek naar de ruige handen die zijn paspoort vasthielden en was ervan overtuigd dat de man niet carrière had gemaakt bij de administratie. Hij kreeg zijn paspoort terug.

'Mijn naam is Ciaran. Komt u mee?'

Monk verwachtte een auto, maar Ciaran bracht hem naar de pendelbus. Zwijgend reden ze naar Terminal Een.

'Gaan we niet naar Londen?' vroeg Monk.

'Nee, meneer. Naar Schotland.'

Ciaran had de tickets al klaar. Een uur later vertrok de binnenlandse zakenvlucht naar Aberdeen in de Schotse hooglanden. Ciaran verdiepte zich in het nieuwsblad voor het leger. Wat zijn talenten ook waren, een groot spreker was hij niet. Monk kreeg voor de tweede keer die ochtend een ontbijt aan boord en haalde wat slaap in.

Op het vliegveld van Aberdeen stond een verlengde Landrover Discovery klaar, met nog zo'n zwijgzame ex-soldaat achter het stuur. Hij wisselde acht lettergrepen met Ciaran, die voor een gezellig gesprek moesten doorgaan.

Voor het eerst zag Monk de bergen van de Schotse hooglanden, toen ze die kant uit reden nadat ze het vliegveld aan de rand van Aberdeen aan de

Schotse oostkust hadden verlaten. De anonieme chauffeur nam de A96 naar Inverness, maar twaalf kilometer buiten Aberdeen sloeg hij rechtsaf. Op het bordje stond niets anders dan: Kemnay. Ze reden door het dorpje Monymusk en kwamen op de weg van Aberdeen naar Alford. Vijf kilometer verderop sloeg de Landrover weer rechtsaf, door Whitehouse, in de richting van Keig.

Rechts stroomde een riviertje. Monk vroeg zich af of er zalm of forel in zat. Vlak voor Keig zwenkte de auto plotseling de weg af, stak een bruggetje over en nam een pad aan de overkant van de rivier. Twee bochten verderop zag Monk de steenklomp van een oud kasteel op een kleine heuvel boven de rivier. De chauffeur draaide zich om en zei:

'Welkom in Castle Forbes, meneer Monk.'

Op het stenen bordes verscheen de spichtige gestalte van sir Nigel Irvine, met een platte katoenen pet op zijn hoofd en zijn witte haar wapperend boven zijn oren.

'Goede reis gehad?' vroeg hij.

'Uitstekend.'

'Maar vermoeiend. Ciaran zal je naar je kamer brengen. Neem eerst een bad en ga even slapen. Over twee uur staat de lunch klaar. We hebben een druk programma.'

'U wist dat ik zou komen,' zei Monk.

'Ja.'

'Maar Ciaran heeft niet gebeld.'

'Ah, ik begrijp wat je bedoelt. Mitch hier...' Hij wees naar de chauffeur die Monks tas uit de auto tilde, 'was ook al op Heathrow. En hij zat in het vliegtuig naar Aberdeen. Helemaal achterin. Hij was eerder door de controle van het vliegveld omdat hij niet op zijn bagage hoefde te wachten. Hij zat al vijf minuten in de Landrover toen jullie kwamen.'

Monk zuchtte. Hij had Mitch niet op Heathrow of in het vliegtuig gezien. Irvine had dus gelijk. Helaas. Er was nog heel wat werk te doen. Gelukkig hadden ze hem een professioneel team gegeven. Dat was de positieve kant.

'Gaan deze jongens met me mee?'

'Nee, ik ben bang van niet. Je zult het alleen moeten doen. Maar de komende drie weken zullen we je wel leren hoe je moet overleven.'

De lunch bestond uit een soort lamsgehakt in een aardappelkorst. '*Shepherd's pie*,' zei zijn gastheer, die er een kruidige zwarte saus overheen goot. Ze zaten met hun vijven aan tafel: sir Nigel Irvine als stralende gastheer, Monk zelf, Ciaran en Mitch, die zowel Monk als Irvine met 'chef' aanspraken, en een kleine, levendige man met dun wit haar, die goed Engels sprak, maar met een accent dat Monk als Russisch herkende.

'Natuurlijk zal er zo nu en dan wel Engels worden gesproken,' zei Irvine, 'omdat niet veel mensen bij ons Russisch spreken. Maar minstens vier uur per dag kun je Russisch spreken met Oleg hier. Je moet weer terugkomen op het niveau waarop je werkelijk voor een Rus kunt doorgaan.'

Monk knikte. Het was heel wat jaren geleden dat hij de taal gesproken had en hij zou al gauw ontdekken hoe roestig hij was geworden. Maar voor iemand met een talenknobbel en voldoende ervaring moest het lukken.

'Daarom,' vervolgde zijn gastheer, 'zijn Oleg, Ciaran en Mitch hier de vaste bewoners. De rest komt en gaat. Ik ook. Over een paar dagen, als je je draai hebt gevonden, vlieg ik weer naar het zuiden om... andere zaken te regelen.'

Als Monk had gedacht dat ze rekening zouden houden met zijn jet lag, had hij zich vergist. Na de lunch kon hij meteen beginnen aan een sessie van vier uur met Oleg.

De Rus bedacht een aantal scenario's. Het ene moment was hij een straatagent van de militia die Monk aanhield om zijn papieren te controleren en te vragen waar hij vandaan kwam, waar hij naartoe ging en waarom. Het volgende moment was hij een ober, die de details van een ingewikkelde bestelling vroeg, of een Rus van buiten de stad, die de weg vroeg aan een Moskoviet. Al na vier uur voelde Monk dat zijn gevoel voor het Russisch weer terugkwam.

Bij het zeevissen in de Cariben had Monk nog gedacht dat hij redelijk fit was, ook al was hij wat dikker geworden. Dat bleek een illusie. De volgende ochtend, nog voordat het licht werd, begon hij aan zijn eerste veldloop met Ciaran en Mitch.

'We beginnen heel rustig, chef,' zei Mitch. Het werd een duurloop van acht uur door heuphoge heide. Eerst was Monk bang dat hij zou sterven, maar al gauw bàd hij om de dood.

De huishouding bestond maar uit twee mensen. De huishoudster, de formidabele mevrouw McGillivray, de weduwe van een arbeider op het landgoed, kookte het eten, hield het kasteel schoon en snoof minachtend bij het komen en gaan van al die verwaande Engelsen. Hector zorgde voor de tuin en de moestuin en reed naar Whitehouse om boodschappen te doen. Er kwamen geen leveranciers aan de deur. Mevrouw McGee, zoals de mannen haar noemden, en Hector woonden in twee kleine huisjes op het terrein.

Een fotograaf nam een serie foto's van Monk voor de benodigde papieren die ergens anders voor hem gereed werden gemaakt. Een kapper-en-grimeur veranderde Monks uiterlijk en demonstreerde hem hoe hij dat zelf kon doen met minimale middelen, die gemakkelijk konden worden gekocht of in een koffer konden worden meegenomen zonder argwaan te wekken.

Toen zijn uiterlijk totaal was veranderd, maakte de fotograaf nog een paar opnamen voor weer een ander paspoort. Ergens had Irvine een stapel Russische paspoorten vandaan gehaald en met de hulp van een graveur en een kalligraaf kreeg Monk een nieuwe identiteit.

Monk zat uren over een grote stadsplattegrond van Moskou gebogen om de straten en de honderden – voor hem totaal nieuwe – namen uit zijn hoofd te leren: de Maurice Thorez Kade, genoemd naar de overleden Franse communistenleider, heette weer Sofiskayakade, net als vroeger. Alle verwijzingen naar Marx, Engels, Lenin, Dzjerzjinsky en de andere communistische kopstukken waren verdwenen.

Hij prentte de belangrijkste honderd gebouwen en hun plaats in zijn geheugen, hij leerde hoe hij het nieuwe telefoonsysteem moest gebruiken en een 'taxi' moest aanhouden door een willekeurige auto op een willekeurig moment te stoppen en de bestuurder een dollar aan te bieden.

Er was een projectiekamer, waar hij urenlang doorbracht met een man uit Londen, een Engelsman die ook Russisch sprak, om gezichten, andere gezichten en nog meer gezichten te bekijken.

Hij kreeg boeken, Komarovs toespraken en Russische kranten en tijdschriften te lezen. Het lastigste waren de privé-telefoonnummers die hij uit zijn hoofd moest leren, totdat hij er vijftig feilloos kende. Cijfers waren nooit zijn sterkste kant geweest.

De tweede week kwam sir Nigel Irvine terug, moe maar tevreden. Hij zei niet waar hij was geweest, maar hij had iets bij zich wat iemand van zijn team na lang zoeken bij een antiekzaak in Londen op de kop had getikt. Monk draaide het rond in zijn handen.

'Hoe wist u dat, verdomme?' vroeg hij.

'Dat doet er niet toe. Ik hoor weleens wat. Is het dezelfde?'

'Identiek. Voor zover ik me kan herinneren.'

'Dan zal het wel werken.'

Hij had ook een koffer bij zich, gemaakt door een goede vakman. Er was een heel ervaren douaneman voor nodig om het geheime vakje te ontdekken waarin Monk de twee dossiers moest verbergen: het Zwarte Manifest in de oorspronkelijke Russische tekst, en het onderzoeksrapport dat de echtheid van het manifest aantoonde, ook in het Russisch vertaald.

Na de tweede week voelde Jason Monk zich fitter dan hij zich in tien jaar had gevoeld. Zijn spieren waren weer hard en zijn uithoudingsvermogen was sterk verbeterd, hoewel hij wist dat hij zich nooit zou kunnen meten met Ciaran en Mitch, die uren en uren konden doorlopen, dwars door de pijn en de uitputting heen, tot in dat niemandsland, dicht bij de dood, waar alleen wilskracht het lichaam nog in beweging houdt.

Halverwege die week arriveerde George Sims. Hij was ongeveer even oud als Monk, een voormalige onderofficier bij de SAS. De volgende morgen nam hij Monk mee naar het grasveld. Ze waren allebei in trainingspak. Op het gras draaide Sims zich om, vier meter bij Monk vandaan.

'Goed, meneer,' zei hij met zijn zangerige Schotse accent, 'probeer me nou maar dood te maken.'

Monk trok een wenkbrauw op.

'Maar ik zou er niet op hopen, want u hebt geen schijn van kans.'

Hij had gelijk. Monk kwam op hem toe, maakte een schijnbeweging en viel aan. Het volgende moment zag hij de hooglanden ondersteboven draaien en lag hij op zijn rug.

'Een beetje te langzaam. Dat is geen blokkeren,' zei de ex-adjudant.

Hector was in de keuken bezig om verse wortelen uit de moestuin schoon te maken voor de lunch, toen Monk langs het keukenraam vloog.

'Wat doen ze in vredesnaam?' vroeg hij.

'Bemoei je er niet mee,' zei mevrouw McGee. 'Dat zijn de jonge vrienden van meneer, die zich wat amuseren.'

In het bos demonstreerde Sims de Zwitserse Sig Sauer 9-mm automatic.

'Ik dacht dat jullie een Browning 13-schots gebruikten,' zei Monk.

'Vroeger wel, maar dat is al lang geleden. Tien jaar terug zijn we op dit wapen overgestapt. Goed, u kent de juiste houding – spreidstand en het pistool in twee handen?'

Toen hij pas bij de CIA kwam, had Monk een schietcursus gekregen op de 'Farm', Fort Peary in Virginia. Hij was de beste van zijn klas geweest. Zijn ervaring als jager, samen met zijn vader in de Blue Ridge Mountains, was hem goed van pas gekomen. Maar ook dat was lang geleden.

De Schot zette een doelwit neer, een kartonnen silhouet van een gebogen man, telde vijftien passen af, draaide zich om en schoot het silhouet vijf kogels door het hart. Monk raakte het linkeroor en het dijbeen van het doelwit. De volgende drie dagen vuurden ze twee keer per dag honderd patronen af, totdat Monk ten slotte drie van de vijf keer het gezicht van de kartonnen pop wist te raken.

'Dat zal ze wel tegenhouden,' moest Sims toegeven, op de toon van iemand die wist dat er niet meer in zat.

'Met een beetje geluk heb ik dat vervloekte ding nooit nodig,' zei Monk.

'Ja, meneer, dat zeggen ze allemaal. Maar als je geluk op raakt, is het toch handig als je goed kunt schieten.'

Aan het begin van de derde week maakte Monk kennis met zijn verbindingsapparatuur. Danny, opvallend jeugdig, kwam er helemaal voor uit Londen.

'Het is een heel gewone laptop-computer,' legde hij uit. Dat was het ook. Niet groter dan een boek, met een scherm in het deksel en een ingeklapt toetsenbord dat op zijn plaats klikte als je de computer opende. Het was een dingetje dat acht van de tien zakenmensen tegenwoordig bij zich hadden in hun koffertje.

'De diskette...' Danny hield een soort creditcard onder Monks neus voordat

235

hij hem in de zijkant van de laptop stak, 'bevat de normale informatie voor een zakenman, zoals u zich moet voordoen. Als iemand de diskette probeert te lezen, vindt hij alleen commerciële gegevens die van geen enkel belang zijn behalve voor de eigenaar.'

'En verder?' vroeg Monk. Deze ontwapenende jongeman was een van die jonge techneuten die met computers waren opgegroeid en de werking ervan veel simpeler vonden dan Egyptische hiërogliefen. Monk koos ongezien voor de hiërogliefen.

'Maar dit,' zei Danny, en hij hield nog een kaartje omhoog. 'Wat is dit?'

'Een Visacard,' zei Monk.

'Kijk nog eens goed.'

Monk bestudeerde het dunne plastic kaartje met de 'slimme' magneetstrip aan de achterkant.

'Oké, het líjkt op een Visacard.'

'Je kunt hem zelfs gebruiken als een Visacard,' zei Danny, 'maar doe dat liever niet. Anders wordt hij misschien door de verkeerde technologie gewist. Bewaar hem goed, verborgen voor nieuwsgierige blikken, en gebruik hem alleen als het strikt noodzakelijk is.'

'Maar wat kan ik ermee?' vroeg Monk.

'Een heleboel. Hij codeert alles wat u wilt typen. Hij heeft honderd eenmalige codes in zijn geheugen, wat dat ook mogen zijn. Dat is mijn terrein niet. Maar die schijn je niet te kunnen breken.'

'Klopt,' zei Monk, blij om tenminste één vertrouwde term te horen. Dat was bemoedigend.

Danny nam de eerste diskette uit de laptop en stak de Visacard ervoor in de plaats.

'De laptop wordt gevoed door een lithium-ion batterij met voldoende vermogen om de satelliet te bereiken. Zelfs als er een stopcontact in de buurt is, moet u toch de batterij gebruiken, met het oog op storingen in het lichtnet. Maar u kunt de netstroom wel gebruiken om de batterij op te laden. Zet hem maar aan.'

Hij wees op de power-schakelaar en Monk drukte erop.

'Typ nu maar een bericht aan sir Nigel, in gewone taal.'

Monk typte op het scherm een bericht van twintig woorden om te bevestigen dat hij veilig was aangekomen en het eerste contact had gelegd.

'Druk nu op deze toets. Er staat wat anders op, maar het is de toets om het bericht te coderen.'

Monk deed het. Er gebeurde niets. Zijn tekst bleef gewoon op het scherm staan.

'Schakel de computer maar uit.'

De woorden verdwenen.

'Ze zijn voorgoed gewist,' zei Danny. 'Uit het geheugen verwijderd. Maar ze staan nu in een eenmalige code op Virgil de Visa, klaar om te worden uitgezonden. Zet de computer maar weer aan.'
Monk deed het. Het scherm lichtte op, maar bleef leeg.
'Nu drukt u op deze toets. Er staat wat anders op, maar als Virgil in de drive zit, geeft u hiermee de instructie "zenden/ontvangen". Laat de laptop ingeschakeld. Twee keer per dag komt er een satelliet boven de horizon uit, die is geprogrammeerd om een oproep naar beneden te sturen, op de frequentie van Virgil. Die oproep duurt maar één nanoseconde en is in code. De tekst luidt ongeveer: "Ben je daar, kind?" Als Virgil zijn Moeder herkent, geeft hij uw bericht door. Een handdruk, noemen we dat.'
'En dat is alles?'
'Niet helemaal. Als Moeder een bericht voor Virgil heeft, geeft ze dat ook door. Virgil ontvangt het, in een eenmalige code. Moeder verdwijnt weer achter de horizon. Maar uw bericht is dan al verstuurd aan het grondstation, waar dat ook mag zijn. Dat weet ik niet en dat hoef ik ook niet te weten.'
'Moet ik bij het apparaat blijven terwijl dat allemaal gebeurt?' vroeg Monk.
'Absoluut niet. U doet maar wat u wilt. Als u terugkomt, is het scherm nog steeds verlicht. U drukt dan op deze toets. Er staat geen "decoderen" op, maar dat is wel het commando als Virgil in de drive zit. Virgil ontcijfert de boodschap van Moeder en maakt die zichtbaar op het scherm. Als u de computer weer uitzet, wordt het bericht gewist. Voorgoed.
O ja, nog één ding. Als u Virgil werkelijk wilt opblazen, toetst u achter elkaar deze vier getallen in.' Hij gaf Monk een kaartje met vier cijfers. 'Die moet u dus nooit achter elkaar intoetsen tenzij u van Virgil weer een gewone Visacard wilt maken, zonder andere mogelijkheden.'
Ze oefenden twee dagen met de laptop, totdat Monk de procedure kon dromen. Daarna vertrok Danny weer naar zijn eigen wereldje van chips en bytes.
Tegen het einde van de derde week op Castle Forbes, waren alle instructeurs tevreden.
Monk keek hen na toen ze vertrokken.
'Kan ik ergens telefoneren?' vroeg hij die avond na het eten, toen hij met Ciaran en Mitch in de salon zat.
Mitch keek op van het spelletje schaak met Ciaran, die hem deskundig van het bord veegde, en knikte naar de telefoon in de hoek.
'Nee, ik bedoel privé,' zei Monk.
Ciaran keek nu ook op. De twee ex-militairen staarden hem aan.
'O,' zei Ciaran. 'Dan moet u in de studeerkamer bellen.'
Even later zat Monk tussen de boeken en jachttaferelen in de studeerkamer van lord Forbes en belde een nummer aan de overkant van de oceaan. Het

toestel rinkelde in een klein houten huis in Crozet, South Virginia, waar de zon nu laag boven de Blue Ridge Mountains stond. Het was er vijf uur vroeger dan in Schotland. Nadat het toestel tien keer was overgegaan, zei een vrouwenstem: 'Hallo?'

In gedachten zag hij de kleine maar gezellige zitkamer waar de hele winter het haardvuur brandde en het licht altijd weerkaatste in de glanzend gepoetste meubeltjes die ze al sinds hun trouwen hadden.

'Hallo, ma. Met Jason.'

'Jason!' zei de beverige stem blij. 'Waar zit je, zoon?'

'Hier en daar, ma. Hoe is het met vader?'

Sinds zijn beroerte zat zijn vader meestal in de schommelstoel op de veranda en keek naar het kleine stadje en de beboste hellingen waar hij veertig jaar geleden, toen hij nog sterk en gezond was, zo vaak met zijn oudste zoon was gaan vissen en jagen.

'Goed hoor. Hij zit te slapen voor het huis. Het is warm. Het is een lange, hete zomer geweest. Ik zal hem zeggen dat je hebt gebeld. Dat zal hij leuk vinden. Kom je gauw weer eens langs? Het is al zo'n tijd geleden.'

Hij had nog twee broers en een zus, die allang het huis uit waren. De één was schade-expert, de ander makelaar aan de Chesapeake, en zijn zus was met een plattelandsdokter getrouwd. Ze woonden allemaal in Virginia en kwamen nog regelmatig thuis. Hij was de enige die zich zelden liet zien.

'Zodra ik tijd heb, ma. Dat beloof ik je.'

'Je moet zeker weer weg, is het niet, zoon?'

Hij wist wat ze bedoelde met 'weg'. Ze had al geweten dat hij naar Vietnam zou gaan voordat de oproep kwam, en ze had hem vaak in Washington gebeld voordat hij naar het buitenland ging, alsof ze iets vermoedde wat ze onmogelijk kon weten. Moeders hadden die intuïtie... ze zat vijfduizend kilometer bij hem vandaan, en toch voelde ze het gevaar.

'Als ik terug ben, kom ik bij jullie langs.'

'Wees voorzichtig, Jason.'

Hij hield de hoorn in zijn hand en staarde door de ramen naar de sterren boven Schotland. Hij had vaker naar huis moeten gaan. Ze waren nu allebei oud. Hij had tijd moeten vrijmaken. Als hij uit Rusland terugkwam, zou hij het anders doen.

'Ik red me wel, ma. Ik red me wel.'

Het bleef even stil, alsof ze allebei niets meer wisten te zeggen.

'Ik hou van je, ma. Zeg dat ook tegen vader. Ik hou van jullie allebei.'

Hij legde neer. Twee uur later las sir Nigel Irvine de transcriptie van het gesprek in zijn huis in Dorset. De volgende morgen werd Monk door Ciaran en Mitch naar het vliegveld van Aberdeen gereden. Ze stapten met z'n drieën op het vliegtuig naar Londen.

Daar bleef Monk vijf dagen. Hij logeerde met sir Nigel Irvine in het Mont-calm, een rustig, discreet hotel in een mooie oude straat achter Marble Arch. In die vijf dagen legde de voormalige spionagechef hem uitvoerig uit wat hij moest doen. Ten slotte bleef er niets anders meer over dan afscheid nemen. Irvine gaf hem een velletje papier.

'Als die prachtige hi-tech laptop van je ooit de geest geeft, kan deze vent misschien een bericht voor je over de grens smokkelen. Alleen in uiterste nood, natuurlijk. Nou, tot ziens, Jason. Ik ga niet mee naar Heathrow. Ik heb de pest aan vliegvelden. Ik heb alle vertrouwen in je. Verdomd, ik denk echt dat je het voor elkaar krijgt.'

Ciaran en Mitch reden hem naar Heathrow en brachten hem tot aan het hek. Daar staken ze allebei hun hand uit.

'Veel succes, chef,' zeiden ze.

Het was een rustige vlucht. Niemand wist dat hij er heel anders uitzag dan de Jason Monk die dertig dagen eerder bij Terminal Vier was aangekomen. Niemand wist dat hij niet de man in zijn paspoort was. Hij kon ongehinderd de douane passeren.

Vijf uur later, met zijn horloge twee uur vooruit, liep hij naar de paspoort-controle op het vliegveld Sheremetyevo bij Moskou. Zijn visum was in orde, ogenschijnlijk aangevraagd en goedgekeurd door de Russische ambas-sade in Washington. Hij kon doorlopen.

Bij de douane vulde hij de lange valutaverklaring in en tilde zijn enkele koffer op de balie. De douaneman keek ernaar en wees toen op zijn attaché-koffertje.

'Openmaken,' zei hij in het Engels.

Monk gehoorzaamde met een glimlach, op en top de Amerikaanse zaken-man. De Rus rommelde tussen zijn papieren en hield toen de laptop omhoog. Hij bekeek de kleine computer waarderend. 'Mooi,' zei hij, en legde hem weer terug. De grote en de kleine koffer kregen een snelle krijt-streep en de douaneman draaide zich om naar de volgende passagier.

Monk pakte zijn bagage, stapte de glazen deuren door en betrad het land waarvan hij had gezworen dat hij er nooit meer één voet zou zetten.

Deel 2

12

Hotel Metropol was nog zoals hij het zich herinnerde, een grote grijze stenen kubus tegenover het Bolshoi Theater aan de overkant van het plein.

In de lobby liep Monk naar de balie toe, noemde zijn naam en liet zijn Amerikaanse paspoort zien. De receptionist keek op een computerscherm en toetste de cijfers en letters in totdat hij een bevestiging kreeg. Hij wierp een blik in het paspoort, keek Monk even aan en knikte vervolgens met een professionele glimlach.

Monk had de kamer gekregen waarom hij had gevraagd, op advies van de Russisch sprekende militair die sir Nigel vier weken eerder op verkenning naar Moskou had gestuurd. Het was een hoekkamer op de achtste verdieping, met uitzicht op het Kremlin en – nog belangrijker – een balkon over de hele breedte van het gebouw.

Door het tijdverschil met Londen was het al bijna avond tegen de tijd dat hij zijn koffer had uitgepakt. De oktoberavond was al zo fris dat de mensen buiten een overjas droegen, als ze die konden betalen. Monk at in het hotel en ging vroeg naar bed.

De volgende morgen stond er een andere receptionist achter de balie.

'Ik heb een probleem,' zei Monk. 'Ik moet naar de Amerikaanse ambassade om mijn paspoort te laten zien. Het is maar een detail, weet u. Ambtenarij...'

'Helaas moeten we alle paspoorten bij ons houden, meneer,' zei de receptionist.

Monk leunde over de balie met een knisperend biljet van honderd dollar tussen zijn vingers.

'Dat begrijp ik,' zei hij rustig, 'maar dat is juist het probleem. Na Moskou moet ik nog naar andere landen in Europa en mijn paspoort is bijna verlopen. Daarom moet ik naar de ambassade om een verlenging aan te vragen. Over een paar uur ben ik weer terug.'

De receptionist was jong en pas getrouwd, met een baby op komst. Hij bedacht hoeveel roebel een briefje van honderd dollar op de zwarte markt waard was. Snel keek hij naar links en rechts.

'Eén moment,' zei hij en hij verdween achter de glazen wand die de receptie van de achterliggende kantoren scheidde. Vijf minuten later was hij terug met het paspoort.

'Normaal mogen we het pas teruggeven als u vertrekt,' zei hij. 'Ik wil het dus graag van u terug, zolang u hier nog blijft.'

'Hoor eens, zodra de ambassade er klaar mee is, breng ik het weer mee. Tot hoe lang bent u hier?'

'Twee uur vanmiddag.'

'Nou, als ik dat niet red, geef ik het tegen theetijd wel aan een van uw collega's.'

Het paspoort en het briefje van honderd dollar kruisten elkaar. De twee mannen waren nu samenzweerders. Ze knikten tegen elkaar, glimlachten, en Monk vertrok naar boven.

Terug in zijn kamer deed hij zijn deur op slot, met het bordje NIET STOREN aan de buitenkant. In de badkamer haalde hij het flesje met verfoplosser uit zijn toilettas. Volgens het etiket was het vloeistof voor een oogbad. Hij liet een kom met warm water vollopen.

De strakke grijze krullen van dr. Philip Peters maakten plaats voor het blonde haar van Jason Monk, het snorretje sneuvelde onder het scheermes en de getinte brilleglazen van de bijziende academicus verdwenen in een afvalemmer in de gang.

Uit zijn koffertje haalde hij een paspoort met zijn eigen foto en een geldig douanestempel, gekopieerd uit het paspoort dat de militair uit Rusland had meegebracht, maar met de correcte datum. Achter het schutblad zat een valutaverklaring, ook met een vervalst stempel.

Halverwege de ochtend nam Monk de lift naar beneden, stak de gewelfde lobby over en verdween door de deuren aan de andere kant van de receptie. Er stond een rij echte taxi's voor het Metropol. Monk stapte in en gaf in vloeiend Russisch zijn bestemming op.

'Het Olympic Penta,' zei hij. De chauffeur kende het hotel. Hij knikte en vertrok.

Het hele Olympic-complex, gebouwd voor de Olympische Spelen van 1980, lag pal ten noorden van het centrum van de stad, even buiten de Sadovo-Spaskoje, de Tuinringweg. Het station torende boven de omringende gebouwen uit, en in de schaduw ervan lag het door Duitsers gebouwde Penta Hotel. Monk stapte uit onder de markies, betaalde de taxi en ging de lobby binnen. Toen de taxi was verdwenen, verliet hij het hotel weer en liep het laatste eind. Het was maar vierhonderd meter.

Het hele gebied ten zuiden van het stadion was slecht onderhouden, troosteloos en vervallen. De flats uit de communistische tijd gingen schuil onder een laagje zomerstof dat in de winterkou tot een harde korst zou aankoeken. Papiertjes en piepschuimbekertjes waaiden door de straten.

Vlak bij de Durovastraat lag een afgeschutte enclave met tuinen en gebouwen die er heel anders uitzagen: fris en goedverzorgd. Binnen de hekken stonden drie hoofdgebouwen, een pension voor bezoekers van het platteland, een mooie school die halverwege de jaren negentig was gebouwd, en de moskee zelf.

De belangrijkste moskee van Moskou dateerde uit 1905, twaalf jaar voordat Lenin toesloeg, en vertoonde nog de elegante bouwstijl van vóór de revolutie. Onder het communistische bewind had de moskee zeventig jaar een kwijnend bestaan geleid, net als de christelijke kerken die door de atheïstische staat waren vervolgd. Maar na de val van het communisme en dankzij een gulle gift van Saoedi-Arabië was het complex binnen vijf jaar gerestaureerd en uitgebreid. Het pension en de school waren het resultaat van dat programma.

De moskee was niet vergroot. Het was een bescheiden gebouw, lichtblauw en wit, met kleine ramen en twee bewerkte antieke eikehouten deuren voor de ingang. Monk trok zijn schoenen uit, zette ze in een van de vakjes links van de hal en ging naar binnen.

Zoals bij alle moskeeën was het interieur helemaal open en stonden er geen stoelen of banken. De vloer was bedekt met dure kleden, ook een geschenk van Saoedi-Arabië. Pilaren ondersteunden een galerij die boven de centrale ruimte langs de hele omtrek liep.

Volgens de wetten van het islamitisch geloof waren er nergens afbeeldingen te zien. De panelen langs de muren bevatten citaten uit de koran.

De moskee voorzag in de religieuze behoeften van de islamitische gemeenschap in Moskou, behalve de diplomaten, van wie de meesten naar de moskee in de Saoedische ambassade gingen. Maar Rusland telde miljoenen moslims en de hoofdstad had twee openbare moskeeën. Omdat het geen vrijdag was, waren er niet meer dan enkele tientallen gelovigen aanwezig.

Monk zocht een plaatsje tegen de muur bij de ingang, ging met gekruiste benen zitten en keek om zich heen. De meeste mannen waren al oud: Azeri's, Tataren, Ingoesjen, Osseten. Ze droegen allemaal een pak, gerafeld maar schoon.

Na een half uur kwam een oude man die voor Monk had gezeten overeind en draaide zich om naar de deur. Hij zag Monk en keek hem nieuwsgierig aan. Monk viel op door zijn zongebruinde gezicht, zijn blonde haar en de afwezigheid van een gebedssnoer. De man aarzelde en kwam toen naast Monk zitten, met zijn rug tegen de muur.

Hij moest dik in de zeventig zijn en had drie medailles uit de Tweede Wereldoorlog op zijn revers.

'Vrede met u,' mompelde hij.

'En met u,' antwoordde Monk.

'Bent u van het geloof?' vroeg de oude man.

'Helaas, nee. Ik ben gekomen om een vriend te zoeken.'

'Aha. Iemand in het bijzonder?'

'Ja, een vriend van lang geleden. We hebben het contact verloren. Ik hoopte dat ik hem hier zou kunnen vinden, of iemand die hem kent.'

De oude man knikte. 'Wij vormen maar een kleine gemeenschap. Vele kleine gemeenschappen. Waartoe behoort uw vriend?'

'Hij is een Tsjetsjeen,' zei Monk.

De oude man knikte weer en kwam toen stram overeind. 'Wacht hier,' zei hij.

Tien minuten later kwam hij terug met iemand die hij van buiten had gehaald. Hij knikte naar Monk, glimlachte en verdween. De nieuwkomer was jonger, maar niet veel.

'Ik hoor dat u een van mijn broeders zoekt,' zei de Tsjetsjeen. 'Kan ik u helpen?'

'Misschien,' zei Monk. 'Ik zou u heel erkentelijk zijn. We hebben elkaar jaren geleden ontmoet. Nu ik weer in de stad ben, zou ik hem graag nog eens zien.'

'En zijn naam?'

'Umar Gunayev.'

Er blonk even een lichtje in de ogen van de oude man. 'Die ken ik niet,' zei hij.

'Ach, wat jammer,' zei Monk, 'want ik heb een geschenk voor hem bij me.'

'Hoe lang blijft u nog hier?'

'Ik blijf hier graag nog even zitten om uw prachtige moskee te bewonderen,' antwoordde Monk.

De Tsjetsjeen stond op. 'Ik zal vragen of iemand van deze man heeft gehoord,' zei hij.

'Dank u,' zei Monk. 'Ik ben een geduldig mens.'

'Geduld is een deugd.'

Het duurde twee uur voordat er weer iemand kwam. Drie jonge kerels, deze keer. Ze bewogen zich geruisloos. Hun kousevoeten maakten geen enkel geluid op de hoogpolige Perzische kleden. Een van hen bleef bij de deur staan, liet zich op zijn knieën vallen en leunde achterover op zijn hielen, met zijn handen op zijn dijen. Hij leek in gebed verzonken, maar Monk wist dat hij niemand zou laten passeren.

De twee anderen kwamen naar hem toe en gingen aan weerszijden van hem zitten.

'Spreekt u Russisch?'

'Ja,' zei Monk.

'En u vroeg naar een van onze broeders?'

'Ja.'

'U bent een Russische spion.'

'Ik ben Amerikaan. Ik heb mijn paspoort in mijn jasje.'

'Wijsvinger en duim,' zei de man. Heel voorzichtig haalde Monk zijn Amerikaanse paspoort te voorschijn en liet het op het kleed vallen. De andere man boog zich naar voren, raapte het op en bladerde het door. Toen knikte hij en gaf het terug. Hij zei iets in het Tsjetsjeens tegen zijn collega. Waarschijnlijk dat iedereen een vervalst Amerikaans paspoort bij zich kon hebben, veronderstelde Monk. De man aan zijn rechterhand knikte en vroeg: 'Waarom zoekt u onze broeder?'

'We hebben elkaar ooit ontmoet, in een ver land. Hij heeft daar iets achtergelaten. Als ik ooit naar Moskou kwam, zou ik het aan hem teruggeven, had ik me voorgenomen.'

'Hebt u het nu bij u?'

'Ja. In mijn koffertje.'

'Maak het maar open.'

Monk opende de sluiting van zijn koffertje en klapte het deksel open. Eronder lag een platte kartonnen doos.

'Wilt u dat wij het aan hem geven?'

'Ik zou u heel dankbaar zijn.'

De man links van hem zei weer iets in het Tsjetsjeens.

'Nee, het is geen bom,' zei Monk in het Russisch. 'Anders zou ik zelf ook sterven als het pakje werd opengemaakt.'

De twee mannen keken elkaar aan. Toen boog een van hen zich naar voren en maakte de kartonnen doos open. Ze staarden naar de inhoud.

'Is dat het?'

'Ja, dat is het. Dat heeft hij achtergelaten.'

De man links van hem deed het deksel weer op de doos en tilde hem uit het koffertje. Toen stond hij op.

'Wacht hier,' zei hij.

De man bij de deur keek hem na, maar gaf geen teken. Monk moest twee uur wachten, in het gezelschap van zijn twee bewakers. Hij had zijn lunch gemist en snakte naar een grote hamburger. Achter de kleine ramen begon het al te schemeren toen de boodschapper eindelijk terugkwam. Hij zei niets, maar knikte naar zijn twee kameraden en wees met zijn kin naar de deur.

'Kom,' zei de Tsjetsjeen die rechts van Monk gehurkt zat. Ze kwamen overeind. In de hal trokken ze hun schoenen weer aan. De twee mannen namen Monk tussen zich in. De Tsjetsjeen bij de deur vormde de achterhoede. Ze liepen het terrein af naar de Durovastraat, waar een grote BMW langs de stoeprand stond te wachten. Voordat hij mocht instappen, werd Monk professioneel van achteren gefouilleerd.

Monk werd midden op de achterbank gezet, tussen zijn twee bewakers in. De derde man liet zich naast de bestuurder zakken. De BMW vertrok in de richting van de ringweg.

Monk had erop gerekend dat de mannen de moskee niet zouden onteren door geweld te gebruiken, maar nu hij bij hen in de auto zat, voelde hij zich veel minder veilig. Hij had genoeg over deze figuren gehoord om te weten hoe gevaarlijk ze waren.

Na anderhalve kilometer haalde de man voorin een wrap-around zonnebril uit het handschoenenvakje en gaf hem aan Monk, met een teken dat hij de bril moest opzetten. Het was een beter idee dan een blinddoek. De glazen waren zwartgeverfd en Monk zag niets meer.

Ergens in het hartje van Moskou, in een zijstraat waar buitenstaanders beter niet kunnen komen, is een klein café dat de Kashtan heet. De naam is Russisch voor 'kastanje', en het café staat er al jaren.

Een toerist die toevallig hier verzeild zou raken en naar binnen wil gaan, stuit op een gespierde jongeman die hem duidelijk maakt dat hij zijn kopje koffie maar ergens anders moet gaan drinken. Zelfs de Russische militia komt er niet in de buurt.

Monk werd uit de auto geholpen en mocht zijn zwarte bril afzetten toen ze hem naar de deur brachten. Zodra hij binnenkwam, verstomden de Tsjetsjeense gesprekken. Twintig paar ogen keken in stilte toe toen Monk naar een privé-kamer achter het café werd gebracht, voorbij de bar. Als hij niet meer terug zou komen, had niemand hem gezien.

In de kamer stond een tafel met vier stoelen. Aan de muur hing een spiegel. Uit de aangrenzende keuken kwamen de geuren van knoflook, kruiden en koffie. De leider van de drie bewakers, de man die steeds bij de deur had gezeten terwijl de anderen Monk ondervroegen, nam voor het eerst het woord.

'Ga zitten,' zei hij. 'Koffie?'

'Dank u. Zwart, met suiker.'

De koffie werd gebracht en smaakte uitstekend. Monk dronk van het hete vocht en negeerde de spiegel. Hij wist zeker dat er iemand achter stond die hem in de gaten hield. Toen hij zijn lege kopje neerzette, ging de deur open en kwam Umar Gunayev binnen.

Hij was veranderd. Hij droeg de kraag van zijn overhemd niet meer over zijn jasje, en zijn pak was niet langer van goedkope snit. Het was een Italiaans design-kostuum met een stropdas van zware zijde, waarschijnlijk uit Jermyn Street of Fifth Avenue.

De Tsjetsjeen was ouder geworden in die twaalf jaar, maar op zijn veertigste was hij nog steeds een knappe, donkere man die een beschaafde indruk maakte. Hij knikte een paar keer naar Monk en glimlachte even. Toen ging hij zitten en zette de platte kartonnen doos op tafel.

'Ik heb uw geschenk gekregen,' zei hij. Hij opende het deksel en nam de Yemenitische *gambiah* eruit. Hij hield de dolk in het licht en liet zijn vinger over de snijrand glijden.

'Dit is hem?'

'Een van de mannen had hem op de grond laten vallen,' zei Monk. 'Ik dacht dat u hem misschien als briefopener zou kunnen gebruiken.'

Nu grijnsde Gunayev geamuseerd. 'Hoe bent u achter mijn naam gekomen?'

Monk vertelde hem over het fotoboek dat de Britten in Oman van het personeel op de Russische ambassade hadden aangelegd.

'En wat hebt u sindsdien over me gehoord?'

'Heel veel.'

'Goed of slecht?'

'Interessant.'

'Vertel eens.'

'Ik hoorde bijvoorbeeld dat kapitein Gunayev na tien jaar bij het Eerste Hoofddirectoraat genoeg kreeg van al die racistische grappen en zijn geringe kansen op promotie. Ik hoorde dat hij bij de KGB was weggegaan en zich op een nieuw terrein had begeven. Ook clandestien, maar toch heel anders.'

Gunayev lachte. De drie bewakers leken zich te ontspannen. Hun heer en meester had de toon gezet.

'Clandestien, maar anders. Ja, dat is waar. En verder?'

'Verder hoorde ik dat Umar Gunayev in zijn nieuwe leven was opgeklommen tot de onbetwiste leider van de hele Tsjetsjeense onderwereld ten westen van de Oeral.'

'Mogelijk. En wat nog meer?'

'Ik hoorde ook dat deze Gunayev een man is met traditionele opvattingen. Hij is niet ouderwets, maar hij houdt vast aan de oude waarden van het Tsjetsjeense volk.'

'U hebt veel gehoord, mijn Amerikaanse vriend. En wat zijn de waarden van het Tsjetsjeense volk?'

'In deze verloederde wereld geloven de Tsjetsjenen nog in een erecode. Zij lossen hun schulden in.'

Heel even nam de achterdocht bij de bewakers weer toe. Probeerde de Amerikaan hen in de maling te nemen? Ze letten op hun leider. Gunayev aarzelde even, maar knikte toen.

'Dat hebt u goed begrepen. Wat wilt u van me?'

'Onderdak. Een plek om te wonen.'

'Er zijn hotels in Moskou.'

'Die zijn niet veilig.'

'Wil iemand u vermoorden?'

'Nu nog niet, maar dat komt wel.'

'Wie dan?'

'Kolonel Anatoli Grishin.'

Gunayev haalde minachtend zijn schouders op.

'Kent u hem?' vroeg Monk.

'Ik heb over hem gehoord.'

'En beviel u dat?'

Weer haalde Gunayev zijn schouders op. 'Hij doet zijn werk, ik het mijne.'

'In Amerika,' zei Monk, 'kan ik u laten verdwijnen als u dat zou willen. Maar dit is niet mijn stad, niet mijn land. Kunt u mij in Moskou laten verdwijnen?'

'Tijdelijk of voorgoed?'

Monk lachte. 'Het liefst tijdelijk.'

'Natuurlijk kan ik dat. Is dat wat u wilt?'

'Ja. Het is de enige manier om in leven te blijven. En dat is mijn bedoeling.'

Gunayev stond op en draaide zich om naar zijn drie gangsters. 'Deze man heeft mij ooit het leven gered. Hij is mijn gast. Niemand zal hem een haar krenken. Zolang hij hier is, is hij een van ons.'

De drie boeven dromden om Monk heen, staken grijnzend hun hand uit en stelden zich voor: Aslan, Magomed, Sharif.

'Zijn ze al naar je op jacht?' vroeg Gunayev.

'Nee, dat denk ik niet.'

'Dan zul je wel honger hebben. Het eten hier is smerig. We gaan naar mijn kantoor.'

Zoals alle mafiabazen had de leider van de Tsjetsjeense onderwereld twee gezichten. Voor de buitenwereld was hij een geslaagde zakenman met een reeks welvarende bedrijven. Gunayev had zich gespecialiseerd in onroerend goed.

In het begin had hij goede percelen in heel Moskou opgekocht door ambtenaren om te kopen of dood te schieten die de verkoop regelden van de staatseigendommen die na de val van het communisme op de commerciële markt kwamen.

Als grondeigenaar kon Gunayev profiteren van de golf van investeringen door Russische zakenlui en hun Westerse partners. Gunayev zorgde voor de bouwgrond en voor gewillige arbeidskrachten, terwijl de Amerikanen en Westeuropeanen kantoren en flats lieten verrijzen. Die werden dan gezamenlijk eigendom, waarna Gunayev de helft van de inkomsten en de huren kon incasseren.

Op dezelfde manier had de Tsjetsjeen zes van de duurste hotels in zijn bezit gekregen en zijn belangen uitgebreid naar de levering van staal, beton, hout, steen en glas. Wie in Moskou iets wilde laten bouwen, verbouwen of restaureren, kwam automatisch terecht bij een bedrijf dat rechtstreeks of indirect in handen was van Umar Gunayev.

250

Dat was zijn publieke gezicht. Maar zoals alle Moskouse bendeleiders hield hij zich ook bezig met de zwarte markt, diefstal en verduistering.

De rijkdommen van de Russische staat – goud, diamanten, gas en olie – werden gewoon in roebels gekocht, tegen de officiële koers, die toch al veel te laag was. Het maakte de 'verkopers', de bureaucraten, weinig uit. In het buitenland werden die produkten verkocht tegen dollars, ponden of marken tegen de geldende prijzen op de wereldmarkt.

Een fractie van de verkoopprijs – maar een ontzagwekkend bedrag in roebels – kon dan weer in Rusland worden geïnvesteerd voor de aankoop van de volgende partij of als smeergeld voor de ambtenaren. Het verschil, ongeveer tachtig procent van de buitenlandse verkoop, was zuivere winst.

In het begin begrepen sommige bureaucraten en bankiers nog niet hoe de kaarten waren geschud. Ze weigerden hun medewerking. Dus kregen ze eerst een waarschuwing en daarna een orthopedische ingreep. Als dat niet hielp, werden er permanente maatregelen getroffen. De opvolger van het slachtoffer begreep meestal heel snel wat de bedoeling was.

Tegen het einde van de jaren negentig was er nog zelden geweld nodig tegen de bureaucratie of andere beroepsgroepen. Maar door de groei van privé-legertjes moest iedere bendeleider wel tegen zijn rivalen zijn opgewassen. En van al die bendes was er niet één zo snel en meedogenloos als de Tsjetsjenen wanneer ze op tegenstand stuitten.

Vanaf de winter van 1994 was er een nieuwe factor bijgekomen. Vlak voor Kerstmis van dat jaar was Boris Jeltsin zijn ongelukkige oorlog tegen Tsjetsjenië begonnen, zogenaamd om de opstandige president Dudayev, die naar onafhankelijkheid streefde, tot de orde te roepen. Als die oorlog een snelle, chirurgische ingreep was geweest, had Jeltsin misschien een kans gehad. Maar het zo machtig geachte Russische leger kreeg een smadelijke afstraffing te slikken van de licht bewapende Tsjetsjeense rebellen, die zich daarna in de bergen van de Kaukasus terugtrokken om de strijd voort te zetten.

Als de Tsjetsjeense mafia in Moskou nog enige scrupules had gekoesterd tegenover de Russische staat, waren die nu wel verdwenen. Het gewone leven werd voor een gezagsgetrouwe Tsjetsjeen bijna onmogelijk. Iedereen keerde zich tegen de Tsjetsjenen, die daardoor een hechte en bijzonder loyale clan binnen de Russische hoofdstad gingen vormen – nog moeilijker te penetreren dan de Georgische, Armeense of autochtoon Russische onderwereld. Binnen die gemeenschap werd de baas van de mafia al snel als held en verzetsleider gezien. In de herfst van 1999 was dat niemand anders dan de voormalige KGB-kapitein Umar Gunayev.

Toch kon Gunayev zich als zakenman nog vrij bewegen en het leven leiden van een multimiljonair, wat hij ook was. Zijn 'kantoor' was de hele bovenverdieping van een van zijn hotels, een joint-venture met een Amerikaanse hotelketen, vlak bij het station van de trein naar Helsinki.

Ze reden naar het hotel in Gunayevs eigen kogelvrije en bombestendige Mercedes. Hij had een persoonlijke lijfwacht en chauffeur. De drie bewakers uit het café volgden in een Volvo. Bij het hotel aangekomen, reden de twee auto's de ondergrondse parkeergarage in. Pas toen de kelder door de drie bewakers was doorzocht, stapten Gunayev en Monk uit de Mercedes en liepen naar de snelle lift die hen naar het penthouse op de tiende verdieping bracht. Daarna werd de stroomtoevoer van de lift weer uitgeschakeld.

Er stonden nog meer bewakers in de hal op de tiende verdieping, maar ten slotte stapten ze toch het appartement van de Tsjetsjeense leider binnen. Gunayev gaf een bevel en een steward in een wit jasje bracht eten en drinken.

'Ik heb iets wat ik u wil laten zien,' zei Monk. 'Ik hoop dat u het interessant zult vinden. Misschien zelfs leerzaam.'

Hij opende zijn koffertje en drukte op de twee schakelaars die de klep van de valse bodem losmaakten. Gunayev keek geïnteresseerd toe. Het koffertje en de verborgen bergruimte hadden duidelijk zijn belangstelling.

Monk gaf hem eerst de Russische vertaling van het onderzoeksrapport, drieëndertig pagina's in een grijs kartonnen omslag.

Gunayev trok een wenkbrauw op. 'Moet dat echt?'

'Het is de moeite waard. Alstublieft.'

Zuchtend begon Gunayev te lezen. Al gauw raakte hij geboeid door het verslag en liet zelfs zijn koffie koud worden. Na twintig minuten legde hij het rapport op het tafeltje tussen hen in.

'Dus dit manifest is geen vervalsing en geen grap, maar een authentiek stuk. Nou, en?'

'Het is geschreven door uw volgende president,' zei Monk. 'Dit is zijn programma als hij aan de macht komt. En dat zal niet lang meer duren.'

Hij schoof het Zwarte Manifest naar Gunayev toe.

'Weer dertig pagina's?'

'Veertig zelfs. Maar nog veel interessanter. Alstublieft. Om mij een plezier te doen.'

Gunayev las de eerste tien bladzijden vluchtig door – de plannen voor een éénpartijstaat, het herstel van het kernwapenarsenaal, de herovering van de verloren republieken en een nieuwe Goelag-archipel van strafkampen. Maar opeens kneep hij zijn ogen tot spleetjes en begon zorgvuldiger te lezen.

Monk wist precies waar hij was. Hij kende die messiaanse verklaringen, die hij zelf voor het eerst had gelezen aan de sprankelende kust van de Sapodillabaai van de Turks and Caicos Eilanden.

'De definitieve uitroeiing van alle Tsjetsjenen op Russische bodem... de ver-

nietiging van het rattenvolk, zodat het nooit meer op zal staan... de verwoesting van het stammenland, totdat er alleen nog wilde geiten kunnen grazen...
geen steen meer op de andere... voor eeuwig en voorgoed... de omringende
Osseten, Dagomanen en Ingoesjen zullen het gadeslaan, met gepaste vrees
voor hun nieuwe Russische meesters...'
Gunayev las tot het eind en legde het manifest toen neer. 'Dat is al eens eer-
der geprobeerd,' zei hij. 'Door de tsaren, door Stalin, door Jeltsin...'
'Met zwaarden, machinegeweren en raketten. Maar wat dacht u van gam-
mastralen, miltvuur, zenuwgassen? De techniek van de volkerenmoord is
flink gemoderniseerd.'
Gunayev stond op, trok zijn jasje uit, hing het over zijn stoel en liep naar de
panoramaruit met uitzicht over de daken van Moskou.
'Moet hij worden geëlimineerd? Uitgeschakeld?' vroeg hij.
'Nee.'
'Waarom niet? Het is te regelen.'
'Omdat het niet werkt.'
'Meestal wel.'
Monk legde uit waarom niet. Een land dat al in chaos verkeerde, zou dan
helemaal in de afgrond storten, met grote kans op een burgeroorlog of een
nieuwe Komarov – misschien wel zijn eigen rechterhand Grishin – die de
opengevallen plaats zou innemen en misbruik zou maken van de woede van
het volk.
'Het is een koppel,' zei hij. 'De een is de man van de denkbeelden en de toespraken, de ander is de man van actie. Als je de één doodt, neemt de ander
het over. En de vernietiging van uw volk gaat gewoon door.'
Gunayev draaide zich bij het raam vandaan en liep terug. Met een strak
gezicht boog hij zich naar Monk toe.
'Wat wil je dan wèl van me, Amerikaan? Je komt hier als een vreemdeling
die ooit mijn leven heeft gered. Daarom sta ik bij je in het krijt. Maar dan
laat je me deze smeerlapperij lezen. Wat heb ìk daarmee te maken?'
'Niets, tenzij je het zelf wilt. Je hebt heel wat mogelijkheden, Umar Gunayev.
Je bent rijk en machtig. Je kunt zelfs beslissen over leven en dood. Goed, je
kunt dit probleem de rug toedraaien en je ogen ervoor sluiten.'
'En waarom niet?'
'Omdat er ooit een jongetje was, een klein, haveloos jongetje dat opgroeide
in een arm dorp in het noorden van de Kaukasus. Een jongetje met familie,
vrienden en buren, die samen het geld bijeenbrachten om hem naar de universiteit te sturen, en van daar naar Moskou, om een groot man te worden.
Ik vraag je nu: is dat jongetje ergens onderweg gestorven en een robot
geworden, die aan niets anders meer denkt dan geld? Of herinnert dat jongetje zich nog zijn eigen volk?'

'Zeg het zelf maar.'

'Nee, het is jouw keus.'

'Wat kies je zelf, Amerikaan?'

'Voor mij is het veel gemakkelijker. Ik kan hier weer vertrekken, een taxi nemen naar Sheremetyevo en naar huis vliegen. Daar is het warm, comfortabel en veilig. Ik kan zeggen dat ze zich niet druk hoeven te maken, dat het niet uitmaakt, dat het niemand in Rusland meer iets kan schelen, dat iedereen is omgekocht. Laat de duistere nacht maar neerdalen.'

De Tsjetsjeen ging zitten en staarde in een ver verleden. Ten slotte zei hij: 'Denk je dat je hem kunt tegenhouden?'

'Er is een kans.'

'En wat dan?'

Monk legde uit wat sir Nigel Irvine en zijn opdrachtgevers in gedachten hadden.

'Je bent gek,' zei Gunayev toonloos.

'Misschien. Maar wat zijn de alternatieven? Komarov, zijn wolfshond en hun volkerenmoord? Chaos en burgeroorlog? Of dat andere.'

'En als ik je zou helpen, wat heb je dan nodig?'

'Een schuilplaats. Maar in het volle zicht. De mogelijkheid om me vrij te bewegen maar zonder gezien te worden. De mensen te spreken voor wie ik hier gekomen ben.'

'Denk je dat Komarov zal ontdekken dat je hier bent?'

'O, gauw genoeg. Hij heeft een miljoen tipgevers in deze stad, dat weet je. Je gebruikt ze zelf ook. Iedereen is te koop. En de man is niet gek.'

'Hij kan alle overheidsdiensten kopen. Zelfs ìk kan het niet opnemen tegen de hele staat.'

'Zoals je hebt gelezen, heeft Komarov zijn partners en financiers, de Dolgoruki-mafia, gouden bergen beloofd. Dus zij hebben binnenkort de macht. En wat moet jij dan?'

'Goed, ik kan je verbergen. Maar ik weet niet hoe lang. Binnen onze gemeenschap zal niemand je ooit vinden zolang ik dat niet wil. Maar je kunt hier niet blijven wonen. Dat valt te veel op. Ik heb heel wat onderduikadressen. Je zult steeds moeten verhuizen.'

'Onderduikadressen zijn prima,' antwoordde Monk. 'Daar kan ik slapen. Maar om rond te reizen heb ik papieren nodig. Perfecte vervalsingen.'

Gunayev schudde zijn hoofd. 'Wij vervalsen geen papieren. Wij kopen de echte.'

'Ja, dat was ik vergeten. Hier is alles te koop.'

'Wat heb je verder nog nodig?'

'Om te beginnen dit.'

Monk schreef een paar regels op een velletje papier en gaf het aan Gunayev.

De Tsjetsjeen bekeek het lijstje. Het was geen probleem. Toen kwam hij bij het laatste verzoek.

'Waar heb je dat in godsnaam voor nodig?'

Monk legde het uit.

'Je weet dat ik voor de helft eigenaar ben van het Metropol Hotel,' zei Gunayev zuchtend.

'Ik zal proberen de andere helft te gebruiken.'

De Tsjetsjeen zag er de humor niet van in.

'Hoe lang duurt het voordat Grishin weet dat je in de stad bent?'

'Dat hangt ervan af. Twee dagen, misschien drie. Als ik aan het werk ga, laat ik onvermijdelijk sporen achter. De mensen praten.'

'Goed. Ik zal je vier man geven als bewakers en chauffeurs. De leider heb je al gezien. Hij zat voor in de Volvo. Dat is Magomed. Een goede vent. Geef hem maar een lijst als je weer wat nodig hebt. Dan zorgen wij ervoor. Maar volgens mij ben je niet goed bij je hoofd.'

Tegen middernacht was Monk weer terug op zijn kamer in het Metropol. Aan het eind van de gang was een open ruimte bij de liften. Daar stonden vier leren fauteuils. Twee ervan werden bezet door zwijgende mannen die de krant lazen en daar de hele nacht zouden blijven zitten. In de kleine uurtjes werden er twee koffers bij Monks kamer afgeleverd.

De meeste Moskovieten en zeker alle buitenlanders denken dat de patriarch van de Russisch-Orthodoxe Kerk in een luxe suite woont, diep in het hart van het Danilovsky Klooster met zijn witte, gekanteelde muren en zijn complex van abdijen en kathedralen.

Die indruk wordt ook zorgvuldig in stand gehouden. In een van de grote kantoorgebouwen binnen het klooster, bewaakt door de fanatiek loyale Kozakken, heeft de patriarch inderdaad een appartement, dat het centrum vormt van het patriarchaat van Moskou en alle Russen. Maar hij woont er niet.

Hij woont in een vrij bescheiden huis, Chisti Pereulok nummer 5, de 'Schone Laan', een smalle zijstraat even buiten het centrum van de stad.

Daar heeft hij een priesterstaf die bestaat uit een privé-secretaris, een lijfknecht, twee bedienden en drie nonnen die koken en schoonmaken. Er is ook een chauffeur op afroep beschikbaar en het huis wordt bewaakt door twee Kozakken. Het contrast met de pracht en praal van het Vaticaan en het paleis van de patriarch van de Grieks-Orthodoxe Kerk zou niet groter kunnen zijn.

In de winter van 1999 werd het ambt nog steeds bekleed door Zijne Heiligheid Alexei II, die tien jaar eerder was gekozen, vlak voor de val van het communisme. Alexei, nog pas voor in de vijftig, erfde een gedemoraliseerde kerk, die van binnenuit was uitgehold en van buitenaf was vervolgd en onteerd.

Vanaf het allereerste begin begreep Lenin, die de priesterstand verafschuwde, dat het communisme maar één concurrent had in zijn gevecht om het hart en het verstand van de grote massa van Russische boeren, en hij was vastbesloten die concurrent te vernietigen. Met grof geweld en manipulatie waren hij en zijn opvolgers daar bijna in geslaagd.

Maar zelfs Lenin en Stalin schrokken terug voor de volledige vernietiging van de priesterklasse en de Kerk, bang dat ze een reactie zouden oproepen waar zelfs de NKVD niet tegen bestand was. Na de eerste pogroms, waarbij kerken in brand werden gestoken, hun rijkdommen gestolen en de priesters opgehangen, besloot het politburo dat het beter was de Kerk te elimineren door haar in diskrediet te brengen.

Daartoe werden allerlei maatregelen bedacht. Intelligente studenten werden niet langer toegelaten op de seminaries, die onder toezicht stonden van de NKVD en later de KGB. Alleen boerenkinkels uit de randgebieden van de Sovjetunie, Moldavië in het westen en Siberië in het oosten, werden nog geaccepteerd. Het onderwijs werd bewust gebrekkig gehouden, waardoor de kwaliteit van de priesterstand snel terugliep.

De meeste kerken werden gewoon gesloten en niet langer onderhouden. Een paar bleven open en werden grotendeels bezocht door armen en bejaarden, die geen bedreiging vormden. De priesters moesten zich regelmatig bij de KGB melden en deden dat ook, als informanten tegen hun eigen parochianen.

Als een jongeman gedoopt wilde worden, werd hij door zijn priester aangegeven, zodat hij zijn plaats op de middelbare school en zijn kans op een universitaire studie verloor. En zijn ouders liepen groot gevaar om uit hun appartement te worden gezet. Bijna alles werd doorgegeven aan de KGB, waardoor de hele priesterklasse, ook geestelijken die zich daar niet voor leenden, in een bedenkelijke reuk kwam te staan.

De communisten pasten de tactiek toe van de wortel en de stok: een giftige wortel en een meedogenloze stok.

De pleitbezorgers van de Kerk voerden aan dat het alternatief de volledige vernietiging was. De kans om de Kerk, welke Kerk dan ook, in stand te houden, was alle vernederingen waard.

De zachtmoedige, verlegen en teruggetrokken Alexei II erfde dus een college van bisschoppen dat met de atheïstische staat had gecollaboreerd en een priesterstand die geen enkel vertrouwen meer had bij het volk.

Er waren natuurlijk uitzonderingen, rondtrekkende priesters zonder parochie, die overal predikten en vaak aan de militia wisten te ontkomen. Maar als ze werden gegrepen, gingen ze naar een werkkamp. En er waren asceten die zich terugtrokken in de kloosters om het geloof levend te houden door zelfkastijding en gebed, maar zij hadden weinig contact met de massa van het volk.

Na de val van het communisme was er alle gelegenheid voor een grote renaissance, een wedergeboorte die de Kerk en het evangelie weer een centrale plaats in het leven van het traditioneel diepgelovige Russische volk had kunnen geven.

Maar de terugkeer tot het geloof was vooral het werk van de nieuwere kerken, die sterker en vitaler waren en bereid om tot de mensen te gaan prediken waar ze werkten en woonden. De pinkstergemeente groeide snel, de Amerikaanse evangelisten stroomden toe met hun doopsgezinde geloof, evenals de Mormonen en de Zevendedagadventisten. De Russisch-Orthodoxe Kerk wist niets anders te doen dan Moskou om een verbod op buitenlandse predikanten te vragen.

De verdedigers van de Kerk meenden dat een radicale hervorming van de orthodoxe hiërarchie onmogelijk was omdat de lagere niveaus ook verziekt waren. De priesters van het seminarie waren slecht opgeleid, spraken in de archaïsche taal van de schrift, gedroegen zich hooghartig of belerend en wisten niet hoe ze een niet-academisch gehoor moesten boeien. Hun publiek was meestal klein en bestond uit oudere mensen die gewend waren aan de rituelen.

Het was een gemiste kans van de eerste orde. Want nu het dialectisch materialisme een valse godheid was gebleken en de democratie en het kapitalisme niet in staat waren het lichaam – laat staan de ziel – te onderhouden, was er een algemene, diepgevoelde behoefte aan troost. En in die behoefte werd nauwelijks voorzien.

In plaats van haar beste jonge priesters erop uit te sturen om het geloof te verkondigen en het woord te verbreiden, trok de Kerk zich volgens de critici terug in bisschopscolleges, kloosters en seminaries, om daar op het volk te wachten. Weinig gelovigen kwamen opdagen.

Na de val van het communisme had de Kerk behoefte aan een hartstochtelijke, inspirerende leiding, maar de kamergeleerde Alexei II was daarvoor niet de aangewezen man. Zijn verkiezing was een compromis geweest tussen de verschillende fracties onder de bisschoppen. Alexei was een man die, zoals de incompetente kerkbestuurders hoopten, niet te veel problemen zou veroorzaken.

Maar ondanks de last die hij had geërfd en zijn persoonlijke gebrek aan charisma had Alexei II toch een paar nieuwe ideeën, waar moed voor nodig was. Zo deed hij drie belangrijke dingen.

Zijn eerste hervorming was de verdeling van Rusland in honderd episcopaten, die elk veel kleiner waren dan voorheen. Dat gaf hem de kans om nieuwe, jongere bisschoppen te kiezen uit de beste en meest gemotiveerde priesters, die het minst waren besmet door collaboratie met de voormalige KGB. Daarna bezocht hij alle bisschopszetels en trad veel meer naar buiten dan enige andere patriarch uit de geschiedenis.

In de tweede plaats smoorde hij de heftig antisemitische uitbarstingen van de metropoliet Ioann van Sint-Petersburg en maakte hij duidelijk dat iedere bisschop die de haat van de mens boven de liefde van God verkondigde zijn ambt zou verliezen. Ioann stierf in 1995, tot zijn dood had hij in kleine kring tegen de joden en Alexei II gefulmineerd.

Ten slotte gaf Alexei, ondanks aanzienlijke oppositie, zijn steun aan pater Gregor Rusakov, de charismatische jonge priester die consequent een eigen parochie afwees en zich niet schikte in de discipline van de bisschoppen in de gebieden waar hij rondtrok om het geloof te prediken.

Menig patriarch zou de lastige monnik hebben veroordeeld en de mond hebben gesnoerd, maar Alexei II nam liever het risico om de rondtrekkende priester zijn kans te geven. Met zijn indrukwekkende preken wist pater Gregor ook de jeugd en de sceptici te bereiken, waar de bisschoppen nooit in waren geslaagd.

Op een avond in begin november 1999 werd de zachtmoedige patriarch vlak voor middernacht in zijn gebeden gestoord met het nieuws dat een afgezant uit Londen audiëntie vroeg.

De patriarch was gekleed in een eenvoudige grijze kazuifel. Hij verhief zich van zijn knieën en liep zijn kleine privé-kapel door om de brief aan te nemen die zijn secretaris hem bracht.

De boodschap droeg het briefhoofd van het episcopaat van Londen, gevestigd in Kensington, en hij herkende de handtekening van zijn vriend, de metropoliet Anthony. Toch fronste hij, verbaasd dat zijn collega hem op zo'n vreemde manier benaderde.

De brief was in het Russisch geschreven, een taal die aartsbisschop Anthony kon spreken en schrijven. Anthony vroeg zijn broeder in Christus om een afgezant te ontvangen die belangrijk, verontrustend en vertrouwelijk nieuws had dat de Kerk betrof.

De patriarch vouwde de brief weer op en keek zijn secretaris aan.

'Waar is hij?'

'Hij staat op de stoep, Uwe Heiligheid. Hij is met een taxi gekomen.'

'Een priester?'

'Ja, Uwe Heiligheid.'

De patriarch zuchtte. 'Laat hem maar binnen. Ga jij maar weer slapen. Ik zal hem ontvangen in mijn studeerkamer. Over tien minuten.'

De Kozak die de wacht hield bij de voordeur kreeg een gefluisterd bevel van de secretaris en opende de deur. Hij wierp een blik op de grijze taxi van

Central City Cabs en de in het zwart geklede priester die naast de auto stond.

'Zijne Heiligheid zal u nu ontvangen, pater,' zei hij. De priester betaalde de taxi.

Binnen werd hij naar een kleine wachtkamer gebracht. Na tien minuten kwam er een mollige priester binnen, die mompelde: 'Wilt u maar meekomen?'

Hij ging de bezoeker voor naar een kamer die duidelijk de studeerkamer van een geleerd man was. Afgezien van het icoon in een hoek van de witgepleisterde muren, werden alle wanden in beslag genomen door kasten met rijen boeken, glanzend in het licht van de lamp op het bureau. Achter het bureau zat patriarch Alexei. Hij wees zijn gast een stoel.

'Pater Maxim, wilt u ons iets te drinken brengen? Koffie? Ja, koffie voor twee, en een paar koekjes. Gaat u morgenochtend ook ter communie, pater? Ja? Dan hebben we nog net tijd voor een koekje voor middernacht.'

De mollige lijfknecht verdween.

'En, mijn zoon, hoe gaat het met mijn vriend Anthony in Londen?'

De zwarte pij van de bezoeker was echt genoeg, net als de zwarte hoed die hij nu afzette, zodat zijn blonde haar zichtbaar werd. Alleen had hij geen baard. De meeste orthodoxe priesters wel, maar in Engeland hield niet iedereen zich daaraan.

'Ik zou het u niet kunnen zeggen, Uwe Heiligheid. Ik heb hem nog nooit ontmoet, vrees ik.'

Alexei staarde Monk niet-begrijpend aan en wees toen op de brief die voor hem lag.

'En dit dan? Ik kan u niet volgen.'

Monk haalde diep adem. 'Om te beginnen, Uwe Heiligheid, moet ik bekennen dat ik geen priester ben van de Orthodoxe Kerk. Deze brief is ook niet geschreven door aartsbisschop Anthony, hoewel het briefpapier authentiek is, en de handtekening goed vervalst. Het doel van deze bedenkelijke verkleedpartij is dat ik u persoonlijk wilde spreken, vertrouwelijk en onder vier ogen.'

De patriarch keek geschrokken op. Was deze man een krankzinnige? Een moordenaar, misschien? Beneden stond een gewapende Kozak, maar zou hij op tijd te hulp kunnen schieten? Alexei hield zijn gezicht in de plooi. Zijn bediende zou over een paar minuten terugkomen. Misschien was dat het moment om in actie te komen.

'Verklaar u nader,' zei hij.

'Allereerst ben ik Amerikaan van geboorte, en geen Rus. In de tweede plaats ben ik gestuurd door een groep mensen in het Westen, een discrete maar machtige groep, die Rusland en de Kerk wil helpen. Wij hebben niets kwaads in de zin. In de derde plaats kom ik met nieuws dat mijn opdrachtgevers bijzonder verontrust. Ze vonden dat u het ook moest weten. Ten slotte ben ik gekomen om uw hulp te vragen, niet om een aanslag te plegen. U hebt een telefoon naast u staan. Als u wilt bellen om alarm te slaan, zal ik u niet tegenhouden. Maar eerst wilde ik u vragen om een dossier te lezen dat ik bij me heb.'

Alexei fronste. De man leek zeker niet krankzinnig, en hij had alle tijd gehad voor een aanslag. Waar bleef die dwaas Maxim, met zijn koffie?

'Goed. Laat maar zien.'

Monk tastte onder zijn kazuifel en haalde twee dunne mappen te voorschijn die hij op het bureau legde. De patriarch keek naar de omslagen, zwart en grijs.

'Waar gaat het over?'

'U moet eerst het grijze dossier lezen. Dat is een rapport dat afdoende bewijst dat het zwarte dossier geen vervalsing en geen grap kan zijn.'

'En het zwarte dossier?'

'Dat is een geheim, persoonlijk manifest van ene Igor Viktorovich Komarov, waarschijnlijk de volgende president van Rusland.'

Er werd geklopt. Pater Maxim kwam binnen met een blad met koffie, kopjes en koekjes. De klok op de schoorsteen sloeg twaalf uur.

'Te laat,' zuchtte de patriarch. 'Maxim, nu heb je me van mijn koekje beroofd.'

'Het spijt me vreselijk, Uwe Heiligheid. Ik moest nog verse koffie malen, en... ik...'

'Het is maar een grapje, Maxim.' Hij keek naar Monk. De man maakte een sterke, fitte indruk. Als hij boze plannen had, zou hij hen allebei kunnen vermoorden. 'Ga maar weer slapen, Maxim. Dat God je een goede nachtrust gunne.'

De bediende schuifelde naar de deur.

'Goed,' zei de patriarch. 'Wat heeft Komarovs manifest ons te vertellen?'

Pater Maxim deed de deur achter zich dicht. Hopelijk had niemand gezien dat hij schrok bij het horen van Komarovs naam. Hij wierp een blik door de gang. De secretaris was alweer naar bed, de nonnen zouden voorlopig nog niet opstaan en de Kozak stond beneden. Maxim knielde bij de deur van de studeerkamer en legde zijn oor tegen het sleutelgat.

Alexei II las eerst het onderzoeksrapport, zoals de bezoeker had gevraagd. Monk dronk zijn koffie totdat de aartsbisschop was uitgelezen.

'Een indrukwekkend verhaal,' zei Alexei. 'Maar waarom heeft hij het gedaan?'

'Die oude man?'

'Ja.'

'Dat zullen we nooit weten. Hij is dood, zoals u hebt gelezen. Vermoord, dat staat wel vast. Het rapport van professor Kuzmin laat daar geen twijfel over bestaan.'

'De arme man. Ik zal voor hem bidden.'

'We kunnen aannemen dat hij iets in dit manifest heeft gelezen dat hem zo verontrustte dat hij het risico nam om het te stelen om de ware bedoelingen van Igor Komarov bekend te maken. Daarvoor heeft hij met zijn leven moeten betalen. Wilt u dan nu het Zwarte Manifest lezen, Uwe Heiligheid?'

Een uur later leunde de patriarch van Moskou en alle Russen naar achteren en staarde naar een punt boven Monks hoofd.

'Dit kan hij niet menen,' zei Alexei ten slotte. 'Dit kan hij niet werkelijk van plan zijn. Het is duivels. Dit is Rusland, op de drempel van het derde millennium van Onze Heer. Dit soort dingen hebben we al lang achter ons gelaten.'

'Als man van God moet u geloven in de macht van het kwaad, nietwaar, Uwe Heiligheid?'

'Natuurlijk.'

'En dat die macht soms in één mens wordt belichaamd? Hitler, Stalin...'

'U bent een christen, meneer...'

'Monk. Ik denk het wel. Maar geen goede.'

'Wie wel? We schieten allemaal te kort. Maar dan kent u de christelijke visie op het kwaad. Dus hoeft u dat mij niet meer te vragen.'

'Uwe Heiligheid, afgezien van de passages over de joden, de Tsjetsjenen en de andere etnische minderheden, zouden deze plannen uw Heilige Kerk weer in een donker gat storten, als willig werktuig of als slachtoffer van de fascistische staat, even goddeloos als het communistische regime.'

'Als het waar is.'

'Het is waar. Er worden geen mensen opgejaagd en vermoord om een vervalsing. Kolonel Grishin reageerde zo snel en zo meedogenloos dat het manifest wel van Akopovs bureau móet zijn gestolen. Van een vervalsing zou Grishin niets hebben geweten. Maar binnen een paar uur wist hij dat hij iets belangrijks kwijt was.'

'Wat wilt u nu van mij, meneer Monk?'

'Een antwoord. Zal de Orthodoxe Kerk van alle Russen zich tegen deze man verzetten?'

'Ik zal bidden. Ik zal om wijsheid vragen...'

'En als het antwoord is dat u – niet als patriarch, maar als christen, als mens en als Rus – geen keus hebt, wat dan?'

'Dan is mijn houding duidelijk. Maar hoe kunnen wij ons verzetten? De verkiezingen zijn al in januari, en de uitkomst staat vast.'

Monk stond op en borg de twee dossiers weer onder zijn kazuifel. Hij pakte zijn hoed.

'Uwe Heiligheid, binnenkort zal zich iemand bij u aandienen. Ook uit het Westen. Dit is zijn naam. Wilt u hem ontvangen? Hij zal u vertellen wat er gedaan kan worden.'

En hij gaf de patriarch een kaartje.

'Hebt u een auto nodig?' vroeg Alexei.

'Nee, dank u. Ik ga wel lopen.'

'Moge God u vergezellen.'

Toen Monk omkeek, zag hij Alexei naast zijn icoon staan, een ernstig bezorgd man. Op het moment dat hij naar de deur liep, meende hij schuifelende voetstappen op het kleed in de gang te horen, maar toen hij de deur opende, was er niemand te zien. Beneden werd hij uitgeleide gedaan door de Kozak. Het waaide en het was gemeen koud. Hij drukte zijn priesterhoed stevig op zijn hoofd, boog zich tegen de wind in en liep terug naar het Metropol.

Nog voordat het ochtend was, glipte een mollige gestalte uit de woning van de patriarch naar buiten en haastte zich door de straten naar de lobby van het Rossiya. Hoewel hij een draagbare telefoon onder zijn zwarte pak had, wist hij dat de landverbindingen van de openbare telefooncellen veel veiliger waren.

De man die hij aan de lijn kreeg in het huis bij de Kiselny Boulevard was een van de nachtwakers, maar hij beloofde de boodschap door te geven.

'Zeg tegen de kolonel dat ik pater Maxim Klimovsky ben. Hebt u dat? Ja, Klimovsky. Zeg hem dat ik in het huis van patriarch Alexei werk. Ik moet hem dringend spreken. Vanochtend om tien uur bel ik terug.'

Toen hij om tien uur belde, hoorde hij een rustige, maar autoritaire stem aan de andere kant. 'Ja, pater, u spreekt met kolonel Grishin.'

De priester klemde de hoorn in zijn vochtige hand. Een zweetdruppeltje gleed over zijn voorhoofd.

'Luister, kolonel. U kent me niet, maar ik ben een groot bewonderaar van Igor Viktorovich Komarov. Gisteravond kwam er een man op bezoek bij de patriarch die bepaalde stukken bij zich had. Een ervan noemde hij het Zwarte Manifest... Hallo, hallo, bent u daar nog?'

'Mijn beste pater Klimovsky, het lijkt me nuttig dat wij elkaar ontmoeten,' zei de stem.

13

Aan de zuidkant van het Starayaplein ligt het Slavyanskyplein, met een van de kleinste, oudste en mooiste kerken van Moskou.

De 'Allerheiligen in Kulishki' was oorspronkelijk een houten kerk uit de dertiende eeuw, toen Moskou nog alleen het Kremlin en een klein gebied eromheen omvatte. Toen de kerk afbrandde, werd zij aan het einde van de zestiende en het begin van de zeventiende eeuw in steen herbouwd. Daarna bleef ze tot 1918 in gebruik.

Moskou stond toen nog bekend als de stad van de twintig-keer-twintig kerken, want de stad telde er meer dan vierhonderd. Maar de communisten sloten negentig procent en verwoestten drie kwart daarvan. Tot de kerken die verwaarloosd maar intact overeind bleven staan behoorde ook de Allerheiligen in Kulishki.

Na de val van het communisme in 1991 werd het kerkje in vier jaar tijd met veel liefde en vakmanschap gerestaureerd, tot het weer als gebedshuis in gebruik kon worden genomen.

Dit was de plek waar pater Maxim Klimovsky de dag na zijn telefoontje naartoe kwam. Hij viel totaal niet op, omdat hij zijn zwarte kazuifel en de rechte hoed van een orthodoxe priester droeg. Daar liepen er wel meer van, in de kerk en de omgeving.

Hij nam een votiefkaars, stak hem aan en liep naar de muur rechts van de ingang, waar hij tegenover de gerestaureerde fresco's bleef staan alsof hij in gebed verzonken was.

In het midden van de kerk, met haar schitterende gouden schilderingen, zong de priester de liturgie, terwijl een kleine groep armoedige gelovigen de rituele antwoorden gaf. Aan de rechterkant, achter de stenen bogen, stond niemand behalve de priester.

Nerveus keek pater Maxim op zijn horloge. Het was al vijf minuten na de afgesproken tijd. Hij wist niet dat hij was geobserveerd vanuit de geparkeerde auto aan de overkant van het kleine plein, en evenmin had hij de drie mannen zien uitstappen toen hij de kerk was binnengegaan. Hij wist niet dat ze hadden opgelet of hij werd geschaduwd. Van dat soort dingen had hij geen benul.

Opeens hoorde hij zachte voetstappen op de stenen plavuizen achter hem en voelde hij dat er iemand naast hem kwam staan.

'Pater Klimovsky?'

'Ja.'

'Ik ben kolonel Grishin. U had me iets te vertellen?'

De priester keek snel opzij. De man was groter dan hijzelf, en mager. Hij droeg een donkere winterjas. De kolonel keek hem strak aan en de priester werd bang. Hij hoopte dat hij de juiste beslissing had genomen en geen spijt zou krijgen. Hij knikte en slikte even.

'Vertel me eerst eens, pater, waarom u me hebt gebeld.'

'U moet weten, kolonel, dat ik al heel lang een bewonderaar ben van Igor Komarov. Zijn politiek en zijn plannen voor Rusland spreken me erg aan.'

'Dat is prettig om te horen. Maar wat is er eergisteravond gebeurd?'

'Er kwam een bezoeker voor de patriarch. Ik ben zijn persoonlijke bediende. De bezoeker was gekleed als priester van de Kerk, maar hij was blond en had geen baard. Hij sprak vloeiend Russisch, maar misschien was het toch een buitenlander.'

'En werd hij verwacht, die buitenlander?'

'Nee. Dat was zo vreemd. Hij kwam onaangekondigd, laat in de avond. Ik lag al in bed. Ik moest opstaan om koffie te zetten.'

'Dus die vreemdeling werd wel binnen gelaten?'

'Ja. Dat was ook vreemd. Hij zag er zo Westers uit, en hij kwam zo laat... De secretaris had hem moeten zeggen dat hij een afspraak moest maken. Niemand wordt op dat uur zomaar bij de patriarch toegelaten. Maar hij scheen een introductiebrief bij zich te hebben.'

'Dus u hebt hem koffie gegeven.'

'Ja. En toen ik vertrok, hoorde ik Zijne Heiligheid zeggen: "Wat heeft Komarovs manifest ons te vertellen?"'

'Dat trok uw aandacht.'

'Ja. Daarom heb ik aan het sleutelgat geluisterd toen ik de deur had dichtgedaan.'

'Heel slim. En wat zeiden ze?'

'Niet veel. Het bleef heel lang stil. Toen ik door het sleutelgat keek, zag ik dat Zijne Heiligheid iets zat te lezen. Het duurde wel een uur.'

'En toen?'

'De patriarch leek erg van streek. Ik hoorde hem iets zeggen en ik verstond het woord "duivels". Toen zei hij: "Die dingen hebben we toch al lang achter ons gelaten?" De bezoeker sprak heel zacht, ik kon hem nauwelijks verstaan. Maar ik ving wel een naam op: "het Zwarte Manifest". Dat zei de vreemdeling. Vlak voordat Zijne Heiligheid zo lang ging zitten lezen...'

'Verder nog iets?'

De man was een brabbelaar, dacht Grishin. Hij was nerveus en hij stond te zweten, maar niet van de warmte. Maar wat hij vertelde, klonk geloofwaardig genoeg, ook al begreep de priester zelf niet wat het te betekenen had.

'O ja, ik hoorde ook nog het woord "vervalsing", en uw naam.'

'Míjn naam?'

'Ja. De bezoeker zei zoiets als dat u te snel had gereageerd. Daarna hadden ze het over een oude man en zei de patriarch dat hij voor hem zou bidden. Een paar keer praatten ze over "het kwaad". Daarna stond de vreemdeling op om weg te gaan en moest ik snel uit de gang verdwijnen, dus ik heb hem niet zien vertrekken. Ik hoorde de deur dichtvallen, en dat was het.'

'U hebt geen auto gezien?'

'Nee, ik heb even door een raam op de bovenverdieping gekeken, maar hij vertrok te voet. Gisterenmorgen was Zijne Heiligheid nog steeds van streek. Ik had hem nog nooit zo meegemaakt. Hij was doodsbleek en hij zat uren in de kapel. Daarom had ik de kans om weg te glippen en u te bellen. Ik hoop dat ik daar goed aan heb gedaan.'

'Uitstekend zelfs, mijn vriend. Er zijn antipatriottische krachten aan het werk die leugens verspreiden over een groot staatsman die binnenkort president van Rusland zal worden. U bent toch een goede Rus, pater Klimovsky?'

'Ik verlang naar de dag waarop we Rusland kunnen zuiveren van dat tuig dat Komarov probeert zwart te maken. Dat buitenlandse schorem. Daarom steun ik Igor Komarov met mijn hele hart.'

'Heel goed, eerwaarde. Geloof me, u bent een van die mensen op wie Moeder Rusland vertrouwt. Ik denk dat u een grote toekomst hebt. O, nog één ding. Die vreemdeling... hebt u enig idee waar hij vandaan kwam?'

De kaars was bijna opgebrand. De andere gelovigen stonden nu een paar meter links van hen, biddend voor de heilige afbeeldingen.

'Nee. Hij ging lopend weg, maar de bewaker vertelde me later dat hij met een taxi was gekomen. Central City Cabs, een van die grijze wagens.'

Een priester, om middernacht. Op weg naar Chisti Pereulok. Dat moest in de administratie terug te vinden zijn. Net als de plaats waar de chauffeur zijn vrachtje had opgepikt. Kolonel Grishin greep Klimovsky bij zijn bovenarm en voelde de weke huid onder de kazuifel toen hij zijn vingers diep in het vlees boorde. Hij draaide de geschrokken priester naar zich toe.

'Luister, pater. U hebt het goed gedaan en u zult uw beloning krijgen. Maar er is meer. Begrijpt u?'

Pater Klimovsky knikte.

'Ik wil dat u alles noteert wat er in dat huis gebeurt. Wie er komt en gaat. Vooral hoge bisschoppen of vreemdelingen. Als u iets bijzonders opvalt, belt u me. Zeg maar gewoon "Met Maxim" en noem een tijd. Dat is alles. Dan zien we elkaar op deze plaats, op de afgesproken tijd. Als ik u nodig heb, laat ik een kaartje bezorgen, met de tijd erop. Als u niet weg kunt zonder achterdocht te wekken, belt u op met een ander voorstel. Duidelijk?'

'Ja, kolonel. Ik zal mijn best voor u doen.'

'Natuurlijk. En ooit zullen we een nieuwe bisschop hebben in dit land. Maar nu moet u gaan. Ik wacht nog even.'

Kolonel Grishin bleef naar de schilderingen staren die hij zo verafschuwde. Hij dacht na over wat hij had gehoord. Dat het Zwarte Manifest weer in Rusland terug was, stond wel vast. Die idioot van een priester wist niet waar hij het over had, maar zijn beschrijving klopte.

Dus er was iemand teruggekomen, na maanden van stilte. Iemand die nu onopvallend de ronde deed en het manifest liet zien, maar geen kopieën achterliet. Om de mensen tegen Komarov op te zetten. Om de verkiezingen te beïnvloeden.

Wie het ook was, in de kerkvorst had hij zich vergist. De Kerk had geen macht meer. Met instemming dacht Grishin aan Stalins smalende vraag: 'Hoeveel divisies heeft de paus?' Maar toch kon die indringer voor problemen zorgen.

Aan de andere kant, de man had zijn eigen exemplaar van het manifest gehouden. Waarschijnlijk had hij dus maar één of twee kopieën. Er stond Grishin maar één ding te doen. Hij moest die buitenlander opsporen en elimineren, zo definitief dat er geen spoor meer van hem of het document zou achterblijven.

Dat zou veel eenvoudiger zijn dan Grishin had durven hopen.

Over zijn nieuwe tipgever maakte hij zich geen zorgen. Met zijn jarenlange ervaring bij de contraspionage wist hij hoe hij een informant moest herkennen en beoordelen. De priester was een lafaard die zijn eigen grootmoeder zou verkopen om er beter van te worden. Grishin had de vonk in zijn ogen gezien toen hij op een nieuwe bisschopsbenoeming speculeerde.

En dan was er nog iets, dacht hij toen hij naar de deur liep, tussen de twee mannen door die hij bij de uitgang had geposteerd. Hij moest maar eens onder de Jonge Strijders een knap vriendje voor de verraderlijke priester uitzoeken.

De overval door de vier mannen met hun zwarte bivakmutsen verliep snel en efficiënt. Na afloop vond de directeur van Central City Cabs het niet eens de moeite waard om het bij de militia te melden. De politie had zo weinig greep op de onderwereld, dat er toch geen enkele kans was dat ze de daders zouden vinden. Ze zouden het niet eens proberen. Er was niets gestolen en er waren geen slachtoffers gevallen, dus was het tijdverspilling om al die formulieren in te vullen en een paar dagen op het bureau rond te hangen om een verklaring af te leggen.

De mannen waren gewoon het kantoor op de begane grond binnengestormd, hadden de deuren op slot gedaan en de zonwering laten zakken, en daarna om de manager gevraagd. Ze waren allemaal gewapend, dus niemand verzette zich. Het ging natuurlijk om de kas. Maar dat was niet zo. Het enige wat ze vroegen, toen ze de manager hun pistolen onder de neus duwden, waren de werkstaten van drie avonden geleden.

De aanvoerder bestudeerde de vellen tot hij bij een notitie kwam die hem interesseerde. De manager zat op zijn knieën, met zijn gezicht naar de hoek. Hij kon dus niet zien dat het een aantekening was over een vrachtje dat een van de chauffeurs omstreeks middernacht had opgepikt. Ook de bestemming stond erbij.

'Wie is chauffeur 52?' snauwde de aanvoerder.

'Dat weet ik niet,' piepte de manager. Hij werd beloond met een klap van een pistoolkolf tegen zijn hoofd. 'Dat staat op de personeelslijst,' gilde hij.

Dus moest hij de personeelslijst halen. Chauffeur 52 was Vasili. Hij woonde ergens in de buitenwijken. Met de waarschuwing dat hij in een houten kist zou eindigen als hij Vasili durfde te bellen, scheurde de aanvoerder een stuk van de werkstaat af en vertrok met zijn trawanten.

De manager steunde zijn hoofd in zijn handen, nam een aspirientje en dacht even aan Vasili. Als hij zo stom was geweest om dit soort kerels te bedonderen, verdiende hij een bezoekje. Blijkbaar had hij een klant met een opvliegend karakter opgelicht of was hij brutaal geweest tegen iemands vriendinnetje. Dit was Moskou 1999. Je kon kiezen voor een rustig leven of ruziemaken met een stelletje gangsters. De manager koos voor een rustig leven. Hij opende het kantoor en ging weer verder met zijn werk.

Vasili zat aan een late lunch van worst en roggebrood toen er werd gebeld. Een paar seconden later kwam zijn vrouw doodsbleek de kamer in met twee mannen achter haar aan. Ze droegen zwarte bivakmutsen en ze hadden pistolen. Vasili's mond zakte open, zodat er een stukje worst uit viel. 'Luister nou, ik ben maar een arme vent, ik heb geen...' begon hij.

'Kop dicht,' zei een van de mannen, terwijl de ander de bevende vrouw in een stoel drukte. Vasili kreeg een afgescheurd vel papier onder zijn neus geduwd.

'Jij bent chauffeur 52 van Central City Cabs?' vroeg de man.

'Ja. Maar echt waar, jongens, ik...'

Een zwart gehandschoende vinger wees een regel op de werkstaat aan.

'Drie avonden geleden heb je iemand naar Chisti Pereulok gebracht. Tegen middernacht. Wie was dat?'

'Hoe moet ik dat weten?'

'Niet zo brutaal, vriend, anders knal ik je kloten eraf. Denk goed na.'

Vasili dacht na, maar kon het zich niet herinneren.

'Een priester,' zei de gangster.

O ja, nou wist hij het weer.

'Dat is waar. Ik herinner het me nu. Chisti Pereulok, een kleine zijstraat. Ik moest het nog opzoeken op de plattegrond. Ik heb tien minuten staan wachten voordat ze hem binnenlieten. Toen heeft hij betaald en ben ik vertrokken.'

'Beschrijf die man eens.'

'Gemiddelde lengte, normaal postuur, eind veertig. Een priester. Die zien er allemaal hetzelfde uit. Nee, wacht eens, hij had geen baard.'

'Een buitenlander?'

'Ik geloof het niet. Hij sprak gewoon Russisch.'

'Had je hem ooit eerder gezien?'

'Nee.'

'Of daarna?'

'Nee. Ik zei dat ik hem wel wilde ophalen, maar hij wist niet hoe lang hij daar zou blijven. Hoor eens, als hem iets is overkomen, heb ik daar niks mee te maken. Ik heb hem maar tien minuten in mijn wagen gehad...'

'Nog één vraag. Waar heb je hem opgepikt?'

'Voor het Metropol, natuurlijk. Dat is mijn vaste stek. De nachtdienst bij het Metropol.'

'Kwam hij over de stoep of uit het hotel zelf?'

'Uit het hotel.'

'Hoe weet je dat?'

'Ik was de voorste taxi. Ik stond naast mijn auto. Als je niet oplet, sta je een uur te wachten en pikt een of andere klootzak achteraan je vrachtje in. Dus ik hield de deuren in de gaten, en daar kwam hij, in een zwarte kazuifel, met een hoed op. Ik dacht nog, wat moet een priester in zo'n hotel? Hij keek de rij langs en kwam meteen naar me toe.'

'In zijn eentje? Of had hij iemand bij zich?'

'Nee. Alleen.'

'Zei hij zijn naam?'

'Nee, alleen het adres waar hij naartoe wilde. En hij betaalde contant, in roebels.'

'Zei hij nog wat, onderweg?'

'Geen woord. Alleen waar hij heen wilde. Daarna niets meer. Toen we er waren, zei hij: "Wacht maar even." Toen hij terugkwam van de deur, vroeg hij: "Hoeveel?" Meer niet. Hoor eens, ik zweer jullie, ik heb hem met geen vinger...'

'Eet smakelijk verder,' zei de gangster en hij drukte Vasili met zijn gezicht in de worst. Toen vertrokken ze weer.

Kolonel Grishin hoorde het verslag onbewogen aan. Misschien betekende het niets. De man was om half twaalf uit het Metropol Hotel gekomen. Misschien logeerde hij daar of had hij er met iemand gesproken. Het was zelfs mogelijk dat hij alleen maar de lobby door was gelopen vanaf de andere ingang. Maar dat kon hij controleren.

Grishin had een aantal tipgevers op het hoofdbureau van de Moskouse militia. De hoogste was een majoor-generaal van het presidium, de nuttigste de chef van het archief. Maar voor deze klus was de één te hoog, en de ander ongeschikt, tussen zijn archiefkasten. Grishins derde informant was een inspecteur bij Moordzaken, Dmitri Borodin.

Bij het vallen van de avond stapte de inspecteur het hotel binnen en vroeg naar de manager, een Oostenrijker die al acht jaar in Moskou werkte. Borodin liet zijn legitimatie zien.

'Moordzaken?' vroeg de manager ongerust. 'Ik hoop niet dat er iets met een hotelgast is gebeurd.'

'Voor zover ik weet niet. Dit is routine,' zei Borodin. 'Ik wil graag de complete gastenlijst zien van drie nachten geleden.'

De manager liep naar zijn kantoortje en toetste een opdracht op zijn computer in.

'Wilt u een uitdraai?' vroeg de Oostenrijker.

'Ja, ik zie het graag op papier.'

Borodin liep de lijst met gasten na. Te oordelen naar de namen waren er maar een stuk of twaalf Russen onder de zeshonderd gasten. De rest was afkomstig uit een tiental Westeuropese landen, de Verenigde Staten en Canada. Het Metropol was een duur hotel, bestemd voor toeristen en zakenmensen. Borodin had opdracht om te zoeken naar iemand met 'pater' voor zijn naam. Maar die vond hij niet.

'Logeert hier ook een priester van de Orthodoxe Kerk?' vroeg hij.

De manager keek verbaasd. 'Nee, volgens mij niet. Ik bedoel, niemand heeft zich als zodanig ingeschreven.'

Borodin controleerde de lijst opnieuw, maar zonder succes.

'Ik neem die uitdraai mee,' zei hij ten slotte. De manager was allang blij dat hij vertrok.

Pas de volgende morgen kreeg kolonel Grishin de lijst zelf te zien. Een paar minuten over tien kwam een van de twee stewards van het partijbureau zijn kantoor binnen met de koffie. Tot zijn verbazing zag hij dat de veiligheidschef van de UPK doodsbleek en trillend achter zijn bureau zat.

Hij vroeg bedeesd of de kolonel zich wel goed voelde, maar werd met een nijdig handgebaar de kamer uit gestuurd. Toen de steward verdwenen was, staarde Grishin naar zijn eigen handen op het vloeiblad en probeerde ze stil te houden. Hij had weleens vaker een woedeaanval gehad, en hij was altijd bang dat hij zijn beheersing zou verliezen.

De naam stond op het derde vel van de uitdraai, halverwege. Dr. Philip Peters, Amerikaans academicus.

Hij kende die naam. Tien jaar lang had hij die naam onthouden. Twee keer, tien jaar geleden, had hij de dossiers van de immigratiedienst van het voormalige Tweede Hoofddirectoraat doorgewerkt, waarin alle namen voorkwamen van mensen die bij het ministerie van Buitenlandse Zaken een visum voor de Sovjetunie hadden aangevraagd. Twee keer was hij die naam tegengekomen. Twee keer had hij de bijbehorende foto bestudeerd: strakke grijze krullen en een bril met getinte glazen om bijziende ogen te verbergen die helemaal niet bijziend waren.

In de kelders onder de Lefortovo had hij die foto's aan Kruglov en professor Blinov laten zien, die hadden bevestigd dat dit de man was met wie ze geheime ontmoetingen hadden gehad op het toilet van het Museum van Oosterse Kunst en in de kathedraal van Vladimir.

Veel vaker dan die twee keer had Grishin gezworen dat hij met de man met dat gezicht en dat pseudoniem zou afrekenen als hij zich ooit nog eens in Rusland zou vertonen.

En nu was hij terug. Na tien jaar. Blijkbaar durfde hij het nu wel weer te wagen. De brutaliteit! De godvergeten arrogantie om gewoon weer te infiltreren op Anatoli Grishins eigen terrein!

De kolonel stond op, liep naar een kast en zocht een oud dossier. Toen hij het had gevonden, haalde hij er een andere foto uit, een vergroting van een kleinere die de Russen lang geleden van Aldrich Ames hadden gekregen. Na de opheffing van het Monakh-comité had iemand van het Eerste Hoofddirectoraat hem dat footootje gegeven als een aandenken. Een spottend souvenir. Maar Grishin had het bewaard als een kostbaar kleinood.

Het gezicht was natuurlijk jonger dan het nu zou zijn, maar die open oogopslag was nog hetzelfde. Blond, warrig haar. Geen grijs snorretje en geen getinte bril. Maar het was hetzelfde gezicht, het gezicht van een jeugdige Jason Monk.

Grishin belde twee nummers en liet er geen misverstand over bestaan dat hij haast had. Van zijn contactman bij de immigratiedienst op het vliegveld wilde hij weten wanneer dr. Peters was aangekomen, waar vandaan, en of hij alweer was vertrokken.

Hij gaf Borodin bevel om terug te gaan naar het Metropol om te informeren wanneer de Amerikaan zich had ingeschreven, of hij nog in het hotel logeerde, en zo ja, wat zijn kamernummer was.

Halverwege de middag had hij alle antwoorden. Dr. Peters was zeven dagen geleden aangekomen met een lijnvlucht van British Airways, en als hij weer was vertrokken, dan niet via Sheremetyevo. Van Borodin hoorde hij dat dr. Peters was gearriveerd met een reservering van een erkend Londens reisbureau, op dezelfde dag dat hij op het vliegveld was aangekomen. Hij logeerde nog steeds in het hotel en hij had kamer 841.

Maar één ding was vreemd, zei Borodin. Het paspoort van dr. Peters was nergens meer te vinden. Het moest bij de receptie liggen, maar iemand had het weggehaald. En niemand van het personeel wist er iets van.

Dat verbaasde Grishin niets. Hij wist wat je in Moskou voor honderd dollar allemaal voor elkaar kon krijgen. Het paspoort waarop Jason Monk Rusland was binnengekomen had hij dus vernietigd. Inmiddels had hij een nieuwe identiteit, waarmee hij niet zou opvallen onder die zeshonderd buitenlanders in het Metropol Hotel. Als hij wilde vertrekken, kon hij gewoon verdwijnen zonder te betalen. Dan was dr. Peters in rook opgegaan. De manager van het hotel zou zijn schouders ophalen en de openstaande rekening afboeken als een verliespost.

'Nog twee dingen,' zei hij tegen Borodin, die vanuit het hotel belde. 'Regel een loper en waarschuw de manager. Als hij ook maar één woord tegen dr. Peters zegt, wordt hij niet het land uitgezet, maar mag hij tien jaar zout bikken in een strafkamp. Verzin maar een aannemelijk verhaal.'

Kolonel Grishin besloot dat dit geen klus was voor zijn Zwarte Gardisten. Die vielen te veel op, en deze zaak zou weleens kunnen eindigen met een protest van de Amerikaanse ambassade. Hij liet het liever aan gewone criminelen over, dan konden die de schuld krijgen. De Dolgoruki-mafia had een team dat gespecialiseerd was in ongewone inbraken.

In de loop van de avond, na herhaalde telefoontjes om te controleren of de bewoner van kamer 841 afwezig was, drongen er twee mannen binnen die gebruik maakten van een loper. Een derde hield de wacht bij de leren stoelen aan het einde van de gang, voor het geval de bewoner terugkwam.

De kamer werd grondig doorzocht, maar de mannen konden niets bijzonders vinden. Geen paspoort, geen dossiers, geen koffertje, geen persoonlijke papieren. Waar hij ook was, Monk had alles meegenomen. De inbrekers lieten de kamer precies zo achter als ze hem hadden aangetroffen, en vertrokken weer.

De Tsjetsjeen in de kamer aan de overkant van de gang opende zijn deur op een kier, zag de mannen komen en gaan, en bracht verslag uit via zijn draagbare telefoon.

Om tien uur kwam Jason Monk de lobby van het hotel binnen als iemand die in de stad had gegeten en vroeg naar bed wilde. Hij liep niet langs de receptie, want hij had zijn plastic sleutelkaart op zak. De ingangen werden in de gaten gehouden door twee gangsters bij elke deur. Zodra Jason in een van de liften stapte, slenterden twee mannen naar de andere lift. Hun twee collega's namen de trap.

Monk liep de gang door naar zijn kamer, klopte zachtjes op de deur aan de overkant, kreeg een koffer aangereikt en ging zijn eigen kamer binnen. De eerste twee gangsters, die met de lift waren gekomen, verschenen aan het eind van de gang en zagen de kamerdeur dichtgaan. Even later kwam het andere stel de trap op. Ze overlegden met elkaar. Twee van de mannen installeerden zich in de fauteuils waar ze de gang in het oog konden houden, terwijl de andere twee weer naar beneden gingen om verslag uit te brengen.

Om half elf zagen ze een man uit de kamer tegenover 841 komen. Hij passeerde hen en liep naar de liften. Ze letten niet op hem. Verkeerde kamer.

Om kwart voor elf ging Monks telefoon. Het was de huishoudelijke afdeling, die vroeg of hij nog extra handdoeken wilde. 'Nee, bedankt', zei Monk en hij hing weer op.

Met behulp van de inhoud van de koffer trof Monk zijn laatste voorbereidingen, totdat hij klaar was om te verdwijnen. Om elf uur stapte hij op het smalle balkon en trok de glazen deuren achter zich dicht. Omdat hij ze niet aan de buitenkant op slot kon doen, zette hij ze vast met een strook sterke kleefpleister.

Met een eind touw om zijn middel liet hij zich één verdieping zakken, naar het balkon van kamer 741, recht onder de zijne. Van daar klom hij over vier scheidingswanden naar het raam van kamer 733.

Om tien over elf lag een Zweedse zakenman naakt op bed naar een seksvideo te kijken, met zijn pik in zijn hand. Hij schrok zich ongelukkig toen er op het raam werd geklopt.

In paniek moest hij kiezen tussen een badjas en de pauzeknop. Hij koos voor de badjas en greep toen pas de afstandsbediening. Met de badjas om zich heen stond hij op en liep naar het raam. Er stond een man op het balkon die gebaarde dat hij naar binnen wilde. Volkomen verbijsterd opende de Zweed de glazen deur. De man stapte naar binnen en zei met het temerige accent van het Amerikaanse zuiden:

'Heel geschikt van je, kerel. Je zal wel denken, wat doet die vent op mijn balkon...'

Dat klopte. De Zweed had geen flauw idee.

'Nou, ik zal het je vertellen. Je gelooft het niet. Ik heb de kamer hiernaast, en ik stap naar buiten om een sigaartje te paffen omdat ik liever niet in de kamer rook, begrijp je? En wat gebeurt er? Die deur slaat dicht in de wind. Daarom ben ik maar over het wandje gestapt om te kijken of ik hier naar binnen kon. Heel geschikt van je.'

Het was koud buiten, de sigarenroker was keurig aangekleed en had een koffertje in zijn hand, er stond geen wind en de balkondeuren konden niet zomaar in het slot vallen, maar de Zweedse zakenman vond het allemaal best. Zijn onwelkome gast herhaalde nog eens hoe dankbaar hij was, liep ondertussen naar de deur, wenste de Zweed een verdomd fijne avond en verdween de gang in.

De zakenman, die in sanitair handelde, deed de glazen deur weer op slot en trok het gordijn dicht. Toen deed hij zijn badjas uit, drukte op de 'play'-knop en ging weer verder met zijn goedkope pleziertje.

Monk verdween ongehinderd door de gang van de zevende verdieping, liep de trap af en werd voor het hotel opgewacht door Magomed in de Volvo.

Om middernacht drongen twee mannen met behulp van een loper kamer 741 binnen. Ze hadden een kleine koffer bij zich en waren twintig minuten bezig voordat ze vertrokken.

Om vier uur 's nachts ontplofte er drie pond kneedexplosieven met een tijdmechanisme vlak onder het plafond van kamer 741. De technische recherche concludeerde later dat de explosieven op een piramide van meubels op het bed waren gelegd – recht onder het bed in de identieke kamer 841, erboven.

Kamer 841 werd totaal verwoest. De matras en het dekbed spatten uiteen in een fontein van snippers en dons, grotendeels verkoold, die over al het andere neerdaalde. Daaronder lagen de houtsplinters van het bed en de kasten, glasscherven van de spiegels en de lampen, en botsplinters van menselijke oorsprong.

Er kwamen vier hulpdiensten op het alarm af. De ziekenwagen vertrok al snel, want er was niets meer te doen behalve de hysterische bewoners van de drie omringende kamers te kalmeren. Maar geen van de hotelgasten sprak Russisch en de ziekenbroeders spraken geen woord over de grens. Toen ze hadden geconstateerd dat er geen gewonden bij waren, verdwenen ze weer en lieten de ontredderde hotelgasten aan de nachtmanager over.

De brandweer verscheen, maar hoewel alles in de verwoeste kamer door de hitte was verschroeid of verkoold, was er geen brand uitgebroken. De technische recherche had genoeg te doen en borg alle resten, ook de menselijke, in plastic zakken voor onderzoek in het laboratorium.

Moordzaken was er ook, in de persoon van inspecteur Borodin, die op bevel van een generaal-majoor naar het hotel was gestuurd. Hij zag al gauw dat hij in de hele kamer niets meer kon vinden dat groter was dan een hand. In de vloer zat een gat van ruim een meter doorsnee, maar in de badkamer deed hij nog een ontdekking.

De deur had dicht gezeten, want hij was totaal verbrijzeld en de splinters lagen in de wasbak. De scheidingswand was ook de badkamer in geblazen.

Onder het puin lag een koffertje, zwaar gehavend en geschroeid, maar de inhoud was nog intact. Blijkbaar had het koffertje op het moment van de explosie op de meest beschutte plek gestaan, tegen de binnenmuur van de badkamer, tussen de toiletpot en het bidet. Het water van de gescheurde leidingen had het koffertje doorweekt, maar was er niet doorheen gedrongen. Borodin keek of niemand hem in de gaten hield en stak de twee documenten toen haastig onder zijn jasje.

Kolonel Grishin had ze de volgende morgen nog voor de koffie op zijn bureau. Vierentwintig uur kunnen een heel verschil maken voor iemands humeur. Met intense voldoening keek hij naar de twee documenten. Het ene was een dossier, in het Russisch, dat hij herkende als het Zwarte Manifest. Het andere was een Amerikaans paspoort op naam van Jason Monk.

'Eén om het land binnen te komen,' dacht hij hardop, 'en één om te ontsnappen. Maar deze keer, beste vriend, is het je niet gelukt.'

Die dag gebeurden er nog twee andere dingen, die geen van beide enige aandacht trokken. Een Brit die zichzelf Brian Marks noemde, kwam 's middags met een lijnvlucht uit Londen op Sheremetyevo aan en twee andere Engelsen reden met een Volvo vanuit Finland de Russische grens over.

Voor de autoriteiten van het vliegveld was Marks een anoniem gezicht in de massa. Na de gebruikelijke controles hield hij een taxi aan en liet zich naar het centrum van Moskou rijden.

Ergens op een hoek stapte hij uit, keek of hij niet werd gevolgd en liep toen naar het kleine tweedeklashotel waar hij een eenpersoonskamer had besproken.

Op zijn valutaformulier stond dat hij een bescheiden bedrag aan Britse ponden bij zich had – die hij bij zijn vertrek weer moest kunnen tonen, of anders de officiële wisselkwitanties – en een paar reischeques waarvoor hetzelfde gold. Op het formulier stond niets over de stapels honderd-dollarbiljetten die hij met tape tegen de achterkant van zijn dijen had gebonden.

Zijn achternaam was niet echt Marks, maar de graveur die zijn paspoort had gemaakt had plezier gehad in de overeenkomst met Marx, zoals in Karl Marx. Omdat het niet uitmaakte, had hij zijn eigen voornaam, Brian, gehouden. Hij was dezelfde Russisch sprekende ex-militair van de Special Forces die in september door sir Nigel Irvine op verkenning naar Moskou was gestuurd.

Toen hij zich had geïnstalleerd, deed hij zijn eerste inkopen en begon aan zijn verschillende opdrachten. Hij huurde een kleine auto bij een Westers bedrijf en verkende een van de buitenwijken van de stad, het district Vorontsovo, helemaal in het zuiden.

Twee dagen lang, met verschillende tussenpozen om niet op te vallen, hield hij één speciaal gebouw in het oog, een grote fabriek met een blinde muur, waar de hele dag zware vrachtwagens kwamen en gingen.

's Avonds verkende hij het gebouw te voet. Hij slenterde er een paar keer langs, met een halflege fles wodka in zijn hand geklemd. Als hij iemand tegenkwam, wat niet vaak gebeurde, begon hij te wankelen als een zuiplap. Niemand lette op hem.

Wat hij zag, beviel hem wel. Het ijzeren hek was geen probleem. Het laadplatform voor de vrachtwagens zat 's nachts op slot, maar aan de achterkant was een kleine deur met een hangslot. Er waren twee nachtwakers, van wie er maar één zo nu en dan een ronde maakte langs de buitenkant. Met andere woorden, het gebouw was een gemakkelijk doelwit.

Op de oude tweedehandsmarkt van de Zuidhaven, waar voor contant geld alles te koop was, van een wrak tot een bijna nieuwe auto die pas een week geleden in het Westen was gestolen, kocht hij een paar Moskouse nummerborden en wat gereedschap, waaronder een zware ijzerkniptang.

In het centrum kocht hij een stuk of tien goedkope maar betrouwbare Swatch-horloges, wat batterijen, rollen elektriciteitsdraad en afplakband. Toen hij zeker wist dat hij de fabriek blindelings zou kunnen vinden op elk uur van de dag of de nacht, en via verschillende routes weer naar het centrum terug kon komen, reed hij naar zijn hotel om daar te wachten op de Volvo die vanuit Sint-Petersburg naar het zuiden kwam.

Hij zou Ciaran en Mitch ontmoeten in de McDonald's hamburgerbar in de Tverskayastraat.

De andere twee ex-commando's van de Britse Special Forces waren rustig en zonder problemen onderweg naar het zuiden.

In een garage in Zuid-Londen had de Volvo een vreemde lading meegekregen. De twee voorwielen waren vervangen door ouderwetse wielen met binnenbanden. Die binnenbanden waren eerst opengesneden en gevuld met kleine bolletjes Semtex-explosieven. Daarna waren ze geplakt, in de buitenbanden gedaan en opgepompt.

Door het draaien van de wielen had het stopverfachtige Semtex, dat bijzonder stabiel was, zolang het niet door een kwikfulminaat-ontsteker werd geactiveerd, zich als een voering aan de binnenkant van de band gehecht. De Volvo was per boot naar Stockholm overgebracht en reed nu via Helsinki en Sint-Petersburg naar Moskou. De ontstekers zaten onder in een doos havanasigaren, zogenaamd op de veerpont gekocht, maar in werkelijkheid in Londen geprepareerd.

Ciaran en Mitch logeerden in een ander hotel. Brian reed in de Volvo met hen mee naar een braakliggend stuk land bij de Zuidhaven, waar de auto op de krik werd gezet en de twee voorwielen weer werden vervangen door de normale wielen die de twee toeristen hadden meegenomen. Niemand lette op hen. Het autodievengilde van Moskou was altijd bezig met het slopen of oplappen van auto's rondom de Zuidhaven. Het kostte maar een paar minuten om de binnenbanden te laten leeglopen, de Semtex te verwijderen en de explosieven in een tas te bergen.

Brian gooide de kapotgesneden banden in een paar vuilniscontainers langs de straat, terwijl Ciaran en Mitch hun spullen verzamelden.

Terug in het hotel werden de drie pond explosieven verdeeld in twaalf kleine pakjes, elk ongeveer zo groot als een kartonnen sigarettendoosje. Bij ieder pakje ging een ontsteker, een batterij en een horloge, met de bijbehorende draden. Daarna ging er stevig plakband om de simpele bommetjes.

'Goddank hoeven we niet dat visafval te gebruiken,' zei Mitch terwijl ze bezig waren.

Semtex-H, de populairste van alle RDX-kneedexplosieven, was altijd een Tsjechisch produkt geweest. In de communistische tijd was het volledig reukloos en dus ideaal voor terroristen.

Maar na de val van het communisme had de nieuwe Tsjechische president Vaclav Havel onmiddellijk een Westers verzoek ingewilligd om het recept te veranderen en het explosieve materiaal een geur mee te geven, zodat het bij vervoer gemakkelijk op te sporen was. Het nieuwe Semtex stonk naar rotte vis, vandaar de opmerking van Mitch.

Halverwege de jaren negentig waren de opsporingstechnieken zo sterk verbeterd, dat zelfs de reukloze variant van Semtex te traceren was, maar warm rubber heeft een eigen geur en daarom waren de banden ideaal geweest voor het vervoer. Uiteindelijk was de Volvo niet eens doorzocht, maar sir Nigel Irvine nam geen risico's, wat Ciaran en Mitch erg in hem waardeerden.

De overval op de oude fabriek volgde zes dagen nadat kolonel Grishin het Zwarte Manifest en Monks paspoort op zijn bureau had gevonden.

Brian zat achter het stuur van de betrouwbare Volvo, inmiddels voorzien van nieuwe voorwielen en een vals Moskous nummerbord. Omdat hij Russisch sprak, was hij de chauffeur, voor het geval iemand hen zou aanhouden.

Ze parkeerden drie straten bij hun doelwit vandaan en liepen het laatste stuk. Het ijzeren hek aan de achterkant van het gebouw was niet bestand tegen de zware tang. Gebukt renden de drie mannen de betonnen binnenplaats over en verdwenen vijftien meter verderop tussen de schaduwen van een stapel inktvaten.

Een kwartier later deed de eenzame nachtwaker zijn ronde. Hij hoorde iemand boeren in het donker, draaide zich bliksemsnel om en richtte zijn zaklantaarn. In een hoek lag een dronken zwerver, tegen de muur van het gebouw, met een fles wodka in zijn hand.

De nachtwaker kreeg niet eens de tijd om zich af te vragen hoe de zwerver over het hek was gekomen, want zodra hij zich omdraaide werd hij van achteren besprongen door een gestalte in een zwarte overall, die een loden pijp op zijn achterhoofd liet neerdalen. De bewaker zag wat vuurwerk voor zijn ogen, en toen duisternis.

Brian bond de enkels en de polsen van de man met plakband vast en trok nog een strook over zijn mond. Ciaran en Mitch sloopten het hangslot van de achterdeur. Ze sleepten de bewusteloze nachtwaker naar binnen, legden hem tegen een muur en trokken de deur achter zich dicht.

Aan de balken boven de grote lege hal van de oude fabriek hing een snoer met een rij nachtlampjes die een vaag schijnsel verspreidden. Een groot deel van de ruimte werd in beslag genomen door grote rollen krantenpapier en stapels inktvaten. In het midden stonden drie grote offsetpersen. Daar waren ze voor gekomen.

Ergens bij de voordeur zat de andere nachtwaker in zijn warme glazen hokje de krant te lezen of tv te kijken. Brian gleed geruisloos tussen de machines door om zich over hem te ontfermen. Even later kwam hij terug, verdween door de achterdeur en bleef daar staan om de vluchtroute te bewaken.

Ciaran en Mitch kenden de drie machines. Het waren Baker-Perkinspersen, afkomstig uit Amerika. In Rusland waren geen andere meer te krijgen. Nieuwe persen zouden uit Baltimore naar Sint-Petersburg moeten worden verscheept, een lange reis over zee. Als de frames waren verbogen, zou zelfs een Boeing 747 de benodigde reserveonderdelen niet kunnen meenemen.

Zogenaamd als Finse krantenmensen die de aanschaf van een Baker-Perkinspers overwogen, hadden de twee ex-commando's een rondleiding gekregen in een drukkerij in het Engelse Norwich, die dezelfde pers gebruikte. Daarna had een gepensioneerde drukker ze tegen een vorstelijk honorarium nog het een en ander uitgelegd.

De persen hadden vier torens. Elke pers werd gevoed door reusachtige rollen 90-grams papier. De spoelen voor die rollen werden bediend door de modernste technologie, die ervoor zorgde dat de rollen elkaar automatisch opvolgden zodra het papier op was. De spoelen waren het eerste doelwit. Iedere pers had er één. Ciaran bracht zijn kleine bommen op de gevoeligste plaatsen aan, waar ze onherstelbare schade zouden aanrichten.

Mitch boog zich over de inkttoevoer. De pers was een vierkleuren-offset en de juiste hoeveelheden inkt werden bepaald door een mengeenheid die werd gevoed door vier grote trommels met de verschillende kleuren. Toen ook de inkttoevoer van explosieven was voorzien, waren de persen zelf aan de beurt.

De onderdelen die ze voor hun laatste explosieven kozen waren de frames en de lagers van de indrukwekkende cilinders, één per machine.

Ze bleven ongeveer twintig minuten in de drukkerij. Toen tikte Mitch op zijn horloge en knikte naar Ciaran. Het was één uur in de nacht en de tijdklokken waren ingesteld op half twee. Vijf minuten later stonden ze weer buiten. De nachtwaker, die weer bij bewustzijn was maar nog steeds geboeid, sleepten ze met zich mee. Buiten was het wel kouder, maar daar was hij veilig voor rondvliegende scherven. De nachtwaker aan de voorkant, vastgebonden op de vloer van het kantoortje, lag te ver weg om door de explosie te worden getroffen.

Om tien over een vertrokken ze in de Volvo. Om half twee waren ze al zo'n eind weg dat ze de bijna gelijktijdige explosies van de twaalf kleine bommen niet meer konden horen. Maar ze wisten zeker dat de persen, de papierspoelen en de inktcilinders op dat moment onherstelbaar vernield tegen de betonvloer stortten.

De explosie was zo bescheiden dat zelfs de burgers van de buitenwijk Vorontsovo niet uit hun slaap werden gewekt. Pas toen de bewaker die buiten het gebouw was neergelegd naar de voorkant was gehinkt en met zijn elleboog op de alarmknop had gedrukt, kwam de politie een kijkje nemen.

Eenmaal bevrijd constateerden de nachtwakers dat de telefoons nog werkten en belden ze het privé-nummer van de opzichter, dat op een papiertje aan het prikbord hing. Hij arriveerde om half vier en nam vol afgrijzen de schade op. Daarna belde hij Boris Kuznetsov.

De propagandachef van de Unie van Patriottische Krachten kwam om vijf uur bij de drukkerij aan en luisterde naar het sombere rapport van de opzichter. Om zeven uur belde hij kolonel Grishin.

Lang voor die tijd waren de huurauto en de Volvo al achtergelaten in de buurt van het Manegeplein, waar de huurauto snel zou worden gevonden en naar het verhuurbedrijf teruggebracht. De Volvo, met de portieren open en de sleuteltjes nog in het contact, zou voor zonsopgang zijn gestolen.

De drie ex-commando's ontbeten in het trooszeloze café van het vliegveld en stapten een uur later op het eerste toestel naar Helsinki.

Terwijl zij uit Rusland verdwenen, staarde kolonel Grishin woedend naar de ravage in de drukkerij. Hij zou een grondig onderzoek instellen, en wee degene die hier iets mee te maken had. Maar zijn professionele blik vertelde hem al dat dit vakwerk was, en dat hij de daders waarschijnlijk nooit zou vinden.

Kuznetsov was de wanhoop nabij. Al twee jaar lang werden de toespraken en ideeën van Igor Komarov iedere zaterdag door heel Rusland verspreid via het blad *Probudis!* of 'Ontwaakt!'. Wekelijks werd de krant in vijf miljoen Russische gezinnen gelezen. Het was Kuznetsovs voorstel geweest dat de UPK een eigen krant moest oprichten, en een eigen maandblad, *Rodina*, 'Het moederland'.

Deze twee bladen, een mengeling van eenvoudige prijsvragen met grote prijzen, seksbekentenissen en racistische propaganda, hadden de woorden van de Leider tot in de verste uithoeken van het land verbreid en belangrijk bijgedragen aan zijn populariteit onder de kiezers.

'Wanneer kun je weer draaien?' vroeg hij aan de opzichter van de drukkerij. De man haalde zijn schouders op. 'Als we nieuwe persen hebben,' zei hij. 'Deze zijn niet meer te herstellen. Twee maanden, misschien.'

Kuznetsov verbleekte. Hij had het nog niet aan de Leider zelf verteld. Het

278

was Grishins schuld, stelde hij zichzelf gerust. De drukkerij had beter bewaakt moeten worden. Maar één ding stond vast. Er zou deze zaterdag geen *Probudis!* verschijnen, en over veertien dagen geen speciale editie van *Rodina*. Minimaal acht weken uit produktie... Dan waren de presidentsverkiezingen al voorbij.

Ook voor inspecteur Borodin was het geen gelukkige ochtend, hoewel hij in opperbeste stemming op het hoofdbureau van de afdeling Moordzaken in Petrovka was aangekomen.

Zijn goede humeur van de afgelopen week was zijn collega's al opgevallen, maar hij had er geen reden voor gegeven. De verklaring was eenvoudig genoeg. Zijn vondst van de twee waardevolle documenten na de onopgeloste bomaanslag in het Metropol Hotel had hem naast zijn vaste tipgeld een behoorlijke bonus opgeleverd van kolonel Anatoli Grishin.

Hij wist dat het geen enkele zin had om de aanslag nog verder te onderzoeken. De herstelwerkzaamheden waren al begonnen, de buitenlandse verzekeringsmaatschappij zou de kosten wel betalen, die Amerikaanse hotelgast was dood, en niemand wist wat erachter stak. Als zijn onderzoek naar de Amerikaan, in opdracht van Grishin zelf, zou uitwijzen dat hij het doelwit van de aanslag was geweest, zou Borodin dat niet aan de grote klok hangen.

Binnen twee maanden zou Igor Komarov de nieuwe president van Rusland zijn, dat stond wel vast. Dat maakte kolonel Grishin tot de op één na machtigste man van het land, en dus braken er gouden tijden aan voor de mensen die Grishin in de jaren van oppositie trouw hadden geholpen.

Toen hij op het bureau kwam, gonsde het van de geruchten over de aanslag op de drukkerij van de UPK. Borodin zocht de schuld bij de communisten van Zjoeganov of een stel huurlingen van de mafia, met een onduidelijk motief. Hij zat juist zijn theorieën te verkondigen toen de telefoon ging.

'Borodin?' vroeg een stem.

'Ja, met rechercheur Borodin.'

'Kuzmin hier.'

Borodin pijnigde zijn geheugen, maar de naam zei hem niets. 'Wie?'

'Professor Kuzmin van het forensisch laboratorium, Tweede Medische Instituut. U hebt me toch die specimens gestuurd van de bomaanslag in het Metropol? Uw naam staat op het dossier.'

'Ja, natuurlijk. Ik ben belast met het onderzoek.'

'U bent een onnozele idioot.'

'Wat? Waar hebt...'

'Ik ben juist klaar met mijn analyse van de restanten van het lichaam dat ze in die hotelkamer hebben gevonden. Plus een hele zak met hout- en glassplinters die mijn afdeling niet zijn,' zei de patholoog venijnig.

'Wat is het probleem, professor? De man is toch dood?'

279

De stem aan de andere kant sloeg bijna over van woede.

'Ja, natuurlijk is hij dood, achterlijke haas. Anders zou hij niet in stukken en brokken op mijn tafel liggen.'

'Wat is er dan aan de hand? Ik zit al jaren bij Moordzaken en ik heb nog nooit iemand gezien die zo morsdood was.'

De patholoog deed een hoorbare poging om zich te beheersen en vervolgde op de toon van een kleuterjuf tegen een klein kind:

'De vraag, mijn beste Borodin, is *wie* er dood is.'

'Nou, die Amerikaanse toerist, natuurlijk. U hebt zijn botten daar.'

'Ja, ik heb wel botten, rechercheur.' Dat laatste woord benadrukte Kuzmin op een toon alsof de politieman nog moeite zou hebben om zonder geleidehond de weg naar de wc te vinden. 'En ik zou verwachten dat ik ook fragmenten van weefsel, spieren, kraakbeen, pezen, huid, haren, nagels en ingewanden op mijn tafel zou hebben... plus een paar gram beenmerg. Maar wat heb ik? Botsplinters, en niets anders dan botsplinters.'

'Ik begrijp het niet. Wat mankeert daar aan?'

De lont was opgebrand en de professor explodeerde. Geschrokken hield Borodin de hoorn een halve meter van zijn oor.

'Er mankeert helemaal niets aan die botten! Het zijn prachtige botten. Dat zijn ze al twintig jaar! Want zo lang is hun oorspronkelijke eigenaar al dood. Wat ik wil laten doordringen tot die natte watten tussen uw oren is dat iemand de moeite heeft genomen een skelet uit een anatomiecollege op te blazen – zo'n geraamte dat iedere medische student in de hoek van zijn kamer heeft staan.'

Borodin opende zijn mond en sloot hem weer, happend als een vis.

'Dus die Amerikaan was helemaal niet op zijn kamer?'

'Niet toen die bom afging,' zei professor Kuzmin. 'Wie was het, trouwens? Of liever gezegd, omdat hij waarschijnlijk nog leeft, wie *is* het?'

'Dat weet ik niet. Een of andere Amerikaanse professor.'

'Aha, ook een intellectueel, net als ik. Nou, zeg hem maar dat ik zijn gevoel voor humor kan waarderen. Waar stuur ik mijn rapport naartoe?'

Het laatste wat Borodin wilde was dat het op zijn eigen bureau terecht zou komen. Daarom gaf hij de naam op van een zekere generaal-majoor van het presidium.

De generaal-majoor kreeg het nog dezelfde middag. Hij belde kolonel Grishin, maar hij liep zijn bonus mis.

Tegen de avond had Anatoli Grishin zijn hele privé-leger opgetrommeld, en dat was niet mis. Duizenden kopieën van de pasfoto van Jason Monk werden rondgedeeld aan de Zwarte Gardisten en Jonge Strijders, die in Moskou de straat op werden gestuurd om de Amerikaan te zoeken. De jacht werd nog grootscheepser aangepakt dan de speurtocht naar Leonid Zaitsev, de verdwenen schoonmaker.

Andere kopieën gingen naar de bendeleiders van de Dolgoruki-mafia met orders om Monk op te sporen en aan te houden. Tipgevers binnen de politie en de immigratiediensten werden gewaarschuwd. Grishin loofde een beloning uit van honderd miljard roebel, een ongelooflijk bedrag.

Voor zo'n sprinkhanenplaag van ogen en oren zou de Amerikaan zich onmogelijk kunnen verbergen, zei Grishin tegen Igor Komarov. Dit netwerk van informanten strekte zich uit tot in alle hoeken en gaten van Moskou. Als Monk zich niet op zijn eigen ambassade had opgesloten, waar hij geen kwaad meer kon aanrichten, zouden ze hem wel vinden.

Grishin had bijna gelijk. Maar er was één plek waar zijn Russen niet konden doordringen: de afgegrendelde wereld van de Tsjetsjenen.

En in die wereld had Jason Monk zich verscholen, in een veilig appartement boven een kruidenwinkel, bewaakt door Magomed, Aslan en Sharif, met daaromheen een scherm van onzichtbare spionnen die een Rus al op een kilometer afstand herkenden en met elkaar communiceerden in een taal die niemand anders verstond.

Bovendien had Monk al zijn volgende contact gelegd.

14

Van alle Russische militairen, actief of gepensioneerd, was er één die meer prestige genoot dan tien anderen bij elkaar: generaal Nikolai Nikolayev van de Russische landmacht.

Hij was al drieënzeventig, bijna vierenzeventig, maar nog altijd een indrukwekkende figuur. Met zijn ruim één meter tachtig liep hij nog kaarsrecht. Hij had een volle witte haardos, een rood gezicht, verweerd door duizend koude winters, en zijn karakteristieke snor eindigde in twee uitdagende punten aan weerszijden van zijn bovenlip. Hij was een man die in iedere groep mensen onmiddellijk opviel.

Zijn hele carrière, vijftig jaar lang, had hij tussen de tanks doorgebracht als bevelhebber van de gemechaniseerde infanterie. Hij had in alle oorlogen, op alle slagvelden en aan alle fronten gevochten. Voor de soldaten die onder hem hadden gediend, en dat waren er tegen 1999 ettelijke miljoenen, was hij een levende legende.

Het was algemeen bekend dat hij met pensioen had moeten gaan met de rang van maarschalk, maar dat was er nooit van gekomen, omdat hij een man was die politici en andere opportunisten ongezouten de waarheid zei.

Net als Leonid Zaitsev, het Konijn, die hij zich natuurlijk niet meer herinnerde maar die hij ooit eens een schouderklopje had gegeven buiten een kamp bij Potsdam, was de generaal geboren in de buurt van Smolensk, ten westen van Moskou – maar elf jaar eerder dan Zaitsev, in de winter van 1925, als zoon van een ingenieur.

Hij kon zich nog altijd de dag herinneren waarop hij en zijn vader langs een kerk liepen en de oudere man onwillekeurig een kruisje had geslagen. Zijn zoon had hem gevraagd wat hij deed. Angstig en geschrokken had zijn vader hem gezegd dat hij dat nooit aan iemand mocht vertellen.

Dat was nog de tijd waarin een andere Russische jongen officieel tot held van de Sovjetunie was uitgeroepen omdat hij zijn ouders bij de NKVD had aangegeven wegens kritiek op de Partij. De twee ouders waren in het kamp gestorven, maar de zoon was de Russische jeugd als voorbeeld gesteld.

Maar de jonge Kolya hield van zijn vader en vertelde het aan niemand. Later leerde hij de betekenis van het gebaar, maar hij accepteerde het standpunt van zijn leraren dat het allemaal flauwekul was.

Hij was vijftien toen de Duitsers op 22 juni 1941 met hun Blitzkrieg oprukten naar het oosten. Binnen een maand was Smolensk gevallen onder het geweld van de Duitse tanks. Met duizenden anderen sloeg de jonge Kolya op de vlucht. Zijn ouders redden het niet en hij zag hen nooit meer terug.

Hij was sterk en lang, en droeg zijn tien jaar oude zusje honderdvijftig kilometer op zijn rug, tot ze op een nacht op een trein naar het oosten sprongen. Ze wisten niet dat het een speciale trein was met een gedemonteerde tankfabriek aan boord, die, met nog ander materieel, vanuit de gevarenzone naar de veilige Oeral werd overgebracht.

Koud en hongerig klampten de kinderen zich aan het dak van een wagon vast tot de trein stopte in Chelyabinsk in de uitlopers van de bergen. Daar bouwden de ingenieurs de fabriek van Tankograd weer op.

Tijd om naar school te gaan was er niet. Galina kwam in een weeshuis terecht en Kolya werd aan het werk gezet in de fabriek. Hij bleef er bijna twee jaar.

In de winter van 1942 leden de Sovjets grote verliezen in manschappen en tanks rondom Kharkov en Stalingrad. Hun traditionele tactiek was rampzalig. Strategie was er niet bij. De mannen en de tanks werden gewoon voor de vuurmonden van de Duitse kanonnen geworpen zonder aan de verliezen te denken. Zo was het altijd gegaan in de Russische militaire geschiedenis.

Tankograd moest de produktie opvoeren. Er werd gewerkt in diensten van zestien uur en de arbeiders sliepen onder de draaibanken. Ze bouwden de KV-1, genoemd naar maarschalk Klimenti Voroshilov, een waardeloze militair maar een vriendje van Stalin. De KV-1 was een zware tank, het belangrijkste wapen van de Sovjets in die tijd.

In het voorjaar van 1943 versterkten de Russen de stellingen bij de stad Kursk, een enclave van tweehonderdvijftig kilometer lang, van noord naar zuid, die honderdvijftig kilometer diep in de Duitse linies stak. In juni werd de zeventienjarige Kolya meegestuurd met een treinlading KV-1's, die in het westen moest worden afgeleverd. Daarna moest hij weer terug naar Chelyabinsk. Hij ging wel mee, maar hij kwam niet terug.

De nieuwe tanks stonden klaar naast het spoor toen de commandant van het regiment waarvoor ze bestemd waren een kijkje kwam nemen. De kolonel was verbazend jong, nog geen vijfentwintig. Hij had een baard en een dodelijk vermoeid gezicht.

'Ik heb geen chauffeur, verdomme!' schreeuwde hij tegen de vertegenwoordiger van de tankfabriek. Toen draaide hij zich om naar de forse blonde jongen. 'Kun jij met die dingen rijden?'

'Ja, kameraad, maar ik moet terug naar Tankograd.'

'Vergeet het maar. Jij kunt een tank besturen, jij zit nu in het leger.'

De trein vertrok weer naar het oosten en even later zat soldaat Nikolai Nikolayev in een grove katoenen overall in de cabine van een KV-1 op weg naar Prokhorovka. Twee weken later begon de slag om Kursk.

Hoewel het een 'slag' wordt genoemd, was het in feite een aaneenschakeling van heftige en bloederige schermutselingen over de hele lengte van de enclave, die twee maanden duurde. Het werd de grootste tankslag uit de geschiedenis. Er waren zesduizend tanks bij betrokken aan beide zijden, twee miljoen manschappen en vierduizend vliegtuigen. Het was de slag die eindelijk bewees dat de Duitse pantsertroepen niet onoverwinnelijk waren. Maar het scheelde niet veel.

Het Duitse leger had juist zijn eigen wonderwapen, de Tiger, in de strijd gebracht. De Tiger was een tank met een vervaarlijk 88-mm kanon, dat met zijn zware bepantsering alle obstakels uit de weg kon ruimen. De KV-1 had een veel kleiner 76-mm kanon, hoewel het nieuwe model dat Nikolai had afgeleverd was uitgerust met de verbeterde ZIS-5 voor de langere afstand.

Op 12 juli gingen de Russen in de tegenaanval. De sleutel was het gebied rondom Prokhorovka. Het regiment waarbij Nikolai was ingedeeld had nog maar zes KV-1's over toen de commandant vijf Panzers IV meende te ontdekken en tot een offensief besloot. De Russen denderden in formatie over de top van een heuvel, een klein dal in. De Duitsers stonden op de volgende heuveltop.

De jonge kolonel had zich vergist. Het waren geen Panzers IV, maar Tigers. Eén voor één schakelden ze met hun tankgranaten de zes KV-1's uit.

Nikolais tank werd twee keer geraakt. De eerste granaat vernielde de rupsbanden aan één kant en scheurde de romp open. Beneden in de cabine voelde hij de tank sidderen en tot stilstand komen. De tweede granaat schampte de geschutskoepel en ketste de heuvel in. Maar de klap was zwaar genoeg om de bemanning te doden.

Er hadden vijf man in de KV-1 gezeten. Vier waren er nu dood. Bont en blauw, trillend en doodsbang probeerde Nikolai uit het stalen graf te klimmen, met in zijn neusgaten de geur van wegstromende dieselolie op kokendheet staal. Lijken versperden hem de weg. Hij duwde ze opzij.

De tankcommandant en zijn kanonnier lagen over de achterkant van het kanon. Bloed en slijm dropen uit hun mond, neus en oren. Door het gat in de romp zag Nikolai de Tigers voorbij denderen, door de rook van de andere brandende KV-1's.

Tot zijn verbazing merkte hij dat de geschutskoepel nog werkte. Hij haalde een granaat van het rek, laadden hem in het kanon en sloeg de klep dicht. Hij had het nog nooit eerder gedaan, maar weleens toegekeken. Meestal waren er twee man voor nodig. Misselijk van de klap tegen zijn hoofd en de stank van de dieselolie draaide hij de geschutskoepel rond. Hij legde zijn oog tegen het periscoopvizier, ontdekte een Tiger op nauwelijks driehonderd meter afstand en vuurde.

Hij had de achterste van de vijf geraakt. De vier andere Tigers hadden niets in de gaten en reden door. Nikolai laadde opnieuw, vond nog een doelwit en vuurde weer. Hij trof de Tiger tussen de geschutskoepel en de romp en de Duitse tank explodeerde. Ergens onder Nikolais voeten klonk een zachte knal. Vuurtongen zochten hun weg door het gras en vonden de olieplassen. Na zijn tweede granaat begrepen de overgebleven drie Tigers dat ze van achteren werden aangevallen en keerden om. Nikolai raakte zijn derde slachtoffer recht in de flank, op het moment dat hij draaide. De andere twee stormden nu op hem af. Hij wist dat het afgelopen was.

Nikolai wierp zich naar voren en duikelde uit het gat in de romp, vlak voordat een granaat van de Tiger de geschutstoren verwoestte waar hij zojuist nog had gestaan. De munitie begon te exploderen en Nikolai voelde zijn overhemd smeulen. Snel rolde hij zich door het lange gras, bij het wrak vandaan. Toen gebeurde er iets wat hij niet had verwacht en wat hij niet kon zien. Tien SU's 152 kwamen de heuvel over en de Tigers kozen het hazepad. Twee van de vijf Duitse tanks waren nog maar over. Ze vluchtten naar de tegenoverliggende heuveltop. Een van de tanks was nog op tijd en verdween uit het gezicht.

Nikolai voelde dat hij overeind werd gesleurd. De man die hem bij zijn kraag hield was een kolonel. De ondiepe vallei lag vol met vernielde tanks, zes Russische en vier Duitse. Zijn eigen tank lag omringd door drie vernielde Tigers.

'Heb jij dat gedaan?' vroeg de kolonel.

Nikolai kon hem nauwelijks verstaan. Zijn oren suisden en hij was misselijk. Zwijgend knikte hij.

'Kom maar mee,' zei de kolonel. Achter de heuveltop stond een kleine GAZ-jeep. De kolonel reed twaalf kilometer, tot ze bij een bivak kwamen. Voor de grootste tent stond een lange tafel met stafkaarten met een stuk of twaalf hoge officieren eromheen. De kolonel sprong uit de jeep, liep naar het groepje toe en salueerde. De hoogste generaal keek op.

Nikolai zat voorin. Hij zag dat de officieren naar hem keken toen de kolonel zijn verhaal deed. De generaal stak zijn hand op en wenkte hem. Angstig omdat hij twee Tigers had laten ontsnappen, stapte Nikolai uit de jeep en kwam naar hen toe. Zijn katoenen overhemd was geschroeid, zijn gezicht zwart van het roet en hij stonk naar benzine en cordiet.

'Drie Tigers?' vroeg generaal Pavel Rotmistrov, de commandant van het pantserleger van de Eerste Garde. 'Van achteren? Uit het wrak van een KV-1?' Nikolai stond er onnozel bij en zei niets.

De generaal glimlachte en draaide zich om naar een kleine, dikke man met varkensoogjes en de kentekenen van een politieke *kommissar.*

'Dat lijkt me een glimmend stukje metaal waard, vindt u niet?'

De dikke *kommissar* knikte. Daar zou kameraad Stalin het wel mee eens

285

zijn. Uit de tent werd een kistje gehaald en Rotmistrov speldde de zeventienjarige Nikolai de orde van Held van de Sovjetunie op de borst. De *kommissar*, die Nikita Chroestsjov heette, keek toe en knikte nog eens.

Nikolai Nikolayev werd naar een veldhospitaal gestuurd, waar zijn geschroeide handen en gezicht werden behandeld met een stinkende zalf. Daarna meldde hij zich weer bij het hoofdkwartier van de generaal. Hij werd tot luitenant bevorderd en kreeg het commando over een peloton van drie KV-1's. Daarmee wierp hij zich weer in de strijd.

Die winter, met de enclave van Kursk kilometers achter hem en de Duitse pantsertroepen op de terugtocht, kreeg Nikolai de rang van kapitein, met een compagnie nieuwe, zware tanks, zo uit de fabriek. Dit nieuwe type, de IS-II, genoemd naar Josef Stalin, had een 122-mm kanon en een dikkere beplating. De tank werd al snel bekend als de Tiger-moordenaar.

Tijdens operatie-Bagration verdiende Nikolai zijn tweede onderscheiding als Held van de Sovjetunie voor bijzondere persoonlijke moed. In een buitenwijk van Berlijn, onder maarschalk Chuikov, werd hij voor de derde keer onderscheiden.

Dit was de man die Jason Monk bijna vijfenvijftig jaar later te spreken wilde krijgen.

Als de oude generaal wat tactvoller was geweest tegenover het politburo, zou hij niet alleen zijn maarschalkstaf hebben gekregen, maar ook een riante datsja aan de Moskva bij Peredelkino met de rest van de dure jongens – gratis en voor niks, op kosten van de staat. Maar hij was eerlijk voor zijn mening uitgekomen en dat viel niet altijd in goede aarde.

Daarom had hij zijn eigen bescheiden huisje laten bouwen voor zijn oude dag, niet ver van de weg tussen Minsk en Tukhovo, een gebied vol met militaire kampen. Zo bleef hij in de buurt van zijn geliefde leger of wat er nog van over was.

Hij was nooit getrouwd. Geen leven voor een jonge meid, vond hij, omdat hij naar de vreemdste buitenposten van het sovjetrijk werd gestuurd. Op zijn drieënzeventigste deelde hij daarom zijn huis met een trouwe adjudant, een voormalige sergeant met nog maar één voet, en een Ierse wolfshond met vier. Monk had de eenvoudige woning gevonden door in de omliggende dorpen naar Oom Kolya te vragen. Jaren eerder, toen hij nog een man van middelbare leeftijd was, had de generaal die bijnaam gekregen van zijn jongere officieren, en hij was die koosnaam nooit meer kwijtgeraakt. Zijn haar en zijn snor waren al vroeg wit geworden, waardoor hij er oud genoeg uitzag om ieders oom te zijn. In de kranten bleef hij generaal Nikolayev, maar alle veteranen in het land kenden hem als 'Dyadya Kolya'.

Omdat Monk die avond in een dienstauto van het ministerie van Defensie reed en het uniform droeg van een kolonel van de generale staf, zagen de

286

dorpelingen er geen kwaad in om hem de weg naar het huis van Oom Kolya te wijzen.

Het was aardedonker en bitter koud toen Monk een paar minuten over negen op de deur van het huisje klopte. De hinkende adjudant deed open, herkende het uniform en liet hem binnen.

Generaal Nikolayev verwachtte geen bezoek, maar Monks uniform en zijn koffertje waren geen reden voor meer dan een lichte verbazing. De oude man zat in zijn eigen fauteuil bij een knapperend haardvuur, verdiept in de memoires van een jongere generaal. Zo nu en dan snoof hij minachtend. Hij kende hen allemaal, hij wist wat ze hadden gepresteerd en vooral wat níet – ook al hadden ze dikke verhalen nu ze geld konden verdienen met het vervalsen van de militaire geschiedenis.

Hij keek op toen Volodya de bezoeker uit Moskou aankondigde en weer verdween.

'Wie bent u?' gromde hij.

'Iemand die u dringend wil spreken, generaal.'

'Uit Moskou?

'Op dit moment wel, ja.'

'Nou, als u zo'n eind gekomen bent, laat dan maar horen.' De generaal knikte naar het koffertje. 'Papieren van het ministerie?'

'Niet helemaal. Papieren, dat wel, maar ergens anders vandaan.'

'Het is koud buiten. Ga zitten. Zeg het maar. Waar komt u voor?'

'Ik zal open kaart met u spelen. Dit uniform was alleen een truc om ervoor te zorgen dat ik binnengelaten werd. Ik hoor niet bij het Russische leger, ik ben geen kolonel en ik zit zeker niet bij de generale staf. Ik ben Amerikaan.'

Vanuit zijn stoel bij de haard staarde de Rus hem een paar seconden aan alsof hij zijn oren niet geloofde. Toen begonnen zijn snorpunten te trillen van woede.

'U bent dus een bedrieger!' brieste hij. 'Een verdomde spion! Ik praat niet met bedriegers en spionnen. Wegwezen! Mijn huis uit!'

Monk bleef zitten.

'Goed, ik zal gaan. Maar tienduizend kilometer is een hele reis voor dertig seconden. Wilt u niet één enkele vraag voor me beantwoorden?'

Generaal Nikolayev keek hem nog steeds woedend aan. 'Eén vraag dan. Wat?'

'Vijf jaar geleden vroeg Boris Jeltsin u om weer in actieve dienst te treden en de aanval op Tsjetsjenië en de vernietiging van de hoofdstad Grozny te leiden. Volgens de geruchten zou u de plannen hebben bekeken en tegen de toenmalige minister van Defensie Gratsjov hebben gezegd: "Ik wil wel het bevel voeren over soldaten, maar niet over slachters. Want dit wordt een slachting." Is dat waar?'

'Wat zou dat?'

'Is het waar? U zou één vraag beantwoorden.'

'Goed. Ja, het is waar. En ik heb gelijk gekregen.'

'Waarom hebt u dat toen gezegd?'

'Dat zijn twee vragen.'

'Ik moet straks weer tienduizend kilometer naar huis.'

'Goed. Ik heb het gezegd omdat ik niet geloof dat echte militairen zich met volkerenmoord moeten bezighouden. En wilt u nu verdwijnen?'

'U weet dat u een slecht boek zit te lezen?'

'Hoe weet u dat?'

'Ik ken het. Het is rommel.'

'Dat is waar. Nou, en?'

Monk opende zijn koffertje en haalde het Zwarte Manifest eruit. Hij sloeg het open op een bladzij die hij had gemarkeerd en stak het de generaal toe.

'Als u toch niks beters te lezen hebt, bekijk dit dan eens. Dit is pas ècht onaangenaam.'

Woede en nieuwsgierigheid streden bij de generaal om de overhand. 'Amerikaanse propaganda?'

'Nee, de Russische toekomst. Lees het maar. Deze bladzij en de volgende.'

Generaal Nikolayev bromde wat en pakte het dossier aan. Snel las hij de twee gemarkeerde bladzijden. Hij liep rood aan. 'Wat een smerige troep!' riep hij. 'Wie heeft dat geschreven?'

'Hebt u weleens gehoord van Igor Komarov?'

'Doe niet zo onnozel. Natuurlijk. In januari wordt hij onze nieuwe president.'

'Is dat goed of slecht?'

'Hoe moet ik dat weten? Die lui zijn geen van allen te vertrouwen.'

'Dus hij is niet beter of slechter dan de rest?'

'Daar komt het wel op neer.'

Monk beschreef zo goed mogelijk de gebeurtenissen vanaf 15 juli – alleen de belangrijkste punten, uit angst dat de oude man zijn interesse of, erger nog, zijn geduld zou verliezen.

'Ik geloof er geen steek van,' snauwde de generaal. 'U komt hier met uw verzinsels...'

'Als het verzinsels zijn, dan zouden er niet drie mensen zijn gedood om dat manifest weer terug te krijgen. Maar dat is wel gebeurd. Gaat u nog ergens heen vanavond?'

'Eh, nee. Hoezo?'

'Waarom legt u de memoires van Pavel Gratsjov dan niet weg en leest u de plannen van Igor Komarov eens door? Er staan dingen in die u wel zullen bevallen. De herbewapening van het leger, bijvoorbeeld. Maar niet om het

288

moederland te verdedigen. Het moederland wordt immers niet bedreigd. Nee, om een leger op te bouwen dat volkerenmoord moet plegen. Misschien houdt u niet van joden, Tsjetsjenen, Georgiërs, Oekraïeners of Armeniërs, maar die zaten ook in die tanks, weet u nog? Die vochten ook bij Kursk en Bagration, bij Berlijn en Kaboel. Samen met u. U hebt toch wel een paar minuten tijd om te lezen wat Komarov met hen van plan is?'

Generaal Nikolayev keek nog eens onderzoekend naar de Amerikaan, die een kwart eeuw jonger was dan hij. Toen bromde hij: 'Drinken Amerikanen ook wodka?'

'Wel op ijskoude avonden in hartje Rusland.'

'Daar staat een fles. Help uzelf.'

Terwijl de oude man zat te lezen, trakteerde Monk zichzelf op een glas Moskovskaya en dacht aan de instructies die hij had gekregen op Castle Forbes.

'Hij is waarschijnlijk de laatste Russische generaal met een ouderwets eergevoel,' had zijn Russische leraar Oleg hem gezegd. 'Hij is niet gek en hij is zeker niet bang. Er zijn tien miljoen veteranen die nog altijd naar Oom Kolya willen luisteren.'

Na de val van Berlijn en een jaar bij het bezettingsleger was de jonge majoor Nikolayev naar Moskou teruggestuurd voor een opleiding aan de Academie voor de Pantserstrijdkrachten.

In de zomer van 1950 werd hij benoemd tot commandant van een van de zeven regimenten zware tanks aan de rivier de Yalu in het Verre Oosten.

De Koreaanse Oorlog was op zijn hoogtepunt en de Amerikanen begonnen de Noordkoreanen terug te drijven. Stalin overwoog serieus om de Koreanen te redden door zijn eigen nieuwe tanks tegen de Amerikanen in te zetten. Twee dingen weerhielden hem: de adviezen van zijn naaste medewerkers en zijn eigen paranoia. De IS-IV's waren zo ultra-geheim dat er nog nooit bijzonderheden waren vrijgegeven. Stalin was bang dat er eentje onbeschadigd in handen van de vijand zou vallen. In 1951 werd Nikolayev als luitenant-kolonel in Potsdam gedetacheerd. Hij was toen pas vijfentwintig.

Toen hij dertig was, kreeg hij het bevel over een speciaal tankregiment tijdens de Hongaarse opstand. Daar kreeg hij het voor het eerst aan de stok met de Russische ambassadeur Yuri Andropov, die later vijftien jaar voorzitter zou zijn van de KGB en ten slotte tot secretaris-generaal van de communistische partij van de USSR werd benoemd. Kolonel Nikolayev weigerde de machinegeweren van zijn tanks te gebruiken om de massa's Hongaarse betogers in de straten van Boedapest neer te maaien.

'Dat zijn voor zeventig procent vrouwen en kinderen,' zei hij tegen de ambassadeur, de man die verantwoordelijk was voor het neerslaan van de opstand. 'Ze gooien alleen met stenen. Die zijn niet gevaarlijk voor een tank.'

'Maar ze moeten een lesje krijgen,' schreeuwde Andropov. 'Gebruik je machinegeweren.'

In 1941 had Nikolayev in Smolensk gezien wat voor een slachting zware machinegeweren onder grote groepen burgers in een beperkte ruimte konden aanrichten. Zijn ouders waren daar ook bij geweest.

'Als u dat nodig vindt, doet u het zelf maar,' zei hij tegen Andropov. Een hoge generaal suste de zaak, maar Nikolayevs carrière hing aan een zijden draad. Andropov was geen vergevingsgezind man.

In het begin en halverwege de jaren zestig werd Nikolayev naar de vreemdste buitenposten gestuurd. Hij zat jaren langs de oevers van de Amur en de Ussuri tegenover de Chinese grens, terwijl Chroestsjov delibereerde of hij Mao Tse-tung een lesje zou leren in tankoorlogvoering.

Chroestsjov viel, Brezjnev volgde hem op, de crisis werd bezworen en Nikolayev keerde opgelucht uit de kille, barre woestenij van het Mantsjoerijse grensgebied naar Moskou terug.

In 1968, ruim veertig jaar oud, had hij als generaal-majoor het commando over een divisie die de Praagse opstand moest neerslaan. Het was verreweg de beste divisie van de hele operatie. Hij verdiende de eeuwige dank van de luchtlandingstroepen, de VDV's, toen hij een van hun eenheden uit een benarde positie redde. Er was een veel te kleine compagnie afgeworpen boven het centrum van Praag, die door Tsjechen was omsingeld. Nikolayev rukte persoonlijk met een tankcompagnie naar de hoofdstad op om hen te ontzetten.

Vier jaar doceerde hij tankstrategie aan de Frunze Academie en leidde een hele nieuwe generatie pantserofficieren op, die hem verafgoodden. In 1973 werd hij als adviseur aan de Syriërs toegevoegd. Dat was het jaar van de Yom Kippuroorlog.

Hoewel hij zich op de achtergrond moest houden, kende hij de door Rusland geleverde tanks zo goed dat hij zelf vanaf de Golanhoogten een aanval voorbereidde en uitvoerde tegen de Israëlische Zevende Pantserbrigade.

De Syriërs waren geen partij voor de Israëli's, maar de planning en de tactiek waren briljant. De Israëlische Zevende Pantserbrigade overleefde de strijd, maar ze waren wel geschrokken van de Syriërs. Het was een van de weinige keren dat een Arabische tankmacht hen in problemen had gebracht.

Op basis van zijn optreden in Syrië werd hij in de generale staf benoemd om offensieve operaties tegen de NAVO voor te bereiden. Toen, in 1979, kwam Afghanistan. Nikolayev was inmiddels drieënvijftig en kreeg het bevel over het Veertigste Leger aangeboden om de rebellen uit te schakelen. Het betekende een promotie van luitenant-generaal tot kolonel-generaal.

Nikolayev bekeek de plannen, bestudeerde het terrein, verdiepte zich in het karakter van de Afghanen en schreef in zijn rapport dat de militaire operatie en de latere bezetting grote verliezen zouden opleveren, geen enkele zin hadden en in een Russisch Vietnam zouden eindigen. Het was de tweede keer dat hij met Andropov in aanvaring kwam.

Dus stuurden ze hem weer het bos in. Hij mocht rekruten gaan trainen. De generaals die naar Afghanistan gingen kregen hun medailles en werden als helden bejubeld – in het begin. Al gauw kwamen de soldaten met tienduizenden in lijkzakken naar huis.

'Dit is waanzin. Ik geloof er niets van.'

De oude generaal gooide het zwarte dossier weer in Monks schoot. 'Je hebt wel lef, Yankee. Je dringt mijn land en mijn huis binnen... je probeert me te vergiftigen met die perfide leugens...'

'Vertel me eens, generaal, hoe denkt u over ons?'

'Ons?'

'Ja, ons. De Amerikanen, de mensen in het Westen. Ik ben hiernaartoe gestuurd. Ik kom niet op eigen houtje. En waarom? Als Komarov een goed mens en een groot leider was, waarom zou het ons dan een reet kunnen schelen?'

De oude man keek hem scherp aan, niet geschokt door zijn taalgebruik, waar hij wel aan gewend was, maar door de plotselinge heftigheid van de jongere man tegenover hem.

'Ik weet dat ik mijn hele leven tegen jullie gevochten heb.'

'Nee, generaal, u hebt zich uw hele leven tegen ons verzet. En dat hebt u gedaan in dienst van een regime dat verschrikkelijke dingen heeft gedaan, zoals u ook wel weet...'

'Dit is míjn land, Amerikaan. Wees voorzichtig met je beledigingen.'

Monk leunde naar voren en tikte op het Zwarte Manifest. 'Maar het is nog nooit zo erg geweest als wat hierin staat. Niet onder Chroestsjov, niet onder Brezjnev of Andropov. Dit is veel erger.'

'Als het waar is, als het waar is!' riep de oude militair. 'Iedereen kan zoiets opschrijven.'

'Lees dit dan maar. Dit beschrijft hoe het manifest in ons bezit kwam. Een oude soldaat heeft zijn leven gegeven om het ons in handen te spelen.'

Hij gaf de generaal het onderzoeksrapport en schonk hem een stevig glas van zijn eigen wodka in. De generaal sloeg het in één keer achterover, Russische stijl.

Pas in de zomer van 1987 had iemand uit een diepe la het oude rapport over Nikolayev uit 1979 te voorschijn gehaald en opnieuw aan het Russische ministerie van Buitenlandse Zaken voorgelegd. Niet veel later, in januari 1988, verklaarde minister Eduard Shevardnadze van Buitenlandse Zaken: 'We trekken ons terug.'

Nikolayev kreeg eindelijk zijn bevordering tot kolonel-generaal en werd bij de generale staf weggehaald om de terugtocht uit Afghanistan te coördineren. De laatste commandant van het Veertigste Leger was generaal Gromov, maar hij moest zich houden aan de plannen van Nikolayev. Tot ieders verbazing kwam het Veertigste Leger bijna zonder slachtoffers naar huis, hoewel de mudjaheddin de Russen op de hielen zaten.

De laatste sovjetcolonne reed op 15 februari 1989 over de brug van Amu Darya. Nikolai Nikolayev voerde de achterhoede aan. Hij had ook het vliegtuig kunnen nemen, maar hij reed liever met de mannen mee.

Hij zat in zijn eentje achter in een open GAZ-jeep, met alleen de chauffeur voorin, verder niemand. Hij had nog nooit een terugtocht hoeven leiden. Hij zat stijf rechtop in zijn gevechtspak, zonder de kentekenen van zijn rang. Maar de mannen herkenden die grijze lokken en de punten van die borstelige snor.

Ze hadden zwaar genoeg van Afghanistan en ze waren blij dat ze naar huis konden, ondanks de nederlaag. Even ten noorden van de brug begonnen ze te juichen. Ze reden de berm in toen ze dat grijze haar zagen. Ze sprongen uit hun BMD-troepentransporteurs om hem toe te juichen. Er waren mannen van de VDV-luchtlandingstroepen bij, die van de gebeurtenis in Praag hadden gehoord. Ze juichten. De BMD's werden voornamelijk bestuurd door ex-tankbestuurders. Ze zwaaiden en juichten.

Nikolayev was toen drieënzestig, op weg naar een leven van lezingen, memoires en reünies. Maar hij was nog altijd hun Oom Kolya en hij bracht hen thuis.

In zijn vijfenveertig jaar als pantsercommandant had hij drie dingen gedaan die hem tot een legende hadden gemaakt. Hij had de ontgroening afgeschaft – het systematische afzeiken van jonge rekruten door oudere militairen, wat tot honderden zelfmoorden had geleid. Onder zijn troepen kwam dat niet meer voor, en andere generaals hadden zijn voorbeeld gevolgd. Hij had zich met hand en tand verzet tegen het politieke establishment en voortdurend op betere omstandigheden en beter voedsel voor zijn mannen aangedrongen. Hij had een goede training ingevoerd en zijn mensen een gevoel van trots bijgebracht, totdat al zijn troepen, van de pelotons tot aan de divisies, de beste van het hele Russische leger waren. Gorbatsjov had hem tot generaal van de landmacht benoemd, vlak voordat hij uit het zadel werd gestoten.

'Wat wil je van me, Amerikaan?'

Generaal Nikolayev smeet het onderzoeksrapport neer en staarde in het vuur. 'Als het allemaal waar is, deugt die man voor geen cent. Maar wat moet ìk eraan doen? Ik ben oud, ik ben al elf jaar met pensioen, ik heb mijn tijd gehad...'

'Ze zijn er nog steeds,' zei Monk, terwijl hij opstond en de dossiers weer in zijn koffertje borg. 'Ze zijn er nog, die miljoenen veteranen. Ze hebben onder u gediend of ze hebben van u gehoord. Ze zullen luisteren als u tot ze spreekt.'

'Hoor eens, meneer de Amerikaan, mijn land heeft zwaarder geleden dan jij ooit zult kunnen begrijpen. Mijn moederland is doordrenkt met het bloed van haar zoons en dochters. Nu vertel je me dat de grootste ellende nog moet komen. Dat doet pijn, als het waar is. Maar ik kan er niets aan doen.'

'En het leger? Dat moet het instrument worden om deze politiek uit te voeren. Uw eigen leger.'

'Het is mijn leger niet meer.'

'Het is net zo goed van u als van iemand anders.'

'Het is een verslagen leger.'

'Nee. Het communistische bewind is verslagen, niet het leger. Niet de soldaten, úw soldaten. Zij hebben zich teruggetrokken. En nu is er een man opgestaan die het leger weer wil opbouwen, maar voor een heel ander doel: agressie, invasies, onderdrukking, volkerenmoord.'

'Het is mijn zaak niet meer.'

'Hebt u een auto, generaal?'

De oude man keek verbaasd op vanaf de haard. 'Natuurlijk. Maar geen grote. Hij brengt me waar ik wezen wil.'

'Rij dan naar Moskou. Naar de Alexandrovsky Tuinen. Naar die grote gepolijste roodgranieten steen. Bij de vlam. En vraag hùn wat ze van u willen. Niet mij, maar hùn.'

Monk vertrok. Tegen de ochtend was hij weer terug op een ander schuiladres met zijn Tsjetsjeense lijfwachten. Het was de nacht waarin de drukpersen explodeerden.

Van de vele obscure historische instellingen die Engeland nog telt, zijn er weinig zo oud en onbekend als het College of Arms, dat nog uit de tijd van Richard III dateert. De hoogste medewerkers van het College zijn de 'Kings of Arms' en de 'Heralds'.

In de middeleeuwen hadden de Heralds of 'herauten' de taak om berichten over te brengen tussen legeraanvoerders in het veld, onder bescherming van een witte vlag. In vredestijd waren ze met andere zaken bezig.

Dan hielden ridders en edelen vaak toernooien en steekspelen. Als de deelnemers hun harnas hadden aangetrokken, was het de heraut die de namen van de ridders bekend moest maken. Maar dat was vaak niet eenvoudig, zeker als de ridders hun vizier hadden gesloten.

Om dit probleem op te lossen droegen de edelen een embleem op hun schild. Een heraut die een schild met een beer en een ruwhouten staf zag, wist dan dat de graaf van Warwick zich ergens in dat harnas moest bevinden.

Zo werden de herauten deskundig op het gebied van familiewapens en wisten ze wie het recht had zich een bepaalde titel aan te meten. Generaties lang hielden zij de stambomen van de adellijke geslachten bij.

Dat was niet alleen een kwestie van snobisme. Bij die titels hoorden namelijk grote bezittingen: landgoederen, kastelen, boerderijen en landhuizen. Zo'n titel was dus vergelijkbaar met een meerderheidsbelang in General Motors in onze tijd. Het ging om grote macht en rijkdom.

Omdat de meeste edelen heel wat kinderen achterlieten als ze stierven – sommigen wettig, maar de meesten niet – ontstonden er al gauw discussies over de erfenis. Regelmatig braken er zelfs oorlogen uit. De herauten, die de stamboom bijhielden, hadden het laatste woord over de juridische afstamming en het recht om het familiewapen te voeren.

Zelfs nu nog doet het College uitspraak over dit soort conflicten. Maar het ontwerpt ook familiewapens voor bankiers of industriëlen die in de adelstand zijn verheven. En wie dat wil, kan tegen betaling zijn of haar stamboom door het College laten achterhalen, zo ver als de gegevens teruggaan.

Tegenwoordig zijn de Heralds natuurlijk academici, die vele jaren hebben gestudeerd op hun vreemde wetenschap met haar oude Normandisch-Franse taal en emblemen.

Sommigen zijn gespecialiseerd in de afstamming van de adellijke families van Europa, die via onderlinge huwelijken onverbrekelijk met de Britse adel zijn verbonden. Sir Nigel Irvine, die discreet maar dringend informatie had ingewonnen, ontdekte dat een van de belangrijkste kenners van de Russische Romanov-dynastie ook aan het College werkte. Van dr. Lancelot Probyn werd beweerd dat hij meer over de Romanovs was vergeten dan de Romanovs ooit over zichzelf hadden geweten. Nadat hij zich telefonisch bekend had gemaakt als een gepensioneerd diplomaat die voor Buitenlandse Zaken een rapport moest schrijven over mogelijke monarchistische tendensen in Rusland, nodigde sir Nigel hem uit voor een kopje thee in het Ritz.

Dr. Probyn bleek een kleine, mollige man te zijn, die zijn onderwerp met humor benaderde, zonder gewichtigdoenerij. Hij deed de oude spionagechef denken aan Mr. Pickwick uit het boek van Dickens.

'Ik wilde wat meer weten over de opvolging van de Romanovs,' zei sir Nigel toen de Earl Grey en de korstloze komkommer-sandwiches waren geserveerd.

De post van 'Clarenceux King of Arms', dr. Probyns fraaie titel, wordt niet bijzonder goed betaald en de mollige wetenschapper was niet gewend aan thee in het Ritz. Daarom liet hij zich de sandwiches goed smaken.

'De afstamming van de Romanovs is maar een hobby van me,' zei hij. 'Het is niet mijn werk.'

'Toch heb ik gehoord dat u het standaardwerk op dat gebied geschreven hebt.'

'Het is heel vriendelijk van u om het zo te zeggen. Hoe kan ik u helpen?'

'Is de afstamming van de Romanovs een heldere zaak?'

Dr. Probyn werkte de laatste sandwich naar binnen en liet een welgevallige blik op de taartjes vallen.

'Verre van dat. Het is een onoverzichtelijke toestand. De laatste afstamme-
lingen van de familie zitten elkaar voortdurend in de haren. Ze beweren
allemaal dat zij de oudste rechten hebben. Waarom wilt u dat weten?'
'Laten we aannemen,' zei sir Nigel voorzichtig, 'dat het Russische volk om
een of andere reden zou besluiten om de constitutionele monarchie te her-
stellen in de persoon van een tsaar.'
'Nou, dat kan niet, want die hebben ze nooit gehad. De laatste keizer – dat is
de juiste titel, al sinds 1721, maar iedereen spreekt nog over tsaar – was
Nicolaas II, een absoluut heerser. Rusland heeft nooit een constitutionele
vorst gehad.'
'Leg dat eens uit.'
Dr. Probyn stak het laatste stukje van een éclair in zijn mond en nam een
slok thee.
'Lekkere taartjes,' zei hij.
'Fijn.'
'Nou, in het uiterst onwaarschijnlijke geval dat de Russen dat zouden willen,
hebben ze toch een probleem. Zoals u weet zijn Nicolaas, tsarina Alexandra
en hun vijf kinderen in 1918 allemaal vermoord bij Jekaterinenburg. Dat was
het einde van de rechtstreekse lijn. De huidige pretendenten zijn van de indi-
recte lijn. Sommigen stammen nog af van Nicolaas' grootvader.'
'Dus niemand heeft duidelijke, onweerlegbare aanspraken?'
'Nee. Op mijn kantoor zou ik u meer bijzonderheden kunnen geven. Daar
heb ik alle schema's. Die kan ik hier niet uitspreiden. Ze zijn nogal groot,
met veel namen en vertakkingen.'
'Maar zouden de Russen in theorie de monarchie kunnen herstellen?'
'Meent u dat serieus, sir Nigel?'
'In theorie, zei ik.'
'Ja, dan is alles mogelijk. Elke monarchie kan zich in een republiek veranderen door de koning of koningin te verdrijven. Zoals Griekenland. En elke
republiek kan een constitutionele monarchie instellen, zoals Spanje. Dat zijn
voorbeelden van de afgelopen dertig jaar. Dus in theorie zou het kunnen.'
'Het grote probleem is de kandidaat?'
'Absoluut. Generaal Franco heeft de wetgeving geformuleerd om na zijn
dood de Spaanse monarchie te herstellen. Als koning koos hij de kleinzoon
van Alfonso XIII, prins Juan-Carlos, die nog altijd op de troon zit. Maar toen
waren er ook geen andere pretendenten. De afstamming was duidelijk.
Zodra er andere kandidaten zijn, wordt het lastig.'
'En die zijn er onder de Romanovs?'
'Ja, een heleboel. Een onoverzichtelijke toestand, zoals ik al zei.'
'Iemand in het bijzonder?'
'Ik zou het zo niet weten. Dat moet ik opzoeken. Het is al een tijd geleden

dat iemand me er serieus naar heeft gevraagd.'

'Wilt u nog eens kijken?' vroeg sir Nigel. 'Ik moet nu op reis. Kunnen we een nieuwe afspraak maken? Als ik terug ben. Ik bel u op uw kantoor.'

In de tijd dat de KGB nog één grote organisatie was, onder één enkele voorzitter, waren er zoveel aspecten – spionage, onderdrukking, controle – dat er een verdeling in hoofddirectoraten, directoraten en departementen noodzakelijk was.

Daartoe behoorden ook het Achtste Hoofddirectoraat en het Zestiende Directoraat, allebei belast met elektronische surveillance, radio-interceptie, telefoontaps en spionagesatellieten.

Zo vormden ze de tegenhangers van de Amerikaanse National Security Agency en de National Reconnaissance Organization, of het Britse Government Communications Headquarters, het GCHQ.

De oude garde van de KGB, zoals voorzitter Andropov, zag elektronische informatievergaring of ELINT als onbegrijpelijk technisch gedoe, maar besefte wel het belang ervan. Hoewel de Sovjetunie in technologisch opzicht jaren op het Westen achterliep – behalve op het terrein van de spionage en op militair gebied – zorgde het Kremlin er toch voor dat het Achtste Hoofddirectoraat over de nieuwste snufjes kon beschikken.

Nadat Gorbatsjov de logge KGB in verschillende onderdelen had gesplitst, werden het Achtste en Zestiende directoraat samengevoegd en omgedoopt tot Federale Dienst voor Overheidscommunicatie en Informatie, in het Russisch afgekort als FAPSI.

De FAPSI was uitgerust met de modernste computers en de beste technologie op het gebied van elektronische onderschepping, en had de beste wiskundigen en code-analisten in dienst. Maar na de val van het communisme kampte dit bijzonder kostbare departement al gauw met geldgebrek.

Toen het kapitalisme in Rusland zijn intrede deed, ging de FAPSI letterlijk de vrije markt op om aan geld te komen. Het departement bood zijn diensten aan het opkomende Russische bedrijfsleven aan. Met andere woorden, de FAPSI was bereid tot bedrijfsspionage in binnen- en buitenland. Van 1995 tot 1999 kon iedere firma in Rusland dit overheidsdepartement gewoon inhuren om bijvoorbeeld een buitenlander in Moskou te bespioneren als hij telefoneerde, een fax, een telegram of een telex verstuurde of een radiozender gebruikte.

Waar Jason Monk zich ook schuilhield, redeneerde kolonel Anatoli Grishin, hij moest op een gegeven moment toch contact opnemen met zijn opdrachtgevers. Dat was niet mogelijk via zijn eigen ambassade, die scherp in het oog werd gehouden. Tenzij hij opbelde, maar dan kon het gesprek worden afgeluisterd en getraceerd.

Daarom concludeerde Grishin dat Monk een zendertje bij zich moest hebben.

'Als ik hem was,' zei de hoogste technicus van de FAPSI, die door Grishin voor een aanzienlijk bedrag was ingehuurd, 'zou ik een computer gebruiken. De meeste zakenmensen doen dat ook.'

'Een computer die kan zenden en ontvangen?' vroeg Grishin.

'Precies. Computers praten met satellieten, en via satellieten kunnen computers ook met elkaar communiceren. Dat is het principe van de informatiesnelweg, het Internet.'

'Dat moet een gigantisch netwerk zijn.'

'Dat is het ook. Maar onze computers zijn ook heel groot. Het is een kwestie van filteren. Negentig procent van al het computerverkeer bestaat uit gewone – vaak onzinnige – gesprekken. Negen procent is commercieel: bedrijven die overleggen over produkten, prijzen, voortgang, contracten, leverdata. Eén procent is overheid. Die ene procent vormde vroeger de helft van al het verkeer dat hierlangs kwam.'

'Hoeveel is in code?'

'Alle overheidscontacten en ongeveer de helft van het commerciële verkeer. Maar de meeste commerciële codes kunnen we ontcijferen.'

'Waar zouden we mijn Amerikaanse vriend moeten zoeken tussen al dat verkeer?'

De FAPSI-technicus, die al zijn hele leven in dit clandestiene wereldje werkte, was zo verstandig om geen details te vragen.

'Tussen het commerciële verkeer, denk ik,' antwoordde hij. 'Van alle overheidscontacten kennen we de bron. We kunnen niet alle codes kraken, maar we weten wel van welke ambassade of welk consulaat het komt. Werkt uw man vanuit een ambassade?'

'Nee.'

'Dan zal hij een commerciële satelliet gebruiken. De Amerikaanse overheidssatellieten worden voornamelijk gebruikt om ons te bespioneren en af te luisteren. En voor het diplomatieke verkeer. Maar tegenwoordig cirkelen er heel wat commerciële satellieten rond, waarop bedrijven tijd kunnen huren om contact te houden met hun filialen over de hele wereld.'

'Ik denk dat mijn man vanuit Moskou uitzendt. En ontvangt.'

'Aan ontvangst hebben we niets. Een bericht dat door een satelliet boven ons hoofd wordt uitgezonden kan overal worden ontvangen, van Archangelsk tot aan de Krim. Alleen wanneer hij uitzendt, kunnen we hem misschien traceren.'

'Dus als een Russisch commercieel bedrijf jullie zou inhuren om hem te vinden, zou dat lukken?'

'Misschien. Het kost wel veel geld, afhankelijk van het aantal mensen en de computertijd die we nodig hebben. De kans is groot dat je urenlang de wacht moet houden.'

'Ja. Vierentwintig uur per dag,' zei Grishin. 'En met alle mensen die je kunt missen.'

De FAPSI-technicus staarde hem aan. Dat zou miljoenen Amerikaanse dollars gaan kosten. 'Dat is een hele opdracht.'

'Ik meen het serieus.'

'Wilt u weten wat voor berichten hij verzendt?'

'Nee. Alleen de plaats van de zender.'

'Dat is moeilijker. De berichten – als we ze onderscheppen – kunnen we op ons gemak analyseren en de code ontcijferen. De zender is maar een nanoseconde in de lucht.'

De dag nadat Monk met generaal Nikolayev had gesproken, ving de FAPSI een blip op. Grishins contactman belde hem op het partijbureau bij de Kiselny Boulevard.

'Hij heeft een bericht verzonden,' meldde hij.

'Heb je de tekst?'

'Ja. Het is geen commerciële mededeling. Hij gebruikte een eenmalige code. Die kun je niet kraken.'

'Daar heb ik dus niks aan!' zei Grishin. 'Waar kwam het signaal vandaan?'

'Ergens uit Moskou of omgeving.'

'Geweldig! Zo'n klein dorp. Ik wil het gebouw weten, man!'

'U moet geduld hebben. Waarschijnlijk weten we welke satelliet hij gebruikt. Een van de twee InTelCor-satellieten die dagelijks over Moskou komen. Op dit moment staat er weer een boven de horizon. Nu kunnen we ons daarop concentreren.'

'Doe dat,' zei Grishin.

Zes dagen lang wist Monk nu al het leger van spionnen te ontwijken dat Grishin de straat op had gestuurd. De veiligheidschef van de UPK begreep er niets van. De man moest toch eten? Misschien had hij zich in een of ander hol verstopt en durfde hij zich niet te bewegen. Dan kon hij ook geen kwaad meer doen. Of hij had zich als Rus vermomd, maar dan moest hij vroeg of laat door de mand vallen. Of misschien was hij vertrokken, na zijn zinloze gesprek met de patriarch. Of hij had bescherming – een schuilplaats, eten, een vermomming, vervoer. Maar van wie dan? Op die vraag had Anatoli Grishin nog steeds geen antwoord.

Twee dagen na zijn gesprek met dr. Probyn in het Ritz vloog sir Nigel Irvine naar Moskou, vergezeld van een persoonlijke tolk. Hij had zich vroeger wel kunnen redden in het Russisch, maar dat was lang geleden en niet voldoende voor een subtiel gesprek.

De man die hij bij zich had was Brian Marks, de ex-militair die vloeiend

Russisch sprak. Alleen reisde Marks nu onder zijn werkelijke naam, Brian Vincent. Bij de immigratie voerde de douaneman hun twee namen in de computer in, maar geen van beiden waren ze bekend.

'Reist u samen?' vroeg hij. Een van de Engelsen was duidelijk de baas van het tweetal, een oudere, magere man met wit haar, volgens zijn paspoort al in de zeventig. De ander liep tegen de veertig, droeg een donker pak en leek in goede conditie.

'Ik ben de tolk van meneer,' zei Vincent.

'Mijn *Russky* niet zo goed,' zei sir Nigel behulpzaam in het Russisch.

Het zou de douaneman een zorg zijn. Buitenlandse zakenmensen hadden vaak een tolk nodig. Die kon je in Moskou huren, maar soms hadden ze zelf iemand bij zich. Niets bijzonders. Hij wuifde hen door.

Ze hadden een kamer gereserveerd in het National, waar de ongelukkige Jefferson ook had gelogeerd. Er lag een envelop te wachten op sir Nigel, vierentwintig uur eerder bezorgd door een man met een olijfkleurige huid die niemand zich herinnerde maar die toevallig een Tsjetsjeen was. Sir Nigel kreeg de envelop samen met zijn kamersleutel.

Er zat een blanco vel papier in. Als het verloren was gegaan, had dat niet veel kwaad gekund. Op het papier stond niets geschreven, maar wel op de binnenkant van de envelop, met citroensap.

Brian Vincent sneed de envelop open, legde hem plat neer en verwarmde hem voorzichtig met een lucifer uit het hoteldoosje op het nachtkastje. In lichtbruine inkt verschenen zeven cijfers. Een privé-telefoonnummer. Toen hij het uit zijn hoofd had geleerd, vroeg sir Nigel zijn tolk om de envelop te verbranden en de as door de wc te spoelen. Daarna gingen de twee mannen rustig eten in het hotel en wachtten tot het tien uur was.

Toen de telefoon overging, kregen ze patriarch Alexei II aan de lijn. Het was zijn eigen toestel, op het bureau in zijn studeerkamer. Maar heel weinig mensen hadden dat nummer en hij hoorde hen allemaal te kennen.

'Ja?' zei hij voorzichtig.

De stem die antwoordde kende hij niet. De man sprak Russisch, maar was geen Rus.

'Patriarch Alexei?'

'Met wie spreek ik?'

'Uwe Heiligheid, wij hebben elkaar nog nooit ontmoet. Ik ben maar de tolk. Een paar dagen geleden was u zo vriendelijk een priester uit Londen te ontvangen.'

'Ja, dat weet ik nog.'

'Hij zei dat er iemand anders zou komen, hoger in rang, voor een persoonlijk gesprek van groot belang. Die meneer staat nu naast me en vraagt of u hem kunt ontvangen.'

'Vanavond nog?'

'Er is haast bij, Uwe Heiligheid.'

'Hoezo?'

'Er zijn bepaalde figuren in Moskou die uw bezoeker snel zullen herkennen. We willen voorkomen dat hij wordt geschaduwd. Uiterste discretie is geboden.'

Dat was een argument dat aansloeg bij de nerveuze prelaat.

'Goed dan. Waar bent u nu?'

'Een paar minuten rijden bij u vandaan. Klaar om te vertrekken.'

'Over een half uur dan.'

Deze keer opende de Kozak onmiddellijk de deur, zonder vragen te stellen. Een zenuwachtige en hevig nieuwsgierige pater Maxim bracht de twee bezoekers naar de studeerkamer van de patriarch. Sir Nigel was met de auto van het National Hotel gekomen en vroeg de chauffeur om in de straat te wachten.

Patriarch Alexei droeg weer een lichtgrijze soutane met een simpel kruis op de borst, aan een kettinkje om zijn hals. Hij begroette zijn gasten en vroeg hun te gaan zitten.

'Laat ik me eerst verontschuldigen. Mijn kennis van het Russisch is zo gering dat ik via een tolk met u moet spreken,' zei sir Nigel.

Vincent vertaalde het snel. De patriarch knikte en glimlachte.

'Helaas spreek ik ook geen Engels,' antwoordde hij. 'Aha, pater Maxim. Zet de koffie maar op tafel. We schenken zelf wel in. U kunt gaan.'

Sir Nigel stelde zich voor, maar vertelde er niet bij dat hij ooit een hoge inlichtingenofficier was geweest die Rusland op alle fronten had bestreden. Hij beperkte zich ertoe dat hij een veteraan van de Britse buitenlandse dienst was (wat bijna klopte), die inmiddels van zijn pensioen genoot maar voor deze opdracht speciaal was benaderd.

Zonder de Lincoln Raad te noemen, vertelde hij dat het Zwarte Manifest discreet was getoond aan een groep mannen en vrouwen met grote invloed, die diep geschokt waren geweest.

'Net zo geschokt als u, neem ik aan, Uwe Heiligheid.'

Alexei knikte somber toen hij de vertaling hoorde.

'Daarom ben ik nu hier. Deze situatie raakt ons allemaal, mensen van goede wil in Rusland en daarbuiten. Een Engelse dichter heeft eens gezegd: "Geen enkel mens is een eiland." We maken allemaal deel uit van het grote geheel. Als Rusland, een van de grootste naties ter wereld, opnieuw het slachtoffer zou worden van een wrede dictator, zou dat voor ons in het Westen net zo'n tragedie zijn als voor het Russische volk en vooral voor de Heilige Kerk.'

'Ik twijfel niet aan uw woorden,' zei de patriarch, 'maar de Kerk kan zich niet met politiek inlaten.'

'Openlijk niet. Maar de Kerk heeft ook de plicht het kwaad te bestrijden. De Kerk is altijd betrokken bij morele kwesties, nietwaar?'

'Natuurlijk.'

'En de Kerk heeft het recht zichzelf te beschermen tegen krachten die haar en haar missie op aarde willen vernietigen?'

'Ongetwijfeld.'

'Dan kan de Kerk dus haar mening zeggen en de gelovigen waarschuwen voor een stap die de kwade krachten zou steunen en de Kerk zou schaden.'

'Als de Kerk zich tegen Igor Komarov verklaart en Komarov zou toch president worden, hebben wij onze eigen vernietiging over ons afgeroepen,' zei Alexei II. 'Zo zullen mijn honderd bisschoppen het zien, en dus zal de overgrote meerderheid erop aandringen dat we zwijgen. Ik moet me daarbij neerleggen.'

'Maar er is nog een andere mogelijkheid,' zei sir Nigel. In een paar minuten tijd schetste hij een constitutionele hervorming die de mond van de patriarch deed openvallen van verbazing.

'Dat meent u niet serieus, sir Nigel,' zei hij ten slotte. 'De monarchie herstellen? De tsaar terughalen? Dat zouden de mensen nooit begrijpen.'

'Kijk eens goed naar de situatie,' drong Irvine aan. 'We weten dat Rusland voor een heel moeilijke keuze staat. Moeilijker kan het niet. Aan de ene kant dreigt de chaos, het uiteenvallen van de staat of misschien een burgeroorlog zoals we die in Joegoslavië hebben gezien. Voorspoed is onmogelijk zonder rust en stabiliteit, maar Rusland zwalkt over de golven als een schip zonder roer of anker. Het kan niet lang meer duren voordat dat schip ten onder gaat en de mensen zullen verdrinken.

De andere keus is een dictatuur, een afschuwelijke tirannie, erger dan wat dit geplaagde land ooit heeft meegemaakt. Wat zou u kiezen voor uw volk?'

'Dat kan ik niet,' zei de patriarch. 'Het is allebei rampzalig.'

'Bedenk dan dat een constitutionele vorst altijd een bolwerk vormt tegen de alleenheerschappij van een despoot. Een vorst en een dictator kunnen niet naast elkaar bestaan. Een van de twee moet het veld ruimen. Elke natie heeft een symbool nodig, een menselijk symbool of iets anders, om zich in moeilijke tijden aan vast te klampen. Een symbool dat het land verenigt ondanks verschillen in taal en achtergrond. Komarov is bezig dat nationale symbool te worden. Een icoon. Niemand zal tegen hem durven te stemmen, uit angst voor een vacuüm. We hebben dus een ander icoon nodig.'

'Maar om te preken voor een nieuwe tsaar...' protesteerde de patriarch.

'Is niet hetzelfde als preken tegen Komarov, voor wie u zo bang bent,' zei de Engelsman. 'Dan preekt u voor een nieuwe stabiliteit, een icoon die boven de politiek staat. Dan kan Komarov u er niet van beschuldigen dat u zich met politiek bemoeit en de kiezers tegen hem opzet, hoewel hij misschien heel goed begrijpt wat er gebeurt. En er zijn nog andere factoren...'

Heel handig speelde sir Nigel Irvine al zijn troeven uit tegenover de patriarch. De eenheid van kerk en staat, het volledige herstel van de Orthodoxe Kerk in al haar pracht en praal, de terugkeer van de patriarch naar zijn paleis binnen de muren van het Kremlin, de nieuwe kredieten uit het Westen als Rusland weer een stabiele natie was.

'Wat u zegt, klinkt heel logisch en spreekt mijn hart bijzonder aan,' zei Alexei II toen hij erover had nagedacht. 'Maar ik heb het Zwarte Manifest gelezen. Ik ken dat sombere scenario. Mijn broeders in Christus, de congregatie van bisschoppen, heeft dat manifest niet gezien en zou het ook niet geloven. Als u het publiceert, zal half Rusland het niet geloven... Nee, sir Nigel, ik wil mijn kudde niet overschatten.'

'Maar als er een ándere stem zou spreken? Niet uw officiële stem, Heiligheid, maar een krachtige, overtuigende stem, met uw stilzwijgende steun?'

Hij doelde op de eigengereide priester Gregor Rusakov, die de patriarch met grote morele moed zijn toestemming had gegeven om te preken.

Pater Rusakov was in zijn jeugd door het ene na het andere seminarie afgewezen. Hij was veel te intelligent en veel te gemotiveerd naar de smaak van de KGB. Daarom had hij zich teruggetrokken in een klein klooster in Siberië en zich laten wijden voordat hij erop uit was gegaan als rondtrekkend priester, zonder parochie, predikend waar hij maar kon. Zo wist hij een hele tijd uit handen van de geheime politie te blijven.

Maar natuurlijk kregen ze hem toch te pakken en stuurden ze hem vijf jaar naar een werkkamp wegens propaganda tegen de staat. Voor de rechtbank had hij een staatsadvocaat geweigerd en zichzelf verdedigd, zo briljant dat hij de rechters had gedwongen toe te geven dat ze de Russische grondwet verkrachtten.

Toen hij dankzij Gorbatsjovs amnestie voor priesters eindelijk vrij kwam, had hij nog niets van zijn vuur verloren. Hij begon weer te prediken, maar hij bekritiseerde nu ook de bisschoppen om hun angst en corruptie. Zijn kritiek was zo meedogenloos, dat de bisschoppen naar Alexei renden met de eis dat de jongeman weer moest worden opgesloten.

In de pij van een gewone parochiepriester was Alexei II zelf naar een van Rusakovs preken gegaan om te luisteren. Had ik maar zoveel bezieling, dacht hij toen hij anoniem tussen de toehoorders stond. Kon ik al die passie en dat redenaarstalent maar in dienst stellen van de Kerk.

Het punt was dat pater Gregor de menigte volledig inpakte. Hij sprak de taal van het volk, de grammatica van de arbeiders. Hij doorspekte zijn preken met het bargoens dat hij in het werkkamp had geleerd. Hij had contact met de jeugd, hij kende de namen van hun popidolen, hij wist hoe moeilijk het was voor een huisvrouw om de eindjes aan elkaar te knopen en hoe de wodka het leed soms kon verzachten.

Hij was vijfendertig, ongetrouwd en ascetisch, maar hij wist meer over de zonden des vlezes dan je ooit op een seminarie zou kunnen leren. Twee populaire tienerbladen hadden hem zelfs aan hun lezeressen als sekssymbool gepresenteerd.

En dus vroeg Alexei II de militia niet om pater Gregor te arresteren. Integendeel, hij nodigde het zwarte schaap voor een etentje uit – in het Danilovsky-klooster, waar ze een simpele maaltijd genoten aan een houten tafel. Alexei schepte zelf de borden op. Ze praatten de hele nacht. Alexei legde uit welke taak hij voor zich zag, de moeizame hervorming van een Kerk die te lang een voetveeg van de dictatuur was geweest en nu weer een pastorale rol moest krijgen onder de 148 miljoen Russische christenen.

Tegen de ochtend hadden ze een pact gesloten. Pater Gregor zou zijn gelovigen aansporen om God te zoeken in hun huizen en hun werk, maar ook om terug te keren tot de kerk, ondanks al haar gebreken. De stille hand van de patriarch bereikte veel. Een belangrijk tv-station deed wekelijks verslag van de grote bijeenkomsten van pater Gregor, en zijn preken werden gezien door miljoenen die hij nooit persoonlijk had kunnen bereiken. In de winter van 1999 werd deze ene priester algemeen als de beste redenaar van heel Rusland beschouwd, Igor Komarov niet uitgezonderd.

De patriarch zweeg een hele tijd. Ten slotte zei hij: 'Ik zal met pater Gregor overleggen over de mogelijke terugkeer van een tsaar.'

15

De wind blies de eerste sneeuw van die winter over het Slavyanskyplein, zoals altijd in november, als voorbode van de bittere kou die nog ging komen.

De mollige priester boog zich tegen de wind in, liep snel de poort door en stak de kleine binnenplaats over naar de warmte van de kerk van de Aller-heiligen in Kulishki, waar de geur van natte kleren en wierook hing.

Opnieuw werd hij geobserveerd uit een geparkeerde auto. Toen de verspie-ders zeker wisten dat hij niet werd geschaduwd, stapte kolonel Grishin uit en volgde hem naar binnen.

'U had gebeld,' zei hij toen ze naast elkaar op ruime afstand van de schaarse gelovigen stonden, zogenaamd verdiept in de muurschilderingen.

'Gisteravond was er weer een bezoeker. Uit Engeland.'

'Niet uit Amerika? Dat weet u zeker?'

'Ja, kolonel. Een paar minuten over tien zei Zijne Heiligheid dat hij een heer uit Engeland verwachtte. Ik liet hem binnen. Hij had een tolk bij zich, een veel jon-gere man. Ik bracht ze naar de studeerkamer en ging toen koffie halen.'

'Wat zeiden ze?'

'Toen ik in de kamer was, verontschuldigde de oudere Engelsman zich omdat hij zo slecht Russisch sprak. De jongere man vertaalde alles. Maar de patriarch zei dat ik de koffie op een tafeltje moest zetten en stuurde me weg.'

'Hebt u niet aan de deur geluisterd?'

'Ik heb het wel geprobeerd. Maar de jongere Engelsman had blijkbaar zijn sjaal over de knop gehangen. Die benam me het gezicht en dempte het grootste deel van wat er werd gezegd. Toen kwam er een Kozak aan die zijn ronde maakte, dus moest ik verdwijnen.'

'Heeft hij ook zijn naam genoemd, die oudere Engelsman?'

'Nee, niet terwijl ik erbij was. Misschien toen ik weg was om koffie te zet-ten. Door die sjaal kon ik niets zien en maar heel weinig horen. En wat ik hoorde, sloeg nergens op.'

'Wat dan, pater Maxim?'

'De patriarch verhief maar één keer zijn stem. Ik hoorde hem zeggen: "De tsaar terughalen?" Hij klonk stomverbaasd. Daarna praatten ze weer veel zachter.'

Kolonel Grishin staarde naar de fresco's van de Madonna met het kindeke en had het gevoel of hij een klap in zijn gezicht gekregen had. Die onnozele priester had het niet begrepen, maar Grishin wel.

Met een constitutioneel vorst als staatshoofd zou de functie van president vervallen. Dan zou de regering worden geleid door een minister-president, leider van de regeringspartij, maar ondergeschikt aan het parlement, de Doema. Dat was een totaal ander scenario dan Igor Komarovs plannen voor een dictatoriale éénpartijstaat.

'Hoe zag hij eruit?' vroeg Grishin zacht.

'Gemiddelde lengte, mager, zilvergrijs haar, begin zeventig of iets ouder.'

'Enig idee waar hij vandaan kwam?'

'Hij was heel anders dan die jonge Amerikaan. Hij kwam met een auto, die op hem wachtte. Ik heb hen uitgelaten. De auto stond er nog. Geen taxi, maar een limousine. Ik heb het nummer genoteerd toen ze wegreden.'

Hij gaf de kolonel een stukje papier.

'Heel goed, pater Maxim. Ik zal dit niet vergeten.'

Grishins speurders hadden niet lang nodig. Een telefoontje naar het Bureau Kentekenbewijzen leverde binnen het uur het antwoord op. Het was een auto van het National Hotel.

Kuznetsov was de boodschappenjongen. Met zijn bijna perfecte Amerikaanse Engels kon hij iedere Russische receptionist ervan overtuigen dat hij een Amerikaan was. Kort na de lunch stapte hij het hotel binnen en liep naar de portier.

'Hallo, sorry dat ik het vraag, maar spreekt u Engels?'

'Ja, meneer,' zei de portier.

'Geweldig. Moet u horen. Ik zat gisteravond te eten in een restaurant hier in de buurt en aan het tafeltje naast me zat een Engelse heer. We raakten in gesprek. Toen hij wegging, liet hij dit op zijn tafeltje achter.'

Hij hield een aansteker omhoog. Het was een dure gouden Cartier.

De portier keek verbaasd. 'Ja, meneer?'

'Ik rende hem achterna, maar ik was te laat. Hij reed al weg, in een lange, zwarte Mercedes. Volgens de manager van het restaurant was het een van uw auto's. Ik heb het nummer nog opgeschreven.'

Hij gaf de portier een papiertje.

'Dat klopt, meneer. Een van onze auto's, inderdaad. Eén moment.'

De portier pakte zijn boek en sloeg de bladzijde van de vorige avond op.

'Dat moet meneer Trubshaw zijn geweest. Zal ik hem die aansteker teruggeven?'

'Nee, dank u. Ik loop wel even naar de receptie, dan kunnen ze hem in zijn vakje leggen.'

Kuznetsov wuifde vrolijk en slenterde naar de receptie. Hij stak de aansteker in zijn zak.

'Hallo daar. Kunt u me het nummer geven van de kamer van meneer Trubshaw?'

Het Russische meisje was donker en knap. Ze ging weleens voor geld met

Amerikanen uit. Ze lachte tegen hem.

'Eén moment, meneer.'

Ze toetste de naam op haar desk-top in, maar schudde haar hoofd.

'Het spijt me. Meneer Trubshaw en zijn reisgenoot zijn vanochtend vertrokken.'

'O, verdorie. Ik had hem nog willen spreken. Weet u of hij ook uit Moskou weg is?'

Ze toetste nog iets in.

'Ja, meneer. We hebben vanochtend zijn vlucht bevestigd. Hij is vanmiddag naar Londen teruggevlogen.'

Kuznetsov wist niet waarom kolonel Grishin de mysterieuze meneer Trubshaw wilde opsporen, maar hij meldde wat hij had ontdekt. Toen hij verdwenen was, belde Grishin zijn contactman bij het visumkantoor van de immigratiedienst op het ministerie van Binnenlandse Zaken. Even later kreeg hij een fax met de gegevens. Een koerier bracht de foto die ze via de Russische ambassade in Kensington Palace Gardens in Londen hadden gekregen.

'Maak een flinke vergroting van die foto,' zei hij tegen zijn medewerkers. Het gezicht van de oude Engelsman zei hem niets.

Maar hij kende misschien een man die hem meer zou kunnen vertellen. Vijf kilometer verderop, in de Tverskayastraat, op het punt waar de hoofdweg naar Minsk al twee keer van naam is veranderd, staat de grote Triomfboog. Opzij daarvan ligt de Maroseykastraat.

Twee grote flatgebouwen in deze straat zijn helemaal gereserveerd voor gepensioneerde officieren van de oude KGB, die daar in redelijke welstand hun oude dag slijten.

Tot de bewoners behoorde die winter van 1999 ook een van de meest geduchte spionagechefs van Rusland, de oude generaal Yuri Drozdov. In de hoogtijdagen van de koude oorlog had hij alle KGB-operaties aan de Amerikaanse oostkust geleid, voordat hij naar Moskou was teruggeroepen om het bevel over het ultra-geheime Directoraat Illegalen op zich te nemen.

'Illegalen' zijn spionnen die zonder diplomatieke bescherming naar vijandelijk gebied worden gestuurd, als zakenman, academicus of wat dan ook, om het contact te onderhouden met de spionnen die ze in dat land hebben gerekruteerd. Als ze worden gegrepen, worden ze niet het land uitgezet, maar gearresteerd en berecht. Jarenlang had Drozdov de illegalen van de KGB opgeleid en erop uitgestuurd.

Grishin had kortstondig contact met hem gehad toen Drozdov in zijn laatste dagen als actief officier de leiding had over het kleine, discrete groepje in Yazenevo dat de vloedgolf van informatie moest analyseren die door Aldrich Ames was aangeleverd. Grishin had de spionnen ondervraagd die dankzij Ames' verraad waren ontdekt.

Ze mochten elkaar niet. Drozdov gaf de voorkeur aan vakmanschap en listigheid boven bruut geweld, terwijl Grishin, die nooit buiten de Sovjetunie was geweest behalve op die korte, weinig geslaagde expeditie naar Oost-Berlijn, een grote afkeer had van de officieren van het Eerste Hoofddirectoraat die jaren in het Westen hadden gezeten en waren 'besmet' met buitenlandse gewoonten. Toch was Drozdov bereid hem te ontvangen in zijn appartement aan de Maroseykastraat.

Grishin legde de vergrote foto voor hem neer. 'Hebt u die man weleens gezien?' vroeg hij.

Tot zijn schrik legde de oude spionagechef zijn hoofd in zijn nek en bulderde van het lachen.

'Gezien? Niet persoonlijk, nee. Maar dat gezicht staat in het geheugen gegrift van iedere agent van mijn generatie die ooit in Yazenevo heeft gewerkt. Weet je echt niet wie dat is?'

'Nee, anders was ik niet hier.'

'Wij noemden hem "De Vos". Nigel Irvine. In de jaren zestig en zeventig heeft hij jarenlang alle operaties tegen ons geleid. Daarna was hij nog zes jaar directeur van de Britse Secret Intelligence Service.'

'Een spion, dus.'

'Een spionagechef,' verbeterde Drozdov hem. 'Dat is niet hetzelfde. En hij was een van de besten die er ooit zijn geweest. Waarom wil je dat weten?'

'Omdat hij gisteren in Moskou was.'

'Lieve god. Weet je ook waarom?'

'Nee,' loog Grishin.

Drozdov keek hem strak aan. Het was duidelijk dat hij de kolonel niet geloofde. 'Wat heb jij daarmee te maken? Je bent al jaren weg. Je hebt nou toch het bevel over die zwarte uniformen, dat gajes van Komarov?'

'Ik ben veiligheidschef van de Unie van Patriottische Krachten, ja,' zei Grishin stijf.

'Precies wat ik zeg,' mompelde de oude generaal en hij bracht Grishin naar de deur.

'Als hij terugkomt, zeg dan dat hij een borrel bij me komt drinken,' riep hij Grishin nog na toen de kolonel vertrok. 'Klootzak,' mompelde hij en deed de deur achter hem dicht.

Grishin drukte zijn tipgevers bij de immigratiedienst op het hart dat hij onmiddellijk gewaarschuwd wilde worden als ene sir Nigel Irvine, alias meneer Trubshaw, ooit weer in Moskou zou opduiken.

De volgende dag gaf Nikolai Nikolayev, gepensioneerd generaal van de Russische landmacht, een interview aan de *Izvestia*, de grootste nationale krant van Rusland. De *Izvestia* vond het een hele coup, want de oude ijzervreter sprak zelden met de pers.

Ogenschijnlijk was het een gesprek ter gelegenheid van de naderende vierenzeventigste verjaardag van de generaal. De journalist informeerde beleefd naar Nikolayevs gezondheid.

De generaal zat kaarsrecht in een leren stoel in een privé-kamer van de officiersclub van de Frunze Academie en antwoordde dat hij in blakende gezondheid was.

'Ik heb mijn eigen tanden nog,' blafte hij. 'Ik lees zonder bril en ik kan langer marcheren dan die melkmuilen van uw eigen leeftijd.'

De journalist, die begin veertig was, geloofde hem onmiddellijk. De fotograaf, een vrouw van halverwege de twintig, staarde hem met ontzag aan. Ze had haar grootvader horen vertellen over de jonge tankcommandant met wie hij vierenvijftig jaar geleden naar Berlijn was opgerukt.

Het gesprek kwam op de toestand van het land.

'Triest,' snauwde Oom Kolya. 'Eén grote rotzooi.'

'Ik neem aan,' probeerde de journalist, 'dat u komende januari op de UPK en Igor Komarov zult stemmen?'

'Op hèm? Nooit van m'n leven,' antwoordde de generaal bits. 'Een stelletje fascisten, dat is het. Nog te smerig om met een gesteriliseerde tang aan te pakken.'

'Dat begrijp ik niet,' zei de journalist, een beetje ontdaan. 'Ik had gedacht...'

'Jongmens, dacht je nou één moment dat ik zou geloven in de valse nationalistische kreten van die Komarov? Ik heb èchte vaderlandsliefde gezien, jongen. Ik heb mannen zien bloeden, goede kerels zien sterven voor hun land. Dan weet je wanneer iemand het méént, begrijp je? Die Komarov is geen patriot. Hij belazert je waar je bij staat.'

'Ik begrijp het,' zei de verslaggever, die het helemaal niet begreep. Hij was totaal op het verkeerde been gezet. 'Maar er zijn toch een heleboel mensen die vinden dat zijn plannen voor Rusland...'

'Zijn plannen voor Rusland zijn één groot bloedbad,' snauwde Oom Kolya. 'En vindt u niet dat er al genoeg bloed is vergoten in dit land? Ik heb er tot aan mijn knieën doorheen moeten waden en ik hoop dat het eindelijk eens afgelopen is. Die man is een fascist. Luister, jongen, ik heb mijn hele leven tegen fascisten gevochten. Bij Kursk, bij Bagration, tot over de Weichsel, helemaal tot aan die bunker zelf.

Duitser of Rus, een fascist is een fascist. Het zijn allemaal...' Hij had een van de veertig Russische woorden voor geslachtsdelen kunnen kiezen, maar omdat er een dame bij was beperkte hij zich tot '*merzavtsi*. Schurken.'

'Maar Rusland moet toch eindelijk worden gezuiverd van al het tuig?' protesteerde de journalist.

'O, er is tuig genoeg, maar niet alleen onder de etnische minderheden. De Russen kunnen er zelf ook wat van. Wat dacht je van die corrupte politici en ambtenaren, die onder één hoedje spelen met de mafia?'

'Maar Komarov wil de misdaad juist aanpakken.'

'Die etterbak van een Komarov wordt *gefinancierd* door de mafia, begrijp je dat niet? Waar dacht je dat al zijn geld vandaan komt? Van de tandenfee? Als hij aan de macht komt, hebben we ons moederland aan de mafia verkocht. Ik zal je zeggen, jongen, geen enkele vent die ooit met trots het uniform van dit land gedragen heeft, hoort zijn stem uit te brengen op dat geboefte in hun zwarte uniformen.'

'Wat is dan de oplossing, volgens u?'

De oude generaal pakte een krant van die dag en wees op de achterpagina.

'Heb je gisteren die priester op de tv gezien?'

'Pater Gregor? De predikant? Nee, waarom?'

'Ik denk dat hij het bij het rechte eind heeft. Wij hebben ons al die jaren vergist. Het wordt tijd om God en de tsaar terug te halen.'

Het interview veroorzaakte een sensatie, niet in de eerste plaats om de inhoud, maar vooral om wíe het had gezegd. Ruslands beroemdste oud-militair had een vernietigend commentaar uitgesproken dat zou worden gelezen door alle officieren en soldaten in het land, en door een groot deel van de twintig miljoen veteranen.

Het vraaggesprek werd in zijn geheel afgedrukt in het weekblad *Ons leger*, de opvolger van *Rode Ster*, dat in alle kazernes in Rusland lag. Uitspraken uit het interview werden in het tv-journaal geciteerd en op de radio herhaald. Maar de generaal weigerde verdere interviews.

In het huis bij de Kiselny Boulevard was Kuznetsov bijna in tranen toen hij tegenover een ijzige Igor Komarov stond.

'Ik begrijp er niets van, meneer de president. Ik begrijp het gewoon niet. Als er één man in dit land was die ik voor een verstokte aanhanger van de UPK en uzelf had gehouden, was het generaal Nikolayev.'

Igor Komarov en Anatoli Grishin, die uit het raam naar de besneeuwde binnenplaats stond te staren, hoorden hem in somber stilzwijgen aan. Daarna ging de jonge propagandachef terug naar zijn kantoor, waar hij de hele dag met de media zat te bellen om de schade zoveel mogelijk te beperken.

Dat viel niet mee. Hij kon Oom Kolya niet afschilderen als een oude man die niet meer wist wat hij zei, want dat was duidelijk niet waar. Zijn enige verdediging was dat de generaal het helemaal verkeerd begrepen had. Maar de vraag waar het geld van de UPK vandaan kwam werd steeds luider, en lastiger te beantwoorden.

De UPK had misschien kunnen terugslaan door het hele volgende nummer van *Ontwaakt!* en het maandblad *Moederland* aan het onderwerp te wijden.

Helaas waren die bladen uit produktie. De nieuwe persen waren nog maar nauwelijks uit Baltimore verscheept.

Op het kantoor van de partijvoorzitter werd de stilte eindelijk verbroken door Komarov.

'Hij heeft het Zwarte Manifest gelezen, nietwaar?'

'Ik denk het wel,' zei Grishin.

'Eerst de persen, toen die geheime besprekingen bij de patriarch en nu dit. Wat is er verdomme aan de hand?'

'We worden gesaboteerd, meneer de president.'

Igor Komarovs stem bleef bedrieglijk kalm, té kalm. Zijn gezicht was doodsbleek en hij had rode blosjes op zijn wangen. Net als wijlen secretaris Akopov was ook Grishin getuige geweest van de woede-uitbarstingen waartoe de fascistische leider in staat was. Zelfs hij was daar bang voor. Toen Komarov weer sprak, was het op fluistertoon.

'Ik heb je in dienst genomen, Anatoli, als mijn rechterhand, als de op één na machtigste man in Rusland. En waarom? Om te voorkomen dat iemand me zou saboteren! Wie zit hierachter?'

'Een Engelsman en een Amerikaan. Irvine en Monk.'

'Twee mensen maar? Is dat alles?'

'Ze hebben steun, meneer de president, dat is duidelijk. En ze hebben het manifest. Dat laten ze nu aan bepaalde mensen lezen.'

Komarov stond op van achter zijn bureau, pakte een zware, ronde liniaal van ebbehout en begon daarmee ritmisch in de palm van zijn linkerhand te slaan. Zijn stem klonk steeds hoger.

'Zoek die mensen dan, Anatoli, en reken met ze af. Probeer erachter te komen wat hun volgende stap is, en zet ze de voet dwars. Luister goed. Op 15 januari, over ruim zes weken, hebben 110 miljoen Russen het recht te bepalen wie hun volgende president zal zijn. Ik zal ervoor zorgen dat ze hun stem op *mij* uitbrengen.

Als er zeventig procent komt opdagen, betekent dat 77 miljoen stemmen. Daarvan heb ik er 40 miljoen nodig. Ik wil in de eerste ronde winnen, zodat er geen tweede ronde nodig is. Een week geleden stond ik in de peilingen nog op 60 miljoen stemmen. Die idioot van een generaal heeft me 10 miljoen stemmen gekost.'

Bij die laatste woorden schoot zijn stem woedend uit. De liniaal zwiepte op en neer, maar nu sloeg Komarov op zijn bureau. Zonder enige waarschuwing begon hij te tieren en te krijsen tegen zijn vijanden en mepte zo hard op de telefoon dat het bakeliet verbrijzelde. Grishin stond als verstijfd. Op de gang was het opeens muisstil, alsof ook de rest van het kantoor aan de grond genageld stond.

'Een of andere geschifte priester heeft een nieuw idee bedacht! De terug-

310

keer van de tsaar! Er zal geen andere tsaar in dit land zijn dan ikzelf. Als ik aan de macht ben, zullen ze ontdekken wat tucht en discipline is. Ik zal de herinnering aan Ivan de Verschrikkelijke doen verbleken!'

Met elk woord liet hij de liniaal neerdalen op de restanten van de telefoon, starend naar de splinters alsof ze de Russen zelf waren, die eindelijk de macht van de knoet leerden kennen.

Opeens verstomde zijn gekrijs en liet hij de liniaal op zijn bureau vallen. Hij haalde een paar keer diep adem, totdat hij zichzelf weer in de hand had. Zijn stem klonk weer normaal, maar zijn handen trilden nog, zodat hij alle tien zijn vingers tegen het bureaublad drukte om ze stil te houden.

'Vanavond zal ik mijn aanhangers toespreken in Vladimir, de grootste bijeenkomst van de hele campagne. Morgen wordt die rede in het hele land uitgezonden. Daarna zal ik elke avond, tot aan de verkiezingen, een toespraak houden. Het geld is al binnen. Dat is mijn werk. De publiciteit laat ik aan Kuznetsov over.'

Hij hief zijn arm op en priemde met zijn wijsvinger naar Grishins gezicht.

'Jóuw werk, Anatoli Grishin, is een eind te maken aan die sabotage!'

Bij die laatste zin schoot zijn stem weer uit. Toen liet de partijleider zich in zijn stoel terugzakken en wuifde Grishin de kamer uit. Zonder een woord liep de kolonel over het tapijt naar de deur en verdween de gang in.

In de tijd van het communisme was er maar één bank geweest, de Narodny of Volksbank. Daarna, met de komst van het kapitalisme, waren de banken als paddestoelen uit de grond geschoten, totdat Rusland er ruim achtduizend telde.

Daar waren heel wat kleintjes bij, die weer snel failliet gingen, met het geld van hun klanten. Andere verdwenen als dieven in de nacht, ook met het geld van de clientèle. De overlevenden leerden het vak in de praktijk, want veel ervaring hadden ze onder het communisme niet gekregen.

Het bankwezen was niet bepaald veilig. In tien jaar tijd waren ruim vierhonderd bankiers vermoord, meestal omdat ze het niet eens waren met gangsters over ongedekte leningen of andere illegale praktijken.

Tegen het einde van de jaren negentig had het aantal banken zich rond de vierhonderd gestabiliseerd. Alleen met de beste vijftig wilde het Westen zaken doen.

De banken concentreerden zich in Sint-Petersburg en vooral in Moskou. Als een ironische spiegel van de georganiseerde misdaad hadden de banken zich ook aaneengesloten in de zogenaamde Top Tien, verantwoordelijk voor tachtig procent van de transacties. In sommige gevallen waren de investeringen zo hoog dat alleen een consortium van twee of drie banken eraan kon beginnen.

De belangrijkste banken in die winter van 1999 waren de Most Bank, de Smolensky Bank en – de grootste van allemaal – de Moskovsky Federale Bank.

Het was het hoofdkantoor van de Moskovsky Bank waar Jason Monk de eerste week van december binnenstapte. Het gebouw was net zo zwaar beveiligd als Fort Knox.

Vanwege de gevaren hadden de directeuren van de grote banken zich omringd met een lijfwacht waar de Amerikaanse president jaloers op kon zijn. Minstens drie van hen hadden hun gezin al naar Londen, Parijs of Wenen laten overbrengen en reisden met een privé-jet heen en weer naar hun kantoor in Moskou. Eenmaal in Rusland werden ze beschermd door een legertje van honderden mensen. De bewaking van de kantoren van de banken vroeg nog duizenden agenten meer.

Wie de directeur van de Moskovsky Bank wilde spreken, moest al dagen van tevoren een afspraak maken. Maar toch lukte het Monk zonder afspraak. Omdat hij iets heel bijzonders bij zich had.

Nadat hij in de hal van de kantoorflat grondig was gefouilleerd en zijn koffertje was doorzocht, mocht hij onder begeleiding naar de VIP-receptie, drie verdiepingen onder de persoonlijke suite van de directeur.

Daar werd de brief die hij bij zich had uitvoerig bestudeerd door een goed verzorgde jonge Rus die vloeiend Engels sprak. Ten slotte vroeg hij Monk om te wachten en verdween door een zware houten deur met een codeslot. Twee gewapende bewakers hielden Monk in de gaten terwijl de minuten voorbij tikten. Tot verbazing van de receptioniste achter de balie kwam de persoonlijke assistent weer terug en vroeg Monk om hem te volgen. Achter de deur werd hij opnieuw gefouilleerd en door een elektronische scanner bekeken. De goed verzorgde Rus maakte zijn excuses.

'Ik begrijp het,' zei Monk. 'Het zijn gevaarlijke tijden.'

Twee verdiepingen hoger werd hij naar een andere wachtkamer gebracht, en even later stapte hij het privé-kantoor van Leonid Grigoryevich Bernstein binnen.

De brief die hij had meegebracht lag op het vloeiblad op het bureau. De bankier was een kleine, brede man met krullend grijs haar, scherpe onderzoekende ogen en een prachtig gesneden houtskoolgrijs pak van Savile Row. Hij stond op en stak zijn hand uit. Toen wees hij Monk een stoel. Monk zag dat de assistent achter in het kantoor bleef zitten, met een duidelijke bobbel onder zijn linker oksel. Misschien had hij aan Oxford gestudeerd, maar Bernstein had hem ook nog een paar lessen laten volgen op de schietbaan van Quantico.

De bankier tikte op de brief. 'Hoe gaat het in Londen? Bent u pas aangekomen, meneer Monk?'

'Een paar dagen geleden,' zei Monk.

De brief was geschreven op bijzonder duur crèmekleurig linnenpapier, met het briefhoofd van de vijf gespleten pijlen die de oorspronkelijke vijf zoons van Mayer Amschel Rothschild uit Frankfurt symboliseerden. Het briefpapier was echt, maar de handtekening van sir Evelyn de Rothschild onderaan was vervalst. Maar er zijn niet veel bankiers die een persoonlijke afgezant van N.M. Rothschild & Sons aan St. Swithin's Lane in Londen niet zullen ontvangen.

'Alles goed met sir Evelyn?' vroeg Bernstein.

'Voor zover ik weet wel,' zei Monk, nu in het Russisch. 'Maar hij heeft die brief niet ondertekend.' Hij hoorde een zacht geritsel achter zich. 'En ik zou het op prijs stellen als uw jonge vriend me niet door mijn rug zou schieten. Ik draag geen kogelvrij vest en ik wil graag blijven leven. Bovendien heb ik geen wapens bij me en ben ik hier niet gekomen met kwade bedoelingen.'

'Waarom dan wel?'

Monk vertelde wat er sinds 15 juli allemaal was gebeurd.

'Onzin,' zei Bernstein ten slotte. 'Ik heb nog nooit zo'n flauwekul gehoord. Ik ken Komarov. Dat moet ook wel, in mijn functie. Hij is mij veel te rechts, maar als u Rusland kent, dan weet u ook dat het beledigen van joden hier niets nieuws is. Iedereen doet het, maar ze hebben allemaal een bank nodig.'

'Beledigingen zijn één ding, meneer Bernstein. Wat ik hier in dit koffertje heb, bevat meer dan alleen beledigingen.'

Bernstein keek hem lang en doordringend aan. 'Dus u hebt het bij u, dat manifest?'

'Ja.'

'Als Komarov wist dat u hier was, wat zou hij dan doen?'

'Me laten vermoorden. Zijn mannen zijn door de hele stad naar me op zoek.'

'Dan hebt u wel lef.'

'Ik heb deze klus aangenomen. Het leek me zinvol, toen ik dat manifest gelezen had.'

Bernstein stak zijn hand uit. 'Laat maar zien.'

Monk gaf hem eerst het onderzoeksrapport. De bankier was eraan gewend om ingewikkelde stukken snel door te lezen. Hij was er in tien minuten mee klaar.

'Drie mannen?'

'Ja. Die oude schoonmaker, secretaris Akopov die zo dom was om het manifest te laten slingeren, en Jefferson, die journalist van wie Komarov dacht dat hij het gelezen had.'

Bernstein drukte op een toets van zijn intercom.

313

'Ludmila, duik eens in het knipselarchief van eind juli, begin augustus, en kijk of je iets kunt vinden over een zekere Akopov, een Rus, en een Engelse journalist die Jefferson heet. Die eerste naam kun je misschien ook in de rouwadvertenties vinden.'

Hij keek naar zijn computer toen even later de microfiches op het scherm verschenen. Hij bromde wat.

'Ja, die zijn dood. En u straks ook, meneer Monk, als ze u te pakken krijgen.'

'Ik hoop van niet.'

'Nou, omdat u het risico hebt genomen, zal ik Komarovs geheime plannen met ons maar eens lezen.'

Weer stak hij zijn hand uit. Monk gaf hem het dunne zwarte dossier. Bernstein begon te lezen. Eén bladzij las hij een paar keer opnieuw. Zonder op te kijken zei hij: 'Ilya, je kunt gaan. Het is in orde, jongen.'

Monk hoorde de deur dichtvallen achter de assistent. Ten slotte keek de bankier op en staarde Monk aan. 'Dit kan hij niet menen.'

'Volledige vernietiging? Dat is al eens eerder geprobeerd, meneer.'

'En wonen miljoenen joden in Rusland, meneer Monk.'

'Dat weet ik. Tien procent kan het zich veroorloven om te vluchten.'

Bernstein stond op en liep naar de ramen die uitkeken over het witte landschap van de Moskouse daken. Het glas had een lichte groene tint en was ruim twaalf centimeter dik. Het kon een anti-tankgranaat weerstaan.

'Dit kan hij niet menen.'

'Wij denken van wel.'

'Wij?'

'De mensen die me hebben gestuurd. Een machtige, invloedrijke groep. Maar van deze man zijn ze toch geschrokken.'

'Bent u joods, meneer Monk?'

'Nee, meneer.'

'Dan hebt u geluk. Komarov gaat die verkiezingen winnen, is het niet? Hij heeft een geweldige voorsprong in de peilingen.'

'Die begint te slinken. Hij is fel bekritiseerd door generaal Nikolayev. Dat kan enig effect hebben. En ik hoop dat de Orthodoxe Kerk nog een rol zal spelen. Misschien kunnen we hem nog tegenhouden.'

'De Kerk? Vergeet het maar. Dat zijn geen vrienden van de joden, meneer Monk.'

'Nee, maar de Kerk komt er bij Komarov ook niet gunstig af.'

'Dus u mikt op een monsterverbond?'

'Zoiets. De Kerk, het leger, de banken, de etnische minderheden. Alle kleine beetjes helpen. Hebt u de artikelen over die rondtrekkende priester gelezen? Die de tsaar wil terughalen?'

'Ja. Klinkklare onzin, als je het mij vraagt. Maar beter een tsaar dan een

314

nazi. Wat wilt u van mij, meneer Monk?'
'Ik? Niets. De keus is aan u. U bent voorzitter van een consortium van vier banken dat de meerderheid heeft in de twee commerciële tv-zenders. U hebt uw Grumman op het vliegveld staan?'
'Ja.'
'Het is maar twee uur vliegen naar Kiev.'
'Waarom Kiev?'
'Voor een bezoek aan Babi Yar.'
Leonid Bernstein draaide zich bliksemsnel bij het raam vandaan. 'Vertrekt u maar, meneer Monk.'
Monk pakte zijn twee dossiers van het bureau en stak ze in het platte leren koffertje waarin hij ze had meegenomen.
Hij wist dat hij te ver was gegaan. Babi Yar is een ravijn in de buurt van Kiev. Tussen 1941 en 1943 werden honderdduizend burgers met machinegeweren doodgeschoten bij het ravijn, zodat hun lichamen over de rand naar beneden stortten. Er waren *kommissars* en andere communistische functionarissen bij, maar vijfennegentig procent bestond uit Oekraïense joden.
Monk was al bij de deur toen Leonid Bernstein vroeg: 'Bent u er zelf ooit geweest, meneer Monk?'
'Nee, meneer.'
'Wat hebt u erover gehoord?'
'Dat het een trieste, troosteloze plek is.'
'Ik ben er wel geweest. Het is iets verschrikkelijks. Goedendag, meneer Monk.'

De kleine kamer van dr. Lancelot Probyn op het kantoor van het College of Arms in Queen Victoria Street was volgestouwd met paperassen. Elke horizontale ruimte werd in beslag genomen door stapels papieren, ogenschijnlijk zonder enig systeem. Maar de genealoog wist er wel de weg in.
Toen sir Nigel Irvine werd binnengelaten, sprong dr. Probyn overeind, veegde het hele Huis Grimaldi tegen de vloer en bood zijn bezoeker de stoel aan die zo was vrijgekomen.
'Hoe staat het met de opvolging?' vroeg Irvine.
'De troon van de Romanovs? Niet zo best, zoals ik al dacht. Er is één kandidaat met redelijke aanspraken, maar hij wil niet, één man die graag wil maar om twee redenen afvalt, en een Amerikaan die nog nooit is benaderd en ook geen kans heeft.'
'Dat klinkt niet gunstig,' zei Irvine. Dr. Probyn zat heen en weer te wippen op zijn stoel, en zijn oogjes glinsterden. Hij was duidelijk in zijn element. Dit was zijn wereld, de wereld van stambomen, onderlinge huwelijken en vreemde reglementen.

'Laten we maar beginnen met de bedriegers,' zei hij. 'U herinnert zich Anna Anderson nog wel? Dat was de vrouw die haar hele leven beweerde dat zij groothertogin Anastasia was, die het bloedbad van Jekaterinenburg had overleefd. Allemaal gelogen. Ze is nu dood, maar DNA-proeven hebben ten slotte aangetoond dat ze een bedriegster was.

Een paar jaar geleden is er nog iemand overleden, die zichzelf groothertog Alexei noemde. Hij bleek een oplichter uit Luxemburg te zijn. Dus blijven er nog drie over die zo nu en dan in de pers worden genoemd, meestal foutief. Hebt u ooit gehoord van prins Georgi?'

'Helaas niet, dr. Probyn.'

'Geeft niet. Hij is een jongeman die al jarenlang door Europa en Rusland wordt meegesleept door zijn vreselijk ambitieuze moeder, groothertogin Maria, de dochter van wijlen groothertog Vladimir.

Vladimir zelf had misschien nog rechten als achterkleinzoon van een regerend vorst, hoewel zijn kansen aanmerkelijk waren verkleind omdat zijn moeder geen lid van de Orthodoxe Kerk was toen hij werd geboren – en dat is een van de voorwaarden.

Hoe dan ook, zijn dochter Maria had nooit zijn opvolgster kunnen zijn, ook al beweerde ze van wel. Vanwege de Paulinische wet, natuurlijk.'

'En dat is?'

'Een wet die door Paulus is geformuleerd. Behalve in uitzonderlijke omstandigheden verloopt de opvolging altijd via de mannelijke lijn. Dochters tellen niet mee. Heel seksistisch, maar zo is het altijd geweest. Dus groothertogin Maria is in feite prinses Maria, en haar zoon Georgi komt niet in aanmerking. De Paulinische wet bepaalt namelijk dat ook de zoons van dochters niet meetellen.'

'Dus het is een schot in het duister?'

'Precies. Heel ambitieus, maar ze hebben geen werkelijke aanspraken.'

'U had het ook over een Amerikaan, dr. Probyn?'

'Ja. Dat is een merkwaardig verhaal. Vóór de revolutie had Nicolaas II nog een oom, groothertog Paul, de jongste broer van zijn vader.

Toen de bolsjevieken kwamen, vermoordden ze de tsaar, zijn broer en zijn oom Paul. Maar Paul had een zoon, de neef van de tsaar, dus. Toevallig was die onbesuisde jongeman, groothertog Dmitri, betrokken geweest bij de moord op Raspoetin. Daarom was hij verbannen naar Siberië op het moment dat de bolsjevieken toesloegen. Dat was zijn redding. Hij vluchtte via Shanghai en kwam in Amerika terecht.'

'Dat verhaal kende ik niet,' zei Irvine. 'Ga door.'

'Dmitri trouwde in Amerika en kreeg een zoon, Paul, die als majoor in het Amerikaanse leger in Korea vocht. Hij trouwde ook en kreeg twee zoons.'

'Dat lijkt me een vrij zuivere mannelijke lijn. Wilt u zeggen dat de ware tsaar een Amerikaan is?' vroeg Irvine.

'Dat wordt wel beweerd, maar het is niet zo,' zei Probyn. 'Dmitri trouwde namelijk met een gewone Amerikaanse vrouw, net als zijn zoon Paul. Volgens reglement 188 van het Keizerlijk Huis verspelen nakomelingen hun rechten op de troon als ze beneden hun stand trouwen. Die regel is later wat versoepeld, maar niet voor groothertogen. Dus Dmitri's huwelijk was morganatisch, zoals dat heet. Zijn zoon, die in Korea heeft gevochten, kan hem niet opvolgen, evenmin als zijn twee kleinkinderen, die ook uit een "gewoon" huwelijk zijn geboren.'

'Dus die vallen af.'

'Ik ben bang van wel. Niet dat ze ooit veel interesse hebben getoond. Ze wonen in Florida, geloof ik.'

'Wie blijft er dan over?'

'De laatste kandidaat, met de beste aanspraken: prins Semyon Romanov.'

'Is hij familie van de vermoorde tsaar? Niet via dochters? En niet beneden zijn stand getrouwd?'

'Nee, die problemen heeft hij niet. Maar de verwantschap gaat wel een heel eind terug. Vier tsaren, maar liefst. Nicolaas II volgde zijn vader, Alexander III, op. Die was weer een zoon van Nicolaas I. Deze Nicolaas had ook een jongere zoon, groothertog Nicolaas, die nooit tsaar is geworden. Zijn zoon Peter had een zoon die Kyrill heette. Semyon is een zoon van Kyrill.'

'Dus vanaf de vermoorde tsaar moet je drie generaties teruggaan, naar zijn betovergrootvader, dan zijwaarts naar een jongere zoon, en dan vier generaties omlaag voordat je bij Semyon komt.'

'Precies.'

'Dat is nogal wat, dr. Probyn.'

'Ja. Een hele afstand. Maar zo werkt dat, met stambomen. Technisch gesproken is Semyon dus de belangrijkste troonpretendent. Maar dat is theorie, want er zijn ook praktische bezwaren.'

'Zoals?'

'Om te beginnen is hij boven de zeventig. Dus zelfs als hij op de troon zou komen, heeft hij niet lang meer te leven. Bovendien heeft hij geen kinderen, dus zouden de Romanovs met hem uitsterven en kan Rusland weer opnieuw beginnen. In de derde plaats heeft hij vaak genoeg verklaard dat hij geen belangstelling heeft.'

'Dus daar schieten we niet veel mee op,' beaamde sir Nigel.

'Het is zelfs nog erger. Hij is altijd een wilde jongen geweest, dol op snelle auto's, de Rivièra en jonge meiden – meestal dienstmeisjes. Dat heeft tot drie gebroken huwelijken geleid. En het allerergste is dat hij volgens de geruchten vals speelt bij backgammon.'

'Goeie god.' sir Nigel Irvine was oprecht geschokt. Een wipje met het personeel was nog tot daaraan toe, maar vals spelen bij backgammon...

'Waar woont hij nu?'

'Op een appelboerderij in Normandië. Daar teelt hij appels voor de calvados.'

Sir Nigel Irvine dacht een tijdje na. Dr. Probyn keek begripvol.

'Als Semyon in het openbaar heeft verklaard dat hij geen ambitie heeft om de troon te bestijgen, verspeelt hij daardoor dan zijn wettige aanspraken?'

Dr. Probyn blies zijn wangen op. 'Dat denk ik wel, tenzij het herstel van de monarchie een reële mogelijkheid lijkt. Dan verandert hij misschien van gedachten. Al die snelle auto's en knappe dienstmeisjes...'

'Maar als we Semyon buiten beschouwing laten, wie blijft er dan over? Waar komt het dan concreet op neer?'

'Sir Nigel, als de Russen de monarchie herstellen, kunnen ze iedereen als tsaar kiezen die ze maar willen. Daar komt het op neer.'

'Is het ooit voorgekomen dat er een buitenlander werd gekozen?'

'O, zo vaak. Hier in Engeland is dat zelfs drie keer gebeurd. Toen Elizabeth I ongetrouwd – maar niet onbevlekt – overleed, hebben wij Jacobus VI van Schotland uitgenodigd om Jacobus I van Engeland te worden. Drie koningen later gooiden we Jacobus II eruit en vroegen we de Hollandse stadhouder Willem van Oranje om de troon over de nemen. Toen koningin Anne kinderloos stierf, werd George van Hannover gevraagd om de troon te bestijgen als George I. Terwijl hij nauwelijks een woord Engels sprak.'

'En op het vasteland van Europa?'

'Daar ook. In Griekenland al twee keer. In 1833, nadat ze zich van de Turken hadden bevrijd, hebben de Grieken Otto van Beieren als koning van Griekenland gekozen. Maar hij was geen succes, dus hebben ze hem in 1862 weer afgezet en prins Willem van Denemarken gevraagd het over te nemen als George I. In 1924 riepen ze de republiek uit, in 1935 werd de monarchie hersteld, maar in 1973 weer afgeschaft. Ze weten niet wat ze willen.

De Zweden zaten een paar honderd jaar geleden ook met de handen in het haar, daarom vroegen ze de Napoleontische generaal Bernadotte als hun koning. Dat ging goed. Zijn nakomelingen zitten nog steeds op de troon.

En in 1905 werd prins Karel van Denemarken gevraagd om koning van Noorwegen te worden als Haakon VII. Zijn nazaten vormen nog steeds het Noorse vorstenhuis. Als je een lege troon hebt en je zoekt een koning, is het soms geen slecht idee om een geschikte buitenlander te vragen in plaats van een waardeloze landgenoot.'

Sir Nigel zweeg een tijdje, in gepeins verzonken. Dr. Probyn begreep inmiddels wel dat Irvine een bedoeling had met dit gesprek.

'Mag ik iets vragen?' zei de Herald.

'Natuurlijk.'

'Als er in Rusland ooit sprake zou zijn van het herstel van de monarchie, hoe zouden de Verenigde Staten dan reageren? Ik bedoel, zij hebben de touwtjes van de beurs in handen. Zij zijn de enig overgebleven supermacht.'

'De Amerikanen zijn traditioneel anti-monarchistisch,' gaf Irvine toe, 'maar ze zijn niet gek. In 1918 was Amerika de belangrijkste kracht achter de verbanning van de Duitse keizer. Dat leidde tot het chaotische vacuüm van de Weimar Republiek en de opkomst van Adolf Hitler. De gevolgen zijn bekend. In 1945 heeft Uncle Sam met opzet geen eind gemaakt aan het Japanse keizerhuis. Het gevolg? Al vijftig jaar is Japan de meest stabiele democratie in Azië, anticommunistisch en een vriend van Amerika. Als de Russen weer een monarchie zouden willen, zal Washington ze niet tegenhouden.'

'Maar dan zou het wel de wens van het héle Russische volk moeten zijn. Na een volksraadpleging.'

Sir Nigel knikte. 'Ja, dat is waar. Een besluit van de Doema alleen is niet voldoende. Dan zou er een vermoeden van corruptie kunnen ontstaan. Nee, de hele natie zou erachter moeten staan.'

'En wie hebt u dan in gedachten?'

'Dat is het probleem, dr. Probyn. Niemand. Een playboy of een rondreizende troonpretendent met wankele aanspraken lijkt me geen goede keus. Laten we het eens anders benaderen, als u het goed vindt. Wat voor kwaliteiten zou een nieuwe tsaar moeten bezitten?'

De ogen van de Herald glinsterden. 'Dat is een leuke vraag. Leuker dan de rest van mijn werk. Om te beginnen, hoe oud zou hij moeten zijn?'

'Tussen de veertig en de zestig, denkt u niet? Het is geen baan voor een tiener of een bejaarde. Ervaren, maar niet oud. Wat nog meer?'

'Het moet een prins uit een regerend vorstenhuis zijn, die zich naar zijn positie weet te gedragen,' vond Probyn.

'Een Europees vorstenhuis?'

'O, zeker. Ik denk niet dat de Russen een Afrikaan, een Arabier of een Aziaat zouden willen.'

'Nee. Een blanke prins dus, dr. Probyn.'

'Verder moet hij een wettige zoon hebben die nog in leven is, en moeten ze zich allebei bekeren tot de Russisch-Orthodoxe Kerk.'

'Dat valt te regelen.'

'Maar er is één grote moeilijkheid,' zei Probyn. 'Zijn moeder moet op het moment van zijn geboorte lid van de Russisch-Orthodoxe Kerk zijn geweest.'

'Oké. Verder nog iets?'

'Koninklijk bloed van vaders- en moederskant, bij voorkeur Russisch aan een van beide kanten.'

'En een hoge of voormalige legerofficier. De steun van het Russische officierenkorps zou van groot belang zijn. Ik weet niet wat ze van een boekhouder zouden vinden.'

'U bent nog één ding vergeten,' zei Probyn. 'Hij moet ook vloeiend Russisch spreken. George I sprak alleen Duits, Bernadotte uitsluitend Frans. Maar die tijden zijn voorbij. Tegenwoordig hoort een vorst zijn volk toe te spreken. De Russen zouden niet blij zijn met een speech in het Italiaans.'

Sir Nigel Irvine stond op en haalde een velletje papier uit zijn borstzak. Het was een cheque met een genereus bedrag.

'Nou nou, dat is heel vriendelijk van u,' zei de Herald.

'Ik neem aan dat het College hoge kosten heeft, mijn waarde doctor. Ach, doet u me een plezier...'

'Als ik kan.'

'Kijkt u nog eens rond. Loopt u de Europese vorstenhuizen eens na om te zien of u iemand kunt vinden die aan al die voorwaarden voldoet.'

Acht kilometer ten noorden van het Kremlin, in de voorstad Kashenkin Lug, ligt het complex van televisiestudio's van waaruit alle Russische tv-programma's worden uitgezonden.

Aan weerskanten van de Boulevard Akademika Korolova liggen het binnenlandse tv-centrum en de internationale studio's. Driehonderd meter verderop verheft zich de tv-mast van Ostankino-tv, het hoogste punt van Moskou.

De staats-tv, grotendeels onder controle van de zittende regering, maakt gebruik van deze zender, evenals de twee onafhankelijke of commerciële tv-zenders die uit reclame worden betaald. Ze zitten in dezelfde gebouwen, maar op verschillende verdiepingen.

Boris Kuznetsov werd afgezet door een Mercedes met een UPK-chauffeur. Hij had de videofilm bij zich van de indrukwekkende partijbijeenkomst in Vladimir waar Igor Komarov een dag eerder zijn toespraak had gehouden.

Gemonteerd en geredigeerd door de jonge, briljante regisseur Litvinov was het een meesterwerkje geworden. Tegenover een wild enthousiaste menigte had Komarov de rondtrekkende pater Gregor – die de terugkeer van God en de tsaar predikte – met de grond gelijk gemaakt en de opmerkingen van de oude generaal Nikolayev met enig verdriet en nauw verholen sarcasme naar het rijk van de fabeltjes verwezen.

'Een man van gisteren, met de hoop van gisteren,' riep hij tot zijn aanhangers. 'Maar wij, mijn vrienden, jullie en ik, moeten aan morgen denken, want de toekomst behoort aan ons!'

Er waren vijfduizend mensen geweest, een aantal dat door Litvinovs handige camerawerk drie keer zo groot leek. Omdat de reportage nationaal werd uitgezonden, ondanks de dure zendtijd van de commerciële stations, zou Komarov geen vijfduizend maar vijftig miljoen Russen bereiken – een derde van de hele bevolking.

Kuznetsov werd meteen naar het kantoor van de chef programmering van het grootste commerciële station gebracht, een man die hij als een persoonlijke vriend beschouwde en van wie hij wist dat het een aanhanger van Igor Komarov en de UPK was. Hij legde de cassette op het bureau van Anton Gurov.

'Het was geweldig,' zei hij enthousiast. 'Ik ben erbij geweest. Je zult ervan genieten.'

Gurov speelde met zijn pen.

'En ik heb nog beter nieuws voor je. Een groot contract. Boter bij de vis. Voorzitter Komarov wil elke avond de natie toespreken, tot aan de dag van de verkiezingen. Denk je eens in, Anton, het grootste contract dat dit station ooit heeft gehad. En dat mag jij op je conto schrijven.'

'Boris, ik ben blij dat je persoonlijk bent gekomen. Ik vrees dat er iets gebeurd is.'

'O, toch geen technische problemen? Houdt dat nooit eens op?'

'Nee, het is niet technisch. Hoor eens, je weet dat ik voor Komarov door het vuur zou gaan.'

Als chef programmering wist Gurov precies welke rol de televisie, het belangrijkste medium van de moderne maatschappij, in de verkiezingscampagnes speelde.

Alleen Engeland, met zijn BBC, probeerde nog objectief verslag te doen via de publieke netten. In alle andere landen van West- en Oost-Europa gebruikten de zittende regeringen de nationale zenders om hun eigen politiek te ondersteunen. Dat was al jaren zo.

In Rusland besteedde de staats-tv veel aandacht aan de campagne van waarnemend president Ivan Markov. De andere twee kandidaten werden maar sporadisch genoemd, en alleen binnen de context van een droog nieuwsbericht.

Die andere twee kandidaten (de rest was inmiddels afgevallen) waren Gennady Zjoeganov van de neo-communistische Socialistische Unie en Igor Komarov van de Unie van Patriottische Krachten.

Zjoeganov had grote problemen met het financieren van zijn campagne, terwijl Komarov blijkbaar geld genoeg had. En met dat geld had Komarov, op de Amerikaanse wijze, publiciteit gekocht op de twee commerciële kanalen. Zo kon hij voorkomen dat iemand zijn reportages censureerde of monteerde. Gurov had maandenlang met plezier de avonduren vrijgemaakt voor integrale uitzendingen van Komarovs toespraken en partijbijeenkomsten. Want Gurov was niet achterlijk en wist dat er heel wat ontslagen zouden vallen bij de staats-tv als Komarov de verkiezingen won. Daar zou de nieuwe president wel voor zorgen. Maar wie hem al die tijd had gesteund, kon rekenen op promotie.

Kuznetsov keek hem verbaasd aan. Er was duidelijk iets helemaal mis.

'Het punt is, Boris, dat de politiek gewijzigd is. Door de directie. Ik kan er niks aan doen, begrijp me goed. Ik ben de boodschappenjongen, meer niet. Dit is een besluit van hogerhand, een besluit van de stratosfeer, zeg maar.'

'Waar heb je het over, Anton? Wat voor een wijziging?'

Gurov schoof ongemakkelijk heen en weer op zijn stoel en vervloekte voor de zoveelste keer de manager die hem hiermee had opgezadeld.

'Je weet natuurlijk, Boris, dat wij net als alle bedrijven een groot krediet hebben bij de banken. Als puntje bij paaltje komt, hebben zij dus een dikke vinger in de pap. Zij zijn de baas. Normaal bemoeien ze zich nergens mee. We maken redelijke winsten. Maar... ze hebben opeens de geldkraan dichtgedraaid.'

Kuznetsov was geschokt. 'Verdomme, Anton, dat spijt me. Wat lullig voor je.'

'Nou, voor mij niet, Boris.'

'Maar als het station failliet gaat...'

'Nee, zo ligt het niet helemaal. Het station kan wel blijven draaien, maar onder één voorwaarde.'

'Wat dan?'

'Hoor eens, kerel, ik sta hier dus helemaal buiten. Als het aan mij lag, zou ik vierentwintig uur per dag reportages over Komarov uitzenden, maar...'

'Maar wàt? Zeg het nou, man!'

'Oké. Het station zendt geen toespraken van Komarov of reportages over zijn partijbijeenkomsten meer uit. Dat heeft de directie besloten.'

Kuznetsov liep rood aan en sprong overeind. 'Je bent niet goed wijs, verdomme! Wij betálen voor die zendtijd, vergeet dat niet! Dit is een commercieel station. Je kunt ons geld niet weigeren.'

'Blijkbaar wel.'

'Maar hier hebben we vooraf voor betaald.'

'Het schijnt dat jullie je geld terugkrijgen.'

'Dan ga ik wel naar de concurrent. Jullie zijn niet het enige commerciële station in deze stad. Ik heb je altijd graag onze klandizie gegund, Anton, maar dat is nu afgelopen.'

'Boris, die zijn in handen van dezelfde banken.'

Kuznetsov ging weer zitten. Zijn knieën trilden. 'Wat is er verdomme aan de hand?'

'Ze hebben iemand onder druk gezet, dat is het enige wat ik weet. Verder begrijp ik het ook niet. Maar gisteren maakte de directie het besluit bekend.

We zenden de komende dertig dagen geen reportages over Komarov meer uit, anders draaien de banken ons de nek om.'

Kuznetsov keek hem aan. 'Dat is heel wat zendtijd die jullie opeens moeten vullen. Wat wil je nou uitzenden? Dansende Kozakken?'

'Nee, dat is juist zo raar. In plaats van Komarov brengen we nu reportages over de bijeenkomsten van die priester.'

'Welke priester?'

'Je weet wel, die evangelist. Die de mensen oproept om zich tot God te wenden.'

'God en de tsaar,' mompelde Kuznetsov.

'Dat is hem.'

'Pater Gregor.'

'Juist. Ik heb geen flauw idee wat erachter steekt, maar...'

'Jullie zijn gek! Die man heeft geen rooie cent.'

'Nou, daar vergis je je in. Het geld is al geregeld. Dus we brengen hem nu in het nieuws en in de actualiteitenshows. Hij heeft een prachtig zendschema. Wil je het zien?'

'Nee, ik wil het niet zien! Sodemieter op!'

En met die woorden stormde Kuznetsov het kantoor uit. Hij wist niet hoe hij zijn idool en leider dit nieuws zou moeten vertellen. Maar een vermoeden waar hij al drie weken mee rondliep begon nu vaste grond te krijgen. Komarov en Grishin hadden een veelzeggende blik gewisseld toen hij hun had verteld over de aanslag op de drukpersen en het interview met de oude generaal. Zij wisten meer dan hij. Maar één ding stond vast. De zaak dreigde volkomen fout te gaan.

Die avond, aan de andere kant van Europa, werd sir Nigel Irvine gestoord onder het eten. De bediende van de club reikte hem de telefoon aan.

'Een dr. Probyn, sir Nigel.'

De vrolijke stem van de Herald meldde zich vanuit zijn kantoor. Blijkbaar zat hij nog laat te werken.

'Ik geloof dat ik uw man gevonden heb.'

'Uw kantoor, morgenochtend om tien uur? Uitstekend.'

Sir Nigel gaf de telefoon terug aan de bediende, die op discrete afstand had staan wachten.

'Ik geloof dat dit om een fles port vraagt, Trubshaw. Haal de beste maar uit de kelder.'

16

In Rusland valt de militia of politie onder het gezag van het ministerie van Binnenlandse Zaken, de MVD.

Zoals bij de meeste politie-organisaties zijn er twee hoofdafdelingen: de federale politie en de plaatselijke of regionale korpsen.

De regio's worden *oblasts* genoemd. De grootste is de oblast Moskou, een enorm gebied dat de hele hoofdstad en het omringende platteland omvat, te vergelijken met het Amerikaanse District of Columbia rondom Washington, plus een derde van Virginia of Maryland.

In Moskou is dus zowel de federale militia als de politie van Moskou zelf gevestigd, maar in verschillende gebouwen. Anders dan in het Westen heeft het Russische ministerie van Binnenlandse Zaken ook een eigen leger, een troepenmacht van 130.000 zwaarbewapende MVD-soldaten, bijna even groot als het reguliere leger dat onder het ministerie van Defensie valt.

Kort na de val van het communisme deed de georganiseerde misdaad zo openlijk en brutaal een greep naar de macht, dat Boris Jeltsin gedwongen was om hele divisies van de federale en plaatselijke politie tegen de mafia in te zetten.

De federale militia moest de misdaad in het hele land bestrijden, maar de criminaliteit in Moskou was zo slagvaardig, vooral op economisch gebied, dat de Moskouse Afdeling ter Bestrijding van de Georganiseerde Misdaad, de GUVD, bijna net zo groot was als de federale afdeling.

De GUVD boekte maar matig succes, totdat de leiding halverwege de jaren negentig werd overgenomen door generaal Valentin Petrovsky, de nieuwe voorzitter van het college van bestuur. Hij kwam van buiten Moskou, uit de industriestad Nizhny Novgorod, waar hij zijn reputatie had gevestigd als een onverzettelijke en onkreukbare politieman. Net als Elliott Ness erfde hij in Moskou een situatie die vergelijkbaar was met die in Chicago in de tijd van Al Capone.

Maar anders dan de leider van de *Untouchables* had hij heel wat meer vuurkracht en hoefde hij zich om veel minder burgerrechten te bekommeren.

Hij begon zijn bewind door een stuk of tien hoge officieren te ontslaan die te nauwe banden met de onderwereld hadden, zoals hij het uitdrukte. 'Te nauwe banden?' riep de FBI-verbindingsofficier op de Amerikaanse ambassade. 'Ze staan goddomme bij de mafia op de loonlijst!'

Petrovsky onderwierp heimelijk een aantal hogere rechercheurs aan een test om te zien of ze smeergeld aanpakten. Wie daar niet op inging, kreeg pro-

motie en salarisverhoging. Zodra hij een betrouwbaar kader had opgebouwd, verklaarde hij de oorlog aan de georganiseerde misdaad. Zijn speciale eenheid werd in de onderwereld meer gevreesd dan enige andere poli-
tiemacht uit het verleden, en Petrovsky kreeg al gauw de bijnaam 'Molotok'
of 'de Hamer'.

Maar zoals alle integere politiemensen had hij ook vaak het nakijken. Het
gezwel was te wijd vertakt. De mafia had vrienden op hoge posten, waardoor te veel criminelen met een grijns op hun gezicht de rechtszaal weer
konden verlaten.

Dat was de reden waarom Petrovsky niet al te kieskeurig was in zijn arrestaties. De rechercheurs van de federale en plaatselijke politie konden rekenen
op de steun van gewapende troepen. De sterke arm van de federalen stond
bekend als de OMON, Petrovsky's eigen mobiele eenheid was de SOBR.

In het begin leidde Petrovsky de razzia's nog persoonlijk, zonder enige
waarschuwing vooraf, om lekken te voorkomen. Als de boeven zonder verzet meegingen, kregen ze een proces. Als iemand onder zijn oksel tastte,
bewijzen wilde vernietigen of probeerde te vluchten, wachtte Petrovsky tot
de actie voorbij was, zei dan 'tut tut' en liet de lijkzakken aanrukken.

In 1998 begreep hij dat de grootste en meest ondoordringbare bende werd
gevormd door de Dolgoruki, die hun basis in Moskou hadden maar het
grootste deel van Rusland ten westen van de Oeral controleerden. Het was
een immens rijke organisatie, die met haar geld veel invloed kon kopen.
Twee jaar lang voerde Petrovsky een persoonlijke vendetta tegen de bende
en de Dolgoruki konden zijn bloed wel drinken.

Umar Gunayev had Monk tijdens hun eerste gesprek al gezegd dat hij geen
valse papieren nodig had. In Rusland kon je voor geld gewoon de originelen
kopen. Begin december nam Monk de proef op de som.

Voor de vierde keer wilde hij zich onder valse voorwendsels toegang ver-
schaffen tot een vooraanstaande Rus. Maar de vervalste brief van de metropoliet Anthony van de Russisch-Orthodoxe Kerk in Londen was van tevoren geprepareerd, net als de zogenaamde brief van het Huis Rothschild.
Generaal Nikolayev had hem niet naar een legitimatie gevraagd. Het uniform van een officier van de generale staf was voldoende geweest. Generaal
Valentin Petrovsky, die dagelijks voor zijn leven moest vrezen, werd veel
strenger bewaakt.

Waar de Tsjetsjeense leider de papieren vandaan had, vroeg Monk niet,
maar ze zagen er goed uit. Ze waren voorzien van een foto van Monk met
zijn kortgeknipte blonde haar en ze identificeerden hem als een kolonel van
de militia bij de persoonlijke staf van het Eerste Plaatsvervangend Hoofd,
Federaal Directoraat Bestrijding Georganiseerde Misdaad, ministerie van

Binnenlandse Zaken. Als zodanig zou Petrovsky hem niet persoonlijk kennen, maar was hij wel een collega van de federale dienst.

Een van de dingen die niet waren veranderd na de val van het communisme was de Russische gewoonte om hele flatgebouwen te reserveren voor hoge officieren van dezelfde beroepsgroep. In het Westen wonen politici, ambtenaren en hoge officieren meestal verspreid door de stad, maar in Moskou kozen ze vaak voor een gratis appartement in een van de woonwijken van de staat.

Dat kwam vooral omdat het post-communistische Rusland die appartementen gewoon van het vroegere Centrale Comité had overgenomen en er fraaie woningen van had gemaakt. Een groot aantal van deze flatgebouwen stonden en staan aan de noordkant van Kutuzovsky Prospekt, waar Brezjnev en de meeste leden van het politburo ooit woonden. Petrovsky had een flat op de op één na hoogste verdieping aan Kutuzovsky Prospekt, in een gebouw waar nog een stuk of tien andere hoge officieren van de militia woonden.

Dat al deze mensen met hetzelfde beroep hier op een kluitje woonden, had in elk geval één voordeel. Gewone burgers zouden al gauw genoeg hebben gekregen van de strenge beveiliging. De generaals van de militia begrepen de noodzaak maar al te goed.

De auto waar Monk die avond mee vertrok, op duistere wijze gestolen of 'geleend' door Gunayev, was een originele zwarte Chaika van de MVD. Monk stopte bij de slagboom voor de binnenplaats van het flatgebouw. De OMON-wachtpost kwam naar de auto toe en gebaarde naar Monk dat hij het raampje omlaag moest draaien. Een andere bewaker hield de wagen met zijn machinepistool onder schot.

Monk liet zijn legitimatie zien, en het adres waar hij moest zijn. Hij hield zijn adem in. De bewaker bestudeerde de papieren, knikte toen en liep naar zijn hokje om te bellen. Even later kwam hij terug.

'Generaal Petrovsky wil weten waar u voor komt.'

'Zeg tegen de generaal dat ik papieren bij me heb van generaal Chebotaryov. Het is dringend,' zei Monk. Chebotaryov was zogenaamd zijn chef. De OMON-bewaker liep terug naar de telefoon. Toen knikte hij naar zijn collega en de slagboom ging omhoog. Monk parkeerde op een vrije plek en stapte naar binnen.

Er stond een wachtpost achter de balie op de begane grond, maar de man wuifde hem door. Voor de lift op de achtste verdieping stonden nog twee bewakers. Ze fouilleerden hem, openden zijn koffertje en bestudeerden zijn legitimatie. Toen zei een van hen iets door een intercom naast de deur, die pas tien seconden later openging. Monk wist dat iemand hem door het kijkgaatje had bekeken.

Het was een bediende in een wit jasje, met een postuur en een houding die duidelijk maakten dat hij heel wat meer kon dan thee serveren. Pas daarna werd de sfeer wat huiselijker. Een meisje kwam uit de woonkamer rennen, keek hem aan en zei: 'Dit is mijn pop.' Ze hield een blonde pop in een nachtjapon omhoog.

Monk lachte. 'Wat een mooie pop. En hoe heet jij?'

'Tatiana.'

Een vrouw van achter in de dertig verscheen, glimlachte verontschuldigend en nam het kind mee. Achter haar dook een man in hemdsmouwen op, die zijn mond afveegde alsof hij onder het eten was gestoord.

'Kolonel Sorokin?'

'Jawel, meneer.'

'Vreemde tijd voor een bezoek.'

'Het spijt me. Er is haast bij. Maar ik wil wel even wachten tot u hebt gegeten.'

'Nee, ik was juist klaar. Bovendien is het tijd voor de tekenfilms op de televisie, dus ik wilde al vluchten. Komt u mee.'

Hij ging Monk voor naar een studeerkamer verderop in de gang. In het fellere licht zag Monk dat de boevenjager niet ouder was dan hijzelf en net zo fit.

Drie keer, tegenover de patriarch, de generaal en de bankier, had hij meteen gezegd dat hij met een smoes was binnengedrongen. Dat hadden ze met veel moeite geaccepteerd. Als hij dat nu weer zou doen, was de kans groot dat de generaal eerst zou schieten en dan pas vragen zou stellen. Daarom opende hij zijn koffertje. De bewakers hadden het doorzocht, maar alleen twee dossiers in het Russisch aangetroffen, die ze niet hadden gelezen. Monk gaf hem de grijze map, het onderzoeksrapport.

'Dit is het, generaal. Wij vinden het bijzonder verontrustend.'

'Kan ik het morgen niet lezen?'

'Misschien moeten we vanavond al actie ondernemen.'

'O, verdomme. Drinkt u?'

'Niet tijdens het werk, generaal.'

'De MVD gaat vooruit. Koffie?'

'Graag. Het is een lange dag geweest.'

Generaal Petrovsky glimlachte. 'Wanneer niet?'

Hij riep de bediende en vroeg om koffie voor twee. Daarna begon hij te lezen. De man bracht de koffie en vertrok weer. Monk bediende zichzelf en wachtte tot generaal Petrovsky opkeek.

'Waar komt dit vandaan?'

'Van de Britse inlichtingendienst.'

'Wat?'

'Maar het is geen *provokatsija*. De feiten kloppen. U kunt ze morgenoch-

327

tend zelf controleren. N.I. Akopov, de secretaris die dat manifest heeft laten slingeren, is dood. Evenals die oude schoonmaker, Zaitsev, en de Britse journalist, die in werkelijkheid nergens van wist.'

'Ja, ik herinner me hem nog,' zei Petrovsky peinzend. 'Het leek een mafia-moord, maar zonder motief. Waarom een buitenlandse journalist? Waren het de Zwarte Gardisten van Komarov?'

'Of huurmoordenaars van de Dolgoruki.'

'En waar is dat geheimzinnige Zwarte Manifest?'

'Hier, generaal.' Monk tikte op zijn koffertje.

'Hebt u een kopie? Hier?'

'Ja.'

'Maar volgens dit rapport is het naar de Britse ambassade gegaan en van-daar naar Londen. Hoe komt u er dan aan?'

'Ik heb het gekregen.'

Generaal Petrovsky keek hem achterdochtig aan. 'Hoe heeft de MVD het in godsnaam te pakken gekregen?... U bent niet van de MVD. Voor wie werkt u dan? De SVR, de FSB?'

De twee organisaties die hij noemde waren de Russische Buitenlandse Inlichtingendienst en de Federale Veiligheidsdienst, de opvolgers van het Eerste en Tweede Hoofddirectoraat van de voormalige KGB.

'Geen van beide, generaal. Ik kom uit Amerika.'

Generaal Petrovsky toonde geen angst. Hij keek zijn bezoeker doordringend en argwanend aan. Zijn gezin was twee kamers verder en deze bezoeker zou een huurmoordenaar kunnen zijn. Maar Petrovsky wist ook wel dat de indringer geen bom of pistool bij zich had.

Monk vertelde hoe het zwarte dossier op de ambassade terecht was geko-men, en van daar in Londen en Washington. Nog geen honderd mensen bin-nen de Britse en Amerikaanse regering hadden het gelezen. Hij zei niets over de Lincoln Raad. Het kon geen kwaad als generaal Petrovsky dacht dat Monk door de Amerikaanse regering was gestuurd.

'Hoe heet u werkelijk?'

'Jason Monk.'

'En u bent Amerikaan?'

'Ja, generaal.'

'Nou, u spreekt verdomd goed Russisch. Wat staat er in dat Zwarte Mani-fest?'

'Onder meer het doodvonnis van Igor Komarov over u en de meesten van uw mensen.'

In de stilte hoorde Monk twee kamers verder de Russische vertaling van *'That's my boy!'*. Tom en Jerry op de televisie. Tatiana gierde het uit. Pet-rovsky stak zijn hand uit.

'Laat maar zien,' zei hij.

Hij had een half uur nodig om de veertig pagina's te lezen, onderverdeeld in twintig paragrafen. Toen gooide hij het terug naar Monk.

'Gelul.'

'Hoezo?'

'Dat lukt hem nooit.'

'Tot nu toe wel. Hij heeft een privé-leger, zijn Zwarte Garde, uitstekend bewapend en toegerust. Een nog veel groter, maar minder goed getraind korps van Jonge Strijders. En aan geld geen gebrek. De peetvaders van de Dolgoruki hebben twee jaar geleden een akkoord met hem gesloten. Een schatkist van een kwart miljard Amerikaanse dollars om de macht in het land te kunnen kopen.'

'U hebt geen enkel bewijs.'

'Het manifest is bewijs genoeg. De verwijzingen naar de beloning voor de Dolgoruki. Reken maar dat die iets terug willen voor hun pond vlees. Het einde van hun concurrenten. Dat zal wel lukken, na de uitroeiing van de Tsjetsjenen en de verbanning van alle Armeniërs, Georgiërs en Oekraïeners. Maar ze willen natuurlijk meer. Wraak op de mensen die hun het leven zuur hebben gemaakt. Te beginnen met de speciale eenheden van de politie.

Ze hebben mankracht nodig voor het werk in hun slavenkampen en hun goud-, lood- en zoutmijnen. Wie zijn daar beter voor geschikt dan de jonge kerels onder uw bevel, de troepen van de SOBR en de OMON? Hoewel u dat zelf niet meer zult meemaken, natuurlijk.'

'Misschien verliest hij de verkiezingen.'

'Dat is mogelijk, generaal. Hij heeft problemen. Generaal Nikolayev heeft hem een paar dagen geleden heftig aangevallen.'

'Ja, dat heb ik gelezen. Ik was wel verbaasd. Had u daar ook iets mee te maken?'

'Misschien.'

'Handig.'

'De commerciële tv is gestopt met het uitzenden van zijn reportages. Zijn tijdschriften verschijnen voorlopig niet meer. In de laatste peilingen staat hij op zestig procent. Dat was vorige maand nog zeventig.'

'Dus zijn voorsprong loopt snel terug. Misschien verliest hij, meneer Monk.'

'Maar als hij wint?'

'Ik kan in mijn eentje geen presidentsverkiezing ongedaan maken. Ik ben wel generaal, maar ik werk gewoon bij de militia. U kunt beter met de waarnemend president gaan praten.'

'Die is verlamd van angst.'

'Ik kan niets voor u doen.'

'Als hij denkt dat hij gaat verliezen, probeert hij misschien een staatsgreep.'
'Dan zal de staat zich daartegen verdedigen, meneer Monk.'
'Hebt u ooit gehoord van *Sippenhaft*, generaal?'
'Ik spreek geen Engels.'
'Het is Duits. Mag ik uw privé-nummer noteren?' Petrovsky knikte naar de telefoon waar een nummer op stond. Monk prentte het in zijn geheugen. Toen verzamelde hij de dossiers en borg ze weer in zijn koffertje.
'Dat Duitse woord, wat betekent dat?'
'Toen een deel van het Duitse officierenkorps een aanslag had gepleegd op Hitler, werden ze aan pianosnaren opgehangen. Maar volgens de wet van *Sippenhaft* werden ook hun vrouwen en kinderen naar de kampen gestuurd.'
'Dat deden zelfs de communisten niet!' snauwde Petrovsky. 'Goed, de vrouwen raakten hun appartement kwijt en de kinderen hun plaats op school. Maar ze gingen niet naar de kampen.'
'Komarov is krankzinnig. Achter die gepolijste buitenkant is hij een ernstig gestoorde man. Maar Grishin doet alles wat hij zegt. Mag ik nu gaan?'
'Ja, verdwijnt u maar, voordat ik u laat arresteren.'
Monk stond bij de deur. 'Als ik u was, zou ik mijn maatregelen nemen. Als Komarov wint, of als hij dreigt te verliezen, zult u misschien moeten vechten voor uw vrouw en kind.'
En hij was verdwenen.

Dr. Probyn was opgewonden als een schooljongen. Trots bracht hij sir Nigel naar een wandkaart van een meter in het vierkant, met een groot schema erop. Zijn eigen werk, dat was duidelijk.
'Wat vindt u ervan?' vroeg hij.
Sir Nigel staarde niet-begrijpend naar de kaart. Namen, tientallen namen, verbonden door verticale en horizontale lijnen.
'De Mongoolse ondergrondse, zonder vertaling,' opperde hij.
Probyn grinnikte. 'Niet slecht. Dit zijn de onderlinge relaties tussen vier Europese vorstenhuizen, het Deense, het Griekse, het Britse en het Russische. Twee bestaan er nog, één is in ballingschap en één is uitgestorven.'
'Leg eens uit,' drong Irvine aan.
Dr. Probyn pakte een paar dikke markeerpennen in het rood, blauw en zwart. 'Laten we bovenaan beginnen. De Denen. Die vormen de sleutel tot het hele verhaal.'
'De Denen? Hoe dat zo?'
'Ik zal u een waargebeurd verhaal vertellen, sir Nigel. Honderdzestig jaar geleden was er een koning van Denemarken die een paar kinderen had. Hier ziet u ze.'
Hij wees naar de bovenkant van het schema, waar de koning van Denemar-

ken stond genoemd, met onder zijn naam, op een horizontale rij, de namen van zijn kinderen.

'De oudste zoon was kroonprins en volgde zijn vader op. Die is voor ons niet van belang. Maar de jongste...'

'Prins Willem werd uitgenodigd om koning van Griekenland te worden als George I. Dat zei u vorige keer.'

'Uitstekend,' zei Probyn. 'Wat een geheugen. Hier staat hij, verhuisd naar Athene als koning van Griekenland. Wat deed hij? Hij trouwde met groothertogin Olga van Rusland en ze kregen een zoon, prins Nicolaas van Griekenland, die in feite half-Deens, half-Russisch was. Dat wil zeggen: half-Romanov. We houden prins Nicolaas achter de hand. Hij was toen ongetrouwd.'

Hij markeerde Nicolaas in blauw, voor Griekenland, en wees weer naar de Denen bovenaan.

'De oude koning had ook dochters, van wie er twee een goed huwelijk sloten. Dagmar ging naar Moskou als keizerin van Rusland, veranderde haar naam in Maria, bekeerde zich tot de Russisch-Orthodoxe Kerk en kreeg een zoon, Nicolaas II, tsaar van alle Russen.'

'Hij werd met zijn hele familie vermoord bij Jekaterinenburg.'

'Precies. Maar nu de andere dochter, Alexandra van Denemarken. Zij kwam naar Engeland en trouwde met onze prins, de latere Edward VII. Zij waren de ouders van George V. Ziet u?'

'Dus tsaar Nicolaas en koning George waren neven?'

'Precies. Hun moeders waren zusters. Tijdens de Eerste Wereldoorlog waren de tsaar van Rusland en de koning van Engeland volle neven. Toen koning George over de tsaar sprak als "neef Nicky", was dat dus volkomen juist.'

'Maar in 1918 was het afgelopen.'

'Inderdaad. Maar kijk nu eens naar de Britse tak.'

Dr. Probyn omcirkelde koning Edward en koningin Alexandra in rood. Toen gleed zijn rode pen een generatie omlaag, naar koning George V.

'Hij had vijf zoons. John stierf als kind, de anderen groeiden op. Dit zijn ze: David, Albert, Henry en George. Wij zijn geïnteresseerd in die laatste, prins George.'

De rode pen gleed omlaag van George V naar zijn vierde zoon, prins George van Windsor.

'Prins George kwam om het leven bij een vliegtuigongeluk in de Tweede Wereldoorlog, maar hij had twee zoons, die allebei nog leven. Dit zijn ze. Het gaat ons om de jongste.'

De rode pen daalde weer een tree, naar de onderste rij, en omcirkelde de nog levende Engelse prins.

'Laten we nu de lijn weer terug volgen,' zei dr. Probyn. 'Zijn vader was prins George, zijn grootvader koning George, en zijn overgrootmoeder was de zuster van de moeder van de tsaar – twee Deense prinsessen, Dagmar en Alexandra. Deze man is dus door huwelijk met de Romanovs verbonden.'

'Hmm. Maar wel lang geleden,' zei sir Nigel.

'Maar er is meer. Kijk hier eens.'

Hij legde twee foto's op het bureau. Twee baardige, sombere gezichten staarden in de lens.

'Wat vindt u?'

'Het zouden broers kunnen zijn.'

'Dat zijn het niet. Er ligt tachtig jaar tussen. Dit is Nicolaas II. De ander is de nog levende Engelse prins. Kijk eens naar die gezichten, sir Nigel. Het zijn geen typisch Engelse koppen. De tsaar was half-Russisch, half-Deens. Het zijn ook geen typisch Russische gezichten. Nee, het zijn echte Denen. Het Deense bloed van de Deense prinsessen is duidelijk herkenbaar.'

'Dus dat is het? Aanspraken via de aangetrouwde lijn?'

'Nee, nee. Het mooiste komt nog. Herinnert u zich prins Nicolaas?'

'Die we achter de hand hadden gehouden? Prins van Griekenland, maar in feite half-Deens en half-Russisch?'

'Dat is hem. Tsaar Nicolaas II had een nicht, groothertogin Elena. Wat deed zij? Ze vertrok naar Athene en trouwde met prins Nicolaas. Hij was een halve Romanov en zij een hele. Hun dochter was dus driekwart Russisch, driekwart Romanov. Zij heette prinses Marina.'

'Die hierheen kwam...'

'Om met prins George van Windsor te trouwen. Inderdaad. Dus die twee nakomelingen die nu nog leven zijn drie-achtste Romanov. En dichterbij kun je vandaag de dag niet meer komen. Dat wil niet zeggen dat ze een concrete aanspraak hebben op de troon, want daarvoor zitten er te veel vrouwen tussen, en dat mag niet volgens de Paulinische wet. Maar de huwelijksband verloopt wel via vaders kant en ze zijn Romanovs via moeders kant.'

'Beide broers?'

'Ja. En dan nog iets. Hun moeder, Marina, was lid van de Russisch-Orthodoxe Kerk toen haar twee zoons geboren werden. Dat is een belangrijke voorwaarde om te worden geaccepteerd door de orthodoxe hiërarchie.'

'Beide broers?'

'Ja, natuurlijk. En ze hebben allebei in het Britse leger gediend, waar ze de rang van majoor hebben bereikt.'

'Hoe zit het met die oudste broer?'

'U noemde leeftijd als een overweging, sir Nigel. De oudste van de twee is vierenzestig, dus eigenlijk te oud. De jongste is dit jaar zevenenvijftig geworden. Alles klopt dus. Hij is een prins uit een regerend vorstenhuis, een neef van de koningin. Hij is nog getrouwd met zijn eerste vrouw, een Oostenrijkse gravin, hij heeft een zoon van twintig, hij is gewend aan alle ceremonieel, hij is nog niet te oud en hij heeft in het leger gezeten. Maar het allermooiste is dat hij bij de inlichtingendienst heeft gewerkt, de opleiding Russisch heeft gevolgd en bijna tweetalig is.'

Dr. Probyn deed een stap bij zijn veelkleurige schema vandaan. Hij straalde. Sir Nigel staarde naar het gezicht op de foto.

'Waar woont hij?'

'Doordeweeks hier in Londen, in het weekend op zijn landgoed buiten. Het staat in de Debrett.'

'Misschien moet ik eens met hem praten,' zei sir Nigel peinzend. 'O, nog één ding, Probyn. Is er nog iemand anders die zo volledig aan alle eisen voldoet?'

'Niet op deze planeet,' antwoordde de Herald.

Sir Nigel maakte een afspraak en nog hetzelfde weekend reed hij naar het westen van Engeland om de jongste van de twee prinsen op zijn landgoed te spreken. De prins ontving hem beleefd en hoorde hem ernstig aan. Na afloop van het gesprek bracht hij sir Nigel naar zijn auto.

'Als het waar is wat u zegt, sir Nigel, is het een verbijsterend verhaal. Natuurlijk heb ik de gebeurtenissen in Rusland via de media gevolgd. Maar dit... Ik zal er goed over nadenken en uitvoerig met mijn familie overleggen. En natuurlijk zal ik Hare Majesteit om een audiëntie vragen.'

'Misschien komt het nooit zo ver, meneer. En àls er ooit een volksraadpleging wordt gehouden, zou de uitkomst ook negatief kunnen zijn.'

'Dan moeten we die dag maar afwachten. Een goede reis naar huis, sir Nigel.'

Op de derde verdieping van het Metropol Hotel ligt een van de beste traditionele restaurants van Moskou. De Boyarski Zal of 'Boyarenzaal' is genoemd naar de groep aristocraten die ooit de tsaar flankeerde en in zijn plaats regeerde als hij te zwak was. Het is een ruimte met een gewelfd plafond, met hout betimmerde wanden en prachtige decoraties die aan een lang vervlogen tijd herinneren. Uitstekende wijnen wedijveren met de wodka met ijs; de forel, de zalm en de steur komen vers uit de rivier; de hazen, herten en zwijnen zijn geschoten op de Russische steppen.

Hier was het dat generaal Nikolai Nikolayev op de avond van 12 december door zijn enige nog levende familielid werd uitgenodigd voor een etentje ter ere van zijn vierenzeventigste verjaardag.

Galina, de kleine zus die hij ooit op zijn rug door de brandende straten van Smolensk had gedragen, was later onderwijzeres geworden en in 1956, vijfentwintig jaar oud, getrouwd met een collega die Andreyev heette. Hun zoon Misha was tegen het einde van datzelfde jaar geboren.

In 1963 waren Galina en haar man gedood bij een verkeersongeval, een van die stompzinnige ongelukken waarbij een dronken chauffeur frontaal op een tegenligger rijdt.

Kolonel Nikolayev was uit het Verre Oosten naar huis gevlogen om de begrafenis bij te wonen. Maar er was meer: een brief die zijn zus hem twee jaar eerder had geschreven.

Als er ooit iets met mij en Ivan gebeurt, schreef ze, smeek ik je om voor kleine Misha te zorgen. En zo stond Nikolayev aan de rand van het graf naast een ernstige kleine jongen die net zeven was geworden maar weigerde om te huilen.

Omdat beide ouders voor de staat hadden gewerkt – zoals iedereen onder het communisme – was hun appartement weer aan de staat vervallen. De kolonel bij de pantsertroepen, die inmiddels zevenendertig was, had geen eigen flat in Moskou. Als hij met verlof kwam, logeerde hij in de vrijgezellenvleugel van de officiersclub van Frunze. De commandant vond het goed dat de jongen bij hem bleef, als het maar tijdelijk was.

Na de begrafenis nam hij Misha mee naar de mess om wat te eten, maar ze hadden geen van beiden trek.

'Verdomme, wat moet ik met je beginnen, Misha?' vroeg hij, maar het was een retorische vraag.

Later legde hij de jongen in zijn eigen bed en gooide een paar dekens over de sofa voor zichzelf. Door de muur hoorde hij dat de jongen eindelijk begon te huilen. Als afleiding zette hij de radio aan en hoorde dat Kennedy was vermoord in Dallas.

Eén voordeel van al die onderscheidingen als Held van de Sovjetunie was dat je enige invloed had. Normaal werden jongetjes pas op de vooraanstaande Militaire Academie van Nakhimov toegelaten als ze tien waren, maar in dit geval maakten de autoriteiten een uitzondering. Klein en bibberend van de zenuwen kreeg de zeven jaar oude Misha het uniform van een cadet aangemeten en werd hij naar het Nakhimov gestuurd. Zijn oom reisde weer terug naar het Verre Oosten om zijn termijn vol te maken.

In de loop van de jaren had Nikolai Nikolayev zijn best gedaan om Misha steeds op te zoeken als hij met verlof was. Toen hij bij de generale staf werd benoemd en zijn eigen appartement in Moskou kreeg, kwam de jongeman in de vakantie bij hem logeren.

Op zijn achttiende jaar studeerde Misha Andreyev af als luitenant, en natuurlijk koos hij voor de pantsertroepen. Vijfentwintig jaar later was hij drieënveertig en generaal-majoor, met het bevel over een elite-tankdivisie buiten Moskou.

Een paar minuten over acht stapten de twee mannen het restaurant binnen.

Hun tafeltje was al gereserveerd. Viktor, de gerant, had ook bij de pantser-troepen gezeten. Hij kwam met uitgestoken hand op hen toe.

'Blij u te zien, generaal. U kent mij niet meer, maar ik was kanonnier bij het 131e Maikop in Praag in 1968. Uw tafeltje staat daar, tegenover de galerij.'

Mensen draaiden zich om, nieuwsgierig waar die drukte om was. De Ameri-kaanse, Zwitserse en Japanse zakenlui kenden hem niet, maar de schaarse Russen fluisterden: 'Dat is Kolya Nikolayev.'

Viktor had twee volle glazen ijskoude Moskovskaya klaargezet, als attentie van het huis. Misha Andreyev toostte op de gezondheid van zijn oom – de enige vader die hij zich kon herinneren. 'Za vashe zdorovye. Op de vol-gende vierenzeventig!'

'Klets niet. Za zdorovye.'

De twee mannen sloegen de wodka in één keer achterover, wachtten even en gromden toen de alcohol zich een weg naar beneden brandde.

Boven de bar van de Boyarski Zal is een galerij waar traditionele Russische liederen voor de gasten worden gezongen. De artiesten die avond waren een voluptueuze blondine in de rol van Romanov-prinses en een man in smo-king met een warme bariton.

Toen ze samen een ballade hadden gezongen, stapte de zanger in zijn eentje naar voren. Het orkest achter in de galerij zweeg en de diepe, volle stem van de zanger begon aan dat beroemde liefdeslied van een soldaat voor het meisje dat hij thuis moest achterlaten: 'Kalinka'.

De Russen onderbraken hun gesprekken en luisterden zwijgend. De buiten-landers volgden hun voorbeeld. De stem van de zanger vulde de zaal: 'Kalinka, Kalinka, Kalinka moya...'

Toen de laatste klanken waren verstomd sprongen de Russen overeind om een toost uit de brengen op de man met de witte snor die met zijn rug naar de wandkleden zat. De zanger boog en nam zijn applaus in ontvangst. Vik-tor stond naast een groep van zes Japanse gasten.

'Wie is die oude man?' vroeg een van hen in gebrekkig Engels.

'Een oorlogsheld uit de Grote Patriottische Oorlog,' antwoordde Viktor.

De Japanner vertaalde het voor de anderen.

'Ach, juist,' zeiden ze, en ze hieven ook het glas. 'Kampei.'

Oom Kolya knikte en straalde, hief zijn glas naar de zanger en de zaal, en dronk.

Het eten was uitstekend, forel en eend, met Armeense rode wijn en koffie na. Tegen de prijzen van het Boyarski kostte het de generaal-majoor een maandsalaris, maar dat vond hij zijn oom wel waard.

Pas toen hij een jaar of dertig was en een paar heel slechte officieren had meegemaakt, onder wie een paar hoge, had hij begrepen waarom zijn oom een legende was geworden onder de pantsertroepen. Hij bezat iets wat een slecht officier ontbeerde: oprechte zorg om de mannen die onder hem dienden. Tegen de tijd dat hij zijn eerste divisie kreeg, met zijn eerste rode epaulet, keek generaal-majoor Andreyev om zich heen naar de puinhopen van Tsjetsjenië en besefte dat Rusland grote behoefte had aan nog zo'n man als Oom Kolya.

De neef had nooit vergeten wat er was gebeurd toen hij tien was. Tot 1964 had Stalin noch Chroestsjov het nodig gevonden in Moskou een monument voor de gevallen soldaten uit de Tweede Wereldoorlog op te richten. Hun eigen persoonlijkheidscultus was veel belangrijker, ondanks het feit dat ze geen van beiden op 1 mei vanaf Lenins mausoleum de parade hadden kunnen afnemen als die miljoenen niet hun leven hadden geofferd tussen 1941 en 1945.

Toen, in 1966, na de val van Chroestsjov, had het politburo eindelijk opdracht gegeven tot de bouw van een monument met een eeuwige vlam ter herinnering aan de Onbekende Soldaat.

Maar er werd geen ruimte voor vrijgemaakt. Het monument werd weggefrommeld onder de bomen van de Alexandrovsky Tuinen, dicht bij de muur van het Kremlin op een plaats waar het niet eens te zien was voor de eindeloze rij wachtenden voor de gebalsemde resten van Lenin.

Na de 1 mei-parade van dat jaar, toen de tien jaar jonge cadet met grote ogen de tanks, de kanonnen, de raketten, de stram marcherende troepen en de dansende gymnasten over het Rode Plein voorbij had zien trekken, pakte zijn oom hem bij de hand en nam hem mee door de Kremlevlaan tussen de tuinen en de Manege.

Onder de bomen lag een afgeplat stuk roodgepolijst graniet. Daarnaast brandde een vlam in een bronzen schaal.

Op de steen stonden de woorden: 'Je graf is onbekend, je daden zijn onsterfelijk.'

'Ik wil dat je me één ding belooft, jongen,' zei de kolonel.

'Ja, oom.'

'Er liggen een miljoen van die jongens daar, tussen Moskou en Berlijn. We weten niet waar, en vaak ook niet wie. Maar ze hebben samen met mij gevochten, en het waren goede kerels. Begrijp je me?'

'Ja, oom.'

'Wat ze je ook beloven, geld, roem of een prachtige promotie, zorg ervoor dat je die mannen nooit verraadt.'

'Dat beloof ik, oom.'

De kolonel bracht langzaam zijn hand naar de klep van zijn pet. De cadet volgde zijn voorbeeld. Een paar toeristen uit de provincie, likkend aan een ijsje, keken nieuwsgierig toe. Hun gids, die hun moest vertellen wat een geweldige man Lenin was geweest, geneerde zich en loodste hen snel de hoek om naar het mausoleum.

'Ik heb uw interview gelezen in de *Izvestia*,' zei Misha Andreyev. 'Dat gaf nogal wat deining in het kamp.'

Generaal Nikolayev keek hem scherp aan. 'Beviel het je niet?'

'Ik was verbaasd, dat is alles.'

'Ik meende elk woord.'

'Ja, dat zal wel. U meent meestal wat u zegt.'

'Die man is een strontvijg, jongen.'

'Als u het zegt, oom. Maar het ziet ernaar uit dat hij gaat winnen. Misschien had u beter uw mond kunnen houden.'

'Daar ben ik te oud voor. Ik zeg wat ik denk.'

De oude man leek even in gepeins verzonken. Hij staarde naar de 'Romanov-prinses' die boven hen op de galerij stond te zingen. De buitenlandse gasten meenden *Those were the days, my friend* te herkennen, dat helemaal geen Westerse song is, maar een oude Russische ballade. Opeens stak de generaal zijn hand uit en pakte zijn neef bij de arm.

'Luister, jongen, als mij ooit iets overkomt...'

'Wat een onzin. U overleeft ons nog allemaal.'

'Luister, als mij iets overkomt, wil ik dat je me begraaft op Novodevichi. Begrepen? Niet zo'n zouteloze burgerbegrafenis. Ik wil een bisschop en alles wat erbij hoort. De hele santekraam. Hoor je me?'

'U? Een bisschop? Ik wist niet dat u in die dingen geloofde.'

'Klets toch niet. Wie heeft meegemaakt dat een Duitse .88 op zes meter afstand insloeg zonder te exploderen, moet wel geloven dat er Iemand daarboven is. Maar ik huichelde, zoals wij allemaal. Het lidmaatschap van de partij, de lessen, de indoctrinatie, het hoorde er allemaal bij en het was allemaal onzin. Dus nu weet je wat ik wil. Goed, drink je koffie op, dan gaan we. Heb je een auto met chauffeur?'

'Ja.'

'Mooi zo, want we gaan ons flink bezatten. Dan kun jij me thuisbrengen.'

De slaaptrein vanuit Kiev, de hoofdstad van de onafhankelijke republiek Oekraïne, denderde door de ijskoude nacht naar Moskou.

In de zesde wagon, coupé 2B, speelden twee Engelsen een potje gin-rummy. Brian Vincent keek op zijn horloge.

'Nog een half uur tot aan de grens, sir Nigel. We moesten maar eens naar bed.'

'Ja, je hebt gelijk,' zei Nigel Irvine. Geheel aangekleed klom hij naar het bovenste bed en trok de dekens tot aan zijn kin.

'Lig ik er zo goed bij?' vroeg hij.

De ex-militair knikte. 'Laat u de rest maar aan mij over.'

De trein stopte bij de grens. De Oekraïense douane in de trein had hun twee paspoorten al gecontroleerd. Nu kwamen de Russen aan boord.

Tien minuten later werd er op de deur van de slaapcoupé geklopt. Vincent deed open.

'*Da?*'

'*Pasport, pozhaluysta?*'

Er brandde alleen een klein blauw lampje in de coupé. Het licht op de gang was beter, maar de Russische douaneman moest toch scherp kijken.

'Geen visum,' zei hij.

'Natuurlijk niet. Dit zijn diplomatieke paspoorten. Dan heb je geen visum nodig.'

De Oekraïense collega van de Rus wees naar het Engelse woord op het omslag van de twee paspoorten. 'Diplomaat,' zei hij.

De Rus knikte, een beetje verlegen. Hij had instructie van de FSB in Moskou om naar een bepaalde naam en een bepaald gezicht uit te kijken – of allebei.

'De oude man,' zei hij, wijzend op het tweede paspoort.

'Die ligt daar boven,' antwoordde de jonge diplomaat. 'Hij is al oud, zoals u ziet. Hij voelt zich niet lekker. Moet u hem echt storen?'

'Wie is hij?'

'De vader van onze ambassadeur in Moskou. Daarom escorteer ik hem daarheen. Hij wil zijn zoon graag zien.'

De Oekraïener wees naar de figuur in het bovenbed.

'Vader van de ambassadeur,' zei hij.

'Dank je, maar Russisch spreek ik wel,' zei de Rus. Hij keek stomverbaasd. De foto van de kalende man met het ronde gezicht leek totaal niet op het signalement dat hij van de FSB had gekregen. De naam klopte ook niet. Geen Trubshaw, geen Irvine. Lord Asquith, zo heette hij.

'Het zal wel koud zijn op die gang,' zei Vincent. 'IJzig. Hier, een teken van vriendschap. Uit de speciale voorraad van onze ambassade in Kiev.'

De literfles wodka was van sublieme kwaliteit. Onbetaalbaar. De Oekraïener knikte, glimlachte en stootte zijn Russische collega aan. De Rus bromde wat, zette een stempel in de twee paspoorten en liep door.

'Ik heb er geen woord van verstaan, maar het klonk goed,' zei sir Nigel toen de deur dichtging. Hij zwaaide zijn benen uit het bovenste bed.

'Als het maar niet te vaak gebeurt,' verzuchtte Vincent en hij begon de twee valse paspoorten te verscheuren. De snippers zouden via het toiletgat over de sneeuw van zuid-Rusland worden verspreid. Eén paspoort om binnen te komen, het andere om te vertrekken. De tweede serie, met prachtig vervalste inreisstempels, werd goed opgeborgen.

Vincent keek sir Nigel nieuwsgierig aan. Zelf was hij drieëndertig. De oudere man zou niet alleen zijn vader, maar zelfs zijn grootvader kunnen zijn. Als ex-commando van de Special Forces had hij in heel wat hachelijke situaties verkeerd, zoals in de westelijke woestijn van Irak, verborgen tussen de heuvels om de geallieerde luchtmacht naar een passerende Scud te dirigeren. Maar hij was altijd met een groepje geweest, gewapend met een geweer of granaten om zich te verdedigen.

De wereld waarin sir Nigel Irvine hem had geïntroduceerd – tegen een vorstelijk honorarium – was totaal anders. Hier draaide alles om bedrog, desinformatie, rookgordijnen en spiegels. Hij had grote behoefte aan een dubbele wodka.

Gelukkig zat er nog een fles van die bijzondere kwaliteit in zijn tas. Hij schonk zichzelf een glas in.

'U ook, sir Nigel?'

'Nee, voor mij niet,' zei Irvine. 'Dan krijg ik last van mijn maag en pijn in mijn keel. Maar ik lust wel iets anders.'

Hij haalde een zilveren heupfles uit zijn koffertje, schroefde de dop los en schonk wat in het zilveren bekertje dat eraan vast zat. Hij hief het naar Vincent en nam waarderend een slok. Het was de port die Trubshaw hem uit de kelder van St. James's had gebracht.

'Volgens mij vindt u dit allemaal prachtig,' zei ex-sergeant Vincent.

'Mijn beste kerel, ik heb me in jaren niet zo geamuseerd.'

Vroeg in de ochtend kwam de trein in Moskou aan. Het was vijftien graden onder nul.

Hoe troosteloos een station ook lijkt voor passagiers die snel naar hun warme huis vluchten, toch is het er warmer dan op straat. Toen sir Nigel en Vincent uit de expres uit Kiev stapten, zagen ze dat de perrons en de hal van het station Kursk vol lagen met koude, hongerige daklozen.

Ze kropen zo dicht mogelijk naar de warme locomotieven toe, probeerden de hitte op te vangen die zo nu en dan uit de open deur van een café kwam, of lagen bewegingloos op het beton, in de hoop dat ze de volgende nacht zouden overleven.

'Blijf heel dicht bij me, meneer,' mompelde Vincent toen ze het hek naderden, met de open hal erachter. Zodra ze naar de taxi's liepen, kwam een groepje zwervers naar hen toe, ongeschoren, met holle ogen en een sjaal om het hoofd. Smekend staken ze hun hand uit.

'Lieve god, wat een ellende,' mompelde sir Nigel.

'Niet uw portemonnee pakken, want dan heb je de poppen aan het dansen,' snauwde zijn lijfwacht. Ondanks zijn leeftijd droeg sir Nigel zijn eigen weekendtas en koffertje, zodat Vincent één hand vrij had. De voormalige commando van de Special Forces hield hem onder zijn linker oksel, als duidelijk signaal dat hij een pistool had en dat zou gebruiken als het nodig was.

Zo duwde hij de oudere man voor zich uit, door de menigte heen, naar de stoep voor het station, waar een paar taxi's hoopvol stonden te wachten.

Toen hij een smekende hand wegduwde, hoorde sir Nigel de stem van de eigenaar roepen: 'Vuile buitenlander!'

'Ze denken dat we rijk zijn,' zei Vincent in zijn oor. 'Alleen omdat we buitenlanders zijn.'

De scheldwoorden volgden hen naar buiten. 'Klootzak! Smerige buitenlander! Wacht maar tot Komarov komt.'

Toen ze achter in de rammelende taxi zaten, leunde Irvine naar achteren en mompelde: 'Ik wist niet dat het zo erg was. De vorige keer ben ik alleen maar van het vliegveld naar het National gereden en weer terug.'

'Het is nu hartje winter, sir Nigel. Dan is het altijd erger.'

Toen ze bij het station wegreden, draaide een truck van de militia voor hen langs. In de cabine zaten twee grimmige politiemensen in zware overjassen en met bontmutsen op. Even later reed de wagen voor hen uit en konden ze achterin kijken.

Rijen voeten met geschaafde, kapotte voetzolen waren heel even zichtbaar toen het canvas omhoog wapperde in de wind. Lijken, stijfbevroren, boven op elkaar gestapeld als blokken hout.

'De kadavertruck,' zei Vincent kort. 'De ophaaldienst. Elke nacht sterven er vijfhonderd mensen in de portieken langs de kades.'

Ze hadden een kamer in het National besproken, maar wilden niet voor de namiddag bij het hotel aankomen. Daarom brachten ze de dag door in de diepe leren fauteuils in de lounge van het Palace Hotel.

Twee dagen eerder had Jason Monk met zijn omgebouwde laptop een codebericht verzonden. Het was kort en bondig. Hij had generaal Petrovsky gesproken en alles leek goed te gaan. Hij werd nog steeds rondgereden door de Tsjetsjenen, vermomd als een priester, een militair, een politieman of een zwerver. De patriarch was bereid zijn Engelse gast voor de tweede keer te ontvangen.

Het was die boodschap die aan de andere kant van de wereld was opgevangen op het hoofdkantoor van InTelCor, en vervolgens in code was doorgestuurd naar sir Nigel in Londen. Alleen sir Nigel had de replica van de eenmalige code waarmee hij het bericht kon ontcijferen.

Dat was de reden waarom hij van Heathrow naar Kiev was gevlogen en daar op de trein naar Moskou was gestapt.

Maar het bericht was ook opgevangen door de FAPSI, die nu bijna dag en nacht voor kolonel Grishin werkte. De hoogste directeur van de FAPSI overlegde met Grishin terwijl de trein van Kiev naar Moskou nog door de donkere nacht denderde.

'We hadden hem bijna te pakken,' zei de directeur. 'Hij zat ergens in de buurt van de Arbat. De vorige keer was het Sokolniki. Hij blijft dus in beweging.'

'De Arbat?' herhaalde Grishin nijdig. De Arbat lag op nauwelijks achthonderd meter van de muren van het Kremlin.

'Er is nog een ander gevaar waar ik u voor moet waarschuwen, kolonel. Als hij het type computer gebruikt dat wij vermoeden, hoeft hij er niet bij te blijven als hij berichten uitzendt of ontvangt. Dan kan hij het apparaat van tevoren instellen.'

'Zoek die computer nou maar,' beval Grishin. 'Hij moet het ding toch ophalen. En dan wachten we hem op.'

'Als hij nog twee keer uitzendt, of één keer minstens een halve seconde, dan weten we waar hij zit. In elk geval de straat, en misschien zelfs het gebouw.'

Geen van beide mannen wist dat Monk volgens de plannen van sir Nigel nog minstens drie berichten naar het Westen zou moeten verzenden.

'Hij is terug, kolonel Grishin.'

De stem van pater Maxim sloeg over van spanning door de telefoon. Het was zes uur 's avonds, pikdonker buiten en ijzig koud. Grishin zat nog aan zijn bureau in het huis bij de Kiselny Boulevard. Hij had net willen vertrekken toen het telefoontje kwam. Zodra de telefoniste de naam 'Maxim' hoorde, had ze de beller meteen doorverbonden met de veiligheidschef.

'Kalm aan, pater Maxim. Wie is terug?'

'De Engelsman. Die oude Engelsman. Hij zit al een uur bij Zijne Heiligheid.'

'Dat kan niet.'

Grishin had de immigratiedienst van Binnenlandse Zaken en de contraspionagedienst van de FSB vorstelijk betaald voor informatie, maar hij had nog niets gehoord.

'Weet u waar hij logeert?'

'Nee, maar hij kwam met dezelfde auto.'

Het National, dacht Grishin. Die ouwe gek had hetzelfde hotel genomen. Grishin was er zich nog steeds pijnlijk van bewust dat hij de Britse spionagechef de vorige keer door zijn vingers had laten glippen omdat 'meneer Trubshaw' hem te vlug af was geweest. Dat zou hem nu niet gebeuren.

'Waar bent u nu?'

'Op straat. Ik bel met mijn zaktelefoon.'

'Die is niet veilig. Ga maar naar de vaste plaats en wacht daar op mij.'

'Ik moet weer terug, kolonel, anders missen ze me.'

'Luister, man! Bel naar huis en zeg dat je je niet goed voelt. Dat je naar de apotheek bent om medicijnen te halen. Ga naar onze vaste plek en wacht daar op me.'

Hij smeet de hoorn op de haak, nam hem weer op en beval zijn assistent, een ex-majoor van het Directoraat Grensbewaking van de KGB, om meteen naar zijn kantoor te komen.

'Neem tien man mee, de besten, in burger. En drie auto's.'

Een kwartier later legde hij een foto van Sir Nigel Irvine voor zijn assistent neer.

'Dat is hem. Waarschijnlijk in gezelschap van een jongere man, donker haar, in goede conditie. Ze logeren in het National. Ik wil twee man in de lobby om de liften, de receptie en de deuren in het oog te houden. Twee in het café beneden. Twee op straat, te voet, en vier verdeeld over twee auto's. Als hij komt, wacht dan tot hij binnen is en waarschuw mij. Hij mag niet meer naar buiten komen zonder dat ik het weet.'

'En als hij met de auto vertrekt?'

'Dan volg je hem, tenzij hij duidelijk op weg is naar het vliegveld. Dan ram je zijn auto. Hij mag het vliegveld niet bereiken.'

'Jawel, kolonel.'

Toen de assistent verdwenen was om zijn mensen hun instructies te geven, belde Grishin een andere expert op zijn loonlijst, een voormalige inbreker die zich had gespecialiseerd in hotels en elke hoteldeur in Moskou open kon krijgen.

'Pak je spullen, ga naar het Intourist Hotel en blijf in de lobby zitten met je zaktelefoon onder handbereik. Boek een hotelkamer, vanavond nog. Ik weet niet hoe laat ik kom, maar ik bel je als ik je nodig heb.'

Het Intourist Hotel ligt tweehonderd meter van het National, om de hoek in de Tverskayastraat.

Een half uur later liep kolonel Grishin de kerk van de Allerheiligen in Kulishki binnen. De ongeruste priester, zwetend van angst, stond al op hem te wachten.

'Wanneer is hij aangekomen?'

'Hij kwam onaangekondigd, om een uur of vier. Maar Zijne Heiligheid moet hem hebben verwacht, want ik moest hem meteen naar boven brengen. Met zijn tolk.'

'Hoe lang hebben ze gesproken?'

'Ongeveer een uur. Ik heb een samovar met thee gebracht, maar ze zwegen zolang ik in de kamer was.'

'Hebt u aan de deur geluisterd?'

'Dat heb ik geprobeerd, kolonel. Maar de schoonmaaksters waren bezig, twee nonnen. En de aartsdeken, zijn privé-secretaris, liep ook rond.'

'Hoeveel hebt u gehoord?'

'Een beetje. Ze hadden het over een of andere prins. De Engelsman stelde een Engelse prins voor die een of andere rol moest spelen. Ik hoorde iets over "het Romanov-bloed" en "bijzonder geschikt". Die oude man praat heel zacht. Dat maakt niet uit, want ik versta toch geen Engels. De tolk praat harder.

De Engelsman was het meest aan het woord. Zijne Heiligheid luisterde voornamelijk. Eén keer zag ik dat hij een soort schema bestudeerde. Toen moest ik weer weg.

Even later klopte ik op de deur om te vragen of de samovar moest worden bijgevuld. Het was stil, omdat Zijne Heiligheid een brief zat te schrijven. Hij zei nee en stuurde me weg.'

Grishin dacht na.

'Verder nog iets?'

'Ja, nog één ding. Toen ze vertrokken, ging de deur open, op een kier. Ik stond te wachten met hun jassen. Ik hoorde de patriarch zeggen: "Ik zal zo snel mogelijk met onze waarnemend president overleggen." Dat was duidelijk te verstaan. De enige complete zin die ik heb gehoord.'

Grishin draaide zich om naar pater Maxim en glimlachte. 'Ik ben bang dat de patriarch betrokken is bij een buitenlandse samenzwering om onze toekomstige president te dwarsbomen. Dat is heel verdrietig en heel jammer, want dat zal ze niet lukken. Ik weet zeker dat Zijne Heiligheid het goed bedoelt, maar dit is heel dom. Na de verkiezingen kunnen we al deze onzin weer vergeten. Maar u, mijn vriend, zullen we niet vergeten. Bij de KGB heb ik het verschil geleerd tussen een verrader en een patriot. Verraders kun je in bepaalde omstandigheden vergeven. Zijn Heiligheid, bijvoorbeeld. Maar een ware patriot wordt altijd beloond.'

'Dank u, kolonel.'

'Hebt u weleens vrij?'

'Eén avond per week.'

'Na de verkiezingen moet u eens komen eten bij een kamp van onze Jonge Strijders. Het zijn ruwe knapen, maar met een hart van goud. En bijzonder fit, natuurlijk. Allemaal zo'n jaar of vijftien tot negentien. De besten gaan naar de Zwarte Gardisten.'

'Dat zou heel... prettig zijn.'

'En na de verkiezingen zal ik president Komarov natuurlijk voorstellen dat de Gardisten en de Strijders een eigen geestelijke nodig hebben. Een erebaan. Met de rang van bisschop.'

'U bent bijzonder vriendelijk, kolonel.'

'Ik ben niet ondankbaar, dat zult u merken, pater Maxim. Ga nu maar terug naar huis. Hou me op de hoogte. En neem dit mee. U weet waar het voor is.'

Toen de tipgever was vertrokken, liet kolonel Grishin zich naar het National Hotel brengen. Het werd tijd dat de bemoeizieke Engelsman en die Amerikaanse lastpost de harde realiteit van het moderne Moskou leerden kennen.

17

Het National Hotel ligt aan het Manegeplein. Kolonel Grishin gaf zijn chauffeur opdracht om honderd meter van de hoek van Okhotny Ryad (de Jagersweg) te parkeren, aan de noordwestkant van het plein.

Vanuit zijn auto zag hij de twee wagens van zijn Zwarte Gardisten bij het winkelcentrum staan, tegenover het hotel.

'Wacht hier,' zei hij tegen zijn chauffeur en stapte uit. Zelfs om zeven uur 's avonds was het al bijna twintig graden onder nul. Een paar mensen liepen haastig voorbij, diep weggedoken in hun jas.

Hij stak de weg over en tikte op het raampje van de voorste auto. Het kraakte in de kou toen het elektrisch omlaag werd gedraaid.

'Ja, kolonel?'

'Waar is hij?'

'Als hij is aangekomen voordat wij hier arriveerden, moet hij nog binnen zijn. Er is niemand vertrokken die zelfs maar vaag op hem leek.'

'Bel Kuznetsov. Ik heb hem hier nodig.'

De propagandachef meldde zich twintig minuten later.

'Speel maar weer je rol van Amerikaanse toerist,' zei Grishin. Hij haalde een foto uit zijn zak en liet hem aan Kuznetsov zien.

'Dit is de man die ik zoek,' zei hij. 'Misschien noemt hij zich Trubshaw of Irvine.'

Tien minuten later was Kuznetsov terug.

'Hij heeft zich ingeschreven als Irvine en hij is nu op zijn kamer.'

'Nummer?'

'Kamer 252. Was dat alles?'

'Ja. Je kunt weer gaan.'

Grishin liep naar zijn eigen auto en belde op zijn zaktelefoon de professionele inbreker die om de hoek in de lobby van het Intourist Hotel zat te wachten.

'Ben je klaar?'

'Ja, kolonel.'

'Blijf aan de lijn. Als ik het teken geef, vertrek je naar het National om kamer 252 te doorzoeken. Maar je neemt niets mee. Een van mijn eigen mensen wacht in de lobby. Hij gaat met je mee.'

'Begrepen.'

Om acht uur kwam een van de mannen naar buiten die Grishin in de lobby had geposteerd. Hij knikte naar zijn collega's in de dichtstbijzijnde auto aan de overkant en wandelde toen weg.

Een paar minuten later verschenen twee gestalten in dikke winterjassen en met bontmutsen op. Grishin zag het witte haar onder de muts van de ene man. Ze sloegen linksaf en liepen de straat door in de richting van het Bolshoi Theater.

Grishin waarschuwde zijn inbreker. 'Hij is vertrokken. De kamer is leeg.'

Een van Grishins auto's reed heel langzaam achter de twee buitenlanders aan. Twee andere Gardisten, die in het café op de begane grond van het National hadden gewacht, kwamen naar buiten en volgden de Engelsen nu ook. Grishin had vier mannen op straat en vier in de twee auto's.

'Zullen we ze oppakken, kolonel?' vroeg zijn chauffeur.

'Nee. Ik wil eerst zien waar ze naartoe gaan.'

Er was een kans dat Irvine contact zou leggen met de Amerikaan, Monk. Als dat gebeurde, had Grishin het hele stel te pakken.

De twee Engelsen bleven staan bij de stoplichten op de hoek tussen de Tverskayastraat en het plein, wachtten tot het licht op groen sprong en staken over. Een paar seconden later kwam Grishins inbreker vanaf de andere kant de hoek om.

Hij had veel ervaring en zag eruit als een buitenlandse zakenman – de enige mensen die zich de dure hotels van Moskou konden veroorloven. Zijn jas en zijn pak, allebei gestolen, kwamen uit Londen en zijn zelfverzekerde houding was meestal voldoende om iedere achterdocht bij het hotelpersoneel weg te nemen.

Grishin zag hem door de draaideuren van het National naar binnen verdwijnen. Nigel Irvine had geen koffertje bij zich, zoals de kolonel tot zijn genoegen had geconstateerd. Dat moest dus nog op zijn kamer liggen.

'Rijden,' zei hij tegen zijn chauffeur. De Mercedes reed langzaam bij de stoep vandaan en bleef op honderd meter achter de twee Engelsen hangen.

'U weet dat we worden gevolgd?' vroeg Vincent luchtig.

'Twee man lopen voor ons uit, twee achter ons, en aan de overkant rijdt een auto,' antwoordde sir Nigel.

'Heel goed, meneer.'

'Beste jongen, ik ben dan wel oud en grijs, maar ik hoop dat ik nog wel een stel achtervolgers kan ontdekken als ze zo stuntelig en opvallend opereren.'

Vanwege haar macht had het voormalige Tweede Hoofddirectoraat nooit de noodzaak van een subtiele aanpak ingezien. Anders dan de FBI in Washington of MI5 in Londen hadden ze zich niet gespecialiseerd in het discreet schaduwen van verdachten.

Toen ze de prachtig verlichte gevel van het Bolshoi Theater en het kleinere

345

Maly Theater waren gepasseerd, liepen de twee Engelsen in de richting van een smalle zijstraat, de Theatersteeg.

Vlak voor de hoek was een portiek, waar een voddenbaal lag te slapen in de bijtende kou. Sir Nigel bleef staan.

Voor en achter hem deden de Zwarte Gardisten alsof ze in een etalage keken – waar niets te zien was.

De voddenbaal in de portiek bewoog zich en keek op in het vage licht van de straatlantaarns. De man was niet dronken maar wel oud. Het vermoeide gezicht onder de wollen sjaal was getekend door jaren van hard werk en grote ontberingen. Op de revers van de versleten overjas zat een rij verbleekte lintjes. Twee diepliggende, uitgeputte ogen keken op naar de buitenlander.

Toen hij in Moskou was gestationeerd, had Nigel Irvine de moeite genomen om de Russische onderscheidingen te bestuderen. Er zat één lintje tussen de vuile verzameling dat hij herkende.

'Stalingrad?' vroeg hij zacht. 'Heb je in Stalingrad gevochten?'

De bundel wol rondom het oude hoofd knikte langzaam.

'Stalingrad,' beaamde de oude man schor.

Hij kon nog geen twintig zijn geweest in die ijzig koude winter van 1942, toen de Russen tegen Von Paulus' Zesde Leger hadden gevochten om iedere kelder en iedere steen van die stad aan de Wolga.

Sir Nigel zocht in zijn broekzak en haalde er een bankbiljet uit. Vijftig miljoen roebel, ongeveer dertig dollar.

'Eten,' zei hij in het Russisch. 'Warme soep. En een slok wodka. Voor Stalingrad.'

Toen richtte hij zich op en liep weer door, nijdig en stram. Vincent haalde hem in. De Gardisten draaiden zich bij hun etalages vandaan en sjokten weer achter hen aan.

'Lieve god, wat is er van dit land geworden?' mompelde sir Nigel tegen niemand in het bijzonder toen ze de zijstraat in liepen.

Grishins autoradio begon te kraken. Een van de Gardisten meldde zich. 'Ze zijn afgeslagen. Ze gaan een restaurant binnen.'

De Zilveren Tijd was ook zo'n traditioneel oud-Russisch restaurant, in een steegje achter de theaters. Het was gehuisvest in het voormalige Centraal Russische Badhuis. De muren waren betegeld met mozaïeken met rustieke taferelen van lang geleden. De twee Engelsen stapten uit de bijtende kou naar binnen en voelde de warmte als een deken over zich neerdalen.

Het was druk in het restaurant. Bijna alle tafeltjes waren bezet. De gerant kwam haastig naar hen toe.

'Ik ben bang dat we vol zitten, heren,' zei hij in het Russisch. 'Een besloten feestje. Het spijt me heel erg.'

346

'Ik zie daar nog een tafeltje,' antwoordde Vincent ook in het Russisch. 'Kijk.'

Er stond inderdaad nog een vierpersoonstafeltje tegen de muur, waar niemand zat. De gerant keek zorgelijk. Hij begreep dat de twee toeristen buitenlanders waren en dus in dollars zouden betalen.

'Ik zal het de gastheer van de groep moeten vragen,' zei hij en hij verdween om te overleggen met een knappe man met een olijfkleurige huid die aan de grootste tafel zat, omringd door vrienden. De man keek onderzoekend naar de twee buitenlanders bij de deur en knikte toen.

De gerant kwam terug.

'Hij heeft geen bezwaar. Komt u maar mee.'

Sir Nigel Irvine en Vincent gingen naast elkaar op de bank tegen de muur zitten. Irvine keek in de richting van de groep en knikte dankbaar naar de gastheer. De man knikte terug.

Ze bestelden eend met braambessensaus en kozen op advies van de ober een rode wijn van de Krim, die aan Stierenbloed deed denken.

Buiten hadden de vier Gardisten inmiddels het steegje aan beide kanten afgegrendeld. De Mercedes van de kolonel stopte bij de ingang van de smalle straat. Grishin stapte uit en overlegde haastig met zijn mannen. Toen liep hij naar zijn auto terug om te bellen.

'Hoe gaat het daar?' vroeg hij.

Vanuit de gang op de tweede verdieping van het National hoorde hij een stem zeggen: 'Ik ben nog bezig met het slot.'

Van de vier mannen die Grishin in het hotel had geposteerd waren er twee achtergebleven. Een van hen stond nu aan het eind van de gang, dicht bij de liften. Hij moest opletten of er iemand op de tweede verdieping uitstapte en naar kamer 252 liep. Dan zou hij hem inhalen terwijl hij een wijsje floot om de inbreker te waarschuwen.

Zijn collega stond naast de inbreker, die zich over het slot van kamer 252 had gebogen en zijn werk deed.

'Meld je als je binnen bent,' zei Grishin.

Tien minuten later klonk er een zachte tik in het slot en ging de deur open. Grishin werd gewaarschuwd.

'Alle papieren en foto's. Maar leg ze terug zoals je ze gevonden hebt,' beval hij.

De kamer van sir Nigel Irvine werd snel en grondig doorzocht. De dief bleef tien minuten in de badkamer, kwam toen weer naar buiten en schudde zijn hoofd. De laden van de kast leverden niets anders op dan de verwachte inhoud: dassen, overhemden, onderbroeken, zakdoeken. De laden van de nachtkastjes waren leeg, evenals de kleine koffer op de kleerkast en de zakken van de twee pakken die in de kast hingen.

De inbreker liet zich op zijn knieën zakken. 'Aha,' fluisterde hij zacht maar voldaan.

Onder het bed lag het koffertje, helemaal in het midden, waar het niet te zien was. De inbreker trok het met een kleerhanger naar zich toe. De cijfersloten kostten hem niet meer dan drie minuten tijd.

Toen het deksel openklapte, wachtte hem een teleurstelling. Hij vond een plastic envelop met reischeques, die hij zou hebben meegenomen als Grishin het niet verboden had. Verder een portefeuille met een paar creditcards en een drankrekening van de White's Club in Londen. Een zilveren heupfles bevatte een drank waarvan hij de geur niet kende.

De vakken onder het deksel leverden niets anders op dan een retourticket van Moskou naar Londen en een plattegrond van Moskou. Hij keek of er bepaalde plaatsen waren gemarkeerd, maar dat was niet zo.

Met een mini-camera fotografeerde hij alles wat hij vond. De Gardist die bij hem was, gaf het resultaat aan kolonel Grishin door.

'Er moet een brief bij zitten,' antwoordde de metaalachtige stem van vijfhonderd meter verderop.

De inbreker doorzocht opnieuw het koffertje en ontdekte de valse bodem. Daarin vond hij een langwerpige crèmekleurige envelop met een vel briefpapier in dezelfde kleur, voorzien van het in reliëf gedrukte briefhoofd van het patriarchaat van Moskou en alle Russen. De inbreker fotografeerde de brief drie keer, voor alle zekerheid.

'Inpakken en wegwezen,' zei Grishin.

De twee mannen staken de brief weer in de envelop en borgen die in het geheime vak van het koffertje. Het koffertje zelf, met de cijfersloten in de oorspronkelijke stand, verdween weer onder het bed. Toen ze ervan overtuigd waren dat alles was zoals ze het hadden aangetroffen, verdwenen de twee mannen uit de kamer.

De deur van de Zilveren Tijd ging open en dicht met een zacht gesis. Grishin en zijn vier mannen liepen het halletje door en duwden de zware gordijnen opzij die toegang gaven tot de eetzaal. De gerant kwam snel naar hen toe.

'Het spijt me, heren, maar...'

'Uit de weg,' zei Grishin zonder hem een blik waardig te keuren.

De gerant werd opzij geschoven. Hij keek angstig naar de vier mannen achter de aanvoerder in zijn zwarte jas, en deinsde terug. Hij had genoeg ervaring om problemen te herkennen als ze opdoken. De vier lijfwachten waren wel in burger, maar het waren zwaargebouwde kerels en hun gezichten vertoonden de sporen van talloze gevechten. Ook zonder hun uniform herkende de oudere gerant hen als Zwarte Gardisten. Hij had hen op de televisie zien marcheren in uniform, hun armen hoog gestrekt naar de leider op het podium. En hij wist dat een eenvoudige ober geen partij was voor dit soort types.

De aanvoerder keek snel de eetzaal door, totdat hij de twee buitenlanders ontdekte die achterin zaten te eten. Hij knikte naar een van zijn mannen, die met hem meeliep, terwijl de drie anderen positie kozen bij de deur. Een onnodige voorzorgsmaatregel, wist Grishin. De jongste van de twee Engelsen zou misschien tegenstribbelen, maar hij had geen schijn van kans.

'Vrienden van u?' vroeg Vincent zacht. Hij voelde zich naakt, zonder wapen, en vroeg zich af hoe ver hij zou komen met het gekartelde vleesmes naast zijn bord. Niet ver, beantwoordde hij zijn eigen vraag.

'Ik denk dat het de heren zijn die je een paar weken geleden van hun drukpers hebt beroofd,' zei Irvine. Hij veegde zijn mond af. De eend was voortreffelijk geweest. De man in de zwarte jas kwam naar hun tafeltje toe en keek op hen neer. De gorilla bleef achter hem staan.

'Sir Irvine?' Grishin sprak alleen Russisch. Vincent vertaalde het.

'Sir Nigel, eigenlijk. En met wie heb ik de eer?'

'Geen flauwiteiten. Hoe bent u het land binnengekomen?'

'Via het vliegveld.'

'Een leugen.'

'Ik verzeker u, kolonel... u bent toch kolonel Grishin, als ik me niet vergis?... Ik verzeker u dat mijn papieren volkomen in orde zijn. Ze liggen natuurlijk nog bij de receptie van het hotel, anders kon ik ze u laten zien.'

Eén moment aarzelde Grishin. Hij had de noodzakelijke instanties omgekocht, met strikte orders om hem te waarschuwen, maar hij had niets gehoord. Misschien had iemand een fout gemaakt. Dan zou hij daar duur voor moeten betalen.

'U mengt zich in de binnenlandse aangelegenheden van Rusland, *anglichanin*. En dat bevalt me niets. Maar binnenkort grijpen we uw Amerikaanse schoothond, Jason Monk, wel in zijn kraag. Dan zal ik persoonlijk met hem afrekenen.'

'Bent u klaar, kolonel? Dan heb ik u ook nog wat te zeggen, nu we toch in een openhartige bui zijn.'

Vincent vertaalde snel. Grishin keek de Engelsman ongelovig aan. Niemand sprak op die toon tegen hem, zeker geen hulpeloze oude man. Nigel Irvine maakte zijn blik van zijn wijnglas los en keek Grishin strak aan.

'U bent een verachtelijk individu en de man voor wie u werkt is zo mogelijk nog walgelijker.'

Vincent opende zijn mond, klapte hem weer dicht en mompelde in het Engels: 'Is dat wel verstandig, chef?'

'Vertaal het nou maar, dan ben je een brave jongen.'

349

Vincent deed het. Een adertje op Grishins voorhoofd begon te kloppen. De gorilla achter hem liep zo rood aan dat zijn nek uit zijn boordje dreigde te knappen.

'Het Russische volk,' vervolgde Irvine op luchtige toon, 'heeft misschien heel wat fouten begaan, maar geen enkele natie verdient te worden uitgeleverd aan tuig zoals jullie.'

Vincent aarzelde even bij het woord 'tuig', maar vertaalde het toen correct met '*pizdyuk*'. Het adertje begon nog sneller te kloppen.

'Gelukkig, kolonel Grishin, is er volgens de opiniepeilingen al vijftig procent kans dat u en die pooier voor wie u werkt nooit de macht zullen krijgen in dit mooie land. Langzaam beginnen de mensen door de façade heen te kijken, en over een maand is het grootste deel misschien van gedachten veranderd. En wat wilt u daaraan doen?'

'Om te beginnen,' zei Grishin heftig, 'zal ik jou je strot afsnijden. Je zult dit land nooit levend verlaten.'

Vincent vertaalde het en voegde er in het Engels aan toe: 'Ik geloof dat hij het meent.'

Het was opeens doodstil in de eetzaal. De gasten aan de tafeltjes om hen heen luisterden mee naar het gesprek tussen Grishin en Irvine, via de vertaling van Vincent. Grishin kon het weinig schelen. Moskovieten die een avondje uit waren, zouden zich heus niet met een incident bemoeien of later nog weten wat ze hadden gezien. De politie was nog steeds zonder enig succes op jacht naar de moordenaars van de Londense journalist.

'Dat lijkt me niet verstandig,' antwoordde Irvine.

'Denk maar niet dat iemand je zal helpen,' sneerde Grishin. 'Zeker deze zwijnen niet.'

Zwijnen was het verkeerde woord. Opeens klonk er een klap op een tafeltje links van de kolonel. Hij draaide zich half om. Iemand had een knipmes in het tafelblad gestoken. De stiletto trilde nog na. Grishin dacht eerst dat het een vleesmes was, maar dat lag er nog naast. Aan een ander tafeltje trok een van de gasten zijn witte servet opzij. Eronder lag een Steyr 9-mm.

'Wie zijn dit?' mompelde Grishin tegen de Zwarte Gardist achter hem.

'Tsjetsjenen,' siste de lijfwacht terug.

'Allemaal?'

'Ik ben bang van wel,' zei Irvine rustig toen hij Vincents vertaling hoorde. 'En ze worden niet graag zwijnen genoemd. Het zijn moslims, moet u weten. Met een heel goed geheugen. Ze kunnen zich Grozny nog herinneren.'

Bij het noemen van de naam van hun verwoeste hoofdstad klonk er een metaalachtig geklik door de hele zaal toen de veiligheidspallen van vijftig vuurwapens werden teruggeschoven. Zeven pistolen werden op de drie

Zwarte Gardisten bij de ingang gericht. De gerant dook weg achter zijn kassa en deed een schietgebedje dat hij zijn kleinkinderen nog terug zou zien.

Grishin keek op sir Nigel neer. 'Ik heb je dus onderschat, *anglichanin*. Maar dat is de laatste keer. Verdwijn uit Rusland en kom hier nooit meer terug. Bemoei je niet met onze zaken. En je Amerikaanse vriend zul je niet meer zien. Helaas.'

Hij draaide zich op zijn hakken om en verdween naar buiten, met zijn Gardisten op zijn hielen.

Vincent slaakte een diepe zucht. 'U wist wie er om ons heen zaten, niet?'

'Ik hoopte dat mijn boodschap was doorgekomen, ja. Zullen we maar gaan?'

Hij hief zijn glas met het laatste restje van de volle rode wijn en keek de zaal rond. 'Heren, op uw gezondheid. En mijn hartelijke dank.'

Vincent vertaalde het en ze vertrokken. De Tsjetsjenen ook. Zij bewaakten het hotel de rest van die nacht en escorteerden de Engelsen de volgende morgen naar Sheremetyevo, waar ze op het vliegtuig naar Londen stapten.

'Het kan me niet schelen hoeveel u biedt, sir Nigel,' zei Vincent toen de jet van British Airways schuin over de Moskva vloog en naar het westen draaide. 'Ik ga voor geen prijs meer naar Moskou terug.'

'Mooi zo. Ik ook niet.'

'En wie is die Amerikaan?'

'Die is daar nog ergens, ben ik bang. Hij balanceert op het slappe koord, maar dat kan hij heel erg goed.'

Umar Gunayev kwam binnen zonder kloppen. Monk zat aan de tafel, over een grootschalige plattegrond van Moskou gebogen. Hij keek op.

'We moeten praten,' zei de Tsjetsjeense leider.

'Je bent niet blij,' zei Monk. 'Dat spijt me.'

'Je vrienden zijn vertrokken. In goede gezondheid. Maar wat er gisteravond in de Zilveren Tijd gebeurde, was krankzinnig. Ik ben akkoord gegaan omdat ik je nog iets schuldig ben van lang geleden. Maar die schuld is nu bijna terugbetaald. Bovendien geldt dat niet voor mijn mannen. Ik kan hen niet langer in gevaar brengen omdat jouw vrienden krankzinnige spelletjes willen spelen.'

'Het spijt me. De oude man moest in Moskou zijn voor een belangrijke bespreking. Hij was de enige die in aanmerking kwam. Daarom heeft hij het gedaan. Maar Grishin ontdekte dat hij hier was.'

'Dan had hij in het hotel moeten blijven om te eten. Daar was hij redelijk veilig geweest.'

'Blijkbaar wilde hij Grishin ontmoeten om met hem te praten.'

'Te praten? Op die manier? Ik zat drie tafeltjes verderop. Hij vroeg om een mes tussen zijn ribben.'

'Ik begrijp het ook niet, Umar, maar dat waren zijn instructies.'

'Jason, er zijn vijfentwintighonderd beveiligingsbedrijven in dit land, waarvan achthonderd in Moskou. Hij had vijftig man kunnen inhuren als lijfwacht.'

Met de opkomst van de georganiseerde misdaad waren ook de bewakingsdiensten als paddestoelen uit de grond gerezen. Gunayevs cijfers klopten. En die bedrijven rekruteerden hun personeel vooral onder ex-militairen van de landmacht, de mariniers, de speciale eenheden, de para's, de militia en de KGB. Ze waren allemaal te huur.

In 1999 werkten zo'n achthonderdduizend Russen bij bewakingsdiensten, van wie een derde in Moskou. In theorie moest de militia een vergunning uitgeven voor deze firma's en de achtergrond van de werknemers controleren – of ze een strafblad hadden, of ze geschikt waren, of ze verantwoordelijk konden optreden en welke wapens ze droegen, hoeveel en waarvoor.

In theorie. In de praktijk was een goed gevulde envelop met geld voldoende voor een vergunning. En de dekmantel van 'bewakingsdienst' was zo nuttig dat alle bendes zich onmiddellijk lieten inschrijven, zodat iedere crimineel een legitimatie kon overleggen die aantoonde dat hij een bewaker met een wapenvergunning was.

'Het probleem is, Umar, dat je een beveiligingsdienst kunt omkopen. Als ze Grishin hadden gezien, hadden ze meteen geweten dat ze hun tarief konden verdubbelen. En dus zouden ze naar de andere kant zijn overgelopen en zelf mijn vrienden hebben vermoord.'

'Daarom heb je dus mijn mensen ingezet, omdat je wist dat je hen kon vertrouwen?'

'Ik had geen keus.'

'Maar nu weet Grishin dus wie jou al die tijd hebben beschermd. Als hij zich dat afvroeg, heeft hij nu het antwoord. Dat zal het leven heel wat lastiger maken van nu af aan. Ik heb al gehoord dat de Dolgoruki opdracht hebben gekregen om zich voor te bereiden op een bendeoorlog. En dat is het laatste waar ik op zit te wachten.'

'Als Komarov aan de macht komt, zijn de Dolgoruki niet je grootste probleem.'

'Wat ben je in godsnaam begonnen met dat vervloekte manifest?'

'We kunnen nu niet meer terug, Umar.'

'Wé? Wat klets je nou over "we"? Je hebt me om hulp gevraagd. Je had een schuilplaats nodig. Ik heb je mijn gastvrijheid aangeboden. Zo is ons volk. Maar ik had niet op een oorlog gerekend.'

'Misschien kan ik die nog voorkomen.'

'Hoe?'

'Een gesprek met generaal Petrovsky.'

'Met hèm? Die Chekist? Weet je hoeveel schade hij en zijn GUVD ons hebben berokkend? Hoeveel razzia's hij al heeft uitgevoerd op mijn clubs, mijn pakhuizen en casino's?'

'Hij heeft meer de pest aan de Dolgoruki dan aan jullie. En ik moet ook de patriarch nog spreken. Voor de laatste keer.'

'Waarom?'

'Ik heb hem heel wat te vertellen. Maar deze keer moet iemand me helpen om daar weg te komen.'

'Niemand verdenkt de patriarch. Je kunt je gewoon als priester vermommen.'

'Nee, zo eenvoudig is het niet. Ik denk dat de Engelsman met een auto van het hotel is gekomen. Als Grishin het natrekt, weet hij dat de Engelsman bij de patriarch op bezoek is geweest. En dus is er een grote kans dat het huis in Chisti Pereulok in de gaten wordt gehouden.'

Umar schudde ongelovig zijn hoofd.

'Zal ik je eens wat zeggen? Die Engelsman van jou is een oude imbeciel.'

Kolonel Grishin zat achter zijn bureau en keek met onverholen voldoening naar de vergroting van de foto die voor hem lag.

Ten slotte drukte hij op een toets van de intercom. 'Meneer de president, ik moet u spreken.'

'Kom maar langs.'

Igor Komarov bestudeerde de foto van de brief die in het koffertje van sir Nigel Irvine was gevonden. Hij was geschreven op het officiële briefpapier van het patriarchaat en begon met de woorden: 'Uwe koninklijke hoogheid'. Onder de brief stond de handtekening van Zijne Heiligheid Alexei II, met zijn zegel.

'Wat is dit?'

'Meneer de president, de bedoeling van die buitenlandse samenzwering tegen u is nu wel duidelijk. Het gaat om twee dingen. Hier in Rusland proberen ze uw verkiezingscampagne te laten ontsporen door paniek te zaaien op grond van uw persoonlijke manifest dat ze aan bepaalde personen laten zien.

Dat heeft geleid tot de sabotage van onze drukpersen, de druk van de banken om de tv-reportages stop te zetten en de heftige kritiek van die dwaze oude generaal. Dat is allemaal heel vervelend, maar het kan uw overwinning niet in gevaar brengen.

Het tweede onderdeel van het komplot is gevaarlijker. Dat is een voorstel

353

om de functie van president af te schaffen door het herstel van de monarchie. Uit eigenbelang is de patriarch voor dat idee bezweken. Wat hier voor u ligt is zijn persoonlijke brief aan een zekere prins, die in het Westen woont, waarin hij het idee van de restauratie steunt en deze prins als de meest geschikte kandidaat aanwijst.'

'Wat denkt u daaraan te doen, kolonel?'

'Heel simpel, meneer de president. Zonder kandidaat is dit plan gedoemd om te mislukken.'

'En u kent iemand die deze edelman kan... ontmoedigen?'

'Ja. Definitief. Een uitstekende vent met ervaring in het Westen. Hij spreekt verschillende talen, hij werkt voor de Dolgoruki, maar hij is te huur. Zijn laatste contract betrof twee verraders binnen de mafia die ervan werden beschuldigd dat ze twintig miljoen dollar in Londen moesten afleveren maar er met het geld vandoor waren gegaan. Twee weken geleden werden ze gevonden in Wimbledon, een buitenwijk van Londen.'

'Dan moeten we die man maar inhuren, kolonel.'

'Laat het maar aan mij over, meneer de president. Binnen tien dagen is er geen kandidaat meer.'

De 'nieuwe tsaar' in het lijkenhuis, dacht Grishin toen hij terugliep naar zijn kantoor, en Jason Monk hangend aan zijn duimen in een kelder, nadat hij door de FAPSI was opgespoord. Ja, daarvan zou hij sir Nigel Irvine een stapeltje aardige foto's kunnen sturen om zijn kerstfeest op te vrolijken.

Het hoofd van de GUVD was net klaar met eten en zat met zijn dochtertje op zijn knie naar haar favoriete tekenfilms te kijken toen de telefoon ging. Zijn vrouw nam op.

'Het is voor jou.'

'Wie is het?'

'De Amerikaan, zei hij. Meer niet.'

De politiechef zette Tatiana voorzichtig op de grond en stond op.

'Ik neem hem wel in mijn studeerkamer.'

Toen hij de deur achter zich had dichtgetrokken en de hoorn oppakte, hoorde hij de klik waarmee zijn vrouw het andere toestel neerlegde.

'Ja?'

'Generaal Petrovsky?'

'Ja.'

'We hebben elkaar pas gesproken.'

'Dat weet ik nog.'

'Ik heb wat informatie die misschien nuttig voor u is. Hebt u pen en papier?'

'Waar belt u vandaan?'

'Uit een telefooncel. Ik heb niet veel tijd. Wilt u voortmaken?'

'Zeg het maar.'

'Komarov en Grishin hebben hun vrienden van de Dolgoruki zo ver gekregen dat ze een bendeoorlog willen beginnen tegen de Tsjetsjeense mafia.'

'Laten ze elkaar maar afmaken. Ik vind het best.'

'Ja, maar op dit moment is er een delegatie van de Wereldbank in Moskou om nieuwe kredieten te bespreken. De waarnemend president wil een goede indruk maken op de buitenwereld en de Russische kiezers. Hij zal er niet blij mee zijn als de kogels over straat vliegen. Zeker niet op dit moment.'

'En verder?'

'Zes adressen. Noteer ze maar.'

Monk las ze op, terwijl generaal Petrovsky ze noteerde.

'Wat zijn dit voor adressen?'

'De eerste twee zijn wapenarsenalen van de Dolgoruki. Het derde is een casino. In de kelder ligt het grootste deel van hun boekhouding. De laatste drie zijn pakhuizen met smokkelwaar ter waarde van zo'n twintig miljoen dollar.'

'Hoe weet u dit allemaal?'

'Ik heb vrienden van laag allooi. Kent u deze twee officieren?' Monk noemde twee namen.

'Natuurlijk. Een hoge assistent van mij en een divisiecommandant van de SOBR-troepen. Hoezo?'

'Ze staan allebei op de loonlijst van de Dolgoruki.'

'Ik hoop dat je je niet vergist, Amerikaan.'

'Ik vergis me niet. Als u een overval wilt uitvoeren, zou ik dat heel snel doen en die twee mannen erbuiten laten.'

'Ik ken mijn werk.'

Petrovsky hoorde een klik toen er werd opgehangen. Peinzend legde hij de hoorn neer. Als deze bizarre buitenlandse agent gelijk had, was dit heel kostbare informatie. Hij kon kiezen. Hij zou rustig kunnen wachten tot die twee bendes elkaar naar de strot vlogen, of hij zou het grootste mafia-syndicaat van Rusland een zware slag kunnen toebrengen, met felicitaties van de president. Op dat moment had hij drieduizend man van de SOBR tot zijn beschikking – grotendeels jonge, enthousiaste kerels. Als die Amerikaan maar voor de helft gelijk had wat Igor Komarov en zijn plannen betrof, zou er in het nieuwe Rusland geen plaats meer zijn voor hemzelf, zijn rechercheurs of zijn troepen.

Hij liep terug naar de zitkamer. De tekenfilms waren afgelopen. Hij zou nooit weten of Wiley Coyote de Roadrunner als avondeten te pakken had gekregen of niet.

'Ik moet naar het bureau,' zei hij tegen zijn vrouw. 'Ik zit er wel de hele nacht en een groot deel van morgen.'

's Winters is het stadsbestuur van Moskou gewend om de paden en wegen van Gorky Park onder water te zetten, waardoor vanzelf de grootste ijsbaan van het land ontstaat. Het parcours is kilometers lang en heel populair bij Moskovieten van alle leeftijden, rangen en standen. Ze komen in drommen met hun schaatsen en een voorraadje wodka om hun zorgen even te vergeten en heerlijk over het ijs te zwieren.

Maar sommige wegen blijven ijsvrij en komen uit bij kleine parkeerplaatsen. Tien dagen voor Kerstmis ontmoetten twee mannen elkaar op een van die parkeerplaatsen, stevig ingepakt tegen de kou. Ze stapten uit hun auto en liepen afzonderlijk naar de bosrand tegenover het ijs, waar de schaatsers baantjes trokken en om elkaar heen reden.

Een van de mannen was kolonel Anatoli Grishin, de ander een eenzame figuur die in de onderwereld bekend stond als *Mekhanik* of 'de Monteur'.

Het wemelde van de huurmoordenaars in Rusland, maar de mafia en zeker de Dolgoruki beschouwden de Monteur als een specialist.

Hij was een Oekraïener, een ex-majoor uit het leger, die jaren eerder was ingedeeld bij de Spetsnaz, de speciale eenheden, en later bij de GRU, de militaire inlichtingendienst. Na een talenopleiding was hij twee keer naar West-Europa gestuurd. Toen hij ontslag nam uit het leger, had hij zijn kennis van het Engels en Frans, zijn ervaring in milieus die voor de meeste Russen vreemd en onprettig waren, en zijn gebrek aan scrupules in een winstgevende professie omgezet.

'Ik begrijp dat u me wilde spreken,' zei hij.

Hij wist wie kolonel Grishin was. De veiligheidschef van de Unie van Patriottische Krachten zou in Rusland zelf zijn diensten niet nodig hebben. Binnen de Zwarte Garde, om nog maar te zwijgen over de bevriende Dolgoruki, waren genoeg beroepsmoordenaars te vinden. Maar het buitenland was een ander verhaal.

Grishin gaf hem een foto. De Monteur wierp er een blik op en draaide hem om. Op de achterkant stonden een naam en het adres van een landgoed in West-Europa.

'Een prins,' mompelde hij. 'Ik kom nog hogerop.'

'Bespaar me je gevoel voor humor,' zei Grishin. 'Het is een gemakkelijk doelwit. Nauwelijks persoonlijke beveiliging. Het moet vóór 25 december zijn gebeurd.'

De Monteur dacht na. Dat was te snel. Hij moest zich voorbereiden. Hij was nog steeds in leven omdat hij zijn maatregelen trof, en dat kostte tijd.

'Oudjaar,' zei hij.

'Goed. Wat is je prijs?'

De Monteur noemde een bedrag.

'Akkoord.'

356

De adem van de twee mannen vormde witte wolkjes. De Monteur herin-
nerde zich dat hij op de televisie een charismatische jonge priester had
gezien die de Russen opriep tot een terugkeer tot God en de tsaar. Dus dat
was Grishins motief. Jammer dat hij zijn prijs niet had verdubbeld.
'Dat was het?' vroeg hij.
'Of heb je nog meer gegevens nodig?'
De huurmoordenaar stak de foto in de binnenzak van zijn jas.
'Nee,' zei hij. 'Ik geloof dat ik alles weet wat ik weten moet. Prettig zaken
met u te doen, kolonel.'
Grishin draaide zich om en greep de man bij zijn arm. De Monteur staarde
naar de gehandschoende hand totdat Grishin hem losliet. De Monteur hield
niet van fysiek contact.
'Er mag geen enkele fout worden gemaakt – met het doelwit of het tijdstip.'
'Ik maak geen fouten, kolonel. Anders zou u mij niet hebben benaderd. Ik
stuur u het nummer van mijn bankrekening in Liechtenstein. Goedendag.'

In de kleine uren van de ochtend na de ontmoeting bij de schaatsbaan in het
Gorky Park voerde generaal Petrovsky gelijktijdig zes verschillende overvallen uit.
De twee verraders die voor de Dolgoruki werkten waren uitgenodigd voor
een etentje in de officiersclub van de SOBR-kazerne, waar ze dronken werden van de wodka. Daarna werden ze ieder naar een kamer gebracht om
hun roes uit te slapen – met een wachtpost voor de deur, voor alle zekerheid.
Een tactische 'oefening', eerder op de dag, was kort voor middernacht
opeens in een serieuze actie veranderd. Tegen die tijd hadden de troepen
zich met hun trucks in een reeks afgesloten garages verzameld. Pas om twee
uur 's nachts kregen de chauffeurs en de commandanten de instructies voor
hun missie, met de adressen. Voor het eerst in maanden werd de tegenpartij
volkomen verrast.
De drie pakhuizen waren nauwelijks een probleem. Vier wachtposten die de
schatkamers moesten bewaken hadden zich verzet en waren neergeschoten.
Acht anderen hadden zich bijtijds overgegeven. In de pakhuizen stonden
tienduizend kisten gesmokkelde wodka, die in twee maanden tijd uit Finland en Polen het land waren binnengekomen. De mislukte graanoogst had
het grootste wodkaland ter wereld gedwongen zijn eigen favoriete drank uit
het buitenland te importeren, tegen drie keer de prijs die er in de landen van
herkomst voor werd betaald. Verder werden er in de pakhuizen nog partijen
vaatwassers, wasmachines, televisies, videorecorders en computers gevonden, allemaal uit het Westen en allemaal gestolen.
De twee arsenalen bevatten genoeg wapens voor een heel infanterieregi-

ment, variërend van gewone geweren tot draagbaar anti-tankgeschut en vlammenwerpers.

Petrovsky leidde persoonlijk de razzia op het casino, vol met gokkers die schreeuwend de nacht in vluchtten. De manager bleef volhouden dat het een wettig toegestane zaak was, totdat het bureau in zijn kantoor opzij werd geschoven en het tapijt opgetild, waardoor het luik naar de kelder te voorschijn kwam. Toen viel hij flauw.

Halverwege de ochtend waren de SOBR-troepen nog bezig met het versjouwen van de dozen met financiële gegevens, die in busjes naar het hoofdkwartier van de GUVD in de Shabolovkastraat nummer 6 werden gereden voor onderzoek.

Tegen de middag had Petrovsky al de gelukwensen ontvangen van twee generaals van het presidium van de MVD, het ministerie van Binnenlandse Zaken, vijfhonderd meter verderop aan het Zhitnyplein.

De radio bracht 's ochtends het eerste nieuws over de razzia's en 's middags was er een uitgebreide reportage op de tv. Het aantal slachtoffers onder de gangsters, meldde de nieuwslezer, was inmiddels opgelopen tot zestien, terwijl er onder de speciale politietroepen maar één man ernstig gewond was geraakt door een kogel in zijn maag en een ander een lichte vleeswond had opgelopen. Zevenentwintig mafiosi waren aangehouden, van wie er zeven in het ziekenhuis lagen. Twee van hen hadden al een uitvoerige verklaring afgelegd op het bureau van de GUVD.

Dat laatste klopte niet. Het was een opzettelijke poging van Petrovsky om nog meer paniek te zaaien onder de leiders van de Dolgoruki.

De gangsterbazen waren inderdaad behoorlijk aangeslagen toen ze elkaar ontmoetten in een luxueus en streng beveiligd huis buiten de stad, tweeënhalve kilometer van de Archangelskoiebrug over de Moskva. Maar hun woede was nog groter dan hun paniek. De meesten waren ervan overtuigd dat de uitschakeling van hun twee informanten, de verrassingstactiek van de SOBR en de doelgerichte acties, op een groot lek moesten wijzen.

Terwijl ze nog overlegden, hoorden ze van hun spionnen op straat dat het lek afkomstig zou zijn van een hoge officier van de Zwarte Garde die zijn mond voorbij had gepraat. Na de miljoenen dollars die de Dolgoruki in de verkiezingscampagne van Igor Komarov hadden gestoken waren ze niet gelukkig met dat nieuws.

Ze wisten niet dat het gerucht was verspreid door de Tsjetsjenen, op advies van Jason Monk. Voordat er nog meer geld naar de UPK ging, moest er eens ernstig worden gepraat, besloten de Dolgoruki-leiders.

Kort na drieën kwam Umar Gunayev met een flinke lijfwacht bij Jason Monk op bezoek. Monk logeerde op dat moment bij een Tsjetsjeense familie in een klein appartement ten noorden van het expositiecentrum in Sokolniki Park.

'Ik weet niet hoe je het voor elkaar gekregen hebt, beste vriend, maar er is gisteren een zware bom ontploft.'

'Gewoon eigenbelang,' zei Monk. 'Het was belangrijk voor Petrovsky om zijn superieuren en zeker de waarnemend president tevreden te houden, omdat er deze week een delegatie van de Wereldbank op bezoek is. Dat is alles.'

'Goed. Nou, de Dolgoruki zijn voorlopig niet meer in staat tot een bendeoorlog. Ze hebben nog weken nodig om de schade te herstellen.'

'En om het lek bij de Zwarte Garde te vinden,' voegde Monk eraan toe.

Umar Gunayev gooide hem een exemplaar van *Segodnya* in zijn schoot. 'Kijk eens op pagina drie,' zei hij.

Het belangrijkste Russische enquêtebureau had weer een peiling gehouden. De UPK was teruggevallen naar 55 procent en de daling zette zich voort.

'Die peilingen worden voornamelijk in de grote steden gehouden,' zei Monk. 'Dat is gemakkelijk. Komarov doet het beter in de steden. De bepalende factor zijn de grote massa's op het platteland, waar niemand rekening mee houdt.'

'Denk je echt dat Komarov nog kan verliezen?' vroeg Gunayev. 'Zes weken geleden stond zijn overwinning vast.'

'Ik weet het niet,' zei Monk.

Dit was niet het moment om de Tsjetsjeense leider te vertellen dat een verkiezingsnederlaag niet helemaal sir Nigels bedoeling was. Hij herinnerde zich hoe de oude spionagechef, die door zijn collega's nog altijd werd beschouwd als de grootmeester van bedrog en desinformatie, in de bibliotheek van Castle Forbes had gezeten met de familiebijbel open voor zich op tafel.

'De sleutel is Gideon, beste kerel,' had Irvine gezegd. 'We moeten denken als Gideon.'

'Je bent mijlenver weg,' zei Gunayev. Monk schrok op uit zijn overpeinzingen.

'Sorry, je hebt gelijk. Vanavond moet ik de patriarch weer spreken. Voor het laatst. Ik heb je hulp nodig.'

'Om binnen te komen?'

'Om weg te komen. Er is een grote kans dat Grishin het huis in de gaten laat houden, zoals ik al zei. Eén man is voldoende, maar die kan versterkingen optrommelen als ik binnen ben.'

'Goed, dan trekken we ons plan,' zei de Tsjetsjeen.

Kolonel Anatoli Grishin was thuis en wilde juist naar bed gaan toen zijn zaktelefoon begon te rinkelen. Hij herkende de stem meteen.

'Hij is hier. Hij is weer gekomen.'

'Wie?'

'De Amerikaan. Hij is terug. Hij zit nu bij Zijne Heiligheid.'

'Hij vermoedt niets?'

'Ik geloof het niet. Hij is in zijn eentje gekomen.'

'Als priester?'

'Nee. Helemaal in het zwart, maar wel in burger. De patriarch scheen hem te verwachten.'

'Waar bent u nu?'

'In de keuken. Om koffie te zetten. Ik moet weer gaan.'

Grishin hoorde een klik. Hij onderdrukte een gevoel van triomf. Bijna had hij de gehate Amerikaanse agent te pakken. Het zou nu anders gaan dan in Oost-Berlijn. Hij belde de leider van een van de knokploegen van de Zwarte Garde.

'Ik heb tien man nodig, drie auto's en mini-uzi's. Nu. Rij naar Chisti Pereulok en sluit de steeg aan twee kanten af. Over een half uur zie ik jullie daar.'

Het was half een in de nacht.

Om tien over een stond Monk op en wenste de patriarch goedenacht.

'Ik denk niet dat we elkaar nog zullen spreken, Uwe Heiligheid. Ik weet dat u uw best zult doen voor dit land en het volk waar u zo van houdt.'

Alexei II stond ook op en bracht hem naar de deur.

'Ik zal het proberen, met Gods hulp. Vaarwel, mijn zoon. Mogen de engelen over je waken.'

Voorlopig ben ik al tevreden met een paar vechtjassen uit het noorden van de Kaukasus, dacht Monk toen hij de trap afliep. De dikke bediende stond weer klaar met zijn jas, net als de vorige keer.

'Geen jas, dank u, pater,' zei hij. Het laatste wat hij nodig had was iets dat hem in zijn bewegingen belemmerde. Hij pakte zijn zaktelefoon en toetste een nummer in. Er werd meteen opgenomen.

'Monakh,' zei hij.

'Vijftien seconden,' antwoordde een stem. Monk herkende Magomed, de aanvoerder van zijn lijfwacht. Monk opende de voordeur op een kier en tuurde naar buiten. Verderop in de smalle straat wachtte een eenzame Mercedes onder een zwakke straatlantaarn. Er zaten vier mannen in, één achter het stuur en drie met machinepistolen. De witte pluim achter de auto in de bitterkoude lucht was een aanwijzing dat de motor draaide.

Aan de andere kant kwam Chisti Pereulok op een pleintje uit. In het half-duister stonden twee andere zwarte wagens geparkeerd. Te voet of per auto, wie het steegje wilde verlaten zou die hinderlaag moeten passeren.

Vanaf de kant van de Mercedes naderde een andere auto met een geelver-licht taxibordje boven de voorruit. De mannen in de Mercedes lieten de taxi ongemoeid. Hij kwam hun vrachtje ophalen. Jammer voor de taxichauffeur; hij zou het niet overleven.

Op het moment dat de taxi langs de Mercedes reed, klonk er een dubbele klik toen twee stalen ananassen tegen het bevroren wegdek kletterden en onder de andere auto rolden. De taxi had zich nauwelijks in veiligheid gebracht toen Monk, achter de kier van de voordeur, de twee explosies van de handgranaten hoorde.

Op hetzelfde moment reed een grote bestelwagen aan de andere kant het pleintje op en stopte bij de ingang van de steeg. De chauffeur sprong uit de cabine en rende de straat door.

Monk knikte naar de trillende priester, gooide de deur open en stapte naar buiten. De taxi had het huis nu bijna bereikt en het achterportier zwaaide open. Monk dook naar binnen. Vanaf de voorbank trok een sterke arm hem de taxi in. De chauffeur van de bestelwagen sprong achter hem aan.

De taxi reed achteruit terug. Van achter de stilstaande bestelwagen klonk het geluid van schoten toen iemand plat op de grond een machinegeweer afvuurde. Het volgende moment explodeerden de twee bommen onder het chassis van de bestelwagen en werd er niet meer geschoten.

Een van de mannen was uit de Mercedes ontsnapt en stond wankelend naast het achterportier met zijn geweer. De achterbumper van de taxi raakte zijn schenen en smeet hem tegen de grond.

Aan het einde van de steeg zwenkte de taxi opzij, slipte over het ijs, maar kwam weer recht te staan. De chauffeur schakelde de versnelling in zijn vooruit en ging ervandoor. De benzinetank van de Mercedes exploedeerde en voltooide het karwei.

Magomed draaide zich op de voorbank om en Monk zag zijn tanden blikkeren onder zijn zwarte Zapata-snor.

'Je brengt wel leven in de brouwerij, *Amerikanets*.'

Op het pleintje aan de andere kant van de steeg staarde kolonel Grishin naar het wrak van de bestelwagen dat de straat versperde. Eronder lagen twee van zijn mannen, gedood door de bommen onder het chassis, die vanuit de cabine tot ontploffing waren gebracht. Toen hij voorzichtig om de wagen heen keek, zag hij de brandende Mercedes aan de andere kant van de zijstraat.

Hij pakte zijn zaktelefoon en toetste zeven cijfers in. Het toestel ging twee keer over, toen hoorde hij een paniekerige stem:

'*Da?*'

'Hij is ontsnapt. Heb je gedaan wat ik vroeg?'

'*Da.*'

'De vaste plaats. Nu vanochtend, tien uur.'

De kleine kerk van de Allerheiligen in Kulishki was bijna verlaten op dit uur.

Pater Maxim stond bij de rechtermuur met een sputterende kaars die hij bij de ingang had gekocht. Even later dook kolonel Grishin naast hem op.

'De Amerikaan is ontsnapt,' zei hij zacht.

'Het spijt me. Ik heb mijn best gedaan.'

'Hoe wist hij het?'

'Blijkbaar vermoedde hij dat het huis werd bewaakt.' De priester stond te zweten, zoals gewoonlijk. 'Hij haalde een zaktelefoon te voorschijn om iemand te bellen.'

'Begin maar bij het begin.'

'Hij kwam om ongeveer tien over twaalf. Ik wilde juist naar bed gaan. Zijne Heiligheid zat nog te werken in zijn studeerkamer. Hij werkt altijd laat. Er werd gebeld, maar ik hoorde het niet. Ik was op mijn kamer. De Kozak deed open. Toen hoorde ik stemmen. Ik kwam mijn kamer uit en zag de Amerikaan in de gang staan.

Daarna riep Zijne Heiligheid van boven: "Breng meneer maar naar mijn kamer." Hij boog zich over de leuning, zag me staan en vroeg om koffie. Ik ging naar het keukentje en belde u.'

'Hoe lang duurde het voordat u de studeerkamer binnenkwam?'

'Niet lang. Een paar minuten maar. Ik heb zo snel mogelijk koffie gezet, om niets te missen. Binnen vijf minuten was ik klaar.'

'En de cassetterecorder die ik u gegeven had?'

'Die heb ik aangezet voordat ik met de koffie naar binnen ging. Ze hielden op met praten toen ik klopte. Bij het neerzetten van de koffie liet ik wat suikerklontjes op de grond vallen. Ik liet me op mijn knieën zakken om ze op te rapen.

Laat maar, zei Zijne Heiligheid, maar ik raapte ze toch op en legde tegelijkertijd de recorder onder het bureau. Toen ben ik weer weggegaan.'

'En na afloop?'

'Hij kwam in zijn eentje naar beneden. Ik stond te wachten met zijn jas, maar die wilde hij niet. De Kozak zat in zijn kamertje naast de deur. De Amerikaan leek zenuwachtig. Hij pakte een zaktelefoon en belde een nummer. Iemand nam op en hij zei: "Monakh."'

'Verder niets?'

'Nee, kolonel. Alleen "Monakh". Toen luisterde hij. Ik kon het antwoord niet horen, omdat hij de telefoon dicht tegen zijn oor hield. Daarna wachtte hij even, opende de voordeur op een kier en keek naar buiten. Ik had nog steeds zijn jas in mijn hand.'

Grishin dacht na. De oude Engelsman had Monk kunnen waarschuwen dat hij via de auto van het National Hotel was opgespoord. Zo had Monk kunnen weten dat het huis van de patriarch in de gaten werd gehouden.

'Ga door, eerwaarde.'

'Ik hoorde een auto aankomen en daarna twee explosies. De Amerikaan rukte de deur open en rende naar buiten. Toen werd er geschoten. Ik sprong bij de deur vandaan.'

Grishin knikte. De Amerikaan was slim, maar dat wist hij al. De man had de juiste conclusies getrokken, maar met het verkeerde uitgangspunt. Grishin had het huis inderdaad in het oog gehouden – niet vanaf de straat, maar van binnenuit.

'En het bandje?'

'Toen hij die explosies hoorde, kwam de Kozak uit zijn kamertje met zijn geweer. De Amerikaan had de deur open gelaten. De Kozak keek naar buiten, riep: "Gangsters!" en smeet de voordeur dicht. Ik liep snel de trap op toen Zijne Heiligheid uit de studeerkamer kwam en zich over de leuning boog om te vragen wat er gebeurde. Ik glipte snel de studeerkamer in om de kopjes af te ruimen en de recorder weg te halen.'

Zonder een woord stak Grishin zijn hand uit. Pater Maxim tastte in de zak van zijn soutane en haalde er een mini-cassette uit, die paste in de recorder die hij bij hun vorige ontmoeting van de kolonel gekregen had.

'Ik hoop dat ik er goed aan heb gedaan,' zei de priester nerveus. Grishin moest zich beheersen om die pad niet met zijn blote handen te wurgen. Misschien kwam het er nog eens van.

'U hebt er uitstekend aan gedaan, eerwaarde,' zei hij. 'Gelooft u me.'

In zijn auto, terug naar zijn kantoor, keek Grishin nog eens naar het bandje. Hij was die nacht zes goede kerels kwijtgeraakt en zijn prooi was hem ontsnapt. Maar hier had hij een opname van het gesprek tussen die bemoeizieke Amerikaan en de patriarch. Ooit zouden ze moeten boeten, nam Grishin zich voor. Voorlopig zag het ernaar uit dat deze dag heel wat beter zou eindigen dan hij was begonnen.

18

Kolonel Anatoli Grishin zat die hele ochtend, tot aan de lunchpauze en nog langer, achter zijn bureau en luisterde naar het bandje van het gesprek tussen patriarch Alexei II en Jason Monk.

Soms hoorde hij alleen wat gemompel en het gerinkel van theekopjes, maar de meeste passages waren goed te verstaan.

Het bandje begon met het geluid van een deur die openging. Pater Maxim kwam binnen met een blad koffie. Alles klonk gedempt, omdat de recorder nog in de zak van zijn soutane zat.

Grishin hoorde dat het blad op het bureau werd gezet. Daarna een gedempte stem die zei: 'Laat maar.'

Pater Maxim gaf gedempt antwoord en knielde op het kleed, zogenaamd om de klontjes op te rapen.

Opeens werd het geluid veel beter, toen hij de recorder uit zijn zak haalde en onder het bureau legde. De stem van de patriarch klonk nu helder genoeg. 'Dank u, pater,' zei hij tegen Maxim. 'Dat is alles.'

Het bleef even stil, totdat de deur dichtviel en Grishins spion was vertrokken. Toen zei de patriarch: 'Dan wilt u me nu misschien zeggen waarvoor u gekomen bent.'

Monk nam het woord. Grishin herkende de licht nasale toon in het vloeiende Russisch van de Amerikaan. Hij begon aantekeningen te maken.

Het gesprek duurde veertig minuten. Grishin luisterde er drie keer naar voordat hij een letterlijke transcriptie maakte. Dat kon hij niet aan een secretaris overlaten, hoe betrouwbaar ook.

Bladzij na bladzij schreef hij vol met zijn keurige cyrillische schrift. Soms wachtte hij even, spoelde het bandje terug, spitste zijn oren en begon weer te schrijven. Toen hij zeker wist dat hij alles op papier had, legde hij zijn pen neer.

Hij hoorde het schrapen van een stoel die naar achteren werd geschoven, en toen Monks stem die zei: 'Ik denk niet dat we elkaar nog zullen spreken, Uwe Heiligheid. Ik weet dat u uw best zult doen voor dit land en het volk waar u zo van houdt.'

Twee paar voetstappen verdwenen over het tapijt. Wat zachter, vanaf de deur, hoorde Grishin het antwoord van de patriarch: 'Ik zal het proberen, met Gods hulp.'

De deur viel dicht achter Monk en Grishin hoorde Alexei naar zijn bureau teruglopen. Tien seconden later was het bandje afgelopen.

Grishin leunde naar achteren en dacht na over wat hij had gehoord. Slechter nieuws was haast niet mogelijk. Hij kon niet geloven dat één man zoveel schade had kunnen aanrichten. En zo systematisch. Maar het was allemaal begonnen met die stommeling van een Akopov, die het manifest op zijn bureau had laten liggen. De gevolgen van die ene fout waren onvoorstelbaar.

Monk was het grootste deel van de tijd aan het woord geweest. Alexei had hem in het begin alleen onderbroken met instemmende geluiden. Zijn eigen bijdrage kwam pas aan het eind.

De Amerikaan had niet stilgezeten. Hij vertelde dat er meteen na nieuwjaar een campagne zou beginnen om met een grootscheepse negatieve publiciteit de kansen van Igor Komarov de grond in te boren.

Generaal Nikolai Nikolayev zou nog een hele reeks interviews geven aan kranten, radio en televisie, om de UPK aan te vallen en alle soldaten en ex-soldaten op te roepen op een andere partij te stemmen. Rusland telde 28 miljoen veteranen onder de 110 miljoen geregistreerde kiezers. Nikolayev zou dus een catastrofe kunnen veroorzaken.

Het besluit van de twee commerciële tv-stations om Igor Komarov geen zendtijd meer te geven was afkomstig van de bankiers. Drie van de vier geldschieters waren joods, onder wie de leider van de groep, Leonid Bernstein van de Moskovsky Federale Bank. Dat waren dus twee rekeningen die ooit vereffend moesten worden.

Monks derde actie was gericht geweest tegen de Dolgoruki. Grishin had een grote minachting voor die gangsters en was vast van plan om hen in de toekomst naar de concentratiekampen af te voeren, maar voorlopig had hij hun financiële steun hard nodig.

Geen enkele politicus in Rusland kon een gooi doen naar het presidentschap zonder een nationale campagne die biljoenen roebels kostte. Het geheime akkoord met de machtigste en rijkste mafiabende ten westen van de Oeral zorgde voor dat kapitaal – veel meer geld dan de andere kandidaten konden uitgeven. Sommige politici hadden de strijd al opgegeven omdat ze de kostbare campagne van de UPK niet konden bijhouden.

De zes razzia's waren een zware slag voor de Dolgoruki, maar nog erger was de vondst van hun boekhouding. Er waren heel weinig bronnen waaruit de GUVD zo'n tip kon hebben gekregen. Een concurrerende bende lag het meest voor de hand. Maar ondanks alle rivaliteit vormde de onderwereld meestal een gesloten front naar buiten. Wie zou de gehate GUVD dan zo'n tip hebben gegeven? Monk gaf het antwoord. Hij vertelde de patriarch dat de zaak was verraden door een ontevreden hoge officier van de Zwarte Garde.

Als de Dolgoruki dat konden bewijzen – en Grishin wist dat het gerucht al de ronde deed, ook al ontkende hij het heftig – zou dat het einde van het verbond betekenen.

Nog erger was dat het bandje onthulde dat een team van ervaren accountants al was begonnen aan de administratie die in de kelder onder het casino was gevonden. Ze waren ervan overtuigd dat ze omstreeks nieuwjaar zouden kunnen aantonen dat de UPK door de mafia werd gefinancierd. Die bewijzen zouden onmiddellijk aan de waarnemend president worden doorgegeven. Ondertussen zou generaal Petrovsky van de GUVD, een man die zich niet liet omkopen of intimideren, de Dolgoruki onder druk houden met een nieuwe reeks razzia's.

Als dat zo was, redeneerde Grishin, zouden de Dolgoruki nooit geloven dat de GUVD-spion niet onder zijn eigen Zwarte Garde te vinden was.

De inbreng van de patriarch, tegen het einde van het gesprek, was misschien nog wel het grootste gevaar.

De waarnemend president, Ivan Markov, zou de nieuwjaarsviering met zijn gezin buiten de stad doorbrengen. Op 3 januari zou hij weer terug zijn. Die dag had hij een afspraak met de patriarch, die hem persoonlijk zou verzoeken om Igor Komarov als presidentskandidaat te schorsen, vanwege zijn criminele gedrag.

Als Petrovsky de bewijzen leverde voor de banden tussen de UPK en de mafia, zou Markov waarschijnlijk gehoor geven aan het verzoek van de patriarch van Moskou en alle Russen. Bovendien was hij zelf ook kandidaat. Het was een goede kans om van Komarov af te komen.

Vier verraders, dacht Grishin. Vier verraders van het Nieuwe Rusland dat na 16 januari geboren moest worden, met Grishin zelf aan het hoofd van een elitekorps van Zwarte Gardisten, klaar om de orders van de Leider uit te voeren. Nou, hij had zijn hele leven besteed aan het opsporen en uitroeien van verraders. Hij wist wel raad met dat gajes.

Hij typte eigenhandig zijn aantekeningen uit en vroeg Komarov of hij die avond twee uur lang ongestoord met hem kon overleggen.

Jason Monk was van de flat bij het Sokolniki Park verhuisd naar een ander appartement, waar hij de halve maan kon zien op het dak van de moskee waar hij voor het eerst kennis had gemaakt met Magomed, de man die nu zijn lijfwacht was maar hem die eerste keer met evenveel liefde had kunnen doden.

Hij had een bericht voor sir Nigel in Londen, de op één na laatste boodschap, als alles volgens het plan van de oude vos verliep.

Hij typte de tekst zorgvuldig op zijn laptop-computer, net als de vorige keren. Toen hij klaar was, drukte hij op de codeertoets. Het bericht verdween van het scherm, werd veilig omgezet in de grillige cijfers van de eenmalige code en opgeslagen op de diskette, in afwachting van de volgende passage van de InTelCor-satelliet.

Hij hoefde niet bij het apparaat te blijven. De batterijen waren opgeladen en de computer wachtte alleen nog op de 'handdruk' van de ComSat uit de ruimte.

Jason Monk had nog nooit gehoord van Ricky Taylor in Columbus, Ohio. Hij had hem nog nooit ontmoet en zou hem ook nooit ontmoeten. Maar de puistige tiener redde hem vermoedelijk het leven.

Ricky was zeventien en een computerfreak, een van die sociaal gestoorde figuren uit het computertijdperk, die het grootste deel van hun leven naar een zwak oplichtend scherm zaten te staren.

Hij had zijn eerste pc gekregen toen hij zeven was. Hij had zich met hart en ziel op de technologie gestort, tot er geen legitieme uitdagingen meer overbleven en alleen het clandestiene circuit hem nog de kick kon geven die hij als echte verslaafde nodig had.

Ricky was niet geïnteresseerd in het verstrijken van de seizoenen, in gezellige contacten met andere jongens of zelfs in afspraakjes met meisjes. Ricky had maar één passie, het kraken van de best beveiligde databanken.

Zo omstreeks 1999 was InTelCor niet alleen een van de belangrijkste netwerken voor strategisch, diplomatiek en commercieel gebruik, maar het bedrijf ontwierp en verkocht ook de meest complexe computerspelletjes.

Ricky had over het Internet gesurfd totdat daar niets meer te beleven viel, en hij kon alle spelletjes nu wel dromen. Daarom zou hij zich graag willen meten met de Ultra-programma's van InTelCor. Maar daar moest je voor betalen en zoveel zakgeld had hij niet. Daarom probeerde hij al wekenlang om via de achterdeur tot de mainframes van InTelCor door te dringen. En eindelijk had hij het gevoel dat het ging lukken.

Acht tijdzones ten westen van Moskou las hij voor de duizendste keer op zijn scherm: 'Toegangscode, alstublieft.' Hij had een ingeving en typte een tekst. 'Toegang geweigerd', was het antwoord.

Ergens ten zuiden van de Anatolische bergen cirkelde de ComSat door de ruimte, op weg naar Moskou.

Bij het ontwerp van Monks laptop-zender hadden de technici van de multinational op bevel van hun opdrachtgever ook een code van vier opeenvolgende cijfers geprogrammeerd waardoor de hele software zou worden gewist. Die beveiliging moest Monk beschermen voor het geval hij in zijn kraag werd gegrepen – als hij dan nog tijd had om die vier cijfers in te toetsen.

Maar als zijn laptop intact in handen van de tegenpartij zou vallen, redeneerde de chef-programmeur, een voormalig CIA-cryptograaf uit Warrenton die speciaal voor dit karwei was ingehuurd, zou de vijand het apparaat kunnen gebruiken om valse berichten te verzenden.

Om zijn authenticiteit te bewijzen, moest Monk daarom enkele onschuldige woorden in zijn tekst verwerken, in een vaste volgorde. Een bericht zonder die woorden betekende dat er iets loos was. Op dat moment was de Compuserve-mainframe in staat om via de satelliet in Monks pc in te loggen en dezelfde vier cijfers te gebruiken om het geheugen te wissen, zodat er niets anders overbleef dan een waardeloze metalen doos.

Ricky Taylor zat al in de mainframe toen hij die vier cijfers typte. De satelliet draaide over Moskou heen en stuurde zijn vraag naar beneden: 'Ben je daar, kind?' De laptop antwoordde: 'Ja, ik ben er,' en de satelliet wiste het hele programma.

Monk merkte het pas toen hij naar de laptop liep en zijn eigen bericht weer op het scherm zag. Dat betekende dat het was geweigerd. Hij wiste de boodschap nu handmatig. Hij had geen idee wat er was gebeurd, maar om de een of andere reden was het contact verbroken. Definitief.

Vlak voordat hij uit Londen vertrok had sir Nigel hem nog een adres gegeven. Hij wist niet waar het was of wie er woonde, maar het was alles wat hij had.

Met een beetje schrappen zou hij zijn laatste twee berichten kunnen samenvatten in één enkele boodschap aan de oude spionagechef. Ontvangen ging niet meer. Voor het eerst was hij nu volledig op zichzelf aangewezen. Geen voortgangsrapporten meer, geen bevestiging van uitgevoerde opdrachten, geen nieuwe instructies.

Nu de peperdure technologie de geest had gegeven, zou hij moeten vertrouwen op de oudste bondgenoten in het Grote Spel: intuïtie, lef en geluk. Hij hoopte dat ze hem niet in de steek zouden laten.

Igor Komarov las de laatste bladzij van de transcriptie en leunde naar achteren in zijn stoel. Hij was niet iemand met veel kleur in zijn gezicht, maar nu was hij echt doodsbleek, zag Grishin.

'Dit is rampzalig,' zei Komarov.

'Absoluut, meneer de president.'

'Je had die vent al veel eerder moeten oppakken.'

'Hij wordt beschermd door de Tsjetsjeense mafia. Dat weten we nu. Die leven als ratten in hun eigen ondergrondse wereld.'

'Ratten kun je verdelgen.'

'Ja, meneer de president, en dat zullen we ook doen. Zodra u de macht hebt in dit land.'

'Ze zullen hiervoor boeten.'

'Zeker. Tot de laatste man.'

Komarov staarde hem nog steeds aan met die hazelnootbruine ogen. Maar zijn blik was wazig, alsof hij een andere tijd en een andere plaats voor zich zag, een toekomst waarin hij met al zijn vijanden zou afrekenen. Twee felle blosjes gloeiden op zijn wangen.

'Vergelding. Ik wil vergelding. Ze hebben mij aangevallen, ze hebben Rusland aangevallen, het moederland. Voor dat soort uitvaagsel is er geen genade...'

Zijn stem schoot uit en zijn handen begonnen te trillen toen hij zijn normale kalmte dreigde te verliezen. Maar Grishin wist dat hij deze discussie kon winnen als hij met sterke argumenten kwam. Hij boog zich naar het bureau toe en dwong Komarov hem recht aan te kijken. Komarov wist zich met moeite te beheersen en Grishin zag dat hij de aandacht van zijn leider had.

'Luister goed, meneer de president. Alstublieft. Met alles wat ik nu weet, kan ik de situatie volledig naar mijn hand zetten. Dan hebt u uw wraak. U hoeft het maar te zeggen.'

'Wat bedoel je?'

'Het belangrijkste bij contraspionage, meneer de president, is de bedoelingen van de vijand te ontdekken. Die kennen we nu. En dus kunnen we onze maatregelen nemen. Daar zijn we al mee bezig. Over een paar dagen zal er geen geschikte kandidaat meer zijn voor de tsarentroon. Maar er is meer. Ik zie een kans om de vijand de voet dwars te zetten en tegelijk wraak te nemen. Twee vliegen in één klap.'

'Je wilt die vier verraders doden?'

'We hebben geen andere keus.'

'Maar we mogen geen sporen achterlaten. Nu niet. Daar is het nog te vroeg voor.'

'We zùllen ook geen sporen achterlaten. Die bankier... hoeveel bankiers zijn er de afgelopen tien jaar niet vermoord? Vijftig? Minstens. Gemaskerde gangsters die een rekening willen vereffenen. Dat gebeurt zo vaak.

Die generaal van de militia... De Dolgoruki zullen maar al te graag een huurmoordenaar op hem afsturen. Hoeveel smerissen zijn de laatste jaren niet gedood? Ook dat is niets bijzonders.

En die oude dwaas van een Nikolayev... Een inbraak die uit de hand is gelopen. Dat komt vaker voor. En die priester... Een secretaris die 's nachts wordt betrapt als hij de studeerkamer van de patriarch doorzoekt. Neergeschoten door de Kozak, die op zijn beurt samen met Alexei wordt gedood door de stervende dief.'

'Zou iemand dat geloven?'

'Ik heb een contactman in het huis zelf, die er een eed op zal zweren.'

Komarov wierp een blik op de papieren die hij had gelezen, en het bandje ernaast. Hij lachte zuinig.

'Ja, daar twijfel ik niet aan. Maar ik wil er niets van weten. Je laat mij er helemaal buiten.'

'Maar die vier mannen die u te gronde willen richten... moeten die worden uitgeschakeld?'

'Natuurlijk.'

'Dank u, meneer de president, meer hoef ik niet te weten.'

De kamer in het Spartak Hotel was gereserveerd op naam van Kuzichkin. Iemand die zo heette had zich inderdaad laten inschrijven, maar daarna was hij weer vertrokken. In het voorbijgaan had hij Jason Monk zijn sleutel gegeven. De Tsjetsjeense lijfwachten verspreidden zich door de lobby, het trappenhuis en de omgeving van de liften toen Monk naar boven liep. Het was een veilige manier om twintig minuten te kunnen telefoneren met een toestel dat – als het werd getraceerd – niets anders zou opleveren dan een hotel ver buiten het centrum, dat niet eens eigendom was van de Tsjetsjenen.

'Generaal Petrovsky?'

'Bent u daar weer?'

'U hebt heel wat overhoop gehaald, schijnt het.'

'Ik weet niet waar je je informatie vandaan hebt, Yankee, maar het klopte allemaal precies.'

'Dank u. Maar Komarov en Grishin zullen dit niet pikken.'

'Wat dacht u van de Dolgoruki?'

'Figuranten, meer niet. Het grootste gevaar komt van Grishin en zijn Zwarte Garde.'

'Hebt u het gerucht verspreid dat het lek bij een hoge officier van de Zwarte Garde zat?'

'Vrienden van me, ja.'

'Handig, maar riskant.'

'Het probleem voor Grishin is de boekhouding die u te pakken hebt gekregen. Daarin is het bewijs te vinden dat Komarov door de mafia wordt gefinancierd.'

'We zijn er al mee bezig.'

'En zij met u.'

'Hoe bedoelt u?'

'Hebt u uw vrouw en Tatiana nog bij u?'

'Ja.'

'Het lijkt me beter dat u ze de stad uit stuurt. Nu. Vanavond nog. Heel ver weg, waar ze veilig zijn. En dat geldt ook voor uzelf. Ga uit die flat vandaan. Neem een kamer in de kazerne van de SOBR-troepen. Alstublieft.'

Het bleef een tijdje stil.

'Weet je meer dan ik, Amerikaan?'

'Generaal, luister goed. U moet daar weg. Nu er nog tijd is.'

Hij legde neer, wachtte even en belde toen een ander nummer. De telefoon ging over op het bureau van Leonid Bernstein in het hoofdkantoor van de Moskovsky Federale Bank. Het was al laat en Monk kreeg een antwoordapparaat. Hij kende het privé-nummer van de bankier niet en hij kon alleen maar bidden dat Bernstein binnen een paar uur zijn boodschappen zou afluisteren.

'Meneer Bernstein,' sprak hij na de pieptoon, 'dit is de man die u aan Babi Yar heeft herinnerd. Blijf alstublieft uit de buurt van uw kantoor, hoe dringend het ook is. Komarov en Grishin weten nu wie hun zendtijd heeft afgenomen. Houd uw familie uit Rusland vandaan en blijf bij ze totdat het weer veilig is om terug te komen.'

Hij legde neer. Hij wist het niet, maar op dat moment begon er een lichtje te knipperen op een console in een zwaarbewaakt huis ver van Moskou. Leonid Bernstein hoorde de boodschap zwijgend aan.

Het derde nummer was dat van patriarch Alexei.

'Ja?'

'Uwe Heiligheid?'

'Ja.'

'U herkent mijn stem?'

'Natuurlijk.'

'Ga alstublieft zo snel mogelijk naar het klooster in Zagorsk. Trek u daar terug en kom niet meer naar buiten.'

'Waarom?'

'Ik maak me erg ongerust over u. Gisteravond hebben we het bewijs gezien dat de situatie heel gevaarlijk is geworden.'

'Maar morgen draag ik de mis op in het Danilovsky.'

'Laat de metropoliet het van u overnemen.'

'Ik zal erover nadenken.'

Monk legde neer. Bij het vierde telefoontje werd er pas opgenomen toen het toestel tien keer was overgegaan. 'Ja?' zei een norse stem.

'Generaal Nikolayev?'

'Wie... o, wacht even, ik ken u. Die Yankee, verdomme.'

'Precies.'

'Ik geef geen interviews meer. Ik heb gedaan wat u vroeg en mijn verhaal gehouden. Maar daar blijft het bij. Begrepen?'

'Ik wil het kort houden. U moet vertrekken en een kamer nemen bij uw neef op de basis.'

'Waarom?'

'Bepaalde mensen waren niet blij met wat u hebt gezegd. Ik denk dat ze u een bezoekje willen brengen.'

'Gangsters, bedoelt u? Ze kunnen doodvallen. Ik ben nog nooit ergens voor gevlucht, jongmens, en daar ga ik nu niet mee beginnen.'

En hij hing op. Monk zuchtte en legde de hoorn neer. Hij keek op zijn horloge. Vijfentwintig minuten. Tijd om te vertrekken. Terug naar het labyrint van de Tsjetsjeense onderwereld.

Er waren vier groepen huurmoordenaars. Twee nachten later, op 21 december, sloegen ze toe.

De grootste en best bewapende overval vond plaats op het huis van Leonid Bernstein. Het huis werd bewaakt door twaalf man, van wie er vier in het vuurgevecht sneuvelden. Ook twee Zwarte Gardisten gingen neer. De voordeur werd met een explosieve lading geforceerd en de overvallers in hun zwarte overalls en bivakmutsen stormden het huis door.

Het personeel en de bewakers die het hadden overleefd werden in de keuken bijeengedreven. De commandant van de bewakers werd in elkaar geslagen, maar hield vol dat zijn werkgever twee dagen eerder naar Parijs was gevlogen. De rest van het personeel bevestigde dat, boven het gejammer van de vrouwen uit. Ten slotte verdwenen de mannen in het zwart weer naar hun trucks en namen hun twee doden met zich mee.

De tweede overval was gericht tegen het flatgebouw aan Kutuzovsky Prospekt. Een zwarte Mercedes draaide de poort in en stopte bij de slagboom. Een van de twee OMON-wachtposten kwam uit zijn warme hokje om de papieren te controleren. Twee mannen die achter de Mercedes zaten gehurkt renden naar voren, gewapend met automatische pistolen met geluiddempers. Ze schoten de wachtpost door zijn nek, vlak boven zijn kogelvrije vest. De andere wachtpost werd neergeschoten voordat hij uit zijn hokje kon komen. De agenten in de lobby op de begane grond trof hetzelfde lot. Vier Zwarte Gardisten die vanaf de straat naar binnen stormden, bezetten de lobby, terwijl zes anderen de lift naar boven namen. Deze keer stonden er geen bewakers in de gang, hoewel de overvallers niet begrepen waarom.

De met staal versterkte deur van het appartement werd uit zijn hengsels geblazen met een half pond kneedexplosieven, en de zes mannen renden naar binnen. De steward in zijn witte jasje raakte een van hen in de schouder voordat hij zelf werd neergeschoten. De flat werd binnenste buiten gekeerd, maar er was verder geen mens te vinden. Gefrustreerd dropen de overvallers af.

Terug op de begane grond volgde nog een schietpartij met twee andere OMON-bewakers die uit de recreatiezaal aan de achterkant van het gebouw waren gekomen. Een van hen werd gedood, evenals een Zwarte Gardist. Met lege handen en onder een regen van kogels trokken ze zich terug naar de straat en verdwenen in hun wachtende GAZ-jeeps.

De overval op het huis van de patriarch verliep wat subtieler. Eén man klopte op de voordeur, terwijl zes anderen aan weerszijden van hem op de grond hurkten, buiten het gezichtsveld van het kijkgaatje.

De Kozak keek naar buiten en vroeg via de intercom wie er was. De man voor de deur liet een geldige legitimatie zien en zei: 'Politie.'

De Kozak trapte erin en opende de deur. Hij werd meteen doodgeschoten. De indringers droegen zijn lijk naar boven.

Het was de bedoeling geweest om de privé-secretaris neer te schieten met het pistool van de Kozak en de patriarch te doden met hetzelfde wapen waarmee de Kozak was doodgeschoten. Dat pistool zou dan in de hand van de dode secretaris achter het bureau zijn teruggevonden.

Pater Maxim zou vervolgens worden gedwongen om te zweren dat de Kozak en de patriarch de secretaris hadden betrapt bij het doorzoeken van de laden, waarna ze alle drie waren omgekomen in het vuurgevecht dat volgde. Een simpele zaak voor de politie en een geweldig schandaal in de Orthodoxe Kerk.

Maar in plaats daarvan vonden de overvallers een dikke priester in een vuil nachthemd die boven aan de trap stond te schreeuwen: 'Wat doen jullie in godsnaam?'

'Waar is Alexei?' snauwde een van de mannen in het zwart.

'Die is vertrokken,' antwoordde de priester zenuwachtig. 'Naar het Troitsje-Sergijeva klooster in Zagorsk.'

De Zwarte Gardisten doorzochten de privé-vertrekken, maar de kerkvorst en de twee nonnen waren nergens te vinden. De overvallers vertrokken weer. Het lijk van de Kozak bleef achter.

Slechts vier man reden naar het eenzame huis langs de weg naar Minsk. Daar stapten ze uit hun auto. Een van hen liep naar de deur, de andere drie wachtten in de duisternis onder de bomen.

De oude Volodya deed open. Hij kreeg een kogel in zijn borst en de vier mannen drongen het huis binnen. De wolfshond stormde door de zitkamer op hen af en vloog de voorste Zwarte Gardist naar zijn strot. Hij hief zijn arm op en de hond zette zijn tanden erin. Een andere overvaller schoot het dier de kop van zijn romp.

Bij het smeulende houtvuur zat een oude man met een ruige witte snor. Hij richtte zijn dienstpistool, een Makarov, op de groep in de deuropening en vuurde twee keer. Eén kogel boorde zich in de deurpost, de andere trof de man die zijn hond had doodgeschoten.

Drie snelle kogels van de Zwarte Gardisten raakten de oude generaal in de borst.

Umar Gunayev belde kort na tien uur 's ochtends.

'Ik ben net aangekomen op kantoor. Er is van alles aan de hand.'

'Wat dan?'

'Kutuzovsky Prospekt is afgegrendeld. Overal politie.'

'Waarom?'

'Een overval vannacht, op het flatgebouw waar die hoge officieren van de militia wonen.'

'Dat was snel. Ik heb een veilige telefoon nodig.'

'Kun je niet bellen waar je zit?'

'Nee. Dit toestel kunnen ze traceren.'

'Geef me een half uur. Ik stuur wel een paar mensen.'

Om elf uur was Monk geïnstalleerd in een klein kantoor in een pakhuis vol met gesmokkelde drank. Een telefoontechnicus was juist klaar met zijn werk.

'Deze heeft twee aftakkingen,' zei de man, wijzend naar de telefoon. 'Als iemand een gesprek wil traceren, komt hij uit in een café drie kilometer hiervandaan. Een van onze eigen zaken. Als ze nog verder zoeken, komen ze bij een telefooncel verderop in de straat. Tegen die tijd hebben we het wel in de gaten.'

Monk begon met het privé-nummer van generaal Nikolayev. Een mannenstem antwoordde.

'Geef me generaal Nikolayev,' zei Monk.

'Met wie spreek ik?' vroeg de man.

'Dat zou ik ook kunnen vragen.'

'De generaal is niet beschikbaar. Wie bent u?'

'Generaal Malenkov van het ministerie van Defensie. Wat is er aan de hand?'

'Het spijt me, generaal. U spreekt met inspecteur Novikov van de afdeling Moordzaken van de Moskouse militia. Generaal Nikolayev is dood, helaas.'

'Wat? Waar hebt u het over?'

'Hij is overvallen. Gisteravond. Inbrekers, naar het schijnt. Ze hebben de generaal en zijn bediende gedood. En de hond. De werkster heeft ze vanochtend gevonden, een paar minuten over acht.'

'Ik weet niet wat ik moet zeggen. Hij was een vriend van me.'

'Het spijt me, generaal. De tijd van tegenwoordig...'

'Doe uw werk, inspecteur. Ik zal de minister inlichten.' Monk hing op. Dus Grishin was eindelijk door het lint gegaan. Dat was Monks bedoeling ook geweest, maar hij vervloekte de koppigheid van de oude generaal. Daarna belde hij het hoofdkwartier van de GUVD in de Shabolovkastraat.

'Geef me generaal Petrovsky.'

'Die is bezet. Met wie spreek ik?' vroeg de telefoniste.

'Stoor hem maar. Zeg dat het over Tatiana gaat.'

Tien seconden later had hij de generaal aan de lijn. Zijn stem klonk ongerust. 'Petrovsky.'

'Met mij, uw late bezoeker.'

'Verdomme. Ik dacht dat er wat met Tatiana was gebeurd.'

'Zijn ze allebei veilig de stad uit, Tatiana en uw vrouw?'

'Ja. Een heel eind weg.'

'Ik geloof dat er een aanslag is geweest.'

'Tien mannen, gemaskerd en tot de tanden gewapend. Ze hebben vier OMON-bewakers gedood, en mijn eigen steward.'

'Ze zochten u.'

'Natuurlijk. Ik heb uw advies opgevolgd. Ik logeer nu in de kazerne. Wie waren het, verdomme?'

'Geen gangsters. De Zwarte Garde.'

'Grishins beulsknechten. Maar waarom?'

'Die papieren die u hebt. Ze zijn bang dat u daarin het bewijs kunt vinden voor de relatie tussen de UPK en de mafia.'

'Dat is niet zo. Het is rommel. Bonnetjes van het casino en zo.'

'Maar dat weet Grishin niet, generaal. Hij vreest het ergste. Hebt u het gehoord van Oom Kolya?'

'De generaal van de pantsertroepen? Wat is er met hem?'

'Ze hebben hem vermoord. Een identieke aanslag, gisteravond.'

'Verdomme.'

'Hij had felle kritiek op Komarov, weet u nog?'

'Natuurlijk. Maar ik had nooit gedacht dat ze zo ver zouden gaan. De kloot-zakken. Goddank bemoei ik me niet met politiek. Alleen met gangsters.'

'Nu niet meer. Hebt u contacten bij het presidium van de militia?'

'Natuurlijk.'

'Waarom vertelt u het ze niet? Zeg dat u het van een tipgever in de onderwe-reld hebt gehoord.'

Monk hing op en belde de Moskovsky Federale Bank.

'Ilya, de persoonlijke assistent van meneer Bernstein. Is hij daar?'

'Eén moment, alstublieft.'

Ilya kwam aan de lijn: 'Met wie spreek ik?'

'Laten we zeggen dat u me een tijdje geleden bijna een kogel in mijn rug had geschoten,' zei Monk in het Engels.

Hij hoorde een zacht lachje. 'Ja, dat scheelde niet veel.'

'Is de baas veilig?'

'Heel ver weg.'

'Zeg dat hij daar blijft.'

'Dat hoef ik hem niet te zeggen. Zijn huis is gisteravond overvallen.'

'Slachtoffers?'

'Vier van onze eigen mensen en twee van hen, waarschijnlijk. Ze hebben het hele huis ondersteboven gekeerd.'

'U weet wie het waren.'

'Ik denk het wel.'

'Grishins Zwarte Garde. En het was duidelijk een wraakactie. Omdat Komarov zijn zendtijd is kwijtgeraakt.'

'Dat kan ze duur komen te staan. De baas heeft heel wat invloed.'

'Die commerciële stations kunnen een nuttige rol spelen. Hun verslaggevers moeten maar eens gaan praten met een paar hoge generaals van de militia. Of ze van plan zijn kolonel Grishin te verhoren in verband met hardnekkige geruchten... enzovoort.'

'Dan willen ze eerst bewijzen zien.'

'Nee, het zijn journalisten. Die spitten zo'n zaak zelf uit. Kunt u de baas bereiken?'

'Als het nodig is.'

'Stel het hem maar voor. Tot ziens.'

Daarna belde hij de nationale krant, de *Izvestia*.

'Redactie.'

Monk zette een rauwe stem op. 'Geef me chef-verslaggever Repin.'

'Met wie spreek ik?'

'Zeg hem maar dat generaal Nikolai Nikolayev hem dringend wil spreken. Dan weet hij het wel.'

Repin was de man die Nikolayev had geïnterviewd in de officiersclub van de Frunze Academie.

Repin meldde zich. 'Ja, generaal, met Repin.'

'Ik ben niet generaal Nikolayev,' zei Monk. 'De generaal is dood. Hij is gisteravond vermoord.'

'Wàt? Wie bent u dan?'

'Iemand die ooit bij de pantsertroepen heeft gevochten.'

'Maar hoe weet u...?'

'Doet er niet toe. Weet u waar hij woonde?'

'Nee.'

'Hij had een huis aan de weg naar Minsk. Bij het dorpje Kobyakovo. Waarom gaat u er niet naartoe, met een fotograaf? Vraag naar inspecteur Novikov.'

En hij hing op. De andere grote krant was de *Pravda*, de voormalige krant van de communistische partij, die politiek de neo-communistische Socialistische Unie steunde. Maar om haar nieuwe neo-communistische identiteit te benadrukken was de krant ook heel vriendelijk voor de Russisch-Orthodoxe Kerk. Monk had de krant goed genoeg gelezen om de naam van de belangrijkste misdaadverslaggever te kennen.

'Mag ik de heer Pamfilov, alstublieft.'

'Die is er niet.'

Nee, dat lag voor de hand. Die was natuurlijk bij Kutuzovsky Prospekt met de rest van de pers, op jacht naar bijzonderheden over de aanslag op Petrovsky's flat.

'Heeft hij een zaktelefoon?'

'Natuurlijk, maar ik mag u het nummer niet geven. Kan hij u terugbellen?'

'Nee. Zeg tegen hem dat een van zijn bronnen bij de militia hem dringend wil spreken. Een belangrijke tip. Ik moet zijn nummer weten. Ik bel over vijf minuten terug.'

Bij het tweede telefoontje kreeg hij het nummer. Hij belde Pamfilov en bereikte hem in zijn auto bij de flat van de hoge militia-officieren.

'Pamfilov?'

'Ja. Met wie spreek ik?'

'Ik moest liegen om uw nummer te krijgen. Wij kennen elkaar niet, maar ik heb informatie voor u. Er is gisteravond nog een andere aanslag gepleegd, op het huis van de patriarch. Een poging om hem te vermoorden.'

'U bent geschift. Een moordaanslag op de patriarch? Wat een onzin. Daar is geen enkel motief voor.'

'Niet voor de mafia, nee. Waarom gaat u er niet heen?'

'Het Danilovsky-klooster?'

'Daar woont hij niet. Hij woont in Chisti Pereulok, nummer 5.'

Pamfilov luisterde naar de pieptoon toen de verbinding werd verbroken. Hij was verbijsterd. Zoiets had hij nog nooit meegemaakt. Als het maar voor de helft klopte, zou het nog de grootste sensatie uit zijn lange loopbaan zijn.

Toen hij bij de steeg aankwam, bleek die aan beide kanten afgegrendeld. Normaal zou hij met zijn perskaart langs het kordon kunnen lopen, maar nu niet. Gelukkig ontdekte hij een inspecteur van de recherche die hij persoonlijk kende. Hij riep hem en de man kwam naar hem toe.

'Wat is er gebeurd?' vroeg de journalist.

'Inbrekers.'

'Maar jij bent van Moordzaken.'

'Ze hebben de bewaker vermoord.'

'De patriarch, Alexei II, is hij ongedeerd?'

'Hoe weet jij dat hij hier woont, verdomme?'

'Doet er niet toe. Is hij ongedeerd?'

'Ja, hij zit in Zagorsk. Hoor eens, het was gewoon een inbraak die uit de hand is gelopen.'

'Ik heb een tip gekregen dat ze de patriarch wilden vermoorden.'

'Onzin. Het was een ordinaire inbraak.'

'Wat valt er dan te stelen?'

De inspecteur keek zorgelijk. 'Waar heb je dat gehoord?'

'Dat doet er niet toe. Maar kan het waar zijn? Hèbben ze iets gestolen?'

377

'Nee. Ze hebben alleen die bewaker doodgeschoten en het huis doorzocht. Toen zijn ze er weer vandoor gegaan.'

'Dus ze zochten iemand. Maar die was er niet. Jezus, wat een verhaal.'

'Wees voorzichtig,' waarschuwde de rechercheur, 'want je hebt geen greintje bewijs.'

Maar hij werd toch ongerust. Zeker toen een collega hem naar zijn auto wenkte. De man aan de telefoon was een generaal van het presidium. En al gauw deed hij dezelfde suggestie als de verslaggever.

Op 23 december schreeuwden de media moord en brand. De eerste edities van de verschillende kranten concentreerden zich op het verhaal waar Monk de kiem van had gelegd. Toen de journalisten elkaars stukken lazen, herschreven ze hun eigen artikelen om ook de andere verhalen erin te verwerken. Het ochtendnieuws op de televisie bevatte de gecombineerde verslagen van de vier afzonderlijke moordaanslagen, waarvan er een was geslaagd. In de andere drie gevallen, meldde de televisie, was het doelwit door zuiver geluk aan de dood ontsnapt.

Niemand geloofde meer dat het uit de hand gelopen inbraken konden zijn. Deskundigen wezen erop dat het geen enkele zin had om in te breken in het huis van een gepensioneerde generaal, het huis van de patriarch of het appartement van één enkele hoge politieman, zonder aandacht te besteden aan de omringende flats.

Diefstal zou nog wel het motief kunnen zijn voor de overval op het huis van de rijke bankier Leonid Bernstein, maar de bewakers die het hadden overleefd vertelden dat de aanslag alle kenmerken van een militaire operatie had. Bovendien hadden de overvallers nadrukkelijk naar hun werkgever gevraagd. Ontvoering was een mogelijkheid. Of moord. In twee gevallen had een ontvoering geen enkele zin, en bij de generaal was het niet eens geprobeerd.

De meeste deskundigen zochten de schuldigen in de onderwereld, waar moord en ontvoering schering en inslag waren. Maar twee commentatoren gingen een stap verder. De mafia had misschien alle reden om generaal Petrovsky en zijn GUVD te haten, en zelfs een motief om korte metten te maken met de bankier Bernstein, maar wie wilde nu wraak nemen op een oude generaal, een drievoudige held van het Moederland, of op de patriarch van Moskou en alle Russen?

In hun hoofdartikelen betreurden de redacties voor de duizendste keer de onrustbarende criminaliteit in het land en twee kranten riepen de waarnemend president op tot harde maatregelen om orde en gezag te herstellen in de aanloop naar de belangrijke verkiezingen over eenentwintig dagen.

Tegen het einde van de ochtend begon Monk zijn tweede dag van anonieme telefoontjes, op het moment dat de journalisten, uitgeput van de inspanningen van de vorige dag, binnendruppelden op kantoor.

Hij propte een opgerolde tissue in zijn wangen om zijn stem te verdraaien tegenover mensen die hij al eerder had gesproken. Alle schrijvers van de belangrijkste commentaren in de zeven ochtend- en avondkranten die het verhaal hadden gepubliceerd benaderde hij op dezelfde manier, te beginnen met Pamfilov van de *Pravda* en Repin van de *Izvestia*:

'U kent me niet en ik kan u mijn naam niet geven, want dan teken ik mijn eigen doodvonnis. Maar als de ene Rus tegenover de andere vraag ik u mij te vertrouwen.

Ik ben een hoge officier bij de Zwarte Garde. Maar ik ben ook een praktizerend christen. Al maandenlang maak ik me ongerust over de toenemende antichristelijke en antikerkelijke opvattingen in het hart van de UPK, met name bij Grishin en Komarov zelf. Wat ze ook in het openbaar mogen beweren, ze haten de kerk en de democratie en ze willen een éénpartijstaat vestigen naar het voorbeeld van de nazi's.

Ik heb er nu genoeg van. Ik moet erover praten. Het was kolonel Grishin die de oude generaal ter dood heeft veroordeeld omdat Oom Kolya dwars door de façade heen keek en Komarov heeft aangevallen. De bankier moest eraan geloven omdat hij zich ook geen zand in de ogen liet strooien. U weet het misschien niet, maar hij heeft zijn invloed aangewend om de UPK van haar zendtijd te beroven. De patriarch was een doelwit omdat hij bang is voor de UPK en die angst in de openbaarheid wilde brengen. En de generaal van de GUVD stond op de dodenlijst omdat hij de strijd had aangebonden met de Dolgoruki, die de UPK financieren. Als u me niet gelooft, moet u maar controleren wat ik u vertel. Het was de Zwarte Garde die de vier aanslagen heeft uitgevoerd.'

En daarmee hing hij op. Zeven Moskouse journalisten zaten met grote ogen voor zich uit te staren. Toen ze zich hadden hersteld, gingen ze aan het werk om Monks beweringen te controleren.

Leonid Bernstein was het land uit, maar de twee commerciële tv-stations lieten bewust uitlekken dat de verandering in hun omroeppolitiek was ingegeven door het consortium van banken dat de kredieten verschafte.

Generaal Nikolayev was dood, maar de *Izvestia* publiceerde fragmenten uit het eerdere interview onder de vette kop: 'Was dit waarom hij stierf?'

De zes razzia's van de GUVD op de pakhuizen, wapenarsenalen en het casino van de Dolgoruki waren algemeen bekend. Alleen de patriarch had zich nog steeds verschanst in het Troitsje-Sergijeva klooster in Zagorsk en kon of wilde niet bevestigen dat ook hij mogelijk een doelwit was geweest als vijand van de UPK.

In de loop van de middag verzamelden zich steeds meer journalisten bij het hoofdkwartier van Igor Komarov bij de Kiselny Boulevard. In het gebouw zelf dreigde paniek uit te breken.

In zijn kantoor zat propaganda- en perschef Boris Kuznetsov in hemdsmouwen achter zijn bureau met zweetplekken onder zijn armen. Hij stak de ene sigaret met de andere aan, hoewel hij twee jaar geleden met roken was gestopt. De telefoons stonden roodgloeiend.

'Nee, het is niet waar,' schreeuwde hij op de ene vraag na de andere. 'Het is een smerige leugen. Het is laster, en we zullen iedereen voor de rechter slepen die dit beweert. Er bestaat geen enkele band tussen onze partij en de mafia, financieel of hoe dan ook. Komarov heeft keer op keer verklaard dat hij de georganiseerde criminaliteit zal uitroeien... Welke papieren nu door de GUVD worden onderzocht?... Wij hebben niets te vrezen... Ja, generaal Nikolayev had bezwaren tegen ons programma, maar hij was al een heel oude man. Zijn dood was tragisch, maar heeft niets te maken met... Dat kunt u niet zomaar beweren... Iedereen die Komarov met Hitler durft te vergelijken zullen we een proces aandoen... Welke hoge officier van de Zwarte Garde?'

In zijn eigen kantoor worstelde kolonel Anatoli Grishin met een ander probleem. Al die jaren dat hij bij het Tweede Hoofddirectoraat van de KGB had gewerkt was het zijn taak geweest om spionnen op te sporen. Dat Monk grote problemen had veroorzaakt, stond wel vast. Maar deze nieuwe beschuldigingen waren nog veel erger. Een hoge officier uit zijn eigen fanatieke, ultra-loyale elitekorps zou een verrader zijn? Hij had ze allemaal persoonlijk uitgekozen, al die zesduizend Zwarte Gardisten. De hoge officieren had hij zelf benoemd. En een van hen zou een praktizerend christen zijn, zo'n slappeling die last kreeg van zijn geweten nu de hoogste macht in het land voor het grijpen lag? Onmogelijk.

Maar toch herinnerde hij zich iets wat de jezuïeten ooit hadden gezegd: geef ons de jongen tot zijn zevende jaar, dan krijg je van ons de man. Zou een van zijn bevelhebbers zijn teruggevallen op het geloof van vroeger? Wie kwam er uit een christelijk milieu? Dat kon hij controleren. De persoonlijke achtergrond van alle hoge officieren moest met een fijne kam worden nagepluisd.

En wat betekende 'hoog'? Hoe hoog? Twee rangen lager: tien man. Drie rangen lager: veertig man. Vijf rangen lager: bijna honderd man. Dat zou veel tijd gaan kosten, en die had hij niet. Straks moest hij nog zijn hele kader zuiveren, iedereen opsluiten en zijn meest ervaren commandanten hun positie ontnemen. Ooit, beloofde hij zichzelf, zouden de schuldigen aan deze catastrofe moeten boeten. Heel zwaar. Te beginnen met Jason Monk. Alleen al bij de naam van de Amerikaanse agent trok het bloed uit zijn knokkels op de rand van het bureau.

380

Tegen vijven wist Boris Kuznetsov eindelijk tot Komarov door te dringen. Hij had al twee uur geleden een gesprek aangevraagd met zijn grote held om een voorstel te doen dat hem noodzakelijk leek.

Als student in Amerika was Kuznetsov diep onder de indruk geraakt van de invloed van goed georganiseerde pr-bureaus, die grote steun wisten te organiseren voor zelfs de meest verwerpelijke nonsens. Behalve zijn held Komarov verafgoodde hij ook de macht van woorden en beelden om te overtuigen, te misleiden, te overreden en alle verzet te breken. Dat de boodschap misschien een leugen was, deed er niet toe.

Net als politici en advocaten was hij een man van woorden, ervan overtuigd dat er geen enkel probleem bestond dat niet met woorden kon worden opgelost. De gedachte dat er een moment zou komen dat hij geen woorden meer had om te overtuigen, dat hij het hoofd zou moeten buigen voor de woorden van anderen, dat hij en zijn leider niet langer geloofd zouden worden... dat was onvoorstelbaar voor Boris Kuznetsov.

Public relations, noemden ze het in Amerika, die miljardenindustrie die een nietsnut tot een beroemdheid kon maken, een aansteller tot een legende en een opportunist tot een staatsman. Propaganda, noemden ze het in Rusland, maar het was dezelfde techniek.

Met die techniek en met Litvinovs briljante camerawerk en montage had hij een voormalige ingenieur met enig redenaarstalent tot een idool gemaakt, een man op de drempel van de hoogste prijs in Rusland: het presidentschap.

De Russische media, gewend aan de primitieve, platvloerse propaganda van het communistische verleden, waren een willig slachtoffer geweest van de gepolijste, gestroomlijnde campagne die Kuznetsov voor Igor Komarov op touw had gezet. Maar nu was er iets misgegaan. Helemaal mis.

Een andere stem, die van een gepassioneerd priester, schalde nu over de radio en de televisie door heel Rusland. Via de media – die Kuznetsov als zijn persoonlijke domein beschouwde – verkondigde pater Gregor het geloof in God en de terugkeer tot een andere icoon.

En de priester werd geholpen door de geheimzinnige man aan de telefoon. Kuznetsov wist allang van die anonieme telefoontjes. Belangrijke journalisten en commentatoren, mensen die Kuznetsov altijd naar zijn hand had kunnen zetten, werden nu opgebeld met subtiele maar o zo overtuigende leugens. En dus zag Boris Kuznetsov maar één oplossing: de woorden van Igor Komarov, woorden die hun doel nog nooit hadden gemist.

Toen hij het kantoor van de leider binnenstapte, was hij geschokt door de verandering die de man had ondergaan. Komarov zat versuft achter zijn bureau. Op de vloer lagen de kranten van die dag, met vette koppen die hun beschuldigingen naar het plafond schreeuwden. Kuznetsov had ze allemaal al gelezen, de insinuaties over de dood van generaal Nikolayev, de overvallen, de relaties met de mafia. Niemand had nog ooit zo'n toon durven aanslaan tegen Igor Komarov.

Gelukkig wist Kuznetsov wat er moest gebeuren. Igor Komarov moest spreken. Dan kwam alles wel goed.

'Meneer de president, ik moet u dringend adviseren om morgen een grote persconferentie te beleggen.'

Komarov staarde hem een paar seconden aan, alsof hij probeerde te begrijpen wat zijn propagandachef zei. In zijn hele carrière had hij, met instemming van Kuznetsov, maar zelden een persconferentie gehouden. Die waren hem veel te onvoorspelbaar. Hij gaf de voorkeur aan toespraken tegenover een enthousiaste menigte, of aan interviews met van tevoren vastgestelde vragen.

'Ik geef geen persconferenties,' snauwde hij.

'Meneer de president, het is de enige manier om die smerige geruchten te ontzenuwen. De insinuaties van de media dreigen uit de hand te lopen. Ik kan er niets meer tegen doen. Dat is onmogelijk. De geruchten voeden zichzelf.'

'Ik haat persconferenties, Kuznetsov. Dat weet je.'

'Maar u kunt goed met de pers overweg, meneer de president. U bent redelijk, kalm, overtuigend. Ze zullen naar u luisteren. U alleen kunt die leugens de wereld uit helpen.'

'Wat zeggen de peilingen?'

'Uw aanhang is gedaald naar 45 procent en daalt nog steeds. Acht weken geleden was dat nog 70 procent. Zjoeganov van de Socialistische Unie staat op 28 procent en stijgt snel. Markov, de waarnemend president van de Democratische Alliantie, gaat ook vooruit. Maar het belangrijkst zijn de zwevende kiezers. De afgelopen dagen zouden ons nog eens 10 procent kunnen kosten, misschien wel meer, als het effect in de peilingen merkbaar wordt.'

'Maar waarom moet ik een persconferentie geven?'

'Dat is landelijke publiciteit, meneer de president. Alle grote tv-stations zullen aan uw lippen hangen. U weet dat u iedereen kunt overtuigen als u spreekt.'

Ten slotte knikte Komarov. 'Goed, regel het maar. Ik zal een toespraak voorbereiden.'

De persconferentie werd de volgende morgen om elf uur gehouden in de grote eetzaal van het Metropol Hotel. Kuznetsov begroette de nationale en buitenlandse pers en verklaarde dat er bepaalde ongehoorde insinuaties in de media waren opgedoken over de politiek en de activiteiten van de Unie van Patriottische Krachten. Het was hem een voorrecht om deze smerige beschuldigingen te kunnen weerleggen. Daarom verwelkomde hij op het podium 'de volgende president van Rusland, Igor Viktorovich Komarov'.

De UPK-leider stapte tussen de gordijnen aan de achterkant van het podium vandaan en liep naar de lessenaar. Zoals zijn gewoonte was als hij zijn aanhangers toesprak, begon hij met een beschrijving van het Groot-Rusland dat hij tot stand wilde brengen zodra de kiezers hem met de eervolle taak van het presidentschap hadden belast. Na vijf minuten raakte hij wat van zijn stuk omdat er niemand reageerde. Het bleef doodstil. Waar bleef de enthousiaste instemming? Het applaus? Waar waren de cheerleaders?

Hij staarde over zijn toehoorders heen en schetste de roemruchte geschiedenis van zijn land, dat nu in de greep van buitenlandse bankiers, profiteurs en criminelen was gekomen. Zijn stem weergalmde door de zaal, maar het publiek sprong niet overeind, met de rechterhand omhoog in de groet van de UPK. Toen hij zweeg, duurde de stilte voort.

'Misschien heeft iemand nog vragen?' opperde Kuznetsov. Dat was een foutje. Minstens een derde van het gehoor bestond uit buitenlandse journalisten. De man van *The New York Times* sprak vloeiend Russisch, evenals zijn collega's van *The Times*, *The Daily Telegraph*, *The Washington Post*, CNN en de rest.

'Meneer Komarov,' riep de journalist van *The Los Angeles Times*. 'Ik schat dat u tot nu toe zo'n tweehonderd miljoen dollar aan uw campagne hebt uitgegeven. Dat lijkt me een wereldrecord. Waar komt al dat geld vandaan?'

Komarov keek de man nijdig aan. Kuznetsov fluisterde hem iets in het oor.

'Uit de bijdragen van het grote volk van Rusland,' antwoordde hij.

'Dat zou betekenen dat iedereen in Rusland u zijn jaarsalaris heeft overgemaakt, meneer. Waar komt het wèrkelijk vandaan?'

Anderen kwamen nu ook met vragen.

'Is het waar dat u alle oppositiepartijen wilt verbieden en een éénpartijstaat, een dictatuur, wilt vestigen?'

'Weet u waarom generaal Nikolayev werd vermoord drie weken nadat hij felle kritiek op u had geuit?'

De vragen volgden elkaar snel op.

'Ontkent u dat de Zwarte Garde achter de moordaanslagen van twee nachten geleden stak?'

De camera's en microfoons van de staats-tv en de twee commerciële zenders bewogen zich door de zaal en registreerden de vragen van die brutale buitenlanders, en Komarovs gestamelde antwoorden.

De man van *The Daily Telegraph*, die in juli zijn collega Mark Jefferson was verloren, had ook een anoniem telefoontje gekregen. Toen hij opstond, zoomden de camera's op hem in.

'Meneer Komarov, hebt u ooit gehoord van een geheim document dat het

Zwarte Manifest wordt genoemd?'

Er viel een verbijsterde stilte. Noch de Russische media noch de buitenlanders wisten waar hij het over had. Hijzelf ook niet. Maar Igor Komarov, die zich aan de lessenaar en de restanten van zijn zelfbeheersing vastklampte, werd opeens doodsbleek.

'Wat voor manifest?'

Weer een fout.

'Volgens mijn informatie, meneer, staan daarin uw plannen omschreven voor de vorming van een éénpartijstaat, het herstel van de Goelag voor uw politieke tegenstanders, de onderwerping van het land door een troepenmacht van tweehonderdduizend Zwarte Gardisten en een invasie van de omringende republieken.'

De stilte was oorverdovend. Van de correspondenten in de zaal waren er veertig afkomstig uit Oekraïne, Wit-Rusland, Letland, Litouwen, Estland, Georgië en Armenië. De halve Russische pers steunde de partijen die volgens het Zwarte Manifest verboden moesten worden en waarvan de leiders, net als de kritische pers, naar de kampen moesten worden verbannen. Tenminste, als die Engelsman gelijk had. Iedereen staarde naar Komarov. Het volgende moment brak er een heksenketel uit.

En Komarov maakte zijn derde fout. Hij verloor zijn zelfbeheersing. 'Ik weiger hier nog langer te blijven staan om dit gezwets aan te horen!' schreeuwde hij en stampte het podium af, gevolgd door de ongelukkige Kuznetsov.

Achter in de zaal stond kolonel Grishin in de schaduw van een gordijn en keek haatdragend om zich heen. Dit kon niet langer zo doorgaan, nam hij zich voor. Dit moest afgelopen zijn.

19

Ten zuidwesten van het centrum van Moskou, op een terrein dat wordt ingesloten door een haarspeldbocht in de rivier de Moskva, staat het middeleeuwse klooster Novodevichi. In de schaduw van de kloostermuren ligt het grote kerkhof.

Op acht hectaren land, met dennen, berken, wilgen en linden, bevinden zich hier de tweeëntwintigduizend graven van de meest vooraanstaande Russen van de afgelopen tweehonderd jaar.

Het kerkhof is verdeeld in elf grote hoven. De nummers één tot en met vier bestrijken de negentiende eeuw, omgeven door de kloostermuren aan de ene en de centrale scheidingsmuur aan de andere kant.

De nummers vijf tot en met acht liggen tussen de scheidingsmuur en het hek, waarachter de vrachtwagens over Khamovnichesky Val denderen. Hier zijn de graven van de beroemde en beruchte namen uit de communistische tijd: maarschalken, politici, academici, schrijvers en astronauten liggen hier langs de paden en lanen. De grafstenen variëren van grote eenvoud tot pompeuze zelfverheerlijking.

Gagarin, de astronaut die bij een testvlucht van een prototype neerstortte omdat hij te veel wodka had gedronken, ligt een paar meter van het stenen beeld met het ronde hoofd van Nikita Chroestsjov. Modellen van vliegtuigen, raketten en kanonnen getuigen van wat deze mannen in hun leven hebben gedaan. Andere figuren staren heldhaftig in het niets, met rijen medailles op hun granieten borst.

Verderop langs het hoofdpad loopt nog een muur, met een smalle doorgang die uitkomt bij drie kleinere tuinen, de nummers negen, tien en elf. Wegens ruimtegebrek waren er in de winter van 1999 nauwelijks meer graven vrij, maar er was er een gereserveerd voor generaal Nikolai Nikolayev van de Russische landmacht. Hier werd Oom Kolya op 26 december begraven door zijn neef Misha Andreyev.

Hij probeerde het zo te doen als de oude man hem had gevraagd bij dat laatste etentje. Er waren twintig generaals aanwezig, onder wie de minister van Defensie. Een van de twee metropolieten van Moskou lcidde de dienst.

Alles erop en eraan, had de oude ijzervreter gezegd, en dus zwaaiden de misdienaren met hun wierookvaten en steeg de geurige rook in wolken in de bitterkoude lucht omhoog.

De granieten grafsteen had de vorm van een kruis, zonder beeltenis van de dode, met alleen zijn naam en daaronder de woorden: *Russkiy soldat*, een Russisch soldaat.

Generaal-majoor Andreyev sprak de grafrede uit. Hij hield het kort. Oom Kolya was dan wel als een christen naar zijn laatste rustplaats gegaan, maar hij had altijd een hekel gehad aan mooie woorden.

Toen Andreyev uitgesproken was en de bisschop de laatste woorden sprak, legde hij de drie donkerrode lintjes en gouden plaatjes van de onderscheiding van Held van de Sovjetunie op de kist. Acht van zijn eigen soldaten van de Tamanskaya Divisie waren als dragers meegekomen en zij lieten de kist nu in de grond zakken. Andreyev stapte naar achteren en salueerde. Twee ministers en de andere achttien generaals deden hetzelfde.

Toen ze over het middenpad terugliepen naar de uitgang en de stoet van wachtende auto's, legde generaal Butov, de onderminister van Defensie, een hand op zijn schouder.

'Een afschuwelijke zaak,' zei hij. 'Een ellendige manier om zo te moeten gaan.'

'Op een dag,' zei Andreyev, 'zal ik ze vinden en moeten ze de prijs betalen.'

Butov voelde zich zichtbaar gegeneerd. Hij was een politieke benoeming, een administrateur die nog nooit het bevel over de troepen had gevoerd.

'Ja, nou... Ik weet zeker dat de politie haar best doet,' zei hij.

Op de stoep schudden de andere generaals hem plechtig de hand, één voor één, en stapten toen in hun dienstauto's, die haastig vertrokken. Generaal-majoor Andreyev liep naar zijn eigen auto en reed terug naar huis.

Acht kilometer verderop, in het schemerige licht van de late middag, haastte een kleine priester in een soutane en met een rechte hoed op zijn hoofd zich door de sneeuw en verdween onder de uikoepel van de kerk op het Slavyanskyplein. Vijf minuten later dook kolonel Anatoli Grishin naast hem op.

'U kijkt bezorgd,' zei de kolonel zacht.

'Ik ben doodsbang,' zei de priester.

'Daar is geen reden voor, pater Maxim. We hebben wat tegenslagen gehad, maar dat komt wel goed. Vertel me eens, waarom is de patriarch zo plotseling vertrokken?'

'Dat weet ik niet. De ochtend van de 21e werd hij gebeld uit het Troitsje-Sergijeva klooster in Zagorsk. Ik begreep niet waarom, want de privé-secretaris nam op. Maar hij pakte meteen zijn koffers.'

'Waarom?'

'Dat heb ik later gehoord. Het klooster had pater Gregor uitgenodigd om een preek te houden. De patriarch wilde er graag bij zijn.'

'Om zijn persoonlijke zegen te geven aan Gregor en zijn walgelijke boodschap,' snauwde Grishin. 'Zonder een woord te hoeven zeggen. Zijn aanwezigheid was al voldoende.'

'Nou ja, ik vroeg dus of ik ook moest gaan, maar de secretaris zei nee. Zijne Heiligheid zou een van de Kozakken als chauffeur meenemen, en de secretaris. De twee nonnen kregen vrij voor familiebezoek.'

'Dat hebt u me allemaal niet verteld, pater.'

'Hoe kon ik nou weten dat er die avond iemand zou komen?' vroeg de priester op klaaglijke toon.

'Ga door.'

'Nou, na afloop heb ik de militia gebeld. Het lichaam van de Kozak lag op de overloop. 's Ochtends heb ik het klooster gebeld en met de secretaris gesproken. Ik zei dat er was ingebroken door gewapende boeven en dat ze hadden geschoten. Meer niet. Maar later maakte de militia er een ander verhaal van. Zij zeiden dat het een aanslag op Zijne Heiligheid was geweest.'

'En toen?'

'De secretaris belde me terug en zei dat Zijne Heiligheid vreselijk van streek was. Verpletterd, was het woord dat hij gebruikte. Vooral door de dood van de Kozak. Hij is nog een tijdje in het klooster gebleven en gisteren weer teruggekomen omdat hij bij de dienst voor de Kozak wilde zijn voordat het lichaam werd teruggegeven aan zijn familie langs de Don.'

'Dus hij is terug. Hebt u me daarom gebeld?'

'Natuurlijk niet. Het gaat over de verkiezingen.'

'Maakt u zich geen zorgen over de verkiezingen, pater Maxim. Ondanks die tegenslagen wordt de waarnemend president al in de eerste ronde verslagen. En in de tweede ronde zal Igor Komarov het zeker van die communist Zjoeganov winnen.'

'Dat is het hem juist, kolonel. Vanochtend is Zijne Heiligheid naar het Staraya Ploshchad geweest voor een persoonlijke ontmoeting met de waarnemend president, op zijn eigen verzoek. Blijkbaar waren er ook twee generaals van de militia bij, en nog anderen.'

'Hoe weet u dat?'

'Hij was nog op tijd terug voor het middageten. Hij lunchte in zijn studeerkamer, met zijn secretaris. Ik bracht het eten. Ze letten niet op me. Ze hadden het over een besluit dat Ivan Markov eindelijk had genomen.'

'En dat was?'

Pater Maxim Klimovsky stond te trillen als een blad. Het vlammetje van de kaars in zijn hand flakkerde zo hevig, dat het zachte licht woest over het gezicht van de Madonna en het kindeke aan de muur danste.

'Rustig aan, pater.'

'Ik ben helemaal over mijn toeren, kolonel. U moet mijn positie goed begrijpen. Ik heb alles gedaan om u te helpen omdat ik geloof in Komarovs visioen van het Nieuwe Rusland. Maar ik kan hier niet mee doorgaan. De overval op het huis, dit gesprek vandaag... het wordt me allemaal te gevaarlijk.'

Hij kromp ineen toen een stalen hand zich om zijn bovenarm sloot.

'U bent er te diep bij betrokken om u nu nog terug te trekken, pater Maxim. U kunt nergens meer heen. U kunt teruggaan als bediende – want meer bent u niet, ondanks uw soutane en uw gelofte – of u kunt wachten op de overwinning van Igor Komarov en mijzelf, over eenentwintig dagen. Met de kans dat u tot ongekende hoogte stijgt. Nou, wat hebben de patriarch en de waarnemend president besproken?'

'Dat er geen verkiezing komt.'

'*Wat?*'

'Nou ja, er komt wel een verkiezing, maar zonder Komarov.'

'Dat zou hij niet durven,' fluisterde Grishin. 'Hij durft Igor Komarov niet te schorsen. Meer dan het halve land staat achter ons.'

'Ze zijn al veel verder, kolonel. Kennelijk drongen de generaals erop aan. De moord op die oude generaal en de aanslag op de bankier, de militiageneraal en vooral op Zijne Heiligheid hebben de doorslag gegeven.'

'Voor wat?'

'Op 1 januari, nieuwjaarsdag, gaan ze tot actie over. Ze denken dat de troepen na het feest niet meer fit genoeg zijn om de aanval te weerstaan.'

'Welke troepen? Wat voor aanval? Wat klets je nou, man?'

'Uw eigen troepen. De mannen onder uw bevel. Ze zijn bezig een leger van veertigduizend man op de been te brengen: de Presidentiële Garde, de speciale eenheden van de SOBR en de OMON, een paar Spetsnaz-eenheden en de elitekorpsen van het ministerie van Binnenlandse Zaken hier in de stad.'

'Maar waarvoor?'

'Om u en al uw mensen te arresteren. Wegens samenzwering tegen de staat. Om de Zwarte Garde gevangen te nemen of te vernietigen in hun eigen kazernes.'

'Maar dat kàn niet. Ze hebben geen bewijs.'

'Kennelijk is een hoge officier van de Zwarte Garde bereid om te getuigen. Ik hoorde dat de secretaris hetzelfde bezwaar opwierp, en dat was het antwoord van de patriarch.'

Kolonel Grishin stond als aan de grond genageld, alsof hij door een zware elektrische stroomstoot was verlamd. Aan de ene kant weigerde hij te geloven dat die laffe klootzakken het lef zouden hebben voor zo'n actie. Aan de andere kant... misschien was het wel waar. Igor Komarov had zich nooit verwaardigd om in de slangenkuil van de Doema af te dalen. Hij was partijleider, maar geen lid van de Doema, en dus niet politiek onschendbaar. Evenmin als hijzelf, Anatoli Grishin.

388

Als er werkelijk een hoge officier van de Zwarte Garde wilde getuigen, kon de procureur-generaal in Moskou een arrestatiebevel uitvaardigen, voldoende om hen gevangen te houden tot na de verkiezingen.

Als ondervrager had Grishin gezien waartoe mensen in staat waren in hun paniek. Ze gooiden zich van een gebouw, ze wierpen zich voor een trein of ze klommen in een hek dat onder stroom stond.

Als de waarnemend president, zijn adviseurs, de Presidentiële Garde, de militia en de anti-mafia-eenheden van de politie allemaal beseften wat hun boven het hoofd hing als Komarov aan de macht kwam, zouden ze inderdaad in paniek kunnen raken.

'Ga maar naar huis, pater Maxim,' zei hij ten slotte. 'En onthoud wat ik heb gezegd. U bent hier zo diep bij betrokken, dat u niet meer in de armen van het huidige regime kunt vluchten. Uw enige kans is een overwinning van de UPK. Ik wil alles weten wat er gebeurt, alles wat u hoort, ieder gesprek, elke bijeenkomst. Van nu tot aan Nieuwjaar.'

Opgelucht schuifelde de doodsbange priester de kerk uit. Binnen zes uur had zijn oude moeder zware longontsteking gekregen en vroeg hij zijn vriendelijke patriarch om naar haar toe te mogen gaan totdat ze was hersteld. Nog dezelfde avond zat hij in de trein naar Zhitomir. Hij had zijn best gedaan, vond hij. Meer kon niemand van hem vragen. Maar Michaël en al zijn engelen hadden hem niet één minuut langer in Moskou kunnen houden.

Die avond schreef Jason Monk zijn laatste bericht aan het Westen.

Zonder zijn computer schreef hij het langzaam en zorgvuldig in blokletters, tot hij twee foliovellen vol had. Daarna, met behulp van een bureaulamp en de kleine camera die Umar Gunayev voor hem had gekocht, fotografeerde hij de twee pagina's een paar keer voordat hij de vellen verbrandde en de as door de wc spoelde. In het donker haalde hij het belichte filmpje eruit en stak het weer in het kokertje terug. De capsule was niet groter dan het bovenste kootje van zijn pink.

Om half tien reden Magomed en zijn andere twee lijfwachten hem naar het adres dat hij hun opgaf. Het was een eenvoudige woning, een vrijstaand huisje van *izba*, ver in de zuidoostelijke voorsteden van Moskou, het district Nagatino.

De oude man die de deur opendeed had zich niet geschoren. Een wollen trui slobberde om zijn magere lijf. Er was geen enkele reden waarom Monk hoefde te weten dat hij ooit een vooraanstaand professor aan de universiteit van Moskou was geweest, totdat hij met het communistische regime had gebroken en een pamflet voor zijn studenten had gepubliceerd waarin hij democratische ideeën verkondigde.

Dat was lang voor de hervormingen. Later was hij gerehabiliteerd, maar die erkenning kwam veel te laat, evenals het kleine staatspensioen dat erbij hoorde. Indertijd had hij geluk gehad dat ze hem niet naar de kampen hadden gestuurd. Maar ze hadden hem wel zijn werk en zijn appartement afgenomen. Hij had een baantje als straatveger gekregen.

Zo ging dat onder de communisten. Zelfs als de dissident aan de kampen wist te ontsnappen, trokken de autoriteiten het vloerkleed onder hem vandaan en vernietigden zijn maatschappelijke bestaan. De voormalige Tsjechische premier Alexander Dubcek was houthakker geworden.

Dat hij het allemaal had overleefd, was grotendeels te danken aan een man van zijn eigen leeftijd, die hij op een dag op straat ontmoette en die redelijk Russisch sprak, maar met een Engels accent. Nigel Irvines echte naam kwam hij nooit te weten. Hij noemde hem gewoon *Lisa*, de Vos. De spion van de ambassade vroeg niet veel. Zo nu en dan een helpende hand. Kleine dingen. Hij had de Russische professor een hobby aan de hand gedaan en hem de briefjes van honderd dollar gegeven waardoor hij nog net de eindjes aan elkaar kon knopen.

Die winteravond, twintig jaar later, keek hij de jongere man in de deuropening vragend aan en zei: '*Da?*'

'Ik heb iets voor de Vos,' zei Monk.

De oude man knikte en stak zijn hand uit. Monk gaf hem de kleine capsule. De man deed een stap terug en sloot de deur. Monk draaide zich om en liep weer naar de auto.

Om middernacht werd kleine Martti losgelaten, met het kokertje aan een van zijn poten gebonden. Hij was weken eerder naar Moskou gebracht door Mitch en Ciaran op hun lange rit uit Finland. Brian Vincent, die een Russische plattegrond kon lezen om het afgelegen huis te vinden, had hem bij de oude man bezorgd.

Martti bleef even op de dakgoot staan, spreidde toen zijn vleugels en steeg in een spiraal omhoog in de ijskoude nacht boven Moskou. Hij vloog tot een hoogte van driehonderd meter, waar de kou een menselijk wezen in een ijsklomp zou hebben veranderd.

Toevallig begon een van de InTelCor-satellieten juist haar baan over de bevroren steppen van Rusland. Geheel volgens instructie stuurde de satelliet een codebericht omlaag – 'Ben je daar, kind?' – zonder te beseffen dat ze haar elektronische kind zelf had vernietigd.

Buiten de hoofdstad zochten de FAPSI-waarnemers op hun computerschermen naar de verraderlijke blip die de positie moest aangeven van de buitenlandse agent die door kolonel Grishin werd gezocht. Dan zouden ze met een driehoekspeiling de plaats van de zender tot op één enkel gebouw kunnen bepalen.

De satelliet draaide verder, maar er kwam geen blip.

Ergens in zijn kleine kopje vertelde een magnetische puls aan Martti dat zijn hok, de plaats waar de doffer drie jaar geleden als een blind, hulpeloos kuiken ter wereld was gekomen, ergens in het noorden lag. Dus draaide hij naar het noorden, tegen de bitterkoude wind in, en vloog urenlang door de kou en de duisternis, voortgedreven door dat ene verlangen om de plek te bereiken waar hij thuishoorde.

Niemand zag hem de stad verlaten of de kustlijn kruisen, met de lichtjes van Sint-Petersburg aan zijn rechterkant. Hij vloog maar door, met zijn bericht en zijn verlangen om thuis te komen. Zestien uur nadat hij uit Moskou was vertrokken, koud en uitgeput, fladderde hij een zolder binnen aan de rand van Helsinki. Warme handen haalden het kokertje van zijn poot en drie uur later las sir Irvine het bericht in Londen.

Hij glimlachte toen hij de tekst zag. Ze waren er nu bijna. Jason Monk had nog maar één ding te doen voordat hij weer kon onderduiken in afwachting van het moment dat hij veilig uit Rusland kon vertrekken. Maar zelfs Irvine kon niet helemaal voorspellen wat de eigengereide man uit Virginia precies van plan was.

Terwijl Martti ongezien over hun hoofden vloog, zaten Igor Komarov en Anatoli Grishin op het kantoor van de partijleider. De rest van het kleine herenhuis dat zijn hoofdkwartier vormde, was verlaten, afgezien van de bewakers in hun kamer op de begane grond. Buiten in het donker zwierven de waakhonden rond.

Komarov zat achter zijn bureau, doodsbleek in het lamplicht. Grishin was net uitgesproken en had de leider van de Unie van Patriottische Krachten verteld wat hij van de spionerende priester had gehoord.

Terwijl hij aan het woord was, leek het wel of Komarov begon te krimpen. Zijn ijzige zelfbeheersing ontglipte hem en zijn besluitvaardigheid begon weg te vloeien.

Grishin kende dat verschijnsel. Het overkwam zelfs de meest geharde dictators op het moment dat ze van hun macht werden beroofd. In 1944 was Mussolini, de stoere Duce, binnen één nacht veranderd in een armzalig, angstig mannetje op de vlucht.

Het gebeurde ook grote zakenmensen als de banken de geldkraan dichtdraaiden, de privé-jet in beslag werd genomen, de limousines werden geconfisqueerd, de creditcards geblokkeerd, de hoogste medewerkers ontslag namen en het hele kaartenhuis in elkaar stortte. Dan leken ze opeens veel kleiner en veranderde hun oude zelfverzekerdheid in een holle façade.

Grishin wist het, omdat hij generaals en ministers als zielige hoopjes mens in zijn cellen had gezien, de ooit zo machtige *apparatsjiks*, overgeleverd aan het meedogenloze oordeel van de partij.

Alles dreigde mis te lopen. De tijd van woorden was voorbij. Zijn eigen kans was nu gekomen. Hij had altijd een grote minachting gekoesterd voor Kuznetsov met zijn woorden en beelden – alsof je werkelijke macht kon ontlenen aan een persbericht. Macht kwam in Rusland alleen uit de loop van een geweer. Dat was altijd zo geweest en zou altijd zo blijven. Ironisch genoeg was het de man geweest die hij het meest haatte, die Amerikaanse Rode Pimpernel, die de leider van de UPK zo in het nauw had gebracht dat hij nu eindelijk bereid leek om naar Grishin te luisteren.

Want Anatoli Grishin was absoluut niet van plan om zich door de militia van waarnemend president Ivan Markov te laten uitschakelen. Hij kon Igor Komarov nu nog niet opzij schuiven, maar hij zou zijn huid redden en daarna zelf het hoogste ambt in Rusland in de wacht slepen. De droomkans was toch gekomen.

Igor Komarov zat verzonken in zijn eigen wereld als Richard II, worstelend met de ramp die hem binnen zo'n korte tijd had getroffen. Hij kon het letterlijk niet begrijpen, hoewel er enig begrip begon te dagen toen hij alle gebeurtenissen nog eens doornam, stap voor stap.

Begin november leek het nog of niets ter wereld hem van een verkiezingsoverwinning in januari zou kunnen afhouden. Zijn politieke organisatie was twee keer zo efficiënt als die van zijn rivalen. Zijn toespraken hielden de massa in hun ban. De peilingen lieten zien dat hij op zeventig procent van de stemmen kon rekenen, genoeg voor een beslissende winst in de eerste ronde.

Zijn politieke tegenstanders waren in verwarring. Ze trokken zich terug uit de strijd, hun geld raakte op of ze gaven gewoon de moed op omdat hij zo'n voorsprong had in de peilingen. En wie hogerop wilde, probeerde bij Komarov in een goed blaadje te komen. Ja, in november had zijn overwinning vastgestaan.

De diefstal van het Zwarte Manifest, half juli, was een grote schok geweest, maar er gebeurde niets bijzonders en Komarov had zich geen zorgen meer gemaakt. De schuldigen waren gestraft en die veel te slimme journalist was het zwijgen opgelegd. Maandenlang was alles goed gegaan en had hij zijn onstuitbare opmars voortgezet.

Hij kon eenvoudig niet geloven dat één enkele buitenlandse agent, die hij één keer op een foto had gezien, hem zoveel schade had kunnen toebrengen. De vernietiging van zijn drukpersen en de sabotage van zijn krant en tijdschrift waren irritant geweest, maar geen ramp. Sabotage en geweld hoorden bij het Russische leven, maar tot dan toe was dat geweld altijd toegepast door kolonel Grishin – op zijn bevel. Het moment dat de tv-stations hem zijn zendtijd weigerden, was het begin geweest van een reeks gebeurtenissen die hem blind van woede maakten maar die hij nog altijd niet goed begreep.

Hij had een afkeer van de kerk en van alle priesters, daarom had hij nooit serieus geloofd dat de patriarch succes zou hebben met zijn krankzinnige idee om de tsaar terug te halen. Bovendien had hij er geen rekening mee gehouden dat Alexei II werkelijk invloed had op het Russische volk.

Want de Russen hadden zich toch tot hèm gewend? Híj was toch hun redder, de man die orde en gezag zou herstellen en Rusland eens en voorgoed zou zuiveren? Waar had je God voor nodig als je Igor Viktorovich Komarov had?

Hij kon begrijpen waarom die jood Bernstein zich tegen hem had gekeerd. Als die bemoeizieke Amerikaan hem het manifest had laten lezen, kon dat zijn reactie verklaren. Maar waarom de generaal? Waarom had Nikolai Nikolayev hem aangevallen? Begreep hij dan niet wat voor een schitterende toekomst er voor het Russische leger in het verschiet lag? Liet de held van Kursk en Bagration zich werkelijk iets gelegen liggen aan die paar joden en Tsjetsjenen?

Het was de dubbele tegenslag van dat interview in de *Izvestia* en het verlies van zijn zendtijd waardoor hij eigenlijk de omvang besefte van het verbond dat tegen hem was gesmeed.

En daarna de Dolgoruki-mafia, woedend over de razzia's op hun gebouwen. En toen de pers... Maar ze stonden allemaal op de lijst om te worden afgevoerd: de Kerk, de mafia, de vrije pers, de joden, de Tsjetsjenen, de buitenlanders. Ze kwamen allemaal aan de beurt.

'Die vier moordaanslagen op onze vijanden waren een misrekening,' zei hij ten slotte.

'Met alle respect, meneer de president, het was tactisch een goede zet. Het was domme pech dat drie van hen toevallig niet thuis waren.'

Komarov bromde wat. Pech of niet, het had als een boemerang gewerkt. Hoe kwam de pers op het idee dat hij erachter had gezeten? Wie had dat laten uitlekken? De media hadden altijd aan zijn lippen gehangen. Nu scholden ze hem uit. Die persconferentie was een fiasco geweest. Al die buitenlanders met hun brutale vragen. Zoiets had hij nog nooit meegemaakt, daar had Kuznetsov wel voor gezorgd. Bij persoonlijke interviews was hij altijd met respect behandeld. De journalisten hadden aandachtig naar zijn standpunten geluisterd en instemmend geknikt. Maar toen had die jonge dwaas opeens een persconferentie voorgesteld...

'Bent u honderd procent zeker van uw tipgever, kolonel?'

'Ja, meneer de president.'

'Vertrouwt u hem?'

'Bepaald niet. Maar ik vertrouw zijn zwakheden. Hij is laaghartig en corrupt. Hij wil een hoge post en hij wil genot. Dat heb ik hem beloofd. Hij heeft me verteld over de twee bezoeken van die Engelse spion en de Amerikaanse agent aan de patriarch. U hebt de transcriptie van het tweede gesprek met Monk gelezen, de dreigementen die ik voldoende reden vond om de vijand permanent het zwijgen op te leggen.'

'Maar deze keer... Zouden ze me werkelijk durven aanvallen?'

'Daar moeten we rekening mee houden. Het wordt een gevecht zonder handschoenen. De waarnemend president, die idioot van een Markov, weet dat hij niet van u kan winnen, maar misschien wel van Zjoeganov. De generaals van de militia begrijpen nu eindelijk welke zuiveringen u van plan bent. Met die beschuldigingen over een financiële band tussen de UPK en de mafia kunnen ze een aanklacht opstellen. Ja, ik denk dat ze iets van plan zijn.'

'Wat zou u doen, in hun plaats?'

'Precies hetzelfde. Toen ik de priester hoorde zeggen wat de patriarch had besproken, kon ik mijn oren niet geloven. Dat kon niet waar zijn. Maar hoe meer ik erover nadenk, hoe logischer het lijkt. De ochtend van de eerste januari is een uitstekend moment. Bijna iedereen heeft een kater van de vorige avond. De meeste wachtposten staan te slapen. Niemand is in staat om snel en besluitvaardig te reageren. De meeste Russen kunnen op nieuwjaarsdag niet eens uit hun ogen kijken – tenzij je ze in een kazerne opsluit, zonder een druppel wodka. Ja, het klinkt logisch.'

'Wat wil je daarmee zeggen? Dat het afgelopen is met ons? Dat het allemaal voor niets is geweest, dat ons grote visioen zal worden vernietigd door een paniekerige, ambitieuze politicus, een fantaserende priester en een omhooggevallen militiageneraal?'

Grishin stond op en boog zich over het bureau. 'Of wij daarvoor zo ver gekomen zijn, vraagt u? Nee, meneer de president! Wie de overwinning wil, moet de bedoelingen van zijn vijand kennen. Die kennen we nu. Ze laten ons geen andere keus. De aanval is de beste verdediging.'

'Een aanval? Op wie?'

'We moeten Moskou in handen krijgen, meneer de president. Heel Rusland. Over veertien dagen zou u toch het rechtmatige staatshoofd zijn geweest. Op oudejaarsavond zullen onze vijanden een feestje vieren, terwijl hun troepen in de kazernes zitten opgesloten. Ik kan een leger van tachtigduizend man op de been brengen om in oudejaarsnacht Moskou te bezetten. En na Moskou volgt Rusland vanzelf.'

'Een staatsgreep dus?'

'Het is al eerder gebeurd, meneer de president. De hele Russische en Europese geschiedenis is een aaneenschakeling van mannen met visie en volharding die het juiste moment hebben afgewacht om de macht te grijpen. Mussolini veroverde Rome en heel Italië. De Griekse kolonels onderwierpen Athene en heel Griekenland. Zonder burgeroorlog, maar door een snelle en

394

beslissende actie. De verliezers slaan op de vlucht, hun aanhangers verliezen de moed en zoeken een compromis. Op nieuwjaarsdag kunt u Rusland in handen hebben.'

Komarov dacht na. Hij kon de tv-studio's bezetten en de natie toespreken. Hij zou zeggen dat hij had ingegrepen om het Russische volk te behoeden voor een komplot om de verkiezingen te dwarsbomen. Ze zouden hem geloven. Hij zou de generaals arresteren en de kolonels bevorderen om hen aan zijn kant te krijgen.

'Denk je dat het lukt?'

'Meneer de president, alles in dit corrupte land is te koop. Daarom heeft het Moederland iemand als Igor Komarov nodig, iemand die de bezem door die zwijnestal haalt. Met genoeg geld kan ik zoveel troepen bijeenbrengen als ik wil. U zegt het maar. Ik garandeer u dat u op nieuwjaarsdag om twaalf uur 's middags uw intrek kunt nemen in de staatsappartementen van het Kremlin.'

Igor Komarov vouwde zijn handen onder zijn kin en staarde naar het vloeiblad. Na een paar minuten tilde hij zijn hoofd op en keek kolonel Grishin strak aan.

'Akkoord. Doe het maar,' zei hij.

Als Grishin op dat moment had moeten beginnen, was het hem nooit gelukt om binnen vier dagen een troepenmacht op de been te brengen die Moskou kon bezetten.

Maar hij had de voorbereidingen al getroffen. Maandenlang had hij geweten dat de werkelijke machtsovername door de UPK pas zou beginnen na de verkiezing van Igor Komarov tot president.

De politieke kant – de formele afschaffing van alle andere partijen – was een zaak voor Komarov. Grishins taak was de onderwerping of ontwapening van alle strijdkrachten van de staat.

Als voorbereiding daarop had hij al bepaald wie zijn natuurlijke bondgenoten en wie zijn vijanden zouden zijn. Tot zijn belangrijkste tegenstanders behoorde de Presidentiële Garde, een bewapende eenheid van dertigduizend man, van wie er zesduizend in Moskou en duizend in het Kremlin zelf gelegerd waren.

Ze stonden onder bevel van generaal Sergei Korin, de opvolger van Jeltsins beruchte Alexander Korzhakov, en alle officieren waren politieke benoemingen van wijlen president Cherkassov. Ze zouden zich zeker verzetten tegen de putsch.

Daarna kwam het ministerie van Binnenlandse Zaken met zijn eigen leger van honderdvijftigduizend man. Gelukkig voor Grishin was het grootste deel van deze strijdmacht over heel Rusland verspreid. Slechts vijfduizend man waren in en om de hoofdstad zelf gelegerd. De generaals van het presidium van de MVD zouden al snel in de gaten hebben dat zij de eerste kandidaten waren voor de veewagens naar de Goelag. Evenmin als voor de Presidentiële Garde zou er voor hen nog plaats zijn in het nieuwe Rusland van Grishins Zwarte Garde.

Daarna – een harde eis van de Dolgoruki-mafia – kwam de arrestatie en internering van de twee politiemachten die de georganiseerde misdaad moesten bestrijden, de federale divisie die werd geleid vanuit het MVD-hoofdkwartier op het Zhitnyplein, en de Moskouse divisie, de GUVD, onder bevel van generaal Petrovsky in de Shabolovkastraat. Beide divisies en hun eigen troepen, de OMON en de SOBR, begrepen heel goed dat ze door Grishin onmiddellijk naar de werkkampen of het executieterrein zouden worden afgevoerd.

Maar tussen al die officiële en particuliere legertjes die in 1999 in het wankele Rusland de dienst uitmaakten, zou Grishin ook bondgenoten kunnen vinden of kopen. Het belangrijkste was natuurlijk om het leger in het ongewisse te laten, innerlijk verdeeld en daardoor niet in staat om op te treden.

Grishin kon zelf beschikken over zijn Zwarte Garde van zesduizend man en de twintigduizend jeugdige soldaten van de Jonge Strijders.

De Zwarte Garde was een elitekorps dat hij in de loop der jaren zelf had opgebouwd. Het kader bestond uit voormalige officieren van de speciale eenheden, die allemaal gevechtservaring hadden opgedaan bij de para's, de mariniers en de MVD. Bij de Zwarte Garde hadden ze in meedogenloze inwijdingsriten hun hardheid en hun trouw aan de ultra-rechtse zaak moeten bewijzen.

Maar ergens tussen de hoogste veertig officieren moest dus een verrader schuilen. Het was duidelijk dat iemand contact had opgenomen met de autoriteiten en de media om de Zwarte Garde te beschuldigen van de vier moordaanslagen op 21 december. Dat verband was zo snel gelegd dat het geen toeval kon zijn.

Dus had Grishin geen andere keus dan die hoogste veertig officieren in te rekenen en vast te houden. Dat gebeurde op 28 december. Het derdegraadsverhoor en de ontmaskering van de dader moesten tot later wachten. Om het moreel hoog te houden, werden de lagere officieren bevorderd, zodat ze de opengevallen plaatsen konden innemen. Ze kregen te horen dat hun bevelhebbers allemaal op cursus waren.

Gebogen over een grootschalige plattegrond van het district Moskou stelde Grishin zijn strijdplan op voor oudejaarsnacht. Het grote voordeel was dat de straten bijna verlaten zouden zijn.

In Rusland zijn de festiviteiten met Nieuwjaar heel belangrijk. Op de middag van oudejaarsdag wordt er al nauwelijks meer gewerkt. Dan gaan de Moskovieten met een flinke voorraad drank naar huis om in de familiekring of met kennissen oudjaar te vieren. Om half vier 's middags is het al donker en daarna wagen ze zich alleen nog in de vrieskou om hun drankvoorraad aan te vullen.

Iedereen viert feest, ook de nachtwakers en de kleine groepjes veiligheidsmensen die niet naar huis mogen. Zij nemen de drank mee naar hun werk.

Tegen zes uur, schatte Grishin, zou hij de stad bijna voor zich alleen hebben. Alle belangrijke ministeries en overheidsgebouwen waren dan verlaten, afgezien van een paar nachtwakers, maar die zouden na tien uur nergens meer toe in staat zijn, evenmin als de soldaten van het reguliere leger, in hun kazernes.

Als Grishins troepen eenmaal in de stad waren, moesten ze Moskou zo snel mogelijk van de buitenwereld afgrendelen. Dat was de taak van de Jonge Strijders. Moskou had tweeënvijftig in- en uitvalswegen. Om die af te zetten had hij 104 zware vrachtwagens nodig, geladen met beton.

Hij verdeelde de Jonge Strijders in 104 groepen, elk onder het bevel van een ervaren soldaat van de Zwarte Garde. De vrachtwagens moesten in de ochtend van oudejaarsdag van transportbedrijven worden gehuurd of onder bedreiging met vuurwapens in beslag worden genomen. Op de afgesproken tijd zou elk paar naar zijn positie rijden en de wagens dwars op de weg zetten, met de neuzen tegen elkaar, zodat niemand er meer langs kon.

Op alle belangrijk toegangswegen wordt de grens tussen de *oblast* Moskou en de omringende provincie gemarkeerd door een militiapost van de MVD, een wachthokje met een paar verveelde soldaten en een telefoon. Daarnaast staat een pantserwagen geparkeerd. In de oudejaarsnacht zou de pantserwagen onbemand zijn, omdat de bemanning met de collega's een feestje bouwde in het wachtlokaal. De bewaking langs de enige weg die Grishin nodig had om de stad binnen te komen zou worden geëlimineerd. Op alle andere plaatsen zouden de Jonge Strijders hun vrachtwagens pas bij het eerstvolgende kruispunt de weg oprijden om de toegang te blokkeren, terwijl de MVD-soldaten zich bezatten in hun wachthokjes en nergens erg in hadden. Daarna zouden de Jonge Strijders, in groepen van ongeveer tweehonderd man, zich verdekt opstellen achter hun barricades om eventuele versterkingen tegen te houden.

In de stad zelf moest Grishin zeven doelen uitschakelen, twee primaire en zeven secundaire. Omdat zijn Zwarte Gardisten in vijf kampen buiten Moskou waren gelegerd, met maar een kleine kazerne in de stad zelf waar Komarovs lijfwachten waren ingekwartierd, lag het voor de hand om in vijf groepen naar Moskou op te rukken. Maar dan was er intensief radiocontact nodig en Grishin wilde radiostilte in acht nemen. Daarom koos hij voor één enkele, langgerekte colonne.

De belangrijkste basis lag ten noordoosten van de stad. De hele troepenmacht van zesduizend man moest zich daarom al op 30 december met hun wapens en trucks in dit kamp verzamelen. Op oudejaarsavond zouden ze dan naar Moskou oprukken langs de hoofdweg, de Yaroslavskoye Chaussee, die vlak bij de binnenste ringweg overgaat in Prospekt Mira (de Vredeslaan).

Een van zijn primaire doelen, het grote televisiecomplex van Ostankino, lag maar een halve kilometer bij die hoofdweg vandaan. Hier wilde hij tweeduizend van zijn zesduizend mensen achterlaten.

De overige vierduizend zouden onder zijn persoonlijke bevel doorrijden naar het zuiden, langs het Olympisch stadion en over de ringweg naar het hart van de stad, waar het belangrijkste doelwit lag: het Kremlin zelf.

Hoewel *Kreml* niets anders betekent dan 'vesting' en iedere oude stad in Rusland een vesting heeft in het centrum van het oude ommuurde gedeelte, is het Kremlin in Moskou al heel lang het symbool van de hoogste macht in Rusland en de zichtbare uitoefening van die macht. Daarom wilde Grishin het Kremlin nog voor de ochtend in handen hebben. Het garnizoen moest in een bliksemactie worden verslagen en de radiokamer bezet, om te voorkomen dat er hulptroepen werden opgetrommeld, waardoor de hele actie zou kunnen mislukken.

De vijf secundaire doelen liet hij over aan de vier gewapende eenheden die hij als bondgenoten hoopte te verenigen, zelfs in de korte tijd die hem nog restte.

Deze doelen waren het kantoor van de burgemeester in de Tverskayastraat, waar een radiokamer was van waaruit hulp kon worden ingeroepen; het ministerie van Binnenlandse Zaken op het Zhitnyplein, dat verbindingen had met de legerposten van de MVD in de rest van Rusland en de vlakbij gelegen OMON-kazerne; het complex van presidentiële en ministeriële gebouwen op en rond het Staraya Ploshchad; het vliegveld Khodinka met zijn GRU-kazerne, een ideale landingsplaats voor paratroepen als die te hulp zouden schieten; en het parlementsgebouw, de Doema.

Toen Boris Jeltsin in 1993 zijn tanks op de Doema had gericht om de opstandige afgevaardigden te dwingen naar buiten te komen en zich over te geven, had het gebouw forse schade opgelopen. Vier jaar lang had de Doema vergaderd in het oude kantoor van het Gosplan, de organisatie die de communistische economie had geleid, maar inmiddels was het parlement weer teruggekeerd in het Witte Huis bij de rivier, aan het eind van de Novy Arbat.

Het kantoor van de burgemeester, de Doema en de ministeries aan het Staraya Ploshchad zouden op oudejaarsavond allemaal verlaten zijn en gemakkelijk kunnen worden bezet door de deuren op te blazen. Er was wel tegenstand te verwachten bij de inname van de OMON-kazerne en de vliegbasis

Khodinka als de politietroepen of het handjevol para's en inlichtingenofficieren op het oude vliegveld zich zouden verzetten.

Een achtste, voor de hand liggend doelwit bij iedere putsch was het ministerie van Defensie. In die grote grijze steenklomp op het Arbatskyplein zou in
de oudejaarsnacht ook nauwelijks meer iemand te vinden zijn, maar het
ministerie had een belangrijk verbindingscentrum dat in rechtstreeks contact stond met alle bases van de landmacht, de marine en de luchtmacht in
heel Rusland. Toch wilde Grishin geen troepen naar het ministerie sturen.
Daar had hij een andere oplossing voor.

Bondgenoten voor een extreem rechtse coup in Rusland waren niet moeilijk
te vinden. De belangrijkste was de Federale Veiligheidsdienst of FSB, de
opvolger van het ooit oppermachtige Tweede Hoofddirectoraat van de KGB,
de uitgebreide organisatie die in opdracht van het politburo al het binnenlandse verzet in de Sovjetunie had onderdrukt. Sinds de gehate democratie
haar intrede had gedaan, had de FSB steeds verder aan macht ingeboet.

De FSB opereerde nog steeds vanuit het voormalige KGB-hoofdkwartier op
het Dzjerzjinskyplein, dat inmiddels was omgedoopt tot Lubyankaplein. Dit
gebouw, en de al even berucht Lubyankagevangenis erachter, was nog altijd
het centrum van de Russische contraspionage. Er zat ook een divisie voor
de bestrijding van de georganiseerde misdaad, maar die was niet half zo
effectief als de GUVD van generaal Petrovsky en dus ook minder gehaat bij
de Dolgoruki-mafia.

De FSB kon beschikken over twee militaire eenheden, de Alpha Groep en de
Vympel of 'Wimpel'.

Ooit waren dit de meest gevreesde elitekorpsen in Rusland geweest, die
zelfs werden vergeleken met de Britse SAS – maar dat was te veel eer. En
hun loyaliteit was nogal dubieus.

In 1991 hadden minister van Defensie Yazov en KGB-voorzitter Kryuchkov
een coup tegen Gorbatsjov georganiseerd. De coup was mislukt, maar het
was het einde van Gorbatsjovs carrière geweest en het begin van de
opkomst van Jeltsin. Oorspronkelijk had de Alpha Groep ook aan de coup
deelgenomen, maar halverwege waren ze van gedachten veranderd en hadden ze Jeltsin toegestaan om uit de Doema te komen, een tank te beklimmen
en tot held uit te groeien. Tegen de tijd dat de geschrokken Gorbatsjov uit
zijn huisarrest op de Krim was bevrijd en naar Moskou terugvloog, waar
zijn oude vijand Jeltsin inmiddels de leiding had, rezen er nogal wat vragen
over de Alpha Groep en de Vympel.

In 1999 hadden beide groepen, zwaarbewapend en goed getraind, nog altijd
een slechte naam. Maar voor Grishin hadden ze twee voordelen. Zoals veel
speciale eenheden telden ze veel officieren en onderofficieren en maar weinig onervaren rekruten. De veteranen hadden een voorkeur voor extreem

rechts. Ze waren antisemitisch, anti-kleurling en antidemocratisch. Bovendien hadden ze al zes maanden geen salaris meer ontvangen.

Grishins beloften waren heel aanlokkelijk: het herstel van de oude macht van de KGB, een goede behandeling die een elitekorps waardig was, en een verdubbeling van het salaris, met onmiddellijke ingang.

Die oudejaarsnacht moesten de Vympeltroepen de luchtmacht- en legerbasis Khodinka veroveren en bezet houden. De Alpha Groep zou het ministerie van Binnenlandse Zaken en de aangrenzende OMON-kazerne overvallen, terwijl een afgesplitste eenheid de SOBR-kazerne achter de Shabolovkastraat bezette.

Op 29 december woonde kolonel Grishin een vergadering bij in een luxueus landhuis van de Dolgoruki buiten Moskou. Hier had hij een ontmoeting met de *Skhod*, de hoogste leiding van de bende. Voor hem was dit gesprek van doorslaggevend belang.

Wat de mafia betrof, had Grishin heel wat uit te leggen. De razzia's van generaal Petrovsky zaten de bendeleiders nog behoorlijk dwars. Grishins geldschieters eisten een verklaring.

Toen Grishin zijn verhaal deed, veranderde de stemming. Zodra hij vertelde dat er een komplot was gesmeed om Igor Komarov te schorsen als presidentskandidaat, sloeg de ontstemming al snel om in angst. De Dolgoruki hadden immers groot belang bij een overwinning van Komarov.

Maar de grootste klap was Grishins onthulling dat er nu zelfs plannen waren om Komarov te arresteren en de Zwarte Garde te vernietigen. Binnen een uur waren het de mafiosi die Grishin om raad vroegen, in plaats van andersom. Toen hij uitlegde wat hij van plan was, viel er eerst een verbijsterde stilte. De Dolgoruki waren gangsters, die zich bezighielden met oplichting, zwarte handel, afpersing, drugshandel, prostitutie en moord. Een staatsgreep was wel even iets anders.

'Het is niets anders dan de grootste diefstal die er bestaat, de diefstal van een hele republiek,' vond Grishin. 'Als jullie die kans niet grijpen, zijn jullie weer overgeleverd aan de MVD, de FSB en de rest. Als jullie meedoen, kunnen we de macht grijpen in dit land.'

Hij gebruikte het woord *zemlya*, dat zoveel betekent als het land, de aarde en alles wat zich daarop bevindt.

Aan het hoofd van de tafel zat de hoogste baas, een oude *vor v zakone* of 'dief-bij-statuut', die net als zijn vader en zijn hele familie in de mafia geboren was en die onder de Dolgoruki ongeveer dezelfde plaats innam als de Siciliaanse don of peetvader. Hij staarde Grishin een hele tijd aan. De anderen wachtten. Toen knikte hij langzaam. Zijn kale schedel ging op en neer als de kop van een oude hagedis. De Dolgoruki gingen akkoord. Daarna werd de prijs afgesproken.

Ook kreeg Grishin de derde extra troepenmacht die hij nog nodig had. Tweehonderd van de achthonderd particuliere 'beveiligingsdiensten' in Moskou waren mantelorganisaties van de Dolgoruki. Zij zouden tweeduizend man leveren, allemaal goed bewapende ex-militairen of voormalige KGB-agenten. Achthonderd man moesten het Witte Huis, het parlementsgebouw van de Doema, bestormen. De overige twaalfhonderd zouden het kantoor van de president en de aangrenzende ministeries op het Staraya Ploshchad bezetten, die in de oudejaarsnacht net zo verlaten waren als de rest van de overheidsgebouwen.

Diezelfde dag belde Jason Monk het nummer van generaal Petrovsky, die nog steeds in de SOBR-kazerne logeerde.
'Ja?'
'Ik ben het weer. Wat doet u?'
'Wat gaat u dat aan?'
'Bent u uw koffers aan het pakken?'
'Hoe weet u dat?'
'Alle Russen vieren oud en nieuw met hun familie.'
'Hoor eens, mijn vliegtuig vertrekt over een uur.'
'Ik zou niet gaan, als ik u was. Er komt wel een volgend oudjaar.'
'Wat bedoel je, Amerikaan?'
'Hebt u de ochtendkranten gezien?'
'Een paar. Hoezo?'
'Ze hebben de laatste peilingen, waarin de onthullingen over de UPK en het effect van Komarovs persconferentie zijn verwerkt. Hij staat nu op veertig procent en hij daalt nog steeds.'
'Goed, dan verliest hij de verkiezingen en krijgen we Zjoeganov, die neocommunist. Wat kan ik eraan doen?'
'Dacht u dat Komarov dat zomaar accepteert? Ik heb u al gezegd dat hij krankzinnig is.'
'Hij zal het wel móeten accepteren. Als hij over veertien dagen verliest, is het afgelopen. Punt uit.'
'Diezelfde avond zei u nog iets anders.'
'Wat dan?'
'Dat de Russische staat zich zou verdedigen als ze werd aangevallen.'
'Wat weet u dat ìk niet weet, verdomme?'
'Ik weet helemaal niets, maar ik heb een sterk vermoeden. En u weet dat achterdocht een typisch Russisch trekje is.'
Petrovsky staarde naar de telefoon en toen naar zijn half ingepakte koffer op de smalle brits van zijn kamer in de kazerne.
'Dat zou hij niet durven,' zei de generaal toonloos. 'Dat durft niemand.'

'Yazov en Kryuchkov hebben het ook gedurfd.'

'Dat was in 1991, een heel andere situatie.'

'Alleen omdat zij het hebben verknoeid. Waarom blijft u de feestdagen niet in Moskou? Voor alle zekerheid?'

Generaal Petrovsky hing op en begon zijn koffer weer uit te pakken.

Op 30 december maakte Grishin zijn laatste afspraak in een biercafé. Zijn gesprekspartner was een debiel met een bierbuik, maar een belangrijk leider van de straatbendes die zich de Nieuwe Russische Beweging noemden.

Ondanks haar pompeuze naam was de NRB weinig meer dan een los verband van getatoeëerde, kaalgeschoren schooiers van extreem rechts, die aan de kost kwamen met berovingen op straat en er plezier in schepten om joden uit te schelden – in naam van Rusland, zoals ze tegen voorbijgangers schreeuwden.

Grishin had een stapel dollarbiljetten op het tafeltje gelegd waar de NRB-leider begerig naar keek.

'Ik kan vijfhonderd goeie kerels optrommelen, wanneer ik maar wil,' zei hij. 'Wat is de bedoeling?'

'Ik stuur je vijf van mijn Zwarte Gardisten als bevelhebbers. Jullie voeren hun gevechtsorders uit, anders gaat het niet door.'

Gevechtsorders, dat beviel de leider wel. Het klonk heel militair. De NRB noemde zich het leger van het Nieuwe Rusland, hoewel ze zich nooit bij de UPK had aangesloten. Ze hielden niet zo van discipline.

'Wat is het doelwit?'

'Het kantoor van de burgemeester. Op oudejaarsavond tussen tien en twaalf uur moet het worden bestormd, ingenomen en bezet. En er is één voorwaarde: geen drank tot de volgende ochtend.'

De NRB-leider dacht even na. Hij was wel dom, maar hij begreep ook wel dat de UPK een staatsgreep in de zin had. Dat werd hoog tijd. Hij boog zich over het tafeltje en zijn hand sloot zich om de stapel dollarbiljetten.

'Als het voorbij is, krijgen wij de joden.'

Grishin glimlachte. 'Goed. Als een persoonlijk presentje.'

'Akkoord.'

Ze bespraken de details. De NRB zou zich verzamelen in de tuinen van het Pushkinplein, driehonderd meter van het raadhuis van Moskou. Dat zou geen argwaan wekken, want het plein lag tegenover McDonald's.

De joden van Moskou zouden hun trekken thuis krijgen, dacht Grishin toen hij wegreed – maar dat NRB-tuig ook. Het zou amusant zijn om ze in dezelfde treinen naar het oosten te laden, op weg naar Vorkhuta.

De ochtend van de 31e december belde Jason Monk weer het nummer van

Petrovsky. De generaal zat op kantoor in het halflege hoofdkwartier van de GUVD in de Shabolovkastraat.

'Nog steeds op uw post?'

'Ja. Je wordt bedankt.'

'Heeft de GUVD een helikopter?'

'Natuurlijk.'

'Kan die vliegen in dit weer?'

Petrovsky keek door het getraliede raam naar de laaghangende, donkergrijze wolken.

'Niet boven de bewolking, maar wel eronder, denk ik.'

'Weet u waar de kampen van Grishins Zwarte Garde liggen, rondom de stad?'

'Nee, maar daar kom ik wel achter. Hoezo?'

'Vlieg eens een rondje over die kampen.'

'Waarom zou ik dat doen?'

'Nou, als het vredelievende burgers zijn, horen alle lichten te branden en moet iedereen gezellig binnen zitten met een slokje voor het eten, in afwachting van een avond met onschuldig vertier. Ga maar eens kijken. Ik bel u over vier uur terug.'

Toen hij weer belde, klonk Petrovsky nogal bedrukt.

'Vier van de kampen lijken verlaten. Maar in Grishins eigen kamp, ten noordoosten van de stad, is het zo druk als een mierenhoop. Er staan honderden trucks die worden nagekeken. Het lijkt wel of hij zijn hele troepenmacht naar één kamp heeft overgebracht.'

'Waarom zou hij dat doen, generaal?'

'Zeg jij het maar.'

'Ik weet het niet. Maar het bevalt me niets. Het doet me denken aan een nachtelijke oefening.'

'Op oudejaarsavond? Hou toch op. Iedere Rus wordt dronken van oud op nieuw.'

'Dat bedoel ik juist. Iedere soldaat in Moskou is tegen middernacht ladderzat. Tenzij hij bevel heeft om nuchter te blijven. Geen populair bevel, maar zoals ik al zei: er komt wel een volgend oudjaar. Kent u de commandant van het OMON-regiment?'

'Natuurlijk. Generaal Kozlovsky.'

'En de bevelhebber van de Presidentiële Garde?'

'Ja. Generaal Korin.'

'Allebei thuis, bij hun gezin?'

'Dat zal wel.'

'Ik wil u wat vragen, van man tot man. Als Komarov toch de macht grijpt, wat zal er dan gebeuren met u, met uw vrouw en met Tatiana? Is dat een nachtje doorwaken waard? En een paar telefoontjes?'

Toen hij had neergelegd, pakte Jason Monk een plattegrond van Moskou en omgeving. Met zijn vinger volgde hij een paar routes in het gebied ten noordoosten van de hoofdstad. Daar lag volgens Petrovsky de belangrijkste basis van de UPK en de Zwarte Garde.

De hoofdweg vanuit het noordoosten was de Yaroslavskoye Chaussee, die later overging in Prospekt Mira. Het was de belangrijkste verkeersader en hij liep vlak langs het televisiecomplex van Ostankino. Monk pakte weer de telefoon.

'Umar, beste kerel, ik doe nog één keer een beroep op je. Ja, de laatste keer, dat zweer ik je. Een auto met een telefoon en jouw telefoonnummer voor vannacht. Nee, Magomed en de jongens heb ik niet nodig. Ik wil hun oud-jaar niet verzieken. Alleen een auto en een telefoon. O ja, en een pistool, als dat niet te lastig is.'

Aan de andere kant van de lijn werd gelachen.

'Een speciaal merk? Even denken...'

Hij dacht terug aan Castle Forbes.

'Zou je een Zwitserse Sig Sauer voor me kunnen regelen?'

20

Twee tijdzones naar het westen vanaf Moskou was het heel ander weer – een helderblauwe lucht met een temperatuur van nauwelijks twee graden onder nul – toen de Monteur door het bos naar het landhuis sloop.

Zoals altijd had hij zijn reis door Europa grondig voorbereid en was hij geen problemen tegengekomen. Hij was met de auto gegaan. Wapens en vliegtuigen vormden een riskante combinatie, maar een auto had bergplaatsen genoeg.

In Wit-Rusland en Polen was de Volvo met het Moskouse nummerbord niet opgevallen. Volgens zijn papieren was hij een Russische zakenman die naar een conferentie in Duitsland ging. Als zijn auto was doorzocht, zouden ze niets gevonden hebben.

In Duitsland, waar de Russische mafia al diep was doorgedrongen, had hij de Volvo verruild voor een Mercedes met een Duits kenteken. Voordat hij verder reed, had hij zich zonder veel moeite een jachtgeweer aangeschaft met een telescoopvizier en kogels met holle punt.

Dankzij de nieuwe bepalingen van de Europese Unie werd er bij de grenzen praktisch niet meer gecontroleerd. Tussen de andere auto's kon hij rustig passeren onder het oog van een verveelde douaneofficier.

Hij had een grootschalige wegenkaart gekocht van het gebied waar hij moest zijn. Het dorpje en het landgoed waren snel gevonden. Toen hij door het dorp kwam, had hij gewoon de bordjes gevolgd naar de korte oprijlaan. Het bord bevestigde dat hij het juiste adres had. Daarna was hij doorgereden.

Nadat hij het grootste deel van de nacht had doorgebracht in een motel op tachtig kilometer afstand, was hij voor het eerste ochtendlicht weer teruggereden. Hij had zijn auto op drie kilometer van het landgoed geparkeerd en de rest gelopen, door het bos. Ten slotte bereikte hij de bosrand achter het huis. Toen het bleke winterzonnetje opkwam, koos hij positie achter de stam van een grote beuk en wachtte af. Van waar hij zat kon hij het huis en de binnenplaats, driehonderd meter verderop, goed zien zonder zelf te worden opgemerkt.

De omgeving kwam langzaam tot leven. Een fazant trippelde naderbij, keek hem nijdig aan en verdween toen weer. Twee grijze eekhoorns speelden in de beuk boven zijn hoofd.

Om negen uur verscheen er een man op de binnenplaats. De Monteur pakte zijn verrekijker en stelde de scherpte bij, totdat de man maar vijftien meter bij hem vandaan leek. Het was niet zijn doelwit, maar een bediende die een mand vulde met houtblokken uit een schuurtje tegen de muur van de binnenplaats. Even later vertrok hij weer.

Aan één kant van de binnenplaats lag een rij stallen. Twee van de boxen waren bezet. De hoofden van twee grote paarden, lichtbruin en kastanjebruin, keken over de halve deuren heen. Om tien uur werd hun wachten beloond toen een meisje vers hooi kwam brengen. Daarna verdween ze weer naar binnen.

Vlak voor de middag stak een oudere man de binnenplaats over en klopte de paarden op hun neus. De Monteur bestudeerde het gezicht door zijn verrekijker en keek nog eens naar de foto op het koude gras naast zich. Geen twijfel mogelijk.

Hij pakte het jachtgeweer en tuurde door het vizier. Het tweedjasje vulde de cirkel. De man keek naar de paarden en stond met zijn rug naar de heuvel. Veiligheidspal terug, het geweer doodstil, een lichte druk op de trekker.

De knal van het schot weergalmde door het dal. De man in het tweedpak op de binnenplaats leek tegen de staldeur te worden geworpen. Het gat in zijn rug, ter hoogte van zijn hart, ging schuil in het patroon van het tweed en de wond van de uittredende kogel werd tegen de witte staldeur gedrukt. Zijn knieën knikten en hij zakte in elkaar. Op de witte deur bleef een rode streep achter. Het tweede schot sloeg de helft van zijn schedel weg.

De Monteur kwam overeind, stak het geweer in het met schapebont gevoerde foedraal, slingerde het over zijn schouder en begon te joggen. Snel rende hij terug naar zijn auto. Op de heenweg, zes uur geleden, had hij zich de route in zijn geheugen geprent.

Twee geweerschoten op een winterse ochtend op het platteland. Niets bijzonders. Een boer die op een konijn of een kraai had geschoten. Totdat iemand uit het raam zou kijken en in paniek de binnenplaats op zou rennen. Dan pas zou er een luide gil klinken, gevolgd door ongeloof en wanhopige pogingen om de man nog te redden. Allemaal tijdverspilling. Terug naar het huis om de politie te bellen. Een gestamelde verklaring, het gewichtige onderzoek. En ten slotte de politiewagens die een wegversperring zouden opwerpen. Misschien.

Allemaal te laat. Binnen vijftien minuten was de Monteur bij zijn auto, vijf minuten later draaide hij de weg op. Vijfendertig minuten na de schoten reed hij al op de snelweg, een anonieme auto tussen honderden andere. Tegen die tijd had de plaatselijke politieman een verklaring opgenomen en waarschuwde hij de recherche van de dichtstbijzijnde grote stad.

Zestig minuten na de schoten gooide de Monteur het foedraal met het geweer over de leuning van een brug die hij al eerder had uitgekozen en zag het in het zwarte water vallen. Daarna begon hij aan de lange rit naar huis.

De eerste koplampen verschenen kort na zeven uur. Langzaam bewogen ze zich door het duister naar het helderverlichte complex van de televisiestudio's van Ostankino. Jason Monk zat achter het stuur van zijn auto, met de motor aan tegen de kou. Hij stond geparkeerd in een zijstraat van de Boulevard Akademika Korolova, met het hoofdgebouw recht voor zich uit en de hoge zendmast achter zich. Toen hij zag dat het niet één enkele auto was, maar het begin van een hele colonne, zette hij zijn motor uit om zich niet te verraden door de rook uit de uitlaat.

Het waren ongeveer dertig trucks, maar slechts drie ervan reden meteen naar het parkeerterrein van het hoofdgebouw, een onderbouw van vijf verdiepingen hoog en driehonderd meter breed, met twee hoofdingangen, en een bovenbouw van honderd meter lang en achttien verdiepingen. Normaal werkten hier achtduizend mensen, maar op oudejaarsavond waren dat er nog geen vijfhonderd – niet meer dan nodig was om de nachtuitzendingen te verzorgen.

Gewapende mannen in het zwart sprongen uit de drie geparkeerde vrachtwagens en stormden de receptie binnen. Een paar seconden later stond het doodsbange personeel tegen de achtermuur, onder bedreiging van geweren, duidelijk zichtbaar vanuit de donkere straat. Monk zag dat ze werden weggeleid.

In het hoofdgebouw, met een bibberende portier als gids, rende de voorhoede van de overvallers meteen naar de schakelkamer om de technici te overvallen. Een van hen, een voormalige Telekom-technicus, schakelde alle inkomende en uitgaande lijnen uit.

Een van de Zwarte Gardisten kwam naar buiten met een zaklantaarn en gaf een teken aan de rest van het konvooi, dat nu ook het parkeerterrein op reed en het complex omsingelde in een defensieve cirkel. Honderden Gardisten stroomden naar buiten en verdwenen in het gebouw.

Monk zag alleen maar vage schimmen achter de ramen van de hogere verdiepingen. De Gardisten doorzochten systematisch het gebouw, etage na etage. Ze ontnamen de doodsbange nachtploeg hun zaktelefoons en smeten die in canvastassen.

Links van Monk stond een kleiner gebouw, ook een onderdeel van het televisiecomplex. Hier werkten accountants, plannenmakers en directeuren, die nu allemaal thuis oudjaar zaten te vieren. Nergens brandde licht.

Monk pakte de autotelefoon en toetste een nummer in dat hij inmiddels uit zijn hoofd kende.

'Petrovsky.'

'Met mij.'

'Waar zit je?'

'In een heel koude auto bij Ostankino.'

'Nou, ik zit in een redelijk warme kazerne met duizend jonge kerels die op het punt van muiten staan.'

'Stel ze maar gerust. Ik zie op dit moment hoe de Zwarte Gardisten het hele televisiecomplex bezetten.'

Het bleef even stil.

'Klets geen onzin. Dat kan gewoon niet.'

'Goed. Duizend gewapende mannen in het zwart, die in dertig trucks met half-verduisterde koplampen zijn aangevoerd, zijn de studio's binnengedrongen en houden het personeel onder schot. Dat zie ik van tweehonderd meter afstand vanuit mijn auto. Is dat normaal hier?'

'Jezus Christus! Dus hij probeert het echt?'

'Ik zei toch al dat hij gek was? Hoewel, gek... Misschien lukt het hem wel. Is er nog iemand in Moskou nuchter genoeg om iets terug te doen?'

'Geef me je nummer, Amerikaan, en leg die telefoon neer.'

Monk gaf hem zijn nummer. De militia zou die avond wel wat beters te doen hebben dan het traceren van rijdende auto's.

'Nog één ding, generaal. Ze zullen de programma's niet onderbreken. Nog niet. Alles gaat gewoon door, tot het moment dat ze er klaar voor zijn.'

'Ja, dat zie ik, want ik kijk op dit moment naar Kanaal 1. Dansende kozakken.'

'Dat is opgenomen. Ze zenden alleen maar opgenomen programma's uit tot aan het nieuws. U moest maar eens gaan bellen.'

Generaal Petrovsky had al opgehangen. Hij wist het nog niet, maar zijn kazerne zou binnen zestig minuten worden aangevallen.

Het was veel te rustig, vond Monk. Wie de overval op Ostankina ook had voorbereid, het was perfect verlopen. Overal langs de boulevard stonden flatgebouwen, grotendeels met verlichte ramen. De bewoners zaten in hemdsmouwen, met een glas in de hand, en keken naar dezelfde tv-zender die een paar honderd meter verderop was bezet.

Monk had de tijd gebruikt om de plattegrond van de wijk Ostankino te bestuderen. Als hij nu de weg op reed, vroeg hij om moeilijkheden. Maar achter hem lag een labyrint van straatjes tussen de huizenblokken, dat uiteindelijk naar het centrum in het zuiden leidde.

Normaal gesproken zou hij oversteken naar Prospekt Miro, de hoofdweg naar het hart van de stad, maar dat leek hem vanavond geen veilige plek voor Jason Monk.

Met gedoofde lichten maakte hij een U-bocht in de zijstraat en stapte uit. Hij hurkte naast de auto en vuurde met zijn automatisch pistool een heel magazijn op de vrachtwagens en de tv-studio's leeg.

Vanaf tweehonderd meter klinkt een pistool net als vuurwerk, maar de kogels halen die afstand wel. Drie ramen van het gebouw versplinterden, een voorruit van een truck ging aan scherven en een toevalstreffer raakte het oor van een Zwarte Gardist. Een van zijn kameraden raakte in paniek en vuurde in het wilde weg met zijn Kalashnikov om zich heen.

Vanwege de bittere kou zijn dubbele ramen een noodzaak in Moskou. Bovendien stond in de meeste flats de tv te schetteren. Daarom waren er nog heel wat mensen die niets hoorden. Maar de Kalashnikov verbrijzelde de ramen van drie flats en even later verschenen er een paar angstige gezichten. Ze verdwenen weer snel om de politie te bellen.

Een groep Zwarte Gardisten vormde een front en kwam zijn richting uit. Monk stapte snel in zijn auto en reed weg, nog steeds met gedoofde lichten. Maar de Gardisten hoorden het geluid van de motor en vuurden hem nog een salvo na.

De hoogste officier op het hoofdkwartier van de MVD aan het Zhitnyplein was de commandant van het OMON-regiment, generaal Ivan Kozlovsky. Hij zat op zijn kantoor in de kazerne van zijn drieduizend morrende manschappen, van wie hij eerder die dag het verlof had ingetrokken – tegen beter weten in.

De man die hem daarom had gevraagd, belde nu weer, van vierhonderd meter verderop in de Shadbolovkastraat.

'Ach, lul toch niet!' bulderde Kozlovsky. 'Ik zit gewoon naar de televisie te kijken. Er is niks aan de hand! Wie zegt dat? Hoezo, een informant? Wacht even, wacht even...'

Zijn andere telefoon knipperde. Hij griste de hoorn van de haak en snauwde: 'Ja?'

Een nerveuze telefonist meldde zich. 'Sorry dat ik u stoor, generaal, maar u schijnt de hoogste militair in het gebouw te zijn. Ik heb iemand aan de telefoon die zegt dat hij in Ostankino woont en dat er op straat geschoten wordt. Er is een kogel door zijn raam geschoten.'

Generaal Kozlovsky sloeg opeens een heel andere toon aan.

'Vraag hem alles wat hij weet en bel me terug,' zei hij helder en kalm.

En in de andere hoorn zei hij: 'Valentin, misschien heb je gelijk. Er belde juist een burger die zei dat er geschoten wordt. Ik sla alarm.'

'Ik ook. O, trouwens, ik heb generaal Korin ook gebeld. Hij houdt een deel van de Presidentiële Garde paraat.'

'Goed idee. Ik zal hem bellen.'

Er kwamen nog acht telefoontjes binnen uit Ostankino over schoten op straat, en daarna een melding van een beter geïnformeerde technicus die op de bovenste verdieping in een flatgebouw aan de boulevard tegenover de tv-studio's woonde. Hij werd doorverbonden met generaal Kozlovsky.

'Hier vandaan kan ik alles goed zien,' zei de technicus, die net als alle Russische mannen in dienst was geweest. 'Ik tel ongeveer duizend man, allemaal gewapend, en een konvooi van meer dan twintig trucks. Twee pantserwagens op het parkeerterrein, met hun kanon naar de straat gericht. Het zijn BTR-80A's, als ik het goed zie.'

Goddank, een ex-militair, dacht Kozlovsky. Als hij nog twijfels had gehad, waren die nu verdwenen. De BTR-80A is een gepantserde troepentransporteur met een 30-mm-kanon en een bemanning die bestaat uit een commandant, een bestuurder, een kanonnier en zes infanteristen.

Als de aanvallers in het zwart waren gekleed, konden het geen militairen zijn. Zijn eigen OMON-troepen droegen ook zwart, maar die zaten beneden. Hij riep een van zijn eigen officieren.

'Laad de mannen in de wagens. We gaan erop af,' beval hij. 'Ik wil tweeduizend man op straat. De andere duizend blijven hier om de kazerne en het ministerie te verdedigen.'

Als dit werkelijk een staatsgreep was, zouden de aanvallers zeker proberen om het ministerie van Binnenlandse Zaken en de bijbehorende kazerne te bezetten. Gelukkig was die kazerne gebouwd als een vesting.

Buiten waren al andere troepen onderweg, maar niet onder het bevel van Kozlovsky. De Alpha Groep naderde het ministerie.

Grishins grote probleem was de coördinatie. Hij moest al zijn acties op elkaar afstemmen zonder de radiostilte te verbreken tot het allerlaatste moment. Als hij te vroeg aanviel, zou de tegenpartij misschien nog niet dronken genoeg zijn. Was hij te laat, dan verloor hij het voordeel van de duisternis. Daarom had hij de Alpha Groep bevel gegeven om negen uur aan te vallen.

Om half negen verlieten tweeduizend OMON-commando's hun kazerne in trucks en pantserwagens. Zodra ze waren vertrokken, barricadeerden de achterblijvers hun vesting en namen hun stellingen in. Om negen uur sloeg de Alpha Groep toe, maar de aanvallers waren het voordeel van de verrassing kwijt.

De verdedigers openden het vuur op het Zhitnyplein en de straten rondom het ministerie. De soldaten van de Alpha Groep moesten ijlings dekking zoeken. Zonder artillerie zouden ze niet ver komen.

'Amerikaan, ben je daar?'

'Ja, ik ben er.'

'Wat doe je nu?'

'Ik probeer mijn huid te redden. Ik rij naar het zuiden vanaf de tv-studio's. Ik wil uit de buurt blijven van Prospekt Mira.'

'Er zijn al troepen onderweg. Duizend van mij en tweeduizend OMON-commando's.'

'Mag ik een suggestie doen?'

'Als het moet.'

'Ostankino is maar een onderdeel. Als u Grishin was, wat zou dan uw doelwit zijn?'

'De MVD en de Lubyanka.'

'De MVD, ja. Maar niet de Lubyanka. Hij heeft weinig te vrezen van zijn oude makkers van het Tweede Hoofddirectoraat.'

'Misschien niet. Wat verder nog?'

'Het centrum van de regering aan het Staraya Ploshchad, en de Doema, om de coup een legitiem tintje te geven. En de plaatsen waar hij het meeste verzet kan verwachten. Uw eigen GUVD, de para's op de vliegbasis Khodinka en het ministerie van Defensie. Maar in de eerste plaats het Kremlin. Hij móet het Kremlin in handen krijgen.'

'Dat wordt verdedigd. Generaal Korin is al gewaarschuwd en houdt zijn troepen paraat. We weten niet hoeveel man Grishin heeft.'

'Tussen de dertig- en veertigduizend.'

'Jezus. Wij hebben nog niet de helft!'

'Maar beter getraind. En hij is al vijftig procent kwijt.'

'Vijftig procent waarvan?'

'Het voordeel van de verrassing. Hoe staat het met de versterkingen?'

'Generaal Korin overlegt al met Defensie.'

Kolonel-generaal Sergei Korin, de commandant van de Presidentiële Garde, had de kazerne binnen de muren van het Kremlin bereikt en de zware Kutafyapoort achter zich gesloten op het moment dat Grishins hoofdmacht op het Manegeplein verscheen. Even voorbij de Kutafya staat de grotere Drievuldigheidstoren, met daarin, aan de rechterkant, de kazerne van de Presidentiële Garde. Generaal Korin liep naar zijn kantoor en belde met het ministerie van Defensie.

'Geef me de hoogste officier van dienst,' schreeuwde hij. Het bleef even stil, maar toen hoorde hij een stem die hij kende.

'Onderminister Butov van Defensie.'

'Goddank dat u er bent. We hebben een crisis. Er is een soort staatsgreep aan de gang. Ostankino is bezet. De MVD wordt aangevallen en er staat een colonne pantserwagens en trucks voor de poorten van het Kremlin. We hebben hulp nodig.'

'Die komt eraan. Wat moet ik sturen?'

'Maakt niet uit. De Dzjerzjinsky?'

Hij doelde op een gemechaniseerde infanteriedivisie die na de putsch van 1991 speciaal in het leven was geroepen om in te grijpen bij een eventuele staatsgreep.

'Die zit in Ryazan. Ze kunnen over een uur vertrekken, dan zijn ze over drie uur bij u.'

'Liever eerder. En de VDV's?'

Hij wist dat er een elite-parachutistenbrigade op nauwelijks een uur vliegen van Moskou zat. Die konden op de vliegbasis Khodinko landen als het vliegveld werd gemarkeerd.

'Ik stuur u alles wat ik te pakken kan krijgen, generaal. Hou vol.'

Een groep Zwarte Gardisten stormde naar voren onder dekking van hun eigen zware machinegeweren en bereikte de beschutting van de overdekte Borovitskypoort. Ze brachten kneedexplosieven op de vier scharnieren aan en renden terug. Twee van hen werden neergeschoten door de verdedigers vanaf de muren. Een paar seconden later explodeerden de scharnieren. De twintig ton zware houten deuren trilden even, tuimelden toen naar voren en sloegen tegen de grond.

Een pantserwagen, ongevoelig voor de kogels uit de lichte wapens van de verdedigers, reed over de toegangsweg naar de beschutting van de poort. Voorbij de houten deuren stuitte hij op een groot stalen hek. Achter dat hek, op de parkeerplaats waar normaal de toeristen slenterden, dook een soldaat van de Presidentiële Garde op die door de spijlen van het hek een anti-tank-granaat op de pantserwagen wilde afvuren. Maar het kanon van de wagen maaide hem neer voordat hij de kans kreeg.

Zwarte Gardisten sprongen uit de buik van de pantserwagen en bevestigden kneedexplosieven aan het hek. Toen doken ze weer naar binnen. De wagen reed achteruit en wachtte op de klap. Het hek bleef scheef aan één scharnier hangen. De wagen denderde weer naar voren en reed het hek plat.

Ondanks het vijandelijke vuur renden de Zwarte Gardisten naar de vesting toe. Ze hadden een numerieke meerderheid van vier tegen één. De verdedigers trokken zich achter de verschillende weergangen en bastions van de muren van het Kremlin terug. Anderen verspreidden zich over het achttien hectare grote complex van paleizen, wapenzalen, kathedralen, tuinen en pleinen. Hier en daar ontstonden gevechten van man tegen man, en langzaam maar zeker wonnen de Zwarte Gardisten terrein.

'Jason, wat is er verdomme aan de hand?'

Het was Umar Gunayev via de autotelefoon.

'Grishin probeert Moskou in te nemen, en daarna heel Rusland.'

'Met jou alles goed?'

'Tot nu toe wel.'

'Waar zit je?'

'Ik rij vanuit Ostankino naar het zuiden. Ik probeer het Lubyankaplein te ontwijken. Hoezo?'

'Een van mijn mannen reed juist door de Tverskayastraat. Er is een grote

bende van die Nieuw Russische Beweging bezig om het kantoor van de burgemeester binnen te dringen.'
'Je weet wat de NRB van jou en je mensen denkt?'
'Natuurlijk.'
'Waarom stuur je niet een knokploeg om de rekening te vereffenen? Deze keer zal niemand je een strobreed in de weg leggen.'
Een uur later kwamen driehonderd gewapende Tsjetsjenen in de Tverskayastraat aan, waar bendes van de NRB huishielden in de gemeentekantoren van Moskou. Aan de overkant zat het stenen beeld van Yuri Dolgoruki, de stichter van Moskou, op zijn paard en keek vol minachting toe. De deur van het stadhuis was opengebroken en de toegang was vrij.
De Tsjetsjenen trokken hun lange Kaukasische messen, hun pistolen en hun mini-uzi's en gingen naar binnen. Allemaal herinnerden ze zich de vernietiging van hun hoofdstad Grozny in 1995 en de verkrachting van Tsjetsjenië in de twee jaren die daarop volgden. Na de eerste tien minuten was de strijd feitelijk voorbij.

Het gebouw van de Doema, het Witte Huis, was zonder slag of stoot ingenomen door de huurlingen van de 'beveiligingsdiensten'. Er waren alleen een paar nachtwakers en conciërges in het gebouw achtergebleven. Maar aan het Staraya Ploshchad waren de duizend SOBR-troepen in een bikkelhard man-tegen-man gevecht gewikkeld met de mannen van de andere tweehonderd 'beveiligingsdiensten'. De speciale eenheden van de Moskouse militia waren numeriek in de minderheid maar hadden zwaardere wapens.
Op de vliegbasis Khodinka stuitten de troepen van de Vympel op onverwachte tegenstand van het kleine groepje para's en GRU-inlichtingenofficieren, die juist op tijd waren gewaarschuwd en zich in de kazerne hadden verschanst.

Monk draaide het Arbatplein op en remde meteen. Verbaasd keek hij om zich heen. Aan de oostkant van de driehoek stond de grijze granietklomp van het ministerie van Defensie er stil en verlaten bij. Geen Zwarte Gardisten, geen vuurgevechten, geen enkel teken dat het gebouw was bestormd. Bij iedere staatsgreep in Moskou, of welke hoofdstad dan ook, zou het ministerie van Defensie hoog op de lijst van belangrijke doelwitten staan. Vijfhonderd meter verderop, aan het eind van de Znamenkastraat bij het Borovitskyplein, hoorde hij geweervuur. Daar woedde de strijd om het Kremlin.
Waarom werd het ministerie van Defensie niet belegerd? Via het woud van antennes op het dak kon het halve Russische leger worden opgetrommeld. Hij raadpleegde zijn dunne adresboekje en belde een nummer via de autotelefoon.

In zijn privé-appartement op tweehonderd meter achter de poort van de basis Kobyakovo trok generaal-majoor Misha Andreyev zijn das recht en wilde vertrekken. Niet voor het eerst vroeg hij zich af waarom hij nog de moeite nam zijn uniform aan te trekken om de feestelijkheden in de officiersclub te leiden. Aan het eind van oudejaarsnacht was het meestal zo smerig dat het meteen naar de stomerij kon. Wat feesten betreft deden de mannen van de pantsertroepen voor niemand onder.

De telefoon ging. Waarschijnlijk zijn eerste officier om te vragen waar hij bleef. De mannen wilden beginnen – eerst de wodka en de eindeloze heildronken, daarna het eten en ten slotte de champagne om middernacht.

'Ik kom al, ik kom al,' zei hij tegen de lege kamer en nam de telefoon op.

'Generaal Andreyev?'

Hij kende de stem niet. 'Ja?'

'U kent me niet, maar ik was een vriend... min of meer... van uw overleden oom.'

'O ja?'

'Hij was een goede vent.'

'Dat vond ik ook.'

'Hij heeft gedaan wat hij kon door Komarov zo fel aan te vallen in dat interview.'

'Waar wilt u naartoe, wie u ook mag zijn?'

'Igor Komarov heeft een staatsgreep beraamd in Moskou. Vannacht. Onder bevel van zijn waakhond, kolonel Grishin. De Zwarte Garde probeert Moskou in handen te krijgen, en daarmee heel Rusland.'

'Goed, heel grappig. Neem nog maar een wodka en val me niet langer lastig.'

'Generaal, als u me niet gelooft, bel dan iemand die u kent in Moskou.'

'Waarom zou ik?'

'Er wordt hevig gevochten. De halve stad kan het horen. Het was de Zwarte Garde die Oom Kolya heeft vermoord, op bevel van kolonel Grishin.'

Misha Andreyev staarde naar de telefoon. De beller had opgehangen. Hij was kwaad. Kwaad om het misbruik van zijn privé-lijn, kwaad om de belediging van zijn oom. Als er in Moskou iets ernstigs aan de hand was, zou het ministerie van Defensie onmiddellijk alle troepen binnen een straal van honderd kilometer hebben gealarmeerd.

De vijftig hectare grote basis van Kobyakovo lag maar zesenveertig kilometer van het Kremlin. Dat wist hij zo precies, omdat hij het eens had gecontroleerd op de kilometerteller van zijn auto. Kobyakovo was de thuisbasis van de eenheid waarvan hij de trotse bevelhebber was, de Tamanskaya Divisie, het elite-tankkorps dat ook bekend stond als de Taman Garde.

Hij hing op. Meteen werd er weer gebeld.

414

'Toe nou, Misha, we willen beginnen.' Zijn eerste officier, vanuit de club.

'Ik kom eraan, Konni. Ik moet nog even bellen.'

'Als je niet opschiet, beginnen we zonder jou.'

Hij toetste een nummer in.

'Ministerie van Defensie,' zei een stem.

'Geef me de officier van dienst.'

Opvallend snel kwam een andere stem aan de lijn. 'Met wie?'

'Generaal-majoor Andreyev van de Tamanskaya Divisie.'

'U spreekt met onderminister Butov van Defensie.'

'O juist. Sorry dat ik u stoor, generaal, maar is alles in orde in Moskou?'

'Ja hoor. Waarom niet?'

'Nergens om, generaal. Alleen hoorde ik geruchten... Heel vreemd. Maar als het nodig is, kan ik de mannen mobiliseren binnen...'

'Blijf op uw basis, generaal. Dat is een order. Alle eenheden moeten op hun bases blijven. Ga maar weer naar uw officiersclub.'

'Goed.'

Hij hing op. De onderminister van Defensie? In het verbindingscentrum, om tien uur op oudejaarsavond? Waarom was hij niet bij zijn familie of lag hij zijn vriendinnetje te wippen in een *datsja* buiten de stad? Hij zocht in zijn geheugen naar een naam, naar een oude studiegenoot van het stafcollege die naar de GRU, de militaire inlichtingendienst, was gegaan. Ten slotte raadpleegde hij een geheime militaire telefoonlijst en toetste een nummer.

Het toestel ging een hele tijd over. Hij keek op zijn horloge. Tien voor elf. Iedereen was nu al dronken. Maar opeens werd de telefoon op de vliegbasis Khodinka opgenomen. Nog voordat hij iets kon zeggen, schreeuwde een stem: 'Ja, hallo?'

Op de achtergrond hoorde hij geratel.

'Met wie spreek ik?' vroeg hij. 'Is kolonel Demidov daar ook?'

'Hoe moet ik dat weten, goddomme?' schreeuwde de stem. 'Ik lig hier op de grond en de kogels fluiten om mijn oren. Bent u van Defensie?'

'Nee.'

'Hoor eens, man. Bel het ministerie en vraag of ze opschieten met die versterkingen. We houden het niet lang meer.'

'Welke versterkingen?'

'De troepen van buiten de stad. Het is hier een gekkenhuis.'

De spreker smeet de hoorn weer neer en kroop vermoedelijk bij het toestel vandaan.

Generaal Andreyev stond nog even met de zwijgende telefoon in zijn hand. Nee, dacht hij. Die versterkingen komen niet. Het ministerie doet helemaal niets.

Zijn orders waren duidelijk genoeg. En ze kwamen van een viersterrengeneraal, een lid van het kabinet. Als hij ze opvolgde en rustig hier bleef zitten, liep zijn carrière geen gevaar.

Hij staarde over het besneeuwde grind naar de verlichte ramen van de officiersclub veertig meter verderop. Daar werd gelachen en gedronken.

Maar hij zag ook een lange, rechte gestalte met een piepjonge cadet aan zijn zij. 'Wat ze je ook beloven,' zei de lange man, 'geld, roem of een prachtige promotie, beloof me dat je die mannen nooit verraadt.'

Hij verbrak de verbinding en toetste twee cijfers in. Zijn eerste officier nam op. Op de achtergrond klonk luid gelach.

'Konni, het kan me niet schelen hoeveel T-80's of BTR's op dit moment gevechtsklaar zijn. Alles wat nog kan rijden en iedere soldaat die nog op zijn benen kan staan verzamelt zich binnen een uur voor de kazerne.'

Het bleef een paar seconden stil.

'Chef, is dit serieus?' vroeg Konni.

'Bloedserieus, Konni. De Taman Garde gaat naar Moskou.'

Om één minuut na middernacht in het jaar Onzes Heren 2000 ratelden de rupsbanden van de eerste tank van de Taman Garde van de basis Kobyakovo het kamp uit naar de hoofdweg tussen Minsk en naar Moskou, op weg naar de poorten van het Kremlin.

Het smalle weggetje tussen de hoofdweg en het kamp was maar drie kilometer lang. De colonne van zesentwintig T-80 tanks en eenenveertig BTR-88 gepantserde troepentransporteurs kroop langzaam in één enkele rij naar de hoofdweg toe.

Eenmaal op de grote weg gekomen, gaf generaal Andreyev bevel om beide rijbanen in beslag te nemen en vol gas te geven. Het wolkendek was gebroken en de sterren flonkerden helder en breekbaar. Aan weerszijden van de denderende colonne kraakten de dennebomen in de kou.

Het was nog drieënveertig kilometer naar het Kremlin en ze hielden een snelheid aan van ruim zestig kilometer per uur. Ergens voor hen uit naderde een eenzame tegenligger. De bestuurder zag de massa grijs staal op zich afkomen en reed regelrecht het bos in.

Tien kilometer buiten Moskou kwam de colonne bij de politiepost die de grens van de *oblast* markeerde. Vanuit hun stalen wachthokje keken de vier militiasoldaten verschrikt uit het raam en doken toen weg, met de wodkaflessen in hun hand en hun armen om elkaar heen geslagen toen de hut begon te trillen door het geweld van de passerende colonne.

Andreyev zat in de voorste tank en was de eerste die de twee zware trucks zag die de doorgang versperden. In de loop van de avond waren er enkele particuliere auto's bij de blokkade aangekomen. Ze hadden een tijdje gewacht en waren toen maar teruggegaan. De colonne had geen tijd om te wachten.

'Vuur!' beval Andreyev.

Zijn kanonnier tuurde door het vizier van het 125-mm-kanon in de geschutskoepel en vuurde een enkel schot af. Van een afstand van vierhonderd meter had de granaat nog zijn volle snelheid toen hij de truck raakte. De vrachtwagen explodeerde. Andreyevs eerste officier, in de tank naast hem, deed hetzelfde en vernietigde de andere truck. Vlak achter de wegversperring klonk wat verspreid geweervuur vanuit de hinderlagen.

De kanonnier in de stalen geschutskoepel van Andreyevs tank besproeide zijn kant van de weg met zijn zware 12.7-mm machinegeweer en de beschieting hield op.

Terwijl de colonne voorbij denderde, staarden de Jonge Strijders verbijsterd naar de vernietigde wegversperring en de restanten van hun hinderlaag. Mismoedig trokken ze zich terug en verdwenen in de nacht.

Zes kilometer verderop liet Andreyev zijn colonne vaart minderen tot een snelheid van dertig kilometer per uur en organiseerde twee afleidingsmanoeuvres. Hij stuurde vijf tanks en tien pantserwagens naar rechts om het belegerde garnizoen in de kazerne op de vliegbasis Khodinka te ontzetten. In een opwelling zond hij nog eens vijf tanks en tien APC's naar links, om de televisiestudio's van Ostankino in het noordoosten te bevrijden.

Bij de Tuinringweg dirigeerde hij de overgebleven zestien T-80's en eenentwintig pantservoertuigen in de richting van het Kudrinskyplein en sloeg toen linksaf naar het ministerie van Defensie.

De tanks reden weer in één lange rij en remden af tot twintig kilometer per uur. De rupsbanden hapten stukken uit het asfalt toen ze achter elkaar aansloten en op weg gingen naar het Kremlin.

In het verbindingscentrum in de kelder van het ministerie van Defensie hoorde onderminister Butov het gerommel boven zijn hoofd. Hij wist dat er in een belegerde stad maar één verklaring kon zijn voor dat geluid.

De colonne dreunde over het Arbatplein, passeerde het ministerie en reed nu recht op de Borovitskypoort en de muren van het Kremlin af. Niemand van de mannen in de tanks en de pantserwagens lette op een auto die tussen een paar andere aan de rand van het plein stond geparkeerd, of op de gestalte in het gevoerde jack en de bontlaarzen die uit de auto sprong en hen achterna rende.

In de pub van Rosy O'Grady was de Ierse gemeenschap in de Russische hoofdstad druk bezig met de viering van oud en nieuw. De feestvreugde werd nog verhoogd door het geluid van het vuurwerk uit de richting van het Kremlin en aan de overkant van het plein. Dat veranderde toen de eerste T-80 langs de ramen denderde.

De Ierse culturele attaché keek op van zijn Guinness, wierp een blik naar buiten en zei tegen de barman: 'Jezus, Pat, was dat geen *tank*, verdomme?'

Voor de Borovitskypoort stond een BTR-88, een gepantserde troepentransporteur van de Zwarte Garde, die de muren van het Kremlin met zijn kanon bestreek om de soldaten van de Presidentiële Garde tot overgave te dwingen. Al vier uur lang waren ze bezig met de verdediging van het Kremlin, in afwachting van versterkingen, zonder te weten dat de resterende troepen van generaal Korin aan de rand van de stad in een hinderlaag waren gelopen.

Tegen één uur in de morgen hadden de Zwarte Gardisten bijna het hele complex in handen, op de bovenste delen van de muren na. Die waren in totaal 2235 meter lang en breed genoeg voor vijf man naast elkaar. Hier hadden de laatste paar honderd man van de Presidentiële Garde zich teruggetrokken. Ze hielden de smalle stenen trappen onder schot en versperden Grishins troepen de laatste doorgang.

Vanaf de westzijde van het Borovitskyplein verscheen Andreyevs voorste tank en ontdekte de BTR. Van korte afstand schoot de tank de pantserwagen aan flarden. Daarna reed hij dwars over het wrak heen. De restanten waren nauwelijks groter dan de wieldoppen. Ze werden opzij gesmeten door de rupsbanden van de tank.

Om vier minuten over één denderde generaal Andreyevs T-80 over de door bomen omzoomde toegangsweg naar de toren en de poort, reed onder de stenen boog met de verbrijzelde deur en het kapotte hek heen en rolde het voorplein van het Kremlin op.

Net als zijn oom hield Andreyev er niet van om in een dichte koepel te zitten opgesloten en door een periscoop te turen. Hij klapte het luik van de koepel omhoog en stond even later tot aan zijn middel in de koude nachtlucht, met een gevoerde helm op zijn hoofd en een stofbril voor zijn ogen.

Eén voor één reden de T-80's langs het Grote Paleis en de pokdalige Archangelsky- en Maria Hemelvaart-kathedraal, voorbij de Tsarenklok naar het Ivanovskyplein, waar ooit de stadsomroeper de besluiten van de tsaar bekend had gemaakt.

Twee pantserwagens van de Zwarte Garde probeerden de tank aan te vallen. Ze werden beide tot gloeiend metaal verpulverd.

Naast zich hoorde hij het geratel van het lichte 7.62-mm machinegeweer en de zwaardere 12.7-mm toen het zoeklicht van de tank de rennende gestalten van de rebellen ontdekte.

Er zwierven nog altijd ruim drieduizend fitte Zwarte Gardisten over het achttien hectare grote complex, en dus was het zinloos voor Andreyevs mannen om uit hun voertuigen te komen. Die tweehonderd soldaten hadden weinig kans in een infanteriegevecht. Maar vanuit hun tanks en pantserwagens vormden ze een geducht gevaar.

Grishin had geen rekening gehouden met pantsertroepen. Hij had geen anti-tankwapens bij zich. De lichte, beweeglijke APC's van de Taman Garde konden in steegjes doordringen waar de tanks niet konden komen. En op het open terrein stonden de T-80's met hun machinegeweren, onkwetsbaar voor het vijandelijke geweervuur.

Maar het belangrijkste voordeel was psychologisch. Voor een voetsoldaat is een tank een afschrikwekkend monster, met een onzichtbare bemanning en machinegeweren die dreigend heen en weer zwenken, op zoek naar hulpeloze slachtoffers.

Binnen vijftig minuten was de weerstand van de Zwarte Gardisten gebroken. Ze verlieten hun stellingen en vluchtten naar de kerken, paleizen en kathedralen. Sommigen haalden het, anderen werden op open terrein neergemaaid door de kanonnen van de BTR's of de machinegeweren van de tanks.

Elders in de stad verliep de strijd in fasen. De Alpha Groep stond op het punt om de OMON-kazerne bij het ministerie van Binnenlandse Zaken te bestormen toen een van de mannen via zijn radio een noodkreet uit het Kremlin hoorde: een Zwarte Gardist die om hulp riep. Maar hij maakte de fout om de T-80's te noemen. Het bericht over de tanks ging als een lopend vuurtje door de Alpha Groep, die meteen rechtsomkeert maakte. Dit ging niet zoals Grishin hun had voorgespiegeld. Van een verrassingsaanval, een superieure vuurkracht en een hulpeloze vijand was geen sprake. Dus trok de Alpha Groep zich terug en probeerde zichzelf te redden.

Bij het gemeentehuis waren de bendes van de Nieuwe Russische Beweging door de Tsjetsjenen afgeslacht.

Aan het Staraya Ploshchad lukte het de OMON-troepen, gesteund door de SOBR-eenheden van generaal Petrovsky, om de 'beveiligingsdiensten' van de Dolgoruki uit de regeringskantoren te verdrijven.

Ook op de vliegbasis Khodinka leek het tij te keren. Vijf tanks en tien BTR's hadden de speciale eenheden van de Vympel in de flank aangevallen. De lichter bewapende commando's werden nu achtervolgd door het labyrint van hangars en loodsen op de basis.

De Doema werd nog steeds bezet door de restanten van de 'beveiligingsdiensten', maar die konden nergens naartoe en luisterden machteloos naar de radioberichten over de andere fronten. Ook zij hoorden de noodkreet vanuit het Kremlin, schrokken van het bericht over de tanks en besloten het hazepad te kiezen. Met een beetje geluk zou hun identiteit nooit worden achterhaald.

Ostankino was nog altijd in handen van Grishin, maar de triomfantelijke verklaring die bij het ochtendnieuws zou worden voorgelezen bleef voorlopig nog achterwege toen de tweeduizend Zwarte Gardisten van achter de ramen langzaam een colonne tanks zagen naderen over de boulevard. Eén voor één werden hun eigen trucks in brand geschoten.

Het Kremlin is gebouwd op een heuvel boven de rivier. De hellingen zijn begroeid met – voornamelijk groenblijvende – bomen en struiken. Onder de westelijke muur liggen de Alexandrovsky Tuinen. De paden tussen de bomen leiden naar de Borovitskypoort. Geen van de soldaten binnen de muren zag de eenzame figuur die door de bomen naar de open poort liep, de laatste helling beklom en naar binnen glipte.

Toen hij onder de stenen boog vandaan kwam, streek het zoeklicht van een van Andreyevs tanks over hem heen, maar de bemanning hield hem ten onrechte voor een van hun eigen mensen. Zijn gevoerde jack deed aan hun eigen vesten denken en zijn ronde bontmuts leek meer op hun eigen hoofd-deksels dan op de zwarte stalen helmen van Grishins Garde. De man achter het zoeklicht veronderstelde dat de eenzame figuur een tanktroeper was die uit een vastgelopen APC was gevlucht en nu beschutting zocht onder de boog.

De bundel van het zoeklicht gleed weer verder. Dat was het moment waarop Jason Monk vanaf de stenen boog naar de donkere rij dennebomen rechts van de poort rende. Vanuit de duisternis keek hij toe en wachtte.

De ringmuur van het Kremlin heeft negentien torens. Maar drie daarvan hebben een bruikbare poort. De toeristen komen binnen en vertrekken via de Borovitsky- of de Drievuldigheidspoort, de troepen gebruiken de Spas-skypoort. Dit was de enige poort die nog wijd open stond en daar had Monk zich opgesteld.

Een man die zijn huid wilde redden, zou het Kremlin moeten ontvluchten. Bij het eerste ochtendlicht zouden de regeringstroepen zich verspreiden en de rebellen uit alle portieken, gangen, keukens en kasten jagen – tot en met de geheime kamers van de commandopost onder de Spassky Tuinen. Wie in leven en in vrijheid wilde blijven, kon alleen nog vluchten via de open poort.

Tegenover zich zag Monk de deur van het Wapenpaleis, de schatkamer van duizend jaar Russische geschiedenis. De deur was versplinterd door de ach-terkant van een draaiende tank. De flakkerende vlammen van een brandende pantserwagen van de Zwarte Garde wierpen een gloed over de gevel.

De strijd verplaatste zich van de poort naar het Senaatsgebouw en het Arse-naal aan de noordoostkant van de vesting. De brandende pantserwagen kraakte en knetterde.

Een paar minuten over twee zag Monk een beweging bij de muur van het Grote Paleis. Een man in het zwart rende gebukt langs de gevel van het Wapenpaleis. Bij de brandende wagen bleef hij even staan en keek achterom of hij niet werd gevolgd. Een van de banden vatte vlam en de vluchtende man draaide zich haastig om. In het gele licht zag Monk zijn gezicht. Hij had het maar één keer eerder gezien, op een foto op het strand van de Sapo-dillabaai op de Turks en Caicos Eilanden. Hij stapte achter zijn boom vandaan.

'Grishin.'

De man keek op, turend in het donker onder de dennen. Toen zag hij wie zijn naam had geroepen. Hij had een Kalashnikov bij zich, de inklapbare AK-74. Monk zag de loop omhoog komen en dook weg achter de boom. Hij hoorde een salvo uit het geweer en de splinters spatten van de boom. Toen was het weer stil.

Monk keek voorzichtig om de stam heen. Grishin was verdwenen. Hij was vijftig meter bij de poort vandaan geweest, maar Monk stond veel dichterbij en Grishin was hem niet gepasseerd.

Nog net op tijd zag Monk de loop van de AK-74 achter de versplinterde deur vandaan komen. Hij stapte snel terug toen de kogels zich in de boom boorden. Weer was het stil. Twee keer een half magazijn, schatte Monk. Hij stak rennend de weg over en drukte zich plat tegen de okergele muur van het museum, met zijn Sig Sauer tegen zijn borst geklemd.

Weer kwam de loop van het geweer achter de deur vandaan. Grishin zocht zijn doelwit aan de overkant, maar hij kon Monk niet zien en deed een stap naar voren.

Monks kogel raakte de zijkant van de AK met voldoende kracht om het wapen uit de handen van de kolonel te slaan. Het geweer kletterde tegen de straat en gleed een paar meter door, buiten Grishins bereik. Monk hoorde rennende voetstappen op de stenen vloer in het museum. Een paar seconden later had hij het schijnsel van de brandende pantserwagen achter zich gelaten en hurkte in de pikdonkere hal van het Wapenpaleis.

Het museum beslaat twee verdiepingen, met negen grote zalen die vijfenvijftig vitrines bevatten. Daarin zijn historische voorwerpen tentoongesteld met een waarde van miljarden dollars. Ooit was Rusland zo machtig dat alles wat de tsaren bezaten, hun kronen, wapens, kleren, ja zelfs de paardeteugels, met zilver, goud, diamanten, smaragden, robijnen, saffieren en parels waren afgezet.

Toen zijn ogen aan het donker gewend waren, herkende Monk het vage silhouet van de trap naar de bovenverdieping. Links was de gewelfde boog die toegang gaf tot de vier zalen beneden. Binnen hoorde hij een zachte bons, alsof iemand tegen een van de vitrines stootte.

Monk haalde diep adem, wierp zichzelf als een vallende parachutist onder de boog door en rolde door het donker totdat hij tegen een muur tot stilstand kwam. Op hetzelfde moment zag hij een blauwwitte vlam en daalde er een wolk van glassplinters over hem neer toen een vitrine boven zijn hoofd door de kogel werd geraakt.

De zaal was lang en smal, hoewel hij dat niet kon zien in het donker, met lange glazen uitstalkasten aan weerskanten en een grote vitrine in het midden. Daarin, wachtend op het heldere kunstlicht en de bewonderende toeristen, lagen de kostbare Russische, Turkse en Perzische kroningsmantels van de Rurik-prinsen en Romanov-tsaren. Een paar vierkante centimeter van een willekeurige mantel, met de juwelen die erop waren gestikt, zou voor een gewoon mens genoeg zijn geweest om jaren van te leven.

Toen de laatste glasscherf rinkelend op de grond was gevallen, spitste Monk zijn oren en hoorde ten slotte een zucht, alsof iemand die niet wilde hijgen voorzichtig uitademde. Hij pakte een driehoekige glasscherf en gooide die door de duisternis in de richting van het geluid.

Het glas kletterde tegen een glazen vitrine. Weer klonk er een schot, gevolgd door het geluid van rennende voeten tussen de echo's van het schot door. Monk kwam gebukt overeind, rende naar de vitrine in het midden en zocht daar dekking, totdat hij begreep dat Grishin zich in de volgende zaal had teruggetrokken en daar op hem wachtte.

Monk sloop naar de stenen boog tussen de twee zalen, met nog een glasscherf in zijn hand. Op het laatste moment gooide hij hem ver door de zaal, stapte snel naar binnen en dook meteen weg achter een kast. Maar er volgde geen schot.

Nu zijn ogen weer redelijk aan het donker waren gewend, zag hij dat hij in een kleinere zaal was, waar met juwelen en ivoor versierde tronen stonden opgesteld. Hij wist het niet, maar de eerste troon van Ivan de Verschrikkelijke stond een meter links van hem en die van Boris Godunov er vlak achter.

De man voor hem uit had duidelijk hardgelopen. Monk had zijn ademhaling onder controle na zijn rustpauze tussen de bomen van de tuin, maar ergens in de zaal klonk een zacht gehijg.

Hij stak zijn hand omhoog en tikte met de loop van zijn pistool tegen het glas hoog boven zijn hoofd. Toen dook hij weg. Hij zag de lichtflits van het schot en vuurde snel terug. Er brak nog meer glas boven zijn hoofd en Grishins kogel sloeg een fontein van briljantjes van de diamanten troon van tsaar Alexei.

Monks schot moest zijn doel niet ver hebben gemist. Grishin draaide zich om en rende naar de volgende zaal, met de antieke rijtuigen. Dat was de laatste, hoewel Monk het niet wist en Grishin het blijkbaar was vergeten. Hier liep het dood.

Monk rende achter de verdwijnende voetstappen aan, voordat Grishin een gunstige positie zou kunnen vinden om hem onder vuur te nemen.

Hij bereikte de laatste zaal en dook weg achter een zeventiende-eeuwse vierwielige koets versierd met goudkleurig fruit. De rijtuigen boden tenminste wat bescherming, maar dat gold ook voor Grishin. Elke koets stond op een verhoging en werd voor het publiek afgeschermd door koorden tussen staande paaltjes.

Hij keek voorzichtig langs de staatskoets die Boris Godunov in 1600 van Elizabeth I van Engeland had gekregen en probeerde zijn tegenstander ergens te ontdekken. Maar het was aardedonker in de zaal en de rijtuigen waren niet meer dan vage schimmen.

Op dat moment brak even de bewolking en viel er een straaltje maanlicht door een van de hoge smalle ramen naar binnen. De ramen waren van dubbel glas en extra versterkt, dus veel licht viel er niet doorheen.

Maar toch zag Monk iets glinsteren. Een klein lichtpuntje in de duisternis, ergens achter het fraai gesneden, vergulde wiel van de koets van tsarina Elizabeth.

Monk dacht terug aan de lessen van George Sims op Castle Forbes: 'Twee handen, jongen, en houd hem recht. Vergeet die cowboyfilms nou maar, dat is fantasie.'

Monk hief de Sig Sauer met twee handen omhoog, richtte de korrel van het vizier tien centimeter boven het lichtpuntje, haalde diep adem en vuurde.

De kogel ging door de spaken van het wiel en raakte iets erachter. Toen de echo's verstomden en zijn oren niet meer tuitten, hoorde hij de bons van een zwaar voorwerp dat tegen de grond sloeg.

Het kon een list zijn. Hij wachtte vijf minuten. Toen zag hij dat het vage silhouet op de grond naast het rijtuig niet meer bewoog. Voorzichtig sloop hij achter de antieke houten koetsen langs, totdat hij een bovenlichaam en een hoofd kon onderscheiden, met het gezicht tegen de vloer. Toen pas stapte hij erop af, met zijn pistool in de hand, en keerde het lichaam om.

De kogel had kolonel Anatoli Grishin vlak boven zijn linkeroog geraakt. Zoals George Sims zou hebben gezegd: dat zal ze wel tegenhouden. Jason Monk keek neer op de man die hij haatte, maar hij voelde niets. Het was gebeurd, omdat het móest gebeuren.

Hij stak zijn pistool in zijn zak, bukte zich en haalde iets uit de linkerhand van de dode man.

Hij bekeek het kleine voorwerp in de palm van zijn hand, het ruwe Amerikaanse zilver dat even had geschitterd in het maanlicht, de oplichtende turkoois die door de Ute of de Navajo uit de heuvels was gehakt. Een ring uit de bergen van zijn eigen land, die hij ooit op een bankje in een park in Yalta aan een dapper man had gegeven en die later op de binnenplaats van de Lefortovo-gevangenis van de vinger van een dode was gerukt.

Hij stak de ring in zijn zak en liep terug naar zijn auto. De slag om Moskou was voorbij.

– Epiloog –

Op nieuwjaarsochtend werden Moskou en heel Rusland wakker met het grimmige nieuws over wat zich in de hoofdstad had afgespeeld. Televisiecamera's stuurden de beelden naar alle hoeken van het uitgestrekte land. De natie keek terneergeslagen toe.

Binnen de muren van het Kremlin was een ravage aangericht. De gevels van de kathedralen van Maria Boodschap, Maria Hemelvaart en de Archangelskykathedraal waren zwaar beschadigd door de kogels. Het gebroken glas van de ruiten glinsterde tussen de sneeuw en het ijs.

Zwarte roetstrepen van brandende voertuigen ontsierden de muren van het Terem- en Facettenpaleis. Ook het Senaatsgebouw en het Grote Kremlinpaleis waren door machinegeweervuur ernstig geschonden.

Er lagen twee roerloze lichamen onder het Tsarenkanon. Nog meer lijken werden naar buiten gedragen uit het Arsenaal en het Congrespaleis, waar ze een laatste schuilplaats hadden gezocht voordat de dood toesloeg.

Hier en daar lagen de pantserwagens en trucks van de Zwarte Garde nog te smeulen en te roken in het ochtendlicht. Het asfalt was gesmolten door de vlammen en in de kou tot een soort golvende zee gestold.

Waarnemend president Ivan Markov vloog onmiddellijk terug uit zijn vakantiehuis en kwam kort na de middag aan. Later ontving hij de patriarch van Moskou en alle Russen in een particuliere audiëntie.

Voor het eerst en het laatst bemoeide Alexei II zich met de Russische politiek. Hij vond dat de presidentsverkiezingen van 16 januari onmogelijk doorgang konden vinden, maar dat er op die datum een referendum moest worden gehouden over het herstel van de monarchie.

Ironisch genoeg voelde Markov wel wat voor dat idee. Hij was niet gek. Vier jaar eerder was hij door wijlen president Cherkassov als premier benoemd. Hij was een goede bestuurder – een grijs pak met een carrière in de olie-industrie. Maar na een tijdje had hij plezier gekregen in de macht van zijn functie, zelfs binnen een systeem waarin het meeste gezag bij de president berustte en niet bij de premier.

In de zes maanden sinds Cherkassovs fatale hartaanval had de smaak van de macht hem nog meer te pakken gekregen.

Nu de Unie van Patriottische Krachten electoraal gesproken op de schroothoop lag, ging de strijd alleen nog tussen hemzelf en de neo-communisten van de Socialistische Unie. Markov wist dat hij die strijd waarschijnlijk zou verliezen.

424

Maar een constitutioneel vorst zou, bijna als zijn eerste daad, een ervaren politicus en bestuurder aanwijzen om een regering van nationale eenheid te vormen. En wie kwam daar meer voor in aanmerking dan hijzelf?

Die avond riep Ivan Markov bij presidentieel decreet alle afgevaardigden naar de Doema terug, of ze nu uit de verste uithoeken van Siberië of uit de noordelijke woestenij van Archangelsk moesten komen.

De spoedzitting van de Doema op 4 januari werd gehouden in het grotendeels ongeschonden Witte Huis. De stemming was somber, niet in het minst onder de afgevaardigden van de Unie van Patriottische Krachten, die tegen iedereen riepen dat zij persoonlijk niets geweten hadden van Igor Komarovs plannen voor de nieuwjaarscoup.

De vergadering werd toegesproken door waarnemend president Markov, die voorstelde dat de hele natie op 16 januari zou worden geraadpleegd over de kwestie van de monarchie. Omdat hij zelf geen lid van de Doema was, kon hij formeel geen motie indienen. Dat werd gedaan door de voorzitter, een lid van Markovs Democratische Alliantie.

De neo-communisten, die de kans op het presidentschap aan hun neus voorbij zagen gaan, stemden massaal tegen. Maar Markov had zich goed voorbereid.

De leden van de UPK, bang voor hun eigen hachje, hadden dezelfde ochtend allemaal een persoonlijk gesprek gehad. En allemaal hadden ze in bedekte termen te verstaan gekregen dat hun politieke onschendbaarheid veilig was zolang ze de waarnemend president maar steunden. Zo konden ze misschien hun zetels houden.

Met de voltallige steun van de UPK had de Democratische Alliantie meer stemmen dan de neo-communisten. De motie werd aangenomen.

Technisch was de verandering niet zo moeilijk door te voeren. De stemlokalen waren al gereed. Er hoefden alleen nog eens 105 miljoen referendumformulieren te worden gedrukt met een simpele vraag en twee hokjes, een voor 'Ja' en een voor 'Nee'.

Op 5 januari verwierf politieman Pyotr Gromov zich op de kade van de kleine noordelijke Russische havenstad Vyborg een plaatsje in de geschiedenis. Vroeg in de ochtend keek hij toe terwijl de Zweedse vrachtvaarder *Ingrid B* zich gereedmaakte voor het vertrek naar Göteborg.

De politieman wilde zich al omdraaien en naar zijn hokje lopen voor het ontbijt, toen twee figuren in blauwe joppers achter een stapel kisten vandaan kwamen en naar de loopplank liepen, vlak voordat die werd ingehaald. In een opwelling riep hij de mannen terug.

Ze overlegden even met elkaar, maar renden toen naar de loopplank. Gromov trok zijn pistool en loste een waarschuwingsschot in de lucht. Het was voor het eerst in drie jaar dat hij het wapen in de haven had gebruikt en het deed hem veel genoegen. De twee zeelui bleven staan.

Volgens hun papieren waren ze allebei Zweden. De jongste van de twee sprak Engels, maar dat beheerste Gromov nauwelijks. Zweeds kende hij beter, omdat hij al zo lang in de haven werkte. 'Waarom hadden jullie zo'n haast?' snauwde hij tegen de oudste van de twee.

De man zei geen woord. Ze hadden hem geen van beiden verstaan. Pyotr stak zijn hand uit en trok de oudere man zijn ronde bontmuts van het hoofd. Dat gezicht kwam hem bekend voor. De politieman en de Rus op de vlucht staarden elkaar aan. Dat gezicht... op een podium... een donderspeech tot een juichende menigte...

'Ik ken jou,' zei hij. 'Jij bent Igor Komarov.'

Komarov en Kuznetsov werden gearresteerd en naar Moskou teruggebracht. De voormalige leider van de UPK werd onmiddellijk aangeklaagd wegens hoogverraad en gevangengezet tot aan het proces. Ironisch genoeg kwam hij in de Lefortovo terecht.

Tien dagen lang werd er een heftige discussie gevoerd in kranten en tijdschriften en op radio en tv. De ene na de andere deskundoloog gaf zijn of haar mening.

Vrijdagmiddag 14 januari hield pater Gregor Rusakov een bezinningsbijeenkomst in het Olympisch stadion van Moskou. Net als de rede van Komarov toen hij daar gesproken had, werd Gregors preek nationaal uitgezonden, waardoor hij – zoals de peilingen later aangaven – zo'n tachtig miljoen Russen bereikte.

Zijn thema was simpel en duidelijk. Zeventig jaar lang had het Russische volk de dubbele godheid van het dialectisch materialisme en het communisme aanbeden en was door allebei verraden. Daarna hadden de Russen vijftien jaar hun offers gebracht in de tempel van het republikeinse kapitalisme, maar ook dat was een teleurstelling geworden. Daarom drong hij er bij zijn gehoor op aan om morgen al terug te keren tot de God van hun vaderen, om naar de kerk te gaan en om leiding te bidden.

Buitenlandse waarnemers dachten vaak dat de Russen na zeventig jaar communistische industrialisatie een stedelijk volk waren geworden. Dat was niet zo. Zelfs in de winter van 1999 woonde ruim vijftig procent van de bevolking nog grotendeels anoniem in kleine steden, dorpen en gehuchten, op dat onmetelijke platteland dat zich uitstrekte van Wit-Rusland tot aan Vladivostok, een afstand van bijna tienduizend kilometer en negen tijdzones.

In dat onafzienbare land liggen de honderdduizend parochies die samen de honderd episcopaten van de Russisch-Orthodoxe Kerk vormen, elk met zijn grote of kleinere uikoepelkerk. Naar die kerken stroomde vijftig procent

426

van de Russen de ochtend van de 16e januari, door de bittere kou. En vanaf alle kansels lazen de priesters de brief van de patriarch voor.

Dit schrijven, later bekend als de Grote Encycliek, was waarschijnlijk de krachtigste en meest ontroerende verklaring die Alexei II ooit had opgesteld. Een week eerder was de encycliek in een gesloten conclaaf aanvaard door de metropolieten en de bisschoppen; niet unaniem, maar met grote meerderheid van stemmen.

Na de ochtendmis gingen de Russen vanuit de kerk naar het stemlokaal. Vanwege de grootte van het land en het gebrek aan elektronische apparatuur op het platteland duurde het twee dagen voordat alle stemmen waren geteld. Van alle uitgebrachte geldige stemmen was 65 procent vóór en 35 procent tegen.

Op 20 januari accepteerde de Doema de uitslag en werden er nog twee moties ingediend, één om het tijdelijke presidentschap van Ivan Markov te verlengen tot 31 maart, een andere om een constitutionele commissie in te stellen die de uitslag van het referendum in een wet moest vertalen.

Op 20 februari stuurden de waarnemend president en de Doema van alle Russen een uitnodiging aan een prins buiten Rusland om – binnen een constitutionele monarchie – de titel en taken te aanvaarden van tsaar van alle Russen.

Tien dagen later landde er een Russisch lijnvliegtuig na een lange vlucht op het vliegveld Vnukovo bij Moskou.

De winter was op zijn retour. Het was een paar graden boven nul en de zon scheen. Achter het kleine vliegveld, dat alleen voor speciale vluchten werd gebruikt, lag een berken- en dennenbos dat de geur van vochtige aarde en een nieuw begin verspreidde.

Voor de terminal stond Ivan Markov aan het hoofd van een grote delegatie met onder anderen de voorzitter van de Doema, de leiders van alle grote partijen, de chefs van staven en patriarch Alexei.

Uit het vliegtuig stapte de man die door de Doema was uitgenodigd, de zevenenvijftigjarige prins uit het Britse Huis van Windsor.

Ver weg in het westen, in een voormalig koetshuis bij het dorpje Langton Matravers, zag sir Nigel Irvine de ceremonie op de televisie.

In de keuken stond lady Irvine de ontbijtbordjes af te wassen, zoals ze altijd deed voordat haar hulp, mevrouw Moir, kwam schoonmaken.

'Waar kijk je naar, Nigel?' riep ze toen ze het afwaswater door de gootsteen wegspoelde. 'Je kijkt 's ochtends nooit televisie.'

'Iets in Rusland, schat.'

Het had niet veel gescheeld, dacht hij. Hij had zijn eigen tactiek van list en bedrog gevolgd. Met minimaal geweld had hij een tegenstander verslagen die over meer geld, meer mankracht en meer macht beschikte.

Hij was begonnen met Jason Monk te vragen een los bondgenootschap te vormen tussen de mensen en groeperingen die reden hadden om Igor Komarov te vrezen of te verwerpen na het lezen van het Zwarte Manifest. Tot de eerste categorie behoorden de groepen die de Russische nazi naar zijn vernietigingskampen wilde sturen: de Tsjetsjenen, de joden en de politiemensen die Komarovs bondgenoten, de mafia, het leven zuur hadden gemaakt. In de tweede categorie vielen de Kerk en het leger, in de persoon van de patriarch en de meest gezaghebbende generaal die nog in leven was: Nikolai Nikolayev.

Daarna had hij een informant in het vijandelijke kamp laten infiltreren: niet om te spioneren, maar om de vijand verkeerde informatie toe te spelen.

Terwijl Monk nog met zijn training op Castle Forbes bezig was, had de spionagechef zijn eerste onopvallende reis naar Moskou gemaakt om twee agenten die hij lang geleden had gerekruteerd weer te activeren. Een van hen was de voormalige professor uit Moskou die met zijn postduiven in het verleden al nuttig werk had gedaan.

Maar toen de professor onder de communisten zijn baan had verloren omdat hij democratische hervormingen propageerde, was ook zijn zoon zijn plaats op school en zijn kans op een universitaire studie kwijtgeraakt. De jongeman was bij de Kerk terechtgekomen en na een onopvallende zwerftocht door verschillende parochies door patriarch Alexei als lijfknecht aangenomen.

Pater Maxim Klimovsky had Irvine en Monk vier keer aan kolonel Grishin moeten verraden om zijn geloofwaardigheid te bewijzen als tipgever van de commandant van de Zwarte Garde in het hart van het vijandelijke kamp.

Twee keer hadden Irvine en Monk de kans gekregen te ontsnappen voordat Grishin verscheen, maar de laatste twee keer was dat niet mogelijk geweest en hadden ze zichzelf moeten redden.

Daarna kwam de derde fase. Irvine had niet geprobeerd om zijn campagne tegen de vijand te verdoezelen – dat was toch niet gelukt – maar hij had Grishin in de waan gelaten dat de dreiging ergens anders lag en dat hij veilig zou zijn als hij dat gevaar had bezworen.

Na zijn tweede bezoek aan het huis van de patriarch was Irvine opzettelijk nog even in Moskou gebleven om Grishin en zijn bende de kans te geven zijn kamer te doorzoeken, zijn koffertje te ontdekken en de belastende brief te fotograferen.

Die brief was een vervalsing, in Londen geschreven op origineel briefpapier van het patriarchaat en met voorbeelden van het handschrift van de patriarch, die Irvine bij zijn vorige bezoek van pater Maxim had gekregen.

In de brief schreef de patriarch zogenaamd dat hij een warm voorstander was van het herstel van de Russische monarchie (dat was niet zo; hij dacht er nog over na) en de ontvanger van de brief als de meest geschikte kandidaat voor de troon beschouwde.

Helaas was de brief geadresseerd aan de verkeerde pretendent, prins Semyon, die met zijn paarden en zijn vriendin op een landgoed in Normandië woonde. Semyon had het niet overleefd. Spijtig, maar niets aan te doen.

Monks tweede bezoek aan de patriarch was het begin geweest van de vierde fase: de provocatie van de vijand, zodat hij gewelddadig zou reageren op een niet-bestaand gevaar. Dat was bereikt door de bandopname van een zogenaamd gesprek tussen Monk en Alexei II.

Bij zijn eerste bezoek had Irvine de stem van de patriarch kunnen opnemen, omdat zijn tolk Brian Vincent een microfoontje onder zijn kleren droeg.

Op Castle Forbes had Monk een paar bandjes vol gepraat. In Londen had een Russische imitator en acteur de woorden ingesproken die Alexei II zou hebben gezegd. Met computergestuurde geluidstechnologie was daarna een tape gemaakt die heel natuurlijk klonk, compleet met de geluiden van de koffiekopjes. Pater Maxim, aan wie Irvine op weg naar buiten het bandje had gegeven, had het simpelweg van een ander apparaat overgespeeld op de recorder die hij van Grishin had gekregen.

Alles op dat bandje was gelogen. Generaal Petrovsky kon geen nieuwe razzia's op de Dolgoruki meer uitvoeren, omdat Monk hem alle informatie al had doorgegeven die hij van de Tsjetsjenen over hun rivalen had gekregen. Bovendien was er in de boekhouding uit de kelder van het casino nergens een bewijs te vinden dat de verkiezingscampagne van de UPK door de Dolgoruki zou zijn gefinancierd.

Generaal Nikolayev was niet van plan om na nieuwjaar nog meer interviews te geven waarin hij Komarov zou aanvallen. Hij had zijn zegje gedaan en dat vond hij wel genoeg.

Maar nog belangrijker was dat de patriarch niet de geringste intentie had om de waarnemend president te vragen Komarov van de verkiezingen uit te sluiten. Hij had duidelijk laten weten dat hij zich niet met politiek inliet.

Maar dat wisten Grishin en Komarov niet. Zij dachten dat ze de geheime plannen van hun tegenstanders hadden ontdekt en dat ze groot gevaar liepen. Dat leidde tot de overtrokken reactie van vier moordaanslagen. Monk had daar rekening mee gehouden en de vier potentiële slachtoffers gewaarschuwd. Maar een van hen had die waarschuwing in de wind geslagen. Tot aan de avond van 21 december, en mogelijk nog later, had Komarov de verkiezingen nog gemakkelijk kunnen winnen met een grote meerderheid.

Na 21 december volgde de vijfde fase. De gewelddadige reactie van de UPK werd door Monk aangegrepen voor een verontwaardigde mediacampagne tegen Komarov. Het verzet van het kleine groepje dat het Zwarte Manifest had gelezen, groeide nu uit tot massale tegenstand. Daarbij verspreidde

429

Monk het valse gerucht dat een hoge officier van de Zwarte Garde de negatieve berichten in de pers had gebracht.

In de politiek en op andere terreinen versterkt succes zichzelf en leidt de ene ramp tot de andere. Toen de kritiek op Komarov toenam, kreeg hij last van paranoia, zoals veel tirannen. In de laatste fase speculeerde Nigel Irvine op die paranoia en hoopte dat pater Maxim hem niet in de steek zou laten.

Toen de patriarch uit het Troitsje-Sergijeva klooster in Zagorsk terugkwam, had hij geen enkel contact met de waarnemend president gehad. Het was eind december en de Russische regering had niet de minste behoefte om op nieuwjaarsdag de Zwarte Garde aan te pakken en Komarov te arresteren.

Via pater Maxim paste Irvine de oude tactiek toe om de vijand in de waan te brengen dat zijn tegenstanders veel talrijker, machtiger en fanatieker waren dan werkelijk het geval was. Overtuigd door deze tweede list besloot Komarov om zelf als eerste toe te slaan. De Russische staat, gewaarschuwd door Monk, verdedigde zich met succes.

Hoewel hij geen echte kerkganger was, las sir Nigel Irvine al jaren met belangstelling in de bijbel, en van alle bijbelfiguren was de Hebreeuwse krijger Gideon zijn grootste held.

Zoals hij Jason Monk in dat kasteel in de Schotse hooglanden had verteld, was Gideon de eerste aanvoerder van een groep 'commando's' en ook de eerste die een nachtelijke verrassingsaanval uitvoerde.

Uit tienduizend vrijwilligers koos Gideon er maar driehonderd, maar wel de beste en de sterkste. In zijn nachtelijke actie tegen de Midjanieten, gelegerd in het kamp van Jizreël, vertrouwde hij op een combinatie van een verrassingsaanval, felle lichten en een geweldig lawaai om de veel grotere troepenmacht van de vijand in paniek te brengen.

'Wat hij deed, beste kerel, was de half slaperige Midjanieten ervan overtuigen dat er een gevaarlijke, grootscheepse aanval tegen hen werd ondernomen. Daarom verloren ze de moed en vluchtten. En niet alleen sloegen ze op de vlucht, maar in het donker begonnen ze ook op elkaar in te hakken.'

Dat was een ander resultaat van Irvines handige bedrog: hij had Grishin ertoe gebracht zijn eigen kader te arresteren.

Lady Irvine kwam binnen en zette de televisie uit.

'Kom mee, Nigel. Het is een prachtige dag en de aardappels moeten de grond in.'

De spionagechef kwam overeind.

'Natuurlijk,' zei hij. 'De nieuwe aardappelen. Ik zal mijn laarzen pakken.'

Hij had de pest aan spitten, maar hij hield heel veel van Penny Irvine.

Kort na het middaguur kwam de *Foxy Lady* uit Turtle Cove en zette koers naar de Cut.

430

Halverwege het rif kwam Arthur Dean langszij in de *Silver Deep*. Hij had twee sportduikers bij zich.

'Hé, Jason! Je bent weg geweest.'

'Ja. Een tijdje naar Europa.'

'Hoe was het?'

Daar dacht Monk even over na. 'Interessant,' zei hij.

'Leuk dat je weer terug bent.' Dean keek naar het achterdek van de *Foxy Lady*. 'Heb je geen klanten?'

'Nee. Er schijnt een school wahoo te zitten op tien mijl van de Point. Ik haal er zelf een paar uit. Voor mij alleen.'

Arthur Dean grinnikte. Hij kende dat gevoel. 'Goeie vangst, kerel.'

De *Silver Deep* gaf gas en stoof weg. De *Foxy Lady* voer de Cut door. Monk voelde de klappen van de open zee onder zijn voeten en de frisse zilte zeewind in zijn gezicht.

Hij duwde de hendel naar voren en draaide de *Foxy Lady* bij de eilanden vandaan, naar de grote blauwe lucht en de verlaten zee.

Lees ook van A.W. Bruna Uitgevers B.V.

Frederick Forsyth

De Vuist van God

De Westerse inlichtingendiensten hebben er in de loop der jaren alles aan gedaan om te voorkomen dat Irak de beschikking zou kunnen krijgen over wereldbedreigende wapens. Talloze malen werden verdachte transporten onderschept. Maar nu zijn er steeds meer aanwijzingen dat Saddam Hoessein desondanks een ultiem vernietigingswapen heeft weten te ontwikkelen.

Als in Brussel dr. Gerry Bull wordt vermoord, hebben de geheime inlichtingendiensten van zowel Amerika als Engeland en Israël het overtuigende bewijs in handen. Dr. Bull was niet alleen een briljante wetenschapper, maar tevens 's werelds beste wapenexpert, van wie algemeen bekend was dat hij voor Irak werkte.

De conclusie wordt pijnlijk snel duidelijk: Saddam Hoessein beschikt over een verschrikkelijk wapen, dat wordt aangeduid met *Qubth-ut-Allah*, De Vuist van God. De wereld staat aan de vooravond van een niet meer af te wenden, allesvernietigende oorlog...

Mike Martin, officier in dienst van de Britse Special Air Service, bracht zijn jeugd door in het Midden-Oosten. Hij spreekt de taal vloeiend, kent het gebied en beschikt over een onmiskenbaar Arabisch uiterlijk.
Hij wordt met een uiterst geheime missie als undercover richting Koeweit gestuurd, maar al snel wordt hij naar een andere bestemming gedirigeerd. En dat is nu net de enige plek op de hele wereld waar zijn ogenschijnlijk briljante dekmantel hem geen bescherming kan bieden...

ISBN 90 229 8160 6